Jerusalem genaht hatte" Otfrids Evangelienbuch Der stärkere Gott Gottes Reich lehren

tter mit dem Löwen Ritter und Dichter: Hartmann von Aue „Du sollst Herr des Grals sein":

es Rittertum „Nibelungentreue" – missbrauchte Dichtung „Wer gab dir, Minne, solche Macht?"

nsohn will Ritter werden: Helmbrecht Ein Zeitalter geht zu Ende Der Ackermann und der Tod

ueler ins Paradeis" „Zu Gottes ehr, zu straff der laster, lob der tugent": Hans Sachs Narren und

um Glauben „Im Schauplatz der Welt": Andreas Gryphius Diesseitswahn und Jenseitstrost

": Catharina Regina von Greiffenberg „Simplicii Residenz wird erobert, geplündert und

genialer Autodidakt: Christoffel von Grimmelshausen Nicht jugendgeeignet – Berlin anno 1876

te Wahrhaftigkeit Nathan der Weise Ein Prediger in der Wüste? Vernunft und Empfindsamkeit

e „deutsche literarische Revolution" Soziale Not und Abgründe der Seele Ein „ganzer Kerl":

ürmische Element" der Zeit Das menschliche Maß Goethe in Weimar Egmont, ein Trauerspiel

Friedrich Schiller Das „Balladenjahr" 1797 „Verrat trennt alle Bande": Schillers Wallenstein

demüthig vor der allmächtigen Noth": Friedrich Hölderlin „Der Richter Adam hat den Krug

Rechtsgefühl Die „blaue Blume" „Einer, der Neuland bestellt": Novalis Wissen und Geheimnis

" im Glück Joseph von Eichendorff Ahnung von einer dunklen Macht: Der Sandmann „Meister

d Aufbegehren Nur „holdes Bescheiden"? Eduard Mörike Annette von Droste-Hülshoff: Die

nz Grillparzer: Der Traum ein Leben Zwischen den Zeiten Zaubermärchen und Zensur „Poesie

in Wintermärchen Georg Büchner, Dichter und Revolutionär „Wir arme Leut": Woyzeck Gott-

Storm: Hans und Heinz Kirch „...innerlich ins Weite": Theodor Storm Conrad Ferdinand Meyer:

Die Welt als Tragödie „Man" und „wir" – Horacker von Wilhelm Raabe Theodor Fontane:

Bitten und kein Flehn": Die Weber Ein Dichter der D... ... ...im Schreiben

z Kafka: Die Prüfung Alfred Döblin: Berlin Alexanderplatz Bertolt Brecht Gottfried Benn:

rbannte": Exil „Lieber überleben": Innere Emigration Trümmer und „Kahlschlag" Lehrstücke

keit und Widerspruch Themen, Titel, Namen der DDR-Literatur Texte und Zeiten – ein Ausblick

Texte und Zeiten

Deutsche Literaturgeschichte

Klaus Klöckner

Mein herzlicher Dank gilt
Joachim Sach,
der den Anstoß gab,
aber den weiteren Weg
nicht mehr verfolgen konnte;
meiner Frau, der ersten Leserin;
Otmar Käge für aufmunternd-kritische
Begleitung.

Auf dem Umschlag
ist Ernst Barlachs Holzskulptur
Der lesende Klosterschüler (1930) abgebildet.
Sie spielt in dem Roman
Sansibar oder der letzte Grund (1957)
von Alfred Andersch (↑ S. 311)
eine wichtige Rolle.
Aus diesem Roman stammt auch
das abgedruckte Zitat.

Dieses Werk folgt –
abgesehen von künstlerisch, philologisch oder
lizenzrechtlich begründeten Ausnahmen –
der reformierten Rechtschreibung und Zeichensetzung.

Redaktion: Otmar Käge
Gesamtgestaltung und technische Umsetzung: Matthias Mantey

Cornelsen online http://www.cornelsen.de

2. Auflage ✔   Druck 5 4 3 2   Jahr 03 02 01 2000
Alle Drucke dieser Auflage können
im Unterricht nebeneinander verwendet werden.

Druck: CS-Druck Cornelsen Stürtz, Berlin

ISBN 3-464-61803-X

Bestellnummer 618030

Gedruckt auf säurefreiem Papier,
umweltschonend hergestellt aus chlorfrei gebleichten Faserstoffen.

Was will dieses Buch? 6

**BAUERN UND KRIEGER:
GERMANISCHE DICHTUNG**

Zeichen lesen 7
Zauberspruch 8
Das Hildebrandslied 9
Späte Suche nach dem „Gotenhort" 11
. . . .
Stabreim 7, Germanische Dichtung 11*

**MÖNCHE UND NONNEN:
FRÜHE DEUTSCHE DICHTUNG**

„Als er sich Jerusalem genaht hatte" 13
Otfrids *Evangelienbuch* 14
Der stärkere Gott 15
Gottes Reich lehren 15
Die Bekehrung des Theophilus 16
Hildegard von Bingen 17
. . . .
Endreimvers 14, Dichtung aus Klöstern 16, Legende 17

RITTERDICHTUNG

König Artus und seine Tafelrunde 19
Iwein, der Ritter mit dem Löwen 19
Ritter und Dichter: Hartmann von Aue 22
„Du sollst Herr des Grals sein":
Parzival 23
Wolfram von Eschenbach 25
Ritterliches Ideal – nicht Wirklichkeit 25
Das Nibelungenlied 26
Fragwürdiges Rittertum 27
„Nibelungentreue" – missbrauchte
Dichtung 28
„Wer gab dir, Minne, solche Macht?" 28
„Er sælic man – si sælic wîp"? 31
Walther von der Vogelweide 33
„Friede und Recht sind todwund" 34
Ein Bauernsohn will Ritter werden:
Helmbrecht 36
Ein Zeitalter geht zu Ende 37
. . . .
Ritterliche Tugenden 21, Epos 23, Bedeutungswandel 31,
Lyrik 34

**BÜRGER UND GELEHRTE:
HUMANISMUS UND REFORMATION**

Der Ackermann und der Tod 39
Johannes von Tepl und die
Menschenwürde 41
Gottes Wort auf gut Deutsch:
Martin Luther 42
Der farent Schueler ins Paradeiß 45
„Zu Gottes ehr, zu straff der laster,
lob der tugent": Hans Sachs 48
Narren und Weise 49
Wie zwei Lalen miteinander die
Häuser tauschen 50
Laleburg liegt überall: *Das Lalebuch* 51
. . . .
Humanismus 41, Flugblatt / Flugschrift 44, Schwank 50,
Volksbücher 52

**WELTVERNEINUNG UND WELTTHEATER:
BAROCK**

Krieg um Glauben 53
„Im Schauplatz der Welt":
Andreas Gryphius 54
Diesseitswahn und Jenseitstrost 56
Von der Deutschen Poeterey:
Martin Opitz 58
Figuren aus Worten 60
„Da ich sonst schier leibeigen":
Catharina Regina von Greiffenberg 61
„Simplicii Residenz wird erobert,
geplündert und zerstört" 63
*Der Abenteuerliche
Simplicissimus Teutsch* 66
„Ich bin der Anfang und das Ende":
Baldanders 67
Ein genialer Autodidakt:
Christoffel von Grimmelshausen 68
Nicht jugendgeeignet –
Berlin anno 1876 70
. . . .
Sonett 53, Barock 57, Poetik 59, Versmaß 59, Satire 65,
Allegorie 68, Roman 70

* Vergleiche hierzu das Vorwort.

IM ZEITALTER DER AUFKLÄRUNG

Herrscher und Untertanen 72
Gotthold Ephraim Lessing 74
Minna v. Barnhelm oder Das Soldatenglück 76
Verfolgte Wahrhaftigkeit 78
Nathan der Weise 79
Ein Prediger in der Wüste? 81
Vernunft und Empfindsamkeit 81
Anna Louisa Karsch,
die „dichtende Viehmagd" 83
Unterhaltsame Belehrung für Kinder 85

Aufklärung 72, Tierfabel 73, Drama 75, Zensur 78,
Blankvers 80

GENIEZEIT: STURM UND DRANG

Prometheus 87
Eine „deutsche literarische Revolution" 89
Soziale Not und Abgründe der Seele 91
Ein „ganzer Kerl": Goethes *Götz* 94
Rebellen und Räuber 96
„...diesen Kerker verlassen":
Goethes *Werther* 98
Werther und das „stürmische Element"
der Zeit 101

Volkslied 90, Ballade 93, Brief / Briefroman 101

KLASSIK

Das menschliche Maß 103
Goethe in Weimar 105
Egmont, ein Trauerspiel 108
Freiheit und Ordnung 110
Don Carlos, Infant von Spanien 112
Geschichte – „Magazin für meine
Phantasie": Friedrich Schiller 115
Das „Balladenjahr" 1797 117
„Verrat trennt alle Bande":
Schillers *Wallenstein* 122
Späte Dramen Schillers 125
Faust – Goethes „Hauptgeschäft" 130

Klassik 107, Tragik 116, Aufbau eines klassischen
Dramas 126

AUSSENSEITER: JEAN PAUL, HÖLDERLIN, KLEIST

„Ich stehe und bleibe allein": Jean Paul 138
„...demüthig vor der allmächtigen
Noth": Friedrich Hölderlin 141
„Der Richter Adam hat den Krug
zerbrochen" 144
Die „gebrechliche Einrichtung der Welt":
Heinrich von Kleist 147
Michael Kohlhaas –
Räuber aus Rechtsgefühl 150

Anekdote 149, Novelle 152

ROMANTIK

Die „blaue Blume" 154
„Einer, der Neuland bestellt": Novalis 155
Wissen und Geheimnis 158
Die Kinder- und Hausmärchen
der Brüder Grimm 160
Kunstvolle Einfachheit:
Clemens Brentano 162
„Taugenichts" im Glück 164
Joseph von Eichendorff 165
Ahnung von einer dunklen Macht:
Der Sandmann 167
„Meister des Unheimlichen":
E. T. A. Hoffmann 169
Karoline von Günderode und
Bettine von Arnim 171

Romantik in Deutschland 156, Märchen 159

IM VORMÄRZ: „BIEDERMEIER" UND „JUNGES DEUTSCHLAND"

Innerlichkeit und Aufbegehren 176
Nur „holdes Bescheiden"?
Eduard Mörike 180
Annette von Droste-Hülshoff:
Die Judenbuche 182
Religion, Familie, Heimat: Zuflucht
und Schranken 185
Das „sanfte Gesetz": Adalbert Stifter 188
Franz Grillparzer: *Der Traum ein Leben* 192
Zwischen den Zeiten 194
Zaubermärchen und Zensur 195

„Poesie der Hütte": Georg Herwegh 202
„Feuerwerksspiele" und
„schweigende Glut": Heinrich Heine 206
Deutschland. Ein Wintermärchen 211
Georg Büchner, Dichter
und Revolutionär 216
„Wir arme Leut": *Woyzeck* 220
. . . .
Vormärz 177, Biedermeier 179, Volkstheater 197, Posse 198,
Das Junge Deutschland 200, Parodie 204, Ironie 209

REALISMUS

Gottfried Keller: *Kleider machen Leute* 223
Allerwelts-Seldwyla 225
Staatsdiener und Poet: Gottfried Keller 228
Theodor Storm: *Hans und Heinz Kirch* 229
„…innerlich ins Weite": Theodor Storm 232
Conrad Ferdinand Meyer: *Das Amulett* 235
Fanatismus und Versöhnung 237
Friedrich Hebbel: *Agnes Bernauer.*
Ein deutsches Trauerspiel 239
Die Welt als Tragödie 242
„Man" und „wir" – *Horacker* von
Wilhelm Raabe 244
Theodor Fontane: *Irrungen, Wirrungen* 249
„Für das Neue leben" 251
. . . .
Poetischer Realismus 226

NATURALISMUS

„Die armen Leite!" 254
Im Spiegel des Gedichts 257
„Hier hilft kein Bitten und kein Flehn":
Die Weber 258
Ein Dichter der Deutschen:
Gerhart Hauptmann 261
. . . .
Naturalismus 256

JAHRHUNDERTWENDE

Schreiben gegen die Angst 263
Schreiben gegen das Verstummen 265
Übergänge 267
. . . .
Impressionismus 265, Symbolismus 266,
Die Moderne 267

„MENSCHHEITSDÄMMERUNG":
EXPRESSIONISMUS

Gesichte 269
Zerbrochene Sprache 273
. . . .
Expressionismus 271, Dadaismus 273

WEGE ZUR GEGENWART

Franz Kafka: *Die Prüfung* 276
Alfred Döblin: *Berlin Alexanderplatz* 278
Bertolt Brecht 281
Gottfried Benn: *Einsamer nie –* 285
Themen, Titel, Namen vor 1933 287
. . . .
Parabel / Gleichnis 277, Montage / Collage 280,
Episches Theater 284

„AUSSCHALTUNG" ODER
„GLEICHSCHALTUNG": 1933–1945

„Wo man Bücher verbrennt…" 291
„Vertriebene sind wir, Verbannte": Exil 292
„Lieber überleben": Innere Emigration 293

KEINE „STUNDE NULL":
DEUTSCHE LITERATUR NACH 1945

Trümmer und „Kahlschlag" 295
Lehrstücke ohne Lehre? 301
Poesie und Politik 303
Signale und Spiele mit Hörbarem 305
Themen, Titel, Namen nach 1945 310
Hörigkeit und Widerspruch 315
Themen, Titel, Namen der
DDR-Literatur 321
Texte und Zeiten – ein Ausblick 327
. . . .
Kurzgeschichte 297, Westdeutsche Literatur
nach 1945 299, Hörspiel 307, Literatur in der DDR 316

Register 330

Was will dieses Buch?

Hinführen zu Literatur, erste Bekanntschaft vermitteln mit Texten, Autorinnen und Autoren, neugierig machen auf mehr.

Wer sich darauf einlässt, kann diese ersten Spuren aufnehmen um auf eigenen Wegen neue zu finden. Denn die **Texte**, notwendigerweise oft nur Ausschnitte, und die **Autorinnen** und **Autoren**, die zu Wort kommen, können nur Beispiele sein. Die gebotene Beschränkung ist gewiss schmerzlich. Doch es sollten nicht um einer ohnehin illusionären „Vollständigkeit" willen Namen und Titel bloß aufgezählt werden.

Gleiches gilt für den Aufweis von Zusammenhängen, die **Zeithintergründe**, vor denen Texte und Autoren stehen. Schlaglichter sollen besonders auf zurückliegende Epochen fallen, weil wir unsere Gegenwart nicht begreifen, wenn wir nicht wahrnehmen, woher wir kommen. Vergangene Zeiten verlangen ausführlichere Erläuterung als unsere eigene, mit der wir täglich befasst sind. Daraus erklärt es sich, dass bei der Darstellung des 20. Jahrhunderts drei Kapitel (S. 287, S. 310, S. 321) aus dem gewohnten Rahmen fallen: Da kommen rund vierzig Autorinnen und Autoren nur mit knappen Hinweisen zur Sprache und kaum selbst zu Wort. Damit sei die Vielfalt der Themen und Strömungen wenigstens angedeutet.

Das rot markierte **Sachwörterbuch**, das über die Kapitel des Buches verteilt ist, informiert über literarische Begriffe und Epochen jeweils dort, wo es zuerst erforderlich erscheint. Auf den Wandel im Laufe der Zeiten machen dann erinnernde Verweise auf der **Randspalte** aufmerksam. Die bietet außerdem Begriffserklärungen, Hinweise auf weitere Literatur, auch aus anderen Sprachen, zusätzliche Informationen und Anstöße zum Nachdenken – und zum Widerspruch. Geschichtliche Betrachtung lenkt den Blick auf fortlaufendes Geschehen in der Vergangenheit. Darum sollte man die Kapitel im Zusammenhang lesen. Mit Hilfe des **Registers** kann man dem Buch aber auch einzelne Informationen entnehmen.

Bauern und Krieger: Germanische Dichtung

Zeichen lesen

In die kleinen Buchenstäbe, die in einem Weidenkorb liegen, sind zauberkräftige Zeichen eingeritzt: Runen. Was sie bedeuten, kann nur der Priester sagen. Der tritt an den Korb, schließt die Augen und greift ein Stäbchen heraus. Dann liest er das Zeichen und nennt es den anderen: dreimal, denn drei ist eine heilige Zahl. Vielleicht ist es das Siegeszeichen, das für den bevorstehenden Kampf einen glücklichen Ausgang voraussagt.

So etwa können wir uns eine priesterliche Handlung bei den Germanen vorstellen und wir begreifen, was das einmal bedeutet hat: „Buchstaben lesen". Lesen heißt ja auch heute noch aufheben, sammeln. Bei der Weinlese zum Beispiel oder wenn jemand Ähren oder Reisig liest.

Unsere Buchstaben jedoch bezeichnen nur noch einen Laut, während Runen auch ein Wort bedeuten (raunen) konnten. Dreimal der Gleichklang eines Zeichens, das in Holz oder Knochen eingeritzt war, das gab dem Spruch des Wahrsagenden Nachdruck: Er kündete damit das Wort der Götter, so glaubte man.

Runenstein in Mariefred, Schweden
Noch in der Wikingerzeit (700–1000) verwandte man diese germanischen Schriftzeichen um kriegerische oder friedliche Taten, Namen und später auch christliche Segenswünsche festzuhalten.

Stabreim

- Für Gleichklang kennen wir die Bezeichnung „Reim". Dabei denken wir gewöhnlich nur an den „Endreim": Herz reimt auf Schmerz usw. Doch die älteste Reimform unserer Sprache ist ein Anfangsreim: Gleiche Konsonanten (Mitlaute) oder beliebige Vokale (Selbstlaute) reimen miteinander, also Buch**staben**. Darum sagt man „**Stabreim**". Der Fachbegriff dafür, „Alliteration", ist abgelei-

- tet vom lateinischen Wort *litera* ‚Buchstabe'. Den Stabreim kennen wir auch
- heute noch: Nacht und Nebel, Mann und Maus. Er hebt Wörter heraus und
- verbindet sie eng miteinander, zum Beispiel früher in Gebeten oder Rechtsfor-
- meln: Tod und Teufel, Witwen und Waisen.

Zauberspruch

Auch *Namen* drückten – dem Zauberspruch verwandt – einen Heilswunsch aus. „Hilde-brand" z. B. bedeutet ‚Kampfschwert'.

Die Macht der Wörter sollte nicht den Priestern vorbehalten bleiben. Sprüche wur-den gedichtet, die auch anderen etwas von der Zauberkraft mitteilten, zum Beispiel von der Kraft des Heilens. Nur wenige davon sind erhalten, aufgezeichnet später, in schriftlicher Zeit. Die Schrift kam mit dem Christentum und das bekämpfte anfangs heidnische Überlieferung, soweit es sie nicht christlich umdeuten konnte. So ging vieles verloren.

Merseburger Zaubersprüche, vor 750

Zwei solcher Sprüche hat man im 19. Jahrhundert zufällig in einer Aufzeichnung aus dem 10. Jahrhundert gefunden, in der Merseburger Dombibliothek. Darum heißen sie *Merseburger Zaubersprüche;* sie stammen aus der Zeit vor 750. Der eine sollte hel-fen Gefangene zu befreien. Der andere lautet so:

Die Satzzeichen sind heutige Zutat. Meist deutlich heraus-zuhören sind die Stabreime, zwei bis vier je Vers-zeile.

Phol ende Uuodan   vuoron zi holza.
du uuart demo Balderes volon   sin vuoz birenkit.
thu biguol en Sinthgunt,   Sunna era suister;
thu biguol en Frija,   Volla era suister;
5 thu biguol en Uuodan,   so her uuola conda:
sose benrenki,   sose bluotrenki,
sose lidirenki:
ben zi bena,   bluot zi bluoda,
lid zi geliden,   sose gelimida sin!

Übersetzt aus der althochdeutschen Sprache heißt der Spruch:

Wodan: oberster Gott der Germanen *Frija:* seine Gemahlin *Baldur/Phol:* ihr Sohn *Sunna:* Sonnengöttin *Sinthgunt, Volla:* Göttinnen

Phol und Wodan   fuhren zu Holze.
Da wurde dem Fohlen Baldurs   sein Fuß verrenkt.
Da besprach ihn Sinthgunt   [und] Sunna, ihre Schwester;
da besprach ihn Frija   [und] Volla, ihre Schwester;
5 da besprach ihn Wodan,   der das gut konnte:
Wie die Beinverrenkung,   so die Blutverrenkung,
so die Gliederverrenkung:
Bein zu Bein,   Blut zu Blut,
Glied zu Gliedern,
10 so, als ob sie geleimt wären.

Der Spruch lässt deutlich zwei Teile erkennen. Im ersten wird eine Geschichte erzählt, ein Beispiel: der Unfall, die Heilungsversuche der niederen Götter, schließlich der Heilungserfolg des wirkmächtigsten Gottes.

Der zweite Teil (die letzten vier Verse) ist der eigentliche Heilzauber, die Zauber-
formel. Man knüpft also an ein früheres, „wirkliches" Geschehnis an in dem festen
Glauben, dass sich Gleiches wiederhole.

Bis in unsere Zeit hinein lebt noch etwas von solchen alten Zauber- und Segens-
sprüchen fort. So zum Beispiel „bespricht" man Kinder, die man in ihrem Schmerz
trösten will:

> Heili, heili Sege
> Drei Tage Rege
> Drei Tage Schnee
> Jetzt tut's dir nümme weh.

Sogar die einst heilige Dreizahl klingt da noch an.

Das Hildebrandslied

> Ich hörte das sagen,
> dass sich als Herausforderer einzeln begegneten
> Hildebrand und Hadubrand zwischen zwei Heeren [...]

So beginnt das *Hildebrandslied,* von dem nur ein Teil überliefert ist, in einer Aufzeichnung vom Anfang des 9. Jh. in althochdeutscher Sprache. Es war kein seltener
Brauch, dass Heerführer, jeder vor seiner Truppe, im Zweikampf die Entscheidung
über Sieg oder Niederlage ausfochten. Das Besondere an diesem Fall aber ist: Die beiden sind Vater und Sohn und wissen es anfangs nicht. Hildebrand hat dreißig Jahre
vor dieser Begegnung als Gefolgsmann Dietrichs von Bern Weib und Kind verlassen
und Hadubrand meint zu wissen, der Vater sei tot. So rüsten die beiden sich zum
Kampf. Doch zuerst fragt Hildebrand nach dem Namen des Gegners und erfährt, dass
er den eigenen Sohn vor sich hat. Da gibt er sich zu erkennen:

> Das wisse der höchst Gott oben im Himmel,
> dass du noch nie mit einem so nahe verwandten Mann
> eine Sache auszufechten hattest [...]
> Darauf wand er vom Arm gewundene Ringe,
> 5 aus Kaisergold gefertigt, die ihm der König geschenkt hatte,
> der Herr der Hunnen: „Nimm das, ich gebe es dir aus Huld!"
> Hadubrand hub an, Hildebrands Sohn:
> „Mit dem Wurfspeer soll man so eine Gabe empfangen,
> Spitze gegen Spitze [...]
> 10 Du bist, alter Hunne, überaus schlau,
> lockst mich mit deinen Worten, willst mich mit deinem Speer werfen.
> Bist so ein alter Mann und noch immer voller Tücke."

In der Sagen-
gestalt Dietrichs
von Bern hat
sich die Erinne-
rung an den
Ostgotenkönig
Theoderich den
Großen
(456–526)
erhalten.

Der Hunnenkönig ist Attila (Etzel), der Dietrich aufgenommen hat, als er aus seinem Reich vertrieben war, berichtet die Sage. Hildebrand, Dietrichs Gefolgsmann, ist aber kein Hunne. Hadubrand fährt fort: Seeleute, die das Mittelmeer befuhren, hätten ihm berichtet, dass sein Vater Hildebrand tot sei. Da bricht Hildebrand in lautes Wehklagen aus:

„welaga nû,
waltant got,
wêwurt skihit!"

„Weh nun, waltender Gott, Wehgeschick geschieht!
Ich zog der Sommer und Winter sechzig durch die Lande,
wo man mich immer scharte zum Volk der Streiter.
Kein Kampf um irgendeine Burg hat den Tod mir gebracht
5 und nun soll mich mein eigenes Kind mit dem Schwert erschlagen,
soll mich niederstrecken – oder ich soll ihm Verderben bringen.
Doch kannst du nun leicht, wenn deine Kraft dazu reicht,
von so einem alten Mann die Rüstung gewinnen,
ihm die Waffen wegnehmen, wenn du das Recht dazu hast.
10 Der wäre doch nun der Ärgste der Leute aus dem Osten,
der nun dir den Kampf verweigerte, nach dem es dich so sehr gelüstet,
den Kampf miteinander. Wer nicht anders kann, der erprobe,
wer von uns beiden die Rüstung verliert
oder Herr wird über diese beiden Brünnen."

Brünne:
Brustpanzer

Der Reiter von Hornhausen
(nach dem Fundort bei Magdeburg);
germanischer Grabstein des 7. Jh. mit der
Darstellung eines germanischen Gottes
(Wotan) oder eines Heerführers zur Zeit
der großen „Wanderungen".

In einer Helden-
ballade des
15. Jahrhunderts
hingegen, die
den Stoff auf-
greift, endet der
Kampf versöhn-
lich: Zwar
besiegt Hilde-
brand den Sohn,
dann aber zieht
er mit ihm ge-
meinsam heim.

Es gibt keinen Ausweg mehr: Der Kampf muss beginnen. So schleudern sie die Speere aufeinander, zerhauen sich gegenseitig die Schilde. An dieser Stelle bricht die Handschrift ab. Wie der Kampf ausgeht, erfahren wir nicht. Gewichtige Gründe sprechen für die Annahme, dass der Vater den Sohn tötet. Das geht aus anderen Dichtungen hervor, die den alten Sagenstoff überliefern.

Vor allem lässt der Aufbau des Liedes auf ein solches Ende schließen. Im Mittelpunkt steht der tragische – das heißt ausweglose – Konflikt, den Hildebrand auszutragen hat: auf der einen Seite die verwandtschaftliche Bindung, die Frieden gebietet – auf der anderen die Ehre des tödlich beleidigten adeligen Kriegers. Ein Konflikt zwischen zwei hohen Werten also, von denen der Ehre – dem Ansehen – nach den Regeln des Standes der höhere Rang zukommt.

Gemeint ist die Dichtung der germanischen Stämme vor der Übernahme des Christentums. Sie wurde fast ausschließlich mündlich weitergegeben, also nicht aufgezeichnet. So erfahren wir nur indirekt etwas darüber: durch lateinisch schreibende Schriftsteller oder durch volkssprachige Literatur des späteren Mittelalters, in der zum Beispiel alte Sagenstoffe nachklingen. Aufzeichnungen sind sehr selten; sie stammen aus späterer, christlicher Zeit, können also im christlichen Sinne abgeändert sein.

Die beiden vorgestellten Texte – Zauberspruch und Heldenlied – können Beispiele sein für die beiden Seiten der germanischen Dichtung. Die frühesten Dichtungen waren Ausdruck einer bäuerlichen Gemeinschaftskultur. Anlässe waren Ereignisse des täglichen Lebens und religiöse Feste: Geburt, Familie, Arbeit, Rechtsprechung, Götterverehrung, Krankheit, Tod. Die dichterische Form – Vers, Rhythmus, Reim – machte es leichter, Texte zu behalten und weiterzugeben.

In der kriegerischen Zeit der sogenannten Völkerwanderung bildete sich eine stärker gegliederte Gesellschaft heraus: mit einem Herrenstand, dem Adel. Hofdichter sangen an Adelshöfen Lieder zum Preise der Fürsten, sogenannte Preislieder, oder zur allgemeinen Unterhaltung, zum Beispiel Heldenlieder. Das Heldenlied ist keine germanische Erfindung: Die Goten haben es kennen gelernt und die Form übernommen, als sie im 4./5. Jahrhundert auf dem Balkan und in Italien der antiken Kultur vor allem der Griechen begegneten.

Germanische Dichtung

Späte Suche nach dem „Gotenhort"

Zur Zeit der Befreiungskämpfe gegen die Herrschaft Napoleons im frühen 19. Jahrhundert erwachte in Deutschland nationale Begeisterung und man suchte nach geschichtlichen Vorbildern. Da wollten manche die Wurzeln des deutschen Volkes im germanischen Kriegertum „entdecken", wenn nicht gar die Wurzeln der Menschheit. So schrieb 1848 der Komponist Richard Wagner: „Die Deutschen sind das älteste Volk, ihr blutsverwandter König ist ein ‚Nibelung' und an ihrer Spitze hat dieser die Weltherrschaft zu behaupten."

Nibelungenlied ↑ S. 26

Nationalistischer Hochmut steigerte sich noch mit der Reichsgründung 1871 nach dem Sieg über Frankreich. Sogenannte historische Romane feierten die heldenhaften Ahnen. Berühmt wurde vor allem ein Roman von 1876: *Ein Kampf um Rom*. Der Historiker und Rechtsgelehrte **Felix Dahn** (1834–1912) erzählt da vom Untergang der Ostgoten in Italien (555). Es geht ihm dabei nicht um die tatsächlichen Vorgänge, sondern um die Verherrlichung von tapferen Kriegern, die gegen machtgierige Verräter und an Zahl überlegene Feinde kämpfen. Die Botschaft: Selbst in der Niederlage verbürgt heldischer Kampf beispielhaft Zukunft.

Das verkündet auch eine Ballade von Felix Dahn mit dem Titel *Gotentreue*. Hunnen haben das Gotenheer besiegt. Drei Gotenkrieger reiten über die nächtliche Heide. Zwei tragen den zerbrochenen Speer und den zerspaltenen Kronhelm des gefallenen Königs, der dritte birgt ein Geheimnis im Mantel. Als sie an die Donau kommen, wollen die beiden den „traurigen Gotenhort" versenken. Doch der dritte verhindert es – Hildebrand:

Ballade ↑ S. 93

Auf schlug er seinen Mantel weich:
„Hier trag ich der Goten Hort und Reich!

Und habt ihr gerettet Speer und Kron, –
Ich habe gerettet des Königs Sohn!

₅ Erwache, mein Knabe, ich grüße dich,
Du König der Goten, Jungdieterich!"

Das Kind ist der künftige König Dietrich; sein Name in der griechischen Form: Theoderich.

Mönche und Nonnen: Frühe deutsche Dichtung

„Als er sich Jerusalem genaht hatte"

Da wollte er beginnen,   nach Jerusalem zu ziehen,
  Damit er dies leistete,   dass er für uns dort stürbe.
Das war fünf Tage zuvor,   ehe er die Qual erduldete,
  Ehe es dazu kam,   dass man ihn gefangen nahm.
5 Er hob an zu gebieten,   weil er dorthin reiten wollte,
  Dass sie sich darum bemühten,   ihm einen Esel zu holen.
Er gebot das – ich sage es dir ausdrücklich –   zweien seiner Jünger,
  Dass sie aufbrächen,   zu dem Kastell führen.
Dort wird von euch gefunden werden   eine Eselin angebunden,
10 Die bindet ihr dort los   und bringt auch das Fohlen mit.

Otfrid von Weißenburg: Evangelienbuch, 863/871

Die Jünger Jesu tun, was er ihnen aufgetragen hat, und legen ihre Kleider auf das Reittier, damit er bequem sitzt.

Einzug in Jerusalem,
aus einer von Otfried selbst korrigierten
Handschrift aus dem Kloster Weißenburg.
Mit „Ästen der Wälder" bestreut
die Menge den Weg: Ursprung späterer
Prozessionen am Palmsonntag, dem Beginn
der Karwoche vor Ostern, wo das Volk Jesus
mit Palmzweigen, dem traditionellen Zeichen
der Erhabenheit, entgegen kommt.

Da kam [ihm] eifrig entgegen   die große Menge des Volkes,
  Sie nannten ihn einen König   und bedeckten ihm den Weg.
Das taten sie eifrig bemüht,   damit das Ross nicht strauchelte
  Und es nicht fehlträte,   wenn er diesen Zug begänne.
5 Auch taten sie es wahrlich   zur heiligen Ehrung,
  Zu seiner Verherrlichung;   er war ihnen sehr teuer!
Es gibt keinen, der sich je erinnerte   in aller Welt,
  Dass irgendein König   mit solcher Pracht dahergezogen wäre,
Den je das Tun der Leute   so schön geehrt hätte,
10 Das ihm wahrlich mit solchem Geleit   gedient hätte.

Das Volk bedeckt den Weg mit Kleidung, Tüchern, Ästen, Zweigen.

> Dort fuhren viele Menschen   vor dem Könige,
>   Eine ansehnliche Schar   folgte auch nach.
> Er ritt in der Mitte, wie es sich geziemte,   wie es zu diesem Zuge gehörte,
>   In Ehren, wie er es wollte   und ein König es sollte.
> 5 Da erhoben sie einen hohen,   sehr schönen Gesang,
>   Ihm angemessen   und sehr ansehnlich.
> „Du herrschest über viel Volks,   Sohn Davids, des Königs,
>   Bist auch offenbar König   des Volkes dieses Landes […]"

Der Lobgesang auf „Christ, den Erhabenen" geht noch weiter. Die „Heerschar", die ihm folgt, rühmt die „Herrschergewalt" dieses Königs, der seine Macht auch beweist:

> Sie kamen mit Gedränge   bei diesem Zuge
>   Und mit dieser Masse   geradewegs in die Stadt.
> Es erschraken alle,   die darin wohnten;
>   Es erregte, meine ich, im Herzen   die Bewohner der Stadt.
> 5 „Wer ist", sprachen sie, „dieser Mann,   der uns hier so sehr tritt,
>   Mit Heerscharen uns hier so beengt   und aus der Stadt drängt?"
> Es gab Antwort das Volk alsbald: „Dies ist der Prophet fürwahr,
>   Der Heiland von Nazareth,   der von dort hierher ins Land kam."
> Er ging in das Gotteshaus,   trieb sie alle hinaus,
> 10   Zerstörte vollkommen   ihr böses Treiben."

Übertragung aus
dem Althoch-
deutschen:
Helmut de Boor

Otfrids *Evangelienbuch*

Viele kennen die biblische Geschichte vom Einzug Jesu in Jerusalem; alle vier Evangelisten berichten davon. Der fränkische Mönch **Otfrid**, Klosterlehrer im elsässischen Weißenburg, erzählt sie auf seine Weise und in seiner Sprache, der althochdeutschen. Er ist der erste Dichter deutscher Sprache, der mit Namen bekannt ist.

Endreimvers

Ambrosius:
Kirchenlehrer,
4. Jh., Begründer
des lateinischen
Kirchenliedes

Hymnus:
Lobgesang

- Otfrid übernimmt die sog. „ambrosianische Strophe" des lateinischen Hymnus.
- Sie besteht aus zweimal zwei vierhebigen Versen, die paarweise reimen: mit Endreim. Das kann die Übersetzung nicht wiedergeben. Die letzte hier zitierte „Strophe" lautet im Originaltext:
-
- „Giang er in thaz gotes hus,   dreip se al thanan uz
>   ziwarf er al bi noti   thio iro bosheiti."
-
- Dieser älteste deutsche Reimvers, übernommen vom lateinischen Vorbild, wurde zum „Grundmaß" für spätere Dichtung durch viele Jahrhunderte. Die deutsche Dichtung bildete damit Formen aus, wie sie auch in anderen europäischen Ländern galten.

Otfrid wollte mit seinem „Evangelienbuch", das er zwischen 863 und 871 schrieb, den Menschen seines Volkes das Evangelium in ihrer Sprache nahe bringen. Dabei hat er sich an das Neue Testament gehalten, aber Eigenes dazugegeben. Der Christus der Evangelien reitet als Friedensfürst in Jerusalem ein, auf dem schlichtesten Reittier: einer Eselin. Doch so konnte sich ein Germane einen König nicht recht vorstellen. Also wird unversehens ein „Ross" daraus. Das Dorf der Bibel wird zum Kastell. Die Bibel betont die Friedfertigkeit des Umjubelten; von einem „König" ist nur mit dem Blick auf die Verheißung des Alten Testaments die Rede: „Sohn Davids". Bei Otfrid erscheint der Königstitel siebenmal und betont werden Pracht und Ruhm des Herrschers, das Gebieterische, ja Kriegerische („Heerschar"). Warum das so ist, verstehen wir, wenn wir bedenken, wie das Christentum zu den Germanen kam.

Der stärkere Gott

Irische und schottische Mönche brachten das Christentum zu den Angelsachsen und weiter auf den Kontinent, zunächst zu den Franken. Irland war unberührt geblieben von der „Völkerwanderung"; so hatte dort die Buchtradition der Antike bewahrt bleiben können. Die Mönche kamen waffenlos zu kriegerischen Stämmen; sie mussten überzeugen durch strenge Selbstdisziplin (Askese) und Tapferkeit, später durch klösterliche Zucht. Die war von der Regel des Ordensgründers Benedictus geprägt: „Bete und arbeite!" Der angelsächsische Benediktiner Winfrid erhielt vom Papst den lateinischen Namen **Bonifatius** („der gutes Geschick verheißt"), dazu den Auftrag die Germanen zu missionieren, unterstützt von zahlreichen Mönchen und Nonnen. 724 soll er in der Nähe der heutigen hessischen Stadt Fritzlar eine „Donar-Eiche" gefällt haben: zum Zeichen für die Überlegenheit des christlichen Gottes. Die Rache des germanischen Gottes Donar blieb aus! Das überzeugte: Dem stärksten Gott wollte man Gefolgschaft leisten. Dreißig Jahre später wurde Bonifatius, über achtzigjährig, von heidnischen Friesen erschlagen.

Bonifatius (um 675–754), „Apostel der Deutschen" genannt

Donar (germanisch): helfender Gott, der seine Macht im Donner kundtut, Beschützer der Bauern („Donnerstag")

Gottes Reich lehren

Bonifatius hat der Kirche im Frankenreich feste Formen gegeben. Zwölf Jahre nach seinem Tode wurde der Mann König der Franken, der als **Karl der Große** in die Geschichte eingegangen ist; im Jahre 800 erhielt er den Kaisertitel. Karl wollte über einen irdischen „Gottesstaat" herrschen; sein Vorbild war David, der Priesterkönig des Alten Testaments. Kirchliche und kulturelle Überlieferung sollte dieses Reich begründen, Machtpolitik es festigen und ausweiten. Dazu brauchte Karl außer einem starken Heer einen gebildeten Klerikerstand. Also zog er die größten Gelehrten der Zeit an seinen Hof, gründete Schulen, vor allem an Klöstern und Domen. Das 744 von Bonifatius gegründete Kloster Fulda wurde ein geistiger Mittelpunkt. Dort wirkte auch **Hrabanus Maurus**, der Lehrer Otfrids.

Auch die religiöse Erziehung des Volkes war Karl wichtig. Für Gebet, religiöse Riten, Predigt, Katechismus wurden lateinische Texte in die Volkssprache übertragen. Bibel und Liturgie wurden Quellen der geschriebenen deutschen Dichtung: der Literatur.

Ritus: religiöser Brauch in Worten und Handlungen

Liturgie: feste Formen des Gottesdienstes

Dichtung
aus Klöstern

- In den Klöstern des 10. und 11. Jahrhunderts entstanden Dichtungen unterschiedlichen Inhalts, aber fast ausschließlich in der Sprache des gelehrten geistlichen Standes, dem Lateinischen. Trotzdem gehört diese Dichtung deutscher Mönche und Nonnen zur deutschen Literatur.
- Die meisten dieser Texte waren für den Gottesdienst gedacht, so die verschiedenen Formen des Kirchengesangs. Sogenannte „Sequenzen" (Folgen) zum Beispiel entstanden dadurch, dass man die letzte Silbe des „Halleluja" in vielfachen Variationen ausklingen ließ. Um diese Tonfolgen besser behalten zu können unterlegte man ihnen – zunächst nur zur Zählung – geistliche Texte.
- Den Mönchen und Nonnen in der Nachfolge des heiligen Benedikt konnte alles zum Werkzeug des Gotteslobs werden. Darum griffen sie auch Stoffe aus antiker und volkstümlicher Überlieferung auf, etwa die Geschichte Alexanders des Großen, die Sage von Walther und Hildegunde (*Waltharius*) oder eine frühe Rittergeschichte (*Ruodlieb*).
- Klösterliche Reformen, die allein Askese, Gebet und Predigt gelten lassen wollten, verwiesen solche „weltlichen" Stoffe aber in den Hintergrund. An ihre Stelle traten biblische Stoffe, Legenden (wie die folgende von Theophilus), geistliche Lieder, Dichtungen zur Glaubens- und Sittenlehre.

Hrotsvit von
Gandersheim:
Legende von
Theophilus,
um 959

Die Bekehrung des Theophilus

Theophilus ist Vikar, also Stellvertreter eines Bischofs, und soll nach dessen Tod das Bischofsamt übernehmen. Aus Demut lehnt er ab – und verliert dadurch sein bisheriges Amt. Da versucht ihn „der alte böse Feind der Menschheit", der Teufel, und Theophilus sucht einen argen Zauberer auf.

> Der Zaubrer führte den Unsel'gen
> in die Versammlung der Verruchten,
> warf sich vor seines Meisters Füße
> und sagte ihm den Grund des Kommens.
> 5 Drauf gab der Schreckliche zur Antwort:
> „Wie kann ich helfen einem Frommen,
> der einst getauft auf Christi Namen?
> Will er zu mir gehören, muss er
> schriftlich verleugnen seinen Heiland
> 10 und dessen Mutter, meine Feindin;
> dann werde ich ihn stets erhöhen
> und solche Ehre ihm verschaffen,
> dass sich sogar der höchste Bischof
> ihm beugen wird, weil alle andern
> 15 den jetzt Verfemten ehren werden."

Übersetzung
aus dem
Lateinischen:
Helen Homeyer

Theophilus unterschreibt den Teufelspakt und verfällt in Hochmut. Die Mächtigen beugen sich vor ihm. Doch „des Himmelsvaters Güte, der niemals wünscht den Tod der Sünder", gibt ihn nicht auf: Theophilus wird von Reue gepackt. Wer kann ihm helfen? Nur Christi Mutter durch Fürsprache bei ihrem Sohn. Nach langem Flehen,

Beten und Fasten erhört sie ihn: Er erhält die „Schandurkunde", die er unterschrieben hat, zurück und bekennt öffentlich seine schwere Sünde.

> Das Volk erfasste frommer Schauder.
> Es dankte Gott mit lauter Stimme,
> der Wunder tat an diesem Manne.
> Der ging zurück zur Stätte, wo er
> ₅ zuerst verspürt des Himmels Gnade.
> Doch bald befiel ihn schwere Krankheit,
> die schlimmer wurde; nach drei Tagen
> entwich schon aus des Leibes Kerker
> die Seele und stieg froh zum Himmel,
> ₁₀ geleitet von der Gottesmutter […]

Hrotsvit von Gandersheim, die erste namentlich bekannte deutsche Dichterin, hat um 959 diese Verslegende über Theophilus geschrieben, in lateinischer Sprache. Sie entstammte wohl einem sächsischen Adelsgeschlecht und war Nonne im Kloster Gandersheim, das dem sächsischen Herrscherhaus der Ottonen nahestand. Hrotsvit hat außer Legenden und „Dramen" (die zum Lesen, nicht zur Aufführung bestimmt waren) auch historische Dichtungen verfasst, darunter eine legendenhafte Familienchronik Ottos I., der von 936 bis 973 regiert hat.

• Das Wort (von lateinisch *legenda* ‚was vorzulesen ist') bezeichnet einen erzählenden Text, der zum (Vor-)Lesen empfohlen oder vorgeschrieben wurde, z. B. im Gottesdienst oder bei den Mahlzeiten im Kloster, die man auf diese Weise auch als Zeiten andächtiger Besinnung nutzte. So gedachte man etwa einer Heiligengestalt am Jahrestag. Vorbildhafte Personen, vor allem Heilige und Märtyrer, wurden oft mit Wundergeschichten umgeben. Martin Luther sprach darum kritisch von „Lügenden".	**Legende**

• Das Wort (von lateinisch *legenda* ‚was vorzulesen ist') bezeichnet einen erzählenden Text, der zum (Vor-)Lesen empfohlen oder vorgeschrieben wurde, z. B.
• im Gottesdienst oder bei den Mahlzeiten im Kloster, die man auf diese Weise
• auch als Zeiten andächtiger Besinnung nutzte. So gedachte man etwa einer Heiligengestalt am Jahrestag. Vorbildhafte Personen, vor allem Heilige und Märtyrer, wurden oft mit Wundergeschichten umgeben. Martin Luther sprach darum
• kritisch von „Lügenden".
• Der Legende geht es jedoch nicht um geschichtliche Wirklichkeit, sondern um
• beispielhafte Wahrheit. Ähnliches gilt für die Sage, die aber meist enger an
• Orte und Geschehnisse anknüpft, so dass hier die Vorstellung von wirklichen
• Vorkommnissen stärker geweckt wird.
• Mit der Zeit wurde der Begriff Legende vom Religiös-Erbaulichen gelöst und
• auf volkstümliche Erzählungen übertragen, die aus anderen Quellen schöpften
• (z. B. orientalischen). Heute setzt man „Legende" oft gleich mit einer unglaublichen Geschichte und man verbindet damit nicht selten kritische und satirische
• Absichten. Beispiel: Bertolt Brechts *Legende vom toten Soldaten*.

Satire ↑ S. 65

Hildegard von Bingen

Eine der berühmtesten und einflussreichsten Frauen des Mittelalters war die Benediktinerin **Hildegard von Bingen**, so benannt nach den beiden Klöstern, die sie links und rechts des Rheins bei Bingen gegründet hat. Als zehntes, kränkliches Kind einer Adelsfamilie kam sie mit acht Jahren ins Kloster. Mit fünfzehn wurde sie als Nonne aufge-

1098–1179

Vision:
(Traum-)
Gesicht,
Erscheinung

nommen, mit achtunddreißig zur Äbtissin gewählt. 1179 starb sie, über achtzigjährig, längst berühmt durch ihr praktisches Tun wie durch ihre Dichtungen: religiöse Visionen, natur- und heilkundliche Schriften, Bibelauslegung, ein Singspiel, 77 Lieder, zu denen sie auch die Melodien komponierte. Sie wechselte Briefe mit höchsten Persönlichkeiten: Kaiser und Papst, Fürsten, Bischöfen, Philosophen, Wissenschaftlern.

Hildegard von Bingen,
Miniatur aus dem letzten Viertel des 12. Jh.
Die Flammen über dem Kopf deuten auf die
Visionen der Seherin. Hildegard hält
Schreibtafeln aus Wachs im Schoß, zugleich
schreibt ein Mönch die Gesichte auf; vielleicht
ihr Lehrer, der Benediktiner Volmar.

In einer weitgehend von Männern bestimmten Welt musste auch Hildegard um Anerkennung kämpfen und ohne den Schutz mächtiger Herren hätte ein Frauenkloster nicht bestehen können. Kein Geringerer als Kaiser **Friedrich I.**, genannt **Barbarossa**, stellte ihr 1163 eine Schutzurkunde aus. Doch in ihrer Tatkraft und in ihrem geistigen Wirken zeigte sie sich ihren Zeitgenossen ebenbürtig und nicht selten überlegen. Die folgende *Antiphon an Maria* lässt erkennen, wie sie mit dem Vorwurf umging, eine Frau, Eva, habe die Sünde in die Welt gebracht.

Antiphon:
liturgischer
Wechselgesang

> Wie groß ist das Wunder!
> In die Demuts-Gestalt einer Frau
> trat der König ein.
> So handelte Gott,
> ₅ weil die Demut über alles emporsteigt.
> O welche Glückseligkeit
> birgt diese Gestalt!
> Denn das von der Frau verschuldete Unheil
> hat diese Frau hernach getilgt
> ₁₀ und allen süßen Duft der Gotteskräfte ausgeströmt
> und so den Himmel weitaus mehr geschmückt,
> als einst die Frau die Erde hat verwirrt.

Ritterdichtung

König Artus und seine Tafelrunde

König Artus ist ein Friedensfürst, berichtet die bretonische Sage. An seiner Tafel versammeln sich die edelsten Ritter. Man feiert Feste, geht auf die Jagd. Und immer wieder reiten einzelne Ritter aus um Abenteuer zu bestehen, Kämpfe auszutragen. Meist um Schutzlosen zu helfen, die in Not geraten sind. Aber auch um die Kräfte zu messen, das Ansehen zu mehren, die „Ehre". Ganz selbstlos geht es da also nicht zu. Nach bestandener Prüfung kehrt man wieder an den Artushof zurück.

> Abenteuer, was ist das? Ich will es dir näher erklären.
> Sieh, wie ich gewappnet bin: Ich werde Ritter genannt und habe die Absicht,
> auszureiten und einen Mann zu suchen, der mit mir kämpft,
> der ebenso gewappnet ist wie ich. Das macht ihn lobenswert, auch wenn er
> mich schlägt.
> Besiege ich ihn aber, dann hält man mich für einen Mann
> und der Ehre würdiger, als ich bin.

gewappnet:
mit Waffen ausgerüstet und mit dem ritterlichen Wappen geschmückt

Der Text stammt von **Hartmann von Aue**, einem ritterlichen Dichter in der Zeit der Könige und Kaiser aus dem Geschlecht der Staufer. Es war die Zeit der Kreuzzüge, der Begegnung mit der hohen Kultur des Orients. Damals erfuhr das Rittertum sein höchstes Ansehen. Ritterliches Ideal war der Kampf für den christlichen Glauben und für den Schutz der Schwachen und Unterdrückten.

Iwein, der Ritter mit dem Löwen

Hartmann von Aue: *Iwein,* um 1200

Iwein, ein Ritter der Tafelrunde, heiratet Laudine, die Frau eines Gegners, den er im Kampf getötet hat: Als Witwe wäre sie schutzlos. Doch sein Freund Gawein mahnt ihn in der Ehe nicht die ritterlichen Pflichten zu vergessen und sich nicht zu „verliegen", zu verweichlichen. Also nimmt er Urlaub von Laudine, freilich gegen das Versprechen vor Ablauf eines Jahres zurückzukehren. Doch über ritterlichen Abenteuern versäumt Iwein die Frist. Da wirft ihm Laudine Verrat vor und sagt sich von ihm los. Darüber verliert Iwein den Verstand. Wie ein Tier irrt er ziellos durch den Wald, bis ihn ein adeliges Fräulein entdeckt und mit Hilfe einer Wundersalbe heilt. Er verabschiedet sich von ihr um neuen Taten entgegenzureiten.

> Iwein nahm Urlaub und ritt davon
> und suchte sogleich
> den nächsten Weg, den er fand,
> und folgte einer Straße.
> ₅ Über alle Maßen laut
> hörte er eine Stimme,
> klagend und doch wild.
> Nun wusste mein Herr Iwein nicht,

zu welchem von den zweien sie gehöre:
10 einem Drachen oder einem wilden Tier.
Er fand es aber bald heraus.
Denn dieselbe Stimme lenkte ihn
durch eine große Waldschlucht dorthin,
wo er auf einer Lichtung sah,
15 wie ein wilder Kampf tobte,
wo mit großem Mut
ein Drache und ein Löwe stritten.
Der Drache war stark und riesig,
Feuer schoss ihm aus dem Maul.
20 Ihm halfen die Hitze und der Gestank,
dass er den Löwen dazu zwang,
ganz laut zu schreien.
Herrn Iwein plagte der Zweifel,
welchem von den beiden er helfen sollte,
25 und er entschloss sich, dass er
dem edlen Tier helfen wollte.
Doch fürchtete er, wenn allzu schnell
der Drache den Tod fände,
dann würde ihm das nichts nützen,
30 wenn dann der Löwe sich ihm gleich entgegenstellte.
Denn es verhält sich so,
wie es auch bei den Menschen zugeht:
Wenn man aufs Allerbeste gedient hat
dem unbekannten Mann,
35 so hüte man sich dann,
dass dieser einen nicht betrüge.
Dem glich wohl dieser Fall hier.
Doch handelte er wie ein wackerer Mann:
Er stieg vom Pferd und griff den Drachen an
40 und schlug ihn sehr schnell tot
und half dem Löwen aus der Not.
Auch dann noch, als er den Drachen schlug,
war er sehr besorgt,
dass der Löwe ihn angreifen könnte.
45 Doch bot sich ihm ein ganz anderes Bild:
Der Löwe legte sich ihm zu Füßen
und erwies ihm sprachlosen Gruß
mit seiner Gebärde und seiner Stimme.
Hier legte er seine Wildheit ab
50 und zeigte ihm seine Zuneigung
auf seine Weise,
so gut, wie er es vermochte
und es einem Tier anstand.
Er überantwortete sich seiner Führung,
55 wie er seitdem auch alle seine Wege

mit seinem Dienst ehrte
und ihm folgte, wohin er sich auch wandte,
und ihm beistand in jeglicher Bedrängnis,
bis der Tod sie voneinander schied.

Der „Ritter mit dem Löwen", so wird Iwein nun genannt, wird bald berühmt und gefürchtet wegen seiner Kampfkraft und seiner Tapferkeit. Schließlich gelingt es ihm den Verlust der ritterlichen Ehre wieder ganz wettzumachen: im gewaltigsten Kampf seines Lebens, der unentschieden endet. Sein Gegner ist Gawein: Die beiden Freunde tragen fremde Rüstung und erkennen einander nicht. Damit hat Iwein die letzte Prüfung bestanden, einer Versöhnung mit Laudine steht nichts mehr im Wege: Ritterliches und eheliches Leben schließen einander nicht mehr aus.

Iwein handelt **klug**, indem er die Tatsachen erkennt, die Gefahr. Er wägt ab, wem er beistehen soll: Der Löwe ist schwächer als der Drache und er ist fähig dem Guten zu dienen, er gilt im Mittelalter als Symbol der Herrschaft und des Wächtertums. Der Drache hingegen gilt in den meisten Religionen des Vorderen Orients als gottfeindliches Wesen. Also handelt Iwein auch **gerecht**; er steht in der Nachfolge anderer Drachentöter wie des Erzengels Michael und des heiligen Georg. Schließlich handelt Iwein **tapfer**: Er überwindet die berechtigte Furcht vor der Gefahr und greift ein.

Auf seinem ganzen Weg erringt oder beweist Iwein weitere Tugenden: Er erkennt die Grenzen an, die ihm gesetzt sind (Zucht und **Maß**), ringt sich zu **Beständigkeit** durch, ist **treu**. So wird in dieser Ritterdichtung der ganze Tugendkatalog bildhaft vorgestellt.

**Ritterliche
Tugenden**

- Die vier „Kardinaltugenden" sind allen Menschen des Mittelalters aufgegeben,
- nicht nur der ritterlichen Gesellschaft. Der erste Teil dieses Begriffs ist abgeleitet von lateinisch *cardo* ‚Türangel‘, meint also etwas, um das sich alles andere
- dreht. Die vier Grundtugenden der christlichen Lehre leiten sich her aus griechischer, römischer und jüdischer Tradition; sie werden freilich im Christentum
- bezogen auf die drei „theologischen Tugenden" Glaube, Hoffnung, Liebe.
- **Klugheit** (lat. *prudentia*): Kenntnis und Erkenntnis des Wirklichen – und dazu
- gehört nicht nur das Zähl- und Messbare – ist Voraussetzung für alle anderen
- Tugenden.
- **Gerechtigkeit** (lat. *iustitia*) achtet auf die Beziehungen der Geschöpfe zueinander und damit auf die Ordnung Gottes. Vom Ritter verlangt sie Großherzigkeit
- dem Unterlegenen gegenüber und „milte", das heißt Freigebigkeit.
- **Tapferkeit** (lat. *fortitudo*) ist notwendig, weil auch das Böse Macht hat in der
- Welt. Da gilt es die Furcht zu überwinden (die Ausdruck von Klugheit ist:
- Erkenntnis von Gefahr).
- **Mäßigung** (lat. *modestia*) zügelt triebhafte, also böse Leidenschaft (es gibt auch
- edle). Heute sagen wir Selbstdisziplin.
- Weitere wichtige Tugenden für den Ritter sind Beständigkeit (*stæte*) und Treue
- anderen gegenüber und vor sich selbst (*triuwe*).

prudentia:
von providere
‚voraussehen‘

Minnedichtung
↑ S. 28

Hartmann von
Aue: *Der arme
Heinrich,*
um 1195

Ritter und Dichter: Hartmann von Aue

Ein ritter sô gelêret was
daz er an den buochen las
swaz er dar an geschriben vant [...]

Ein Ritter war so gelehrt,
dass er in den Büchern las
alles, was er darin geschrieben fand.
Der hieß Hartmann.
5 Dienstmann war er zu Aue.
Er sah sich vielfach um
in verschiedenen Büchern.
Darin begann er zu suchen,
ob er nicht etwas fände,
10 womit er schwere Stunden
sich erträglicher machen könnte;
etwas, das so beschaffen war,
dass es der Ehre Gottes förderlich sei,
und zugleich etwas, womit er sich
15 die Gunst der Menschen erwerben könnte.
Nun beginnt er euch zu deuten
eine Erzählung, die er geschrieben fand.
Darum hat er sich mit Namen vorgestellt,
dass er für seine Mühe,
20 die er dafür aufgewandt hat,
nicht ohne Lohn bleibe.
Und dass jeder, der sie später
vortragen hört oder liest,
Fürbitte für ihn einlege bei Gott
25 für das Heil seiner Seele.
Man sagt, der sei ein Bote auch für sich
und erlöse sich damit auch selbst,
wer für die Schuld eines anderen betet.

deuten:
verständlich
wiedergeben

Lehen
(von *leihen*):
meist Grund-
besitz, Herr-
schaft über Dör-
fer, verpflichtete
zu Lehnstreue
und Dienst bei
Hofe und im
Krieg

Dichtung ist für Hartmann Dienst: Gott zu ehren, die Menschen zu erfreuen. Erhoffter Lohn: Beliebtheit bei den Menschen und deren Fürbitte bei Gott. Die wiederum kommt dem zugute, der sie leistet. Hartmanns stolz betonte Gelehrsamkeit war auch für den Ritterstand etwas Besonderes. Lesen konnten nur wenige. Schon gar nicht die Bauern. Nur der Eintritt in ein Kloster konnte für Mann oder Frau aus dem Volke den Weg öffnen zur Bildung und damit vielleicht zum Aufstieg. Sonst waren die Standesschranken unüberwindlich.

Hartmann, geboren in Schwaben um 1160, entstammte wohl einer ärmeren Adelsfamilie, hat aber eine Klosterschule besucht, dort Latein und irgendwo auch Französisch gelernt. Der Herr von Aue, in dessen Diensten er stand, war seinerseits wohl Lehnsmann der Herzöge von Zähringen. An deren Hofe konnte Hartmann Handschriften mit großen Verserzählungen (Epen) des französischen Dichters **Chrestien de Troyes** (um 1135–1190) finden, Geschichten vom Artushof wie die über Iwein. Wiederum zeigt sich: Kultur erwächst aus Begegnung. So waren die Goten der „Völkerwanderung" am Schwarzen Meer späten Zeugnissen des Griechentums begegnet, in Italien spätrömischer Kultur. Die Sprache der christlichen Missionare im frühen Mittelalter war das Lateinische. Auf den Kreuzzügen lernten die europäischen Ritter die hohe Kultur des Orients kennen. Französische Literatur – Verserzählungen und Liebeslyrik – beflügelte die mittelhochdeutsche Ritterdichtung.

Handschriften: kostbar, weil mühsam anzufertigen, nur Besitz von Klöstern oder reichen Herren

- Das griechische Wort Epos heißt soviel wie Erzählung; man bezeichnet damit
- eine längere Erzählung in Versen. Die gibt es seit den frühen Hochkulturen als
- eine Hauptform von Dichtung (neben Lyrik und Drama). Geschildert werden
- Taten von Göttern und Helden. So schildern die beiden großen Epen der alt-
- griechischen Dichtung, die man Homer zuschreibt, den Kampf um Troja (*Ilias*)
- und die Irrfahrten des Odysseus (*Odyssee*) bei der Heimkehr aus dem Trojani-
- schen Krieg. Die deutsche epische Dichtung beginnt mit dem „höfischen Epos"
- der Ritterzeit: **Hartmann von Aue**, **Wolfram von Eschenbach**, **Gottfried von**
- **Straßburg**.
- An die Stelle des Epos (in Versen) tritt später der Roman (in Prosa). Darunter
- verstand man in Frankreich eine umfangreiche erzählende Dichtung, die nicht
- mehr in der lateinischen Sprache der Gelehrten, sondern in der romanischen
- Volkssprache verfasst war, so die *Artusromane*. In Deutschland ist dieses Wort
- erst seit dem 16. Jahrhundert geläufig. Während das Epos zum Vortrag vor einer
- – meist höfischen – Gesellschaft bestimmt war, deren Mitglieder nicht unbe-
- dingt selbst lesen konnten, wandte sich der Roman an den einzelnen Leser.

Epos

Wolfram von Eschenbach: Parzival, 1200/10 Gottfried von Straßburg: Tristan und Isolt, um 1210

„Du sollst Herr des Grals sein": Parzival

Der Gral ist ein kostbares, Wunder wirkendes Gefäß. Die Legende berichtet, Joseph von Arimathia habe darin das Blut des Gekreuzigten aufgefangen und nach Britannien gebracht, als er das Land zum Christentum bekehrte. Seitdem werde der Gral auf dem „Berg des Heils" von der Ordensbruderschaft der Gralsritter bewacht. Deren Wappen ist eine weiße Taube, das Zeichen des Heiligen Geistes, der Gottesliebe.
Parzivals Vater, der im Kampfe getötet wurde, war ein Artusritter. Seine Mutter Herzeloyde entstammt dem Gralsgeschlecht. Weil sie ihren Sohn vor dem Schicksal des Vaters bewahren will, zieht sie sich mit ihm in die Einsamkeit des Waldes zurück. Doch die Sehnsucht nach der Welt kann sie nicht verhindern: Parzival macht sich auf den Weg. Darüber bricht der Mutter das Herz.
Die Welt: das ist für den Jungen aus ritterlichem Geschlecht, der seine „art" erfahren will, das Rittertum. Und das heißt: seine Familie. Auf allen entscheidenden Stationen seines Lebens trifft er auf Menschen, die ihm verwandt sind. Sein Oheim Gurnemanz erteilt ihm den ersten Unterricht; es ist die Schule von „mâze" und „zuht". Er lernt höfisches Benehmen. „Ihr sollt nicht zuviel fragen!" lautet eine der Anstandsregeln. So kommt es, dass er bei seinem ersten Besuch auf der Gralsburg den König Amfortas, einen anderen Oheim, nicht nach dem Grund des Leidens fragt, an dem dieser

Wolfram von Eschenbach: Parzival, 1200/10

Oheim: ursprünglich Bruder der Mutter

höfisch:
von
(Fürsten-)Hof

dahinsiecht. Angelernte höfische Form überdeckt in Parzival die Herzlichkeit, den Ausdruck von Liebe. Er weiß es nicht besser. Als ihn die Gralsbotin deswegen verflucht, sagt er sich los von Gott: Einem Dienstherrn, der nicht für den Gefolgsmann sorgt, kann man die Gefolgschaft aufkündigen, denkt er.

Aber Parzival bleibt doch ein ruheloser Suchender. Doppelte Sehnsucht treibt ihn durch alle Fährnisse der Welt: nach dem Gral und nach Condwiramurs, seiner Frau. Er ist ihr in Treue zugetan, doch hat er sie zurückgelassen um ritterliche Abenteuer zu bestehen. Als ein Suchender bleibt er offen für den Eingriff der Gnade, kann er ergriffen werden von Gottes Liebe. Wieder ist es ein Oheim, der ihm hilft: Der Einsiedler Trevrizent öffnet ihm die Augen, zeigt ihm, wo er schuldig geworden ist und wie er Gottes Barmherzigkeit erlangen kann. Als einer, der seine Sünden bereut, zieht Parzival weiter.

Feirefiz' Sohn,
der sagenhafte
Priesterkönig
Johannes, hat die
Vorstellungswelt
des Mittelalters
sehr beschäftigt:
Mit ihm verbindet sich die Vision eines großen
Friedensreiches,
das alle Völker
umfassen sollte:
eines Gottesreiches auf Erden.

Zunächst wird ihm die Erfüllung weltlichen Rittertums zuteil: Er wird in die Artusrunde aufgenommen. Das bedeutet ihm viel, doch es genügt ihm nicht. Die Sehnsucht lässt ihn nicht ruhen. Die letzte Prüfung auf seinem langen und mühsamen Weg ist der Kampf gegen einen Ritter, dessen Haut schwarzweiß gefleckt ist. Es ist, stellt sich heraus, Feirefiz, sein Halbbruder aus der ersten Ehe seines Vaters mit einer orientalischen Königin. Vorurteile gegenüber dem heidnischen Ritter gibt es nicht: Feirefiz wird in die Tafelrunde aufgenommen. Erst danach lässt er sich taufen und heiratet. Man sendet ihn als König nach Indien.

Parzival vollendet seinen Weg: Er wird zum Gralskönigtum berufen, stellt die erlösende Frage – „Oheim, was wirret dir?" – und findet Condwiramurs wieder. Weltliche und geistliche Herrschaft leben in seinen beiden Söhnen fort: Kardeiz regiert die Besitztümer, Lohengrin wird Gralskönig.

Lohengrin,
höfisches Epos,
1280/90; Oper
von R. Wagner,
1850
Parsifal,
Bühnenweihfestspiel von
R. Wagner, 1882

So hat am Ende Parzival den Ort seiner Bestimmung erreicht. Er hat das Tal durchdrungen (wie sein Name sagt: „Perceval"), den „Berg des Heils" erstiegen. Aus dem Wald, dem Bezirk der Natur, führte der Weg den jungen Mann durch die Mühsal der Regeln und Gesetze zur Freiheit in der Gnade Gottes. Diese Freiheit findet ihren Ausdruck in ehelicher Gemeinschaft wie im Gralskönigtum. Ein Weg, der für die Heilsgeschichte der Menschheit, wie das Mittelalter sie verstand, symbolisch ist.

> swes lebn sich sô verendet,
> daz got niht wirt gepfendet
> der sêle durch des lîbes schulde
> und der doch der werlde hulde
> 5 behalten kan mit werdekeit,
> daz ist ein nütziu arbeit.

> Wenn einer sein Leben so zu Ende führt, dass er nicht um des Leibes willen Gott seine Seele entzieht und dass er doch die Huld der Welt mit Würde behalten kann – dann hat sich die Mühsal gelohnt.

Wolfram von Eschenbach

Das Parzival-Epos ist eine gewaltige Dichtung, 24 812 Verse umfassend. Vom Leben des Dichters **Wolfram von Eschenbach** ist nur wenig bekannt. „schildes ambet ist mîn art" – so betont er sein Rittertum: Lebenserfahrung stellt er über Gelehrsamkeit. Dass er die Überlieferung, vor allem durch **Chrestien de Troyes**, gekannt hat, ist erwiesen: keltische und bretonische Märchen und Sagen um Perceval, Artus und den Gral. Von Wolfram sind außer dem *Parzival* zwei weitere epische Werke und neun Lieder überliefert.

etwa 1170–1220

Chrestien de Troyes ↑ S. 23

Wolfram von Eschenbach
Manessische Liederhandschrift, 1. Hälfte 14. Jh. Der ritterliche Sänger erscheint wie zum Turnier gerüstet; ein Knappe führt das aufgezäumte Pferd. Zu den sieben ritterlichen „Tauglichkeiten" (probitates) gehörte auch das Verseschmieden (neben Schwimmen, Reiten, Pfeilschießen, Fechten, Jagen, Schachspielen).

Ritterliches Ideal – nicht Wirklichkeit

Im höfischen Epos spiegelt sich nicht die Wirklichkeit des adeligen Ritterstandes in der Zeit um 1200. Es zeichnet vielmehr ein Idealbild, stellt vorbildhaft die Tugenden dar, nach denen ein Ritter streben sollte. Die wirklichen Ereignisse der Geschichte aber beweisen: Von solchen edlen Zielen war das Verhalten des damaligen Ritterstandes weit entfernt.

Diesen Widerspruch scheint der unbekannt gebliebene Dichter des *Nibelungenliedes* im Sinn gehabt zu haben. Er ist nicht in die verklärte Sagen- und Märchenwelt von Artushof und Gralsburg eingetaucht, sondern hat auf eine andere Überlieferung zurückgegriffen, die kaum in die höfische Welt zu übertragen war: auf Taten und Gestalten der germanischen Sagenwelt.

Was das Nibelungenlied erzählt, lag für ein deutsches Publikum geographisch näher als die bretonische Sagenwelt: Es spielt in Worms am Rhein, an der Donau zwischen Passau und Wien, auf der Etzelburg in Ungarn. Und einige Namen, die da auftauchen, gehören zu Personen, die wirklich gelebt haben: Gundahari (Gunther), ein Burgundenkönig des 5. Jahrhunderts, der Hunnenkönig Attila (Etzel), der Gotenkönig Theoderich (Dietrich von Bern).

„Wir hören von politischen Morden und die Fehden der Großen wurden mit Verrat, Erpressung, Raub und Brandschatzung geführt" (Joachim Bumke).

Das Nibelungenlied

Ez wuohs in Burgonden   ein vil edel magedîn,
daz in allen landen   niht schœners mohte sîn,
Kriemhilt geheizen: si wart ein schœne wîp.
dar umbe muosen degene   vil verliesen den lîp.

Es wuchs im Burgundenland eine hochedle Jungfrau heran,
so schön, dass es in anderen Ländern nichts Schöneres geben konnte,
Kriemhild genannt. Sie wurde eine schöne Frau.
Um ihretwillen mussten viele tapfere Männer ihr Leben verlieren.

Kriemhild ist die Idealgestalt einer höfischen jungen Dame. Sie wächst auf in der Obhut ihrer drei königlichen Brüder: Gunther, der älteste, hat das Königsamt inne.

Höfischer Glanz und dunkle Ahnungen — Schon hier, nach drei preisenden Versen, fällt ein Schatten über das lichte Bild: die dunkle Andeutung eines bitteren Endes. Solche Hinweise wiederholen sich; das Publikum wird vorbereitet: Das strahlende Bild wird nicht bleiben, auch wenn zunächst alles einen glänzenden Lauf zu nehmen verspricht.

Der Nibelungenhort — Siegfried, ebenfalls königlichen Geschlechts, wird in seiner niederländischen Heimatstadt Xanten zum Ritter herangebildet. Schon in früher Jugend vollbringt er großartige Heldentaten: Er erringt den Hort der Nibelungen und macht sich zum Herrn über ihr Land.

Siegfried wirbt um Kriemhild. Dazu stellt er sich, obwohl er allen anderen überlegen ist, freiwillig in den Dienst Gunthers. Er hilft ihm gegen seine Feinde, vor allem aber bei der Werbung um die starke Isländer-Königin Brünhild. Von ihr zum Zweikampf aufgefordert siegt Gunther nur mit Siegfrieds Hilfe, den eine Tarnkappe unsichtbar macht.

Gefährliche Beute — Schließlich kommt es zur Doppelhochzeit in Worms. In der Hochzeitsnacht erwehrt sich Brünhild ihres schwachen Gemahls; darum steht Siegfried in der Nacht darauf Gunther bei. Gürtel und Ring Brünhilds nimmt er mit und schenkt sie Kriemhild; dann zieht er mit ihr nach Xanten.

Für ein höfisches Epos sind das schon merkwürdige Geschehnisse. Sie sprengen die Vorstellungen von höfischer „zuht" – und sie bergen den Keim für künftiges Verhängnis. Bei einem Fest in Worms, zehn Jahre später, kommt es zum Streit der Königinnen. Kriemhild enthüllt die Vorgänge der Hochzeitsnacht, zeigt Ring und Gürtel und nennt Brünhild eine „kebse", also eine „Nebenfrau". Mörderisch sind die Folgen: Ha-

Mord im Wasgenwald — gen erbietet sich Brünhild zu rächen. Bei einer Jagd im Wasgenwald tötet er Siegfried hinterrücks. Später raubt er den Nibelungenhort und versenkt ihn im Rhein. Damit endet der erste Teil des Nibelungenliedes.

König Etzel gilt, wie Artus, als Friedensfürst. Der Dichter nennt die Burgunden jetzt Nibelungen. — Der zweite Teil des Epos erzählt, wie nun Kriemhild, die zunächst ganz in Trauer versinkt, mehr und mehr zur Rächerin wird, die keine Gnade kennt. Sie heiratet den verwitweten Hunnenkönig Etzel, der um sie wirbt. Um Hagen in ihre Hand zu bekommen bittet sie Etzel die Burgundenfürsten zu einem Fest zu laden. Die ziehen – trotz Bedenken – ins Hunnenland, freilich mit großem Heeresgefolge. Dabei wird Hagen, der drohendes Unheil ahnt, immer mehr zur führenden Gestalt, ja zum „hilfreichen Trost" der Nibelungen. Und das Unheil nimmt seinen Lauf.

Siegfrieds Tod
Miniatur aus der Hundeshagenschen Handschrift, 15. Jh.
Nach König Gunther trinkt Siegfried aus der Quelle,
da trifft ihn Hagens Speer.
Um den Tatort „Siegfriedquelle" streiten mehrere Gemeinden
besonders im Odenwald: Von Worms aus setzte die Jagdgesell-
schaft „über den Rhein". Wohl irrtümlich spricht der österreichische Dichter vom „Wasgenwald" (die Vogesen).

Auf der Etzelburg ist die Lage von Anfang an gespannt. Bald kommt es zum Kampf, der zum greulichen Gemetzel wird. Zuletzt steht Hagen, überwältigt durch Dietrich von Bern, wehrlos vor Kriemhild. Er verweigert ihr trotzig die Auskunft über den Verbleib des Nibelungenhorts und schleudert ihr die schlimmste Beleidigung ins Gesicht: „vâlandinne" – Teufelin! Sie schlägt ihm den Kopf ab – mit dem Schwert, das Hagen einst von Siegfried erbeutet hat. Im Zorn tötet Hildebrand, Dietrichs Waffenmeister, die Königin. Die Überlebenden – allen voran Etzel und Dietrich – beklagen die Toten. So endet das Nibelungenlied:

Der Nibelungen Not

> Ich kann euch nicht sagen, was danach dort geschah;
> nur, dass Ritter und Frauen man dort beweinen sah
> dazu die Knappen den Tod ihrer lieben Freunde.
> Hier hat die Geschichte ein Ende: Das ist der Nibelungen Not.

Fragwürdiges Rittertum

Eine strahlende, vorbildhafte Königin wird zur düsteren, rasenden Rächerin, ein machtvoller Friedensfürst zum Werkzeug wütender Rache. Eine Fürstin köpft einen wehrlosen Gefangenen und wird selbst von einem sonst untadeligen Ritter erschlagen. Und so weiter. Diese Geschichte war für ein höfisches Epos nicht zu retten. Ist der Dichter am vorgegebenen Stoff der Handlung gescheitert? Oder hat er diesen alten Stoff der Heldensagen aus vorchristlicher Zeit bewusst gewählt um die Fragwürdigkeit eines verklärten Rittertums zu zeigen? Kein Schimmer von Hoffnung also? Drei edle Gestalten, die keine Schuld auf sich geladen haben, bleiben zurück; andere sind dahingeschlachtet. Unter ihnen der sympathische Rüdiger. Er musste scheitern im Konflikt zwischen zwei gleichberechtigten Ansprüchen: Einerseits war er Etzel zur Gefolgschaft verpflichtet und durch Eid an Kriemhild gebunden; andererseits verband ihn Verwandtschaft mit den Nibelungen. Mehr noch: Freundschaft fühlte er für beide Seiten. Das musste den aufrechten Ritter zerreißen, den der Dichter einen „vater aller tugende" nennt. Im Gedenken an ihn leben die ritterlichen Ideale fort: Er hat sie in die Tat umgesetzt. Wo aber finden sie in der Wirklichkeit Platz? Unüberhörbar stellt der Nibelungendichter diese Frage.

Kudrun,
1230/40 – ein
Lied von
Frauentreue

Eine Antwort scheint der ebenfalls unbekannt gebliebene Dichter des *Kudrunliedes* versucht zu haben, der sich an die Form des Nibelungenliedes anlehnt. Auch er schöpft aus älteren germanischen Quellen, doch das Leben seiner Heldin Kudrun ist Ausdruck von Duldung und Versöhnung.

„Nibelungentreue" – missbrauchte Dichtung

F. Hebbel
↑ S. 242

„Wir kennen ein
gewaltiges
Heldenlied von
einem Kampf
ohnegleichen,
es heißt ,Der
Kampf der Nibe-
lungen'. Auch sie
standen in einer
Halle voll Feuer
und Brand,
löschten den
Durst mit dem
eigenen Blut,
aber sie kämpf-
ten bis zum Letz-
ten." (Göring)

Walther von der
Vogelweide, um
1170–1230

Den Stoff des Nibelungenliedes hat man in späterer Zeit vielfach aufgegriffen und abgewandelt. Die bedeutendsten Beispiele sind **Friedrich Hebbels** Trauerspiel *Die Nibelungen* (1862) und **Richard Wagners** vierteiliges Musikdrama *Der Ring des Nibelungen* (1853). Seit dem ausgehenden 18. Jahrhundert sahen viele im alten Nibelungenlied das „deutsche Nationalepos", dessen Helden man nacheifern solle. 1909, kurz vor dem Ersten Weltkrieg, versprach Reichskanzler von Bülow im Bündnis mit Österreich-Ungarn „Nibelungentreue". Nach der Niederlage verkündeten Uneinsichtige, Deutschland habe nicht militärisch verloren, sondern durch Verrat in der Heimat: durch „Dolchstoß von hinten". Sachliche Geschichtsschreibung nennt das die „Dolchstoßlegende". Und am zehnten Jahrestag der sogenannten „Machtübernahme" durch Hitler, am 30. Januar 1943, angesichts der verheerenden Niederlage in Stalingrad, beschwor Hermann Göring, Oberbefehlshaber der Luftwaffe, von eigenem schwerem Versagen ablenkend, den Heldenkampf der Nibelungen.

„Wer gab dir, Minne, solche Macht?"

   Minne ist ein gemeinez wort
      und doch ungemeine mit den werken: dêst also.
   minne ist aller tugende ein hort:
      âne minne wirdet niemer herze rehte frô.
  5 sît ich den gelouben hân,
      frouwe Minne,
      fröit ouch mir die sinne.
      mich müet, sol mîn trôst zergân.

Minne ist ein Wort, das jeder kennt,
    doch kaum einer weiß, was es bedeutet: Das ist halt so.
Minne ist ein Hort aller Tugenden;
    ohne Minne wird nie ein Herz recht froh.
5 Weil ich das glaube,
    Frau Minne,
    macht auch mich froh!
    Es quält mich, wenn meine Zuversicht enttäuscht wird.

Keine rechte Freude ohne „Minne", sagt Walther von der Vogelweide in diesem Lied. „Minnen" hieß, ganz allgemein, den Sinn auf etwas richten; unser Wort „meinen" ist daraus hervorgegangen. Walther und seine adeligen Zeitgenossen verstanden unter „Minne" dichterischen „Minnedienst", der einer adeligen „frouwe" dargebracht wurde. Also nicht das Gleiche wie Liebe im Sinne gegenseitiger Hingabe. Die angebetete „Herrin" war immer eine verheiratete Frau, meist die Gemahlin des Dienstherrn oder eines Gönners, der dem Dichter für eine Zeit ein Auskommen bot. Da durfte der Sänger keine Antwort erwarten. Vorgetragen wurden die Minnelieder vor einer ritterlich-höfischen Gesellschaft. Die Frau, deren Ansehen dadurch wuchs, konnte ihren Dank, ihre „Zuneigung", allenfalls durch einen „Gruß" kundtun, vielleicht durch ein Neigen des Kopfes.

> „Freiheit, die ich *meine*, die mein Herz erfüllt", beginnt ein Lied von 1813, aus der Zeit der Befreiungskämpfe gegen Napoleon: Ausdruck von Freiheitsliebe

frouwe, daz ir sælic sît!
lânt mit hulden
mich den gruoz verschulden,
der an friundes herzen lît.

Herrin, mögt Ihr glücklich sein!
Lasset huldvoll
mich den Gruß verdienen,
der Eure Zuneigung kundtut.

Eine völlig einseitige Form liebender Verehrung also. Sie verlieh aber auch dem Dichter, der seine Lieder vortrug, „Ehre": Ansehen in der Gesellschaft. Vor allem sollte er sich bei solchem Dienst in der Tugend üben. Walther sagt:

„Swer guotes wîbes minne hât,
der schamt sich aller missetât.

Ein anspruchsvolles, ernstes Gesellschaftsspiel war das. Es sollte vor allem die Tugend der „stæte" ausbilden, des liebevollen Ausharrens.

Wer gab dir, Minne, solche Macht,
dass du so übermächtig bist?
Du bezwingst Jung und Alt;
da findet keiner einen Ausweg.
5 Da deine Bande mich nun einmal fesseln sollen,
danke ich nun Gott, dass ich so gut erkannt habe,

wo ich mit Würde dienen kann.
Davon komme ich nie mehr los. Sei gnädig, du einzige Königin.
Lass mich ihr dienen, solange ich lebe.

Nach Glück, das hört man, klingt das nicht gerade. Eher nach Anspannung, die auf
Dauer nur schwer auszuhalten ist. Und so wird allmählich Aufbegehren laut gegen
solche bedrückende Konvention.

Meine Herrin ist grausam
und behandelt mich sehr lieblos.
Ich brachte doch ein junges Leben
in ihren Dienst und war froh gestimmt.
₅ O weh, da war mir so wohl zumute,
wie ist das nun zunichte!
Und was hab ich gewonnen?
Nichts als Kummer, den ich erleide.

Dagegen lehnt Walther sich mehr und mehr auf. Gegen die einseitige Fron der Minne stellt er den Anspruch auf Liebe: auf Gegenseitigkeit, auf Erfüllung.

Minne entouc nicht eine
si sol sîn gemeine,
so gemeine, daz sie gê
dur zwei herze und dur deheines mê.

Minne taugt nichts, wenn sie einseitig
ist. Sie muss gemeinsam sein, nämlich so,
dass sie zwei Herzen durchdringt (und keines außerdem).

Solche Liebe kann Standesgrenzen überwinden. Sie gilt nicht mehr nur der „frouwe",
der adeligen Herrin, sondern der Frau überhaupt, besonders der jungen. Die Bezeichnung für Frau war damals „wîp". Walther fordert:

Wîp muoz iemer sîn der wîbe hôhste name
unde tiuret baz dan frouwe als ichz erkenne.

„Frau" muss immer der beste Name sein für Frauen
und er ehrt mehr als „Herrin", so sehe ich es.

- Es gibt Wörter, die ihre Bedeutung durch die verschiedenen „Altersschichten"
- der Sprache hindurch bewahren, auch wenn sich die Lautgestalt ändert. Man
- kann grob unterscheiden zwischen dem **Althochdeutschen** (ahd., etwa 750 bis
- 1050), dem **Mittelhochdeutschen** (mhd., bis etwa 1350) und dem **Neuhochdeut-**
- **schen** (nhd.)
- Zwischen *bluot* (ahd. und mhd.) und *Blut* (nhd.) gibt es keinen Unterschied in
- der Bedeutung, nur im Wortklang. *bein* hingegen hat den Klang beibehalten,
- aber die Bedeutung verändert (ahd. ‚Knochen').
- Darum kann man frühe deutsche Texte nicht einfach so „übersetzen", dass man
- nur die Aussprache ändert: *wîp* zu *Weib, frouwe* zu *Frau*. Dadurch könnte man
- zwar oft Reim und Rhythmus beibehalten, aber das Ergebnis wären falsche In-
- halte. *frouwe* müssen wir mit *Herrin* wiedergeben, *wîp* mit *Frau*. Beide Begrif-
- fe sind später sozusagen „abgesunken": *Frau* als Bezeichnung für Nichtadelige,
- *Weib* als derberer Ausdruck. „Vornehme" Frauen haben daher die romanische
- Bezeichnung *Dame* übernommen: von lateinisch *domina* ‚Herrin'.

„Er sælic man – si sælic wîp"?

Wenn Walther ein nichtadeliges Mädchen „frouwelîn" nennt, ist das ein bewusster
Verstoß gegen die Konvention der Gesellschaft, der er das Lied vorträgt. Doch damit
beginnt in einer neuen Sprache eine Liebesdichtung, welche die Zeiten überdauern
und spätere Dichter anregen konnte.

> Ich han den muot und die sinne gewendet
>   an die reinen, die lieben, die guoten.
> daz müez uns beiden wol werden volendet,
>   swes ich getar an ir hulde gemuoten.
> 5 swaz ich noch fröiden zer werlde ie gewan,
>   daz hât ir schœne und ir güete gemachet
>   und ir rôter munt, der sô lieplîchen lachet.

Das lässt sich noch weniger als die bisherigen Texte in heutiges Deutsch „übersetzen",
ohne dass Klang und mitreißender Rhythmus verlorengehen. Die Prosafassung ist
immer nur ein Notbehelf:

> Meine ganze Seele und all meine Gedanken gelten ihr, die makellos ist, lieb
> und vollkommen. Möge für uns beide zu einem guten Ende kommen, was
> immer ich von ihr zu begehren wagte. Was je ich an Freuden gewann auf der
> Welt, das hat ihre Schönheit und Vollkommenheit bewirkt und ihr roter
> Mund, der so liebreizend lacht.

Lachen und Freude – das ist ein anderer Ton als im Minnedienst und das sprengt den
Rahmen strenger Konvention. Ganz wie ein Volkslied klingt heute – und mag schon
damals geklungen haben –, was der Dichter in dem folgenden Lied ein Mädchen
sagen lässt:

**Bedeutungs-
wandel**

mhd. *arebeit*
‚Mühsal, Not',
nhd. *Arbeit*
‚Tätigkeit, Beruf';
mhd. *gemein*
‚allgemein,
gemeinsam',
nhd. *gemein*
‚moralisch
schlecht';
mhd. *dirne*, Die-
nerin, Magd',
nhd. *Dirne*
‚Prostituierte'
(Ausnahme:
einige Dialekte);
Fräulein:
ursprünglich
junge Adelige,
dann unverheira-
tete (junge) Frau,
dann auch für
Angestellte

Under der linden
an der heide,
dâ: wo
was: war
muget: könnt
schône: schön

dâ unser zweier bette was,
dâ muget ir finden
5 schône beide
gebrochen bluomen unde gras.
vor dem walde in einem tal,
tandaradei,
schône sanc diu nahtegal.

ouwe: Au, Wiese
friedel: Liebster

10 Ich kam gegangen
zuo der ouwe:
dô was mîn friedel komen ê
dâ wart ich enpfangen,

hêre frouwe:
ich wurde
empfangen wie
eine vornehme
Herrin (andere
Möglichkeit:
„Heilige Maria!")
sælic: glücklich
tûsentstund:
tausendmal

hêre frouwe,
15 daz ich bin sælic iemer mê.
kuster mich? wol tûsentstund:
tandaradei,
seht wie rôt ist mir der munt.

Dô het er gemachet
20 alsô rîche
von bluomen eine bettestat.
des wirt noch gelachet
inneclîche,

phat: Pfad

kumt iemen an daz selbe phat.
25 bî den rosen er wol mac,
tandaradei,

houbet: Haupt

merken wâ mirz houbet lac.

Daz er bî mir læge,
wessez iemen

wessez iemen:
wüsste das
jemand
nû enwelle got:
Gott behüte!
pflæge: tat
bevinde: erfahre
wan: außer
getriuwe:
verschwiegen

30 [nu enwelle got!], sô scham ich mich.
wes er mit mir pflæge,
niemer niemen
bevinde daz, wan er unt ich,
und ein kleinez vogellîn:
35 tandaradei,
daz mac wol getriuwe sîn.

Liebe trotz
gesellschaftlichen
Zwängen?

Den Bezirk des höfischen Minnedienstes, der sog. „Hohen Minne", hat Walther mit solchen Liedern verlassen. Deswegen hat man dafür den Ausdruck „Niedere Minne" geprägt. Das konnte den Standesunterschied meinen, aber auch die körperliche Liebe, die man dadurch gegenüber der geistigen abwertete. Beides tut Walthers Dichtung Unrecht: Er wollte die menschliche Gleichwertigkeit in der Liebe preisen, das Glück der Liebe besingen.

Sie werfen mir vor, dass ich meine Lieder an niedrig Geborene richte.
Dass sie nicht begreifen, was Liebe wirklich ist, dafür seien sie getadelt!
Die hat die Liebe nie ergriffen, die auf Besitz und äußere Schönheit sehen.
Weh, was ist das für eine „Liebe"!

Doch Walther musste einsehen, dass auch dieser Weg gefährlich war. Höfischer Minnedienst kannte keine Erfüllung, war „stæte" ohne Liebe, eine Übung in sittlicher Läuterung. Bloß treues Ausharren – kein Glück. Aber die beglückende Begegnung mit Frauen und Mädchen, die nicht „ebenbürtig" waren, nicht vom gleichen Stande, war auch keine Lösung: Sie konnte nicht von Dauer sein. Liebe ohne „stæte" verfehlte ebenso den vollen Wert der Person – und vor allem den der Frau. So setzten die Standesschranken der wirklichen Liebesbegegnung Grenzen.

Dem Dichter blieb zuletzt nichts anderes übrig als „Frau Mâze" um Hilfe zu bitten: „Der ist ein glücklicher Mann, den Ihr belehrt." Der brauche sich nirgends zu schämen, weder bei Hofe noch auf der Straße. Frau Mâze möge ihn lehren, in rechtem Maße zu werben („ebene werben"), zu hoch und zu niedrig mache gleichermaßen krank.

Walther von der Vogelweide

Walther war ritterlicher Herkunft. Geboren ist er wohl in Österreich um 1170. Seinen Unterhalt bestritt er als Sänger, der eigene Dichtung vortrug. So war er von verschiedenen fürstlichen Gönnern abhängig. Um 1220 erhielt er von Kaiser Friedrich II. ein kleines Lehensgut in oder bei Würzburg, wo er um 1230 starb.

Im Kreuzgang des Neumünsters in Würzburg, im „Lusamgärtlein", soll Walther begraben sein.

Ich saz ûf eime steine:
Walther von der Vogelweide, Manessische Liederhandschrift, 1. Hälfte 14. Jh. Der Dichter in der überlieferten Haltung des Denkers und Sehers, wie er sich selbst dargestellt hat. Der Vogel, mhd. *waltsinger,* spielt wohl auf Namen und Beruf an.

Neben Walther gab es andere bedeutende Minnesänger, die oft miteinander im Wettstreit standen, sich also in ihren Liedern aufeinander bezogen. So ist mancher Vers auch bei Walther eine Antwort auf Anspielungen anderer Sänger.

Walther von der Vogelweide ist sicher der wichtigste Wegbereiter der Liebeslyrik in der deutschen Literatur. Doch ebenso bedeutend wie durch seine Liebeslieder ist er als Begründer der politischen Lyrik in Deutschland. In seinen Liedern, die nicht von Liebe singen, spiegeln sich die Machtkämpfe im damaligen „Heiligen Römischen Reich deutscher Nation". Doch bei aller Abhängigkeit des fahrenden Sängers von mächtigen Herren wollte Walther über den Parteien stehen und zur Besinnung aufrufen: als Verkünder übergeordneter Wahrheit. Die Themen, die er aufgriff, zielen auf persönliche Lebensführung, religiöses Leben und Politik.

Lyrik

- Die Lyrik gehört – neben Epik und Drama – zu den drei Hauptgattungen der
- Dichtung. Goethe spricht von den drei „Naturformen der Poesie". Als Ausdruck
- von seelischen Erlebnissen, Gefühlen, Gedanken ist Lyrik die am meisten ich-
- bezogene, subjektive und wohl auch die ursprünglichste, älteste Grundform der
- Dichtung. Das Wort ist abgeleitet von griechisch *Lyra* ‚Leier'. Mit diesem
- Instrument begleitete ein Dichter seinen Vortrag: einen Sprechgesang oder ein
- Lied.
- Auch später, als lyrische Texte nicht mehr gesungen wurden, haben sie meist eine
- bestimmte „Melodie" beibehalten: durch Rhythmus, Reim, Vers und Strophe.
- Dem Lied verwandt war im Mittelalter auch die Spruchdichtung, die zunächst
- gesungen, später nur noch gesprochen wurde.

„Friede und Recht sind todwund"

1198: Sorge um
das Reich

Ich saz ûf eime steine
und dahte bein mit beine;
dar ûf sazte ich den ellenbogen:
ich hete in mîne hant gesmogen
5 daz kinne und ein mîn wange.
dô dâhte ich mir vil ange,
wie man zer werlte solte leben:
deheinen rât kunde ich gegeben,
wie man driu dinc erwurbe,
10 der keinez niht verdurbe.
diu zwei sint êre und varnde guot,
daz dicke ein ander schaden tuot:
daz dritte ist gotes hulde,
der zweier übergulde.
15 die wolte ich gerne in einen schrîn.
jâ leider das enmac niht gesîn,
daz guot und wertlîch êre
und gotes hulde mêre
zesamene in ein herze komen.

20 stîge und wege sint in benomen:
untriuwe ist in der sâze,
gewalt vert ûf der strâze:
vride und reht sint sêre wunt.
diu driu enhabent geleites niht.
25 diu zwei enwerden ê gesunt.

Ich saß auf einem Stein
und schlug ein Bein über das andere,
darauf stützte ich den Ellenbogen.
Ich hatte in meine Hand geschmiegt
5 das Kinn und meine eine Wange.
So dachte ich in großer Sorge darüber nach,
wie man in dieser Welt leben sollte.
Keine Lösung konnte ich finden,
wie man drei Dinge erwerben sollte,
10 ohne dass eines davon verloren ginge.
Zwei davon sind Ansehen und Besitz,
die oft einander beeinträchtigen.
Das dritte ist Gottes Gnade,
weit wertvoller als die beiden anderen.
15 Die hätte ich gerne in einen Kasten.
Doch leider ist das unmöglich,
dass Besitz und gesellschaftliches Ansehen
und dazu Gottes Gnade noch
in einem Herzen zusammenfinden.
20 Stege und Wege sind ihnen versperrt.
Verrat lauert im Hinterhalt,
Gewalt zieht über die Straße.
Friede und Recht sind todwund.
Die drei haben kein sicheres Geleit,
25 wenn nicht vorher diese beiden gesunden.

Wie soll man leben in einer solchen Welt? 1198, als der Spruch entstand, herrschten schlimme Zustände im Reich. Jede der beiden verfeindeten Parteien – Staufer und Welfen – hatte einen König gewählt. Das bedeutete Krieg. Der Staufer Philipp, an dessen Hof Walther zu der Zeit lebte, schrieb: „[…] jeder lebte ohne Richter und Gesetz und tat, was ihm beliebte."
In den Wirren des politischen Streites hat Walther zwar zweimal die Seiten gewechselt, für eines aber ist er immer eingetreten: Die Sache des Reiches sollte über den Parteien stehen und Ansprüche von außen, vor allem des Papstes, sollten abgewehrt werden.

Ein Bauernsohn will Ritter werden: Helmbrecht

Wernher der
Gartenære:
Helmbrecht

> Einer seit waz er gesiht,
>   der ander seit waz im geschiht,
>   der dritte von minne,
>   der vierde von gewinne,
> 5 der fünfte von grôzem guote,
>   der sehste von hôhem muote:
>   hie wil ich sagen waz mir geschach,
>   daz ich mit mînen ougen sach.

seit: sagt, erzählt
gesiht: sieht
guot: Besitz
hôher muot:
hochgemutes
Rittertum

Der Dichter sagt, was er vorhat. Ganz am Ende erst nennt er seinen Namen: **Wernher der Gartenære** (der Gärtner, eine nicht erklärbare Bezeichnung). Er sei kein hoher Herr. Vielleicht war er ein Geistlicher, das erklärte seine Bildung. Mehr aber scheint dafür zu sprechen, dass er von Beruf ein fahrender Sänger war.

Die Verserzählung ist in der zweiten Hälfte des 13. Jahrhunderts entstanden, wohl zwischen 1250 und 1285. Das war, sagt Schiller später, „die kaiserlose, die schreckliche Zeit" nach dem Tode des letzten Staufers. Dieses sogenannte „Interregnum" zwischen 1254 und 1273 machte den Verfall der Reichsgewalt besonders deutlich, der nicht mehr aufzuhalten war. Vor allem aber zeigte sich die Auflösung der überlieferten „Ordnung" überhaupt. Wernher betont, dass er vom wirklichen Geschehen seiner Zeit berichten will, von dem, was er mit eigenen Augen gesehen hat. Das gibt er dann in einem einprägsamen – erfundenen – Beispiel wieder.

1273: Rudolf I.
von Habsburg
zum König
gewählt

> Ich sah, das ist ganz sicher wahr,
>   den Sohn eines Bauern, der trug ein Haar,
>   das war gelockt und blond;
>   über die Achsel hing es reichlich hinab.
> 5 Er fing es in einer Haube auf,
>   die mit Bildern kunstvoll verziert war.

Der junge Mann heißt wie schon Vater und Großvater: Helmbrecht. Die kostbare Haube bestickt von einer entlaufenen Nonne wird sehr ausführlich geschildert. Sie ist wie das lange Haar ein Zeichen des Hochmuts. Mutter und Schwester statten Helmbrecht mit vornehmen Gewändern wie einen Ritter aus. Der Vater aber warnt, berichtet von Träumen, die Unheil ankündigen, und mahnt: „dîn ordenunge ist der phluoc." Vergeblich: Helmbrecht zieht es an den Hof. Was er freilich findet, ist ein Raubritternest.

Hochmut
(lateinisch
superbia):
Anführerin der
sieben
Todsünden

Von seiner Beute bringt er, als er nach einem Jahr nach Hause kommt, Geschenke mit. Und mit vermeintlich ritterlichem Gehabe will er den Seinen imponieren, zum Beispiel mit fremden Sprachbrocken, die er selbst kaum versteht. Nur der Vater durchschaut die Prahlerei. „Slintezgeu" nennt sich der Sohn jetzt: „Verschling das Land!" Ähnlich heißen die Spießgesellen, zum Beispiel „Rütelschrîn" – „Rüttel am Schrank!" Der Vater erinnert daran, wie es früher bei Hofe zugegangen sei unter den Rittern:

> Sie waren höfisch und frohgemut und wussten nichts von niedriger
> Gesinnung, wie es heute bei vielen Männern und Frauen zu finden ist. [...]

Ach, wie wohl wusste ich einst, was Treue und Ansehen vermehrte, ehe die Schlechtigkeit es ins Gegenteil verkehrte! Die Betrüger und die Zuchtlosen, die alle Rechte mit Schlauheit zu verderben verstanden – denen gönnten die Herren am Hofe damals keinen Platz am Tisch. Jetzt gilt der als klug, der heucheln und lügen kann; der ist bei Hofe angesehen und hat leider viel mehr Besitz und Ansehen als einer, der dem Recht folgt und nach Gottes Gnade strebt.

Was der Sohn berichtet, stimmt damit überein – nur dass der junge Helmbrecht im Gegensatz zum Vater das alles großartig findet:

Wer lügen kann, der ist tüchtig. Betrügen ist höfisches Benehmen;
geschickt ist, wer andere mit wohlgesetzten Worten hereinlegen kann.
Wer schimpft wie ein Knecht, der gilt nun als wohlgesittet. Glaubt mir,
das altväterliche Leben, wie ihr es lebt, wird heute verachtet.

Es gibt keine Verständigung mehr. Der junge Helmbrecht zieht wieder davon, nimmt sogar seine Schwester Gotelint mit, die seinen Kumpanen Lemberslint ('Lämmer-schling') heiratet. Doch schon beim wüsten Hochzeitsmahl bereut sie diesen Schritt. Die Räuber werden gefasst. Neun hängt man, den zehnten lässt man nach altem Brauch am Leben: Helmbrecht. Doch Ungehorsam und Überheblichkeit gegenüber den Eltern verlangen harte Strafe:

Wegen dieser Sünden musste er so mannigfache Not leiden,
dass ihm wohl der Tod tausendmal lieber gewesen wäre.

Man sticht ihm die Augen aus und schlägt ihm eine Hand und einen Fuß ab. Der Vater weist ihn, wenn auch schweren Herzens, von seiner Tür. Ein Jahr später begegnet der blinde Krüppel Bauern, denen er einst Böses zugefügt hat. Sie zerfetzen seine Haube – das Zeichen angemaßten Rittertums – und hängen ihn auf. Alle schlimmen Träume des Vaters haben sich erfüllt.

Ein Zeitalter geht zu Ende

Ein Bauernsohn verstößt gegen die Standesordnung, in die er eingebunden ist, und, schlimmer noch, gegen das vierte Gebot, das sich darum gegen ihn kehrt.
Aber die Verserzählung von Helmbrecht bietet noch mehr, nämlich ein Bild der Zeit, in der die alte „Ordnung" sich mehr und mehr auflöst. Die Macht im Reich ist vom Kaiser auf die Landesfürsten übergegangen; Fußheere haben die Ritterheere abgelöst: Der Ritterstand wird nicht mehr gebraucht. Ein Teil geht in den fürstlichen Beamtendienst, der andere verfällt dem Raub-„Rittertum": Die mit dem Anspruch aufgetreten sind Streiter Gottes und Beschützer der Wehrlosen zu sein, rauben nun Schwächere aus, überfallen Kaufleute, nehmen Gefangene um Lösegeld zu erpressen.
Das Bürgertum in den Städten aber erstarkt, vor allem durch den Handel. Dadurch kann sich auch der Druck auf die Bauern lockern, wenn es gelingt Erzeugnisse unmittelbar in die Stadt zu liefern. Notfalls kann man in die Stadt ziehen: „Stadtluft macht

„Ehre deinen Vater und deine Mutter, damit du lange lebst in dem Land, das der Herr, dein Gott, dir gibt."
2. Mose 20,12

frei", heißt ein Rechtsspruch. So wächst in den Städten eine neue Zeit heran. *Helmbrecht* ist eine Dichtung, die diesen Wandel zeigt. Auch wenn eine neue Welt noch nicht deutlich erkennbar ist, sie wirkt doch schon auf die Verhältnisse ein, verändert die Menschen, stellt die alte, mittelalterliche Ordnung in Frage. Wernhers Kritik trifft fast alle Stände, am stärksten Ritter und Bauern, die den alten Tugenden nicht mehr entsprechen, die Forderungen einer neuen Zeit noch nicht begreifen.

Bürger und Gelehrte:
Humanismus und Reformation

Der Ackermann und der Tod

Johannes von
Tepl, kurz nach
1400

Der Ackermann klagt an:
Grimmiger Vertilger aller Lande, schädlicher Verächter aller Welt,
schrecklicher Mörder aller guten Leute, Ihr, Tod, seid verflucht! Gott,
Euer Schöpfer, hasse Euch, immer mehr Unheil wohne bei Euch, Unglück
5 hause gewaltig bei Euch; seid geschändet immerdar. Angst, Not und Jammer
sollen Euch nicht verlassen, wo immer Ihr wandert; Leid, Betrübnis und
Kummer sollen Euch überall begleiten. […] Himmel, Erde, Sonne, Mond,
Gestirne, Meer, Gewässer, Berg, Gefilde, Tal, Au, der Abgrund der Hölle,
auch alles, was Leben und Sein hat, sei Euch ewig unhold, ungünstig, ein
10 Fluch! […] Unverschämter Bösewicht, das böse Gedächtnis an Euch lebe und
daure ohne Ende; Grauen und Furcht sollen nicht von Euch scheiden, wo
immer Ihr wohnt. Von mir und allen Menschen sei stets über Euch ernsthaft
Zeter geschrien mit gerungenen Händen!

Zeter: Hilferuf
*Zeter schreien mit
gerungnen Hän-
den:* mittelalterli-
che Form vor
Gericht Klage zu
erheben

Der zeitgenössische Holzschnitt nimmt
„Ackermann" wörtlich, zeigt einen Bauern,
nicht den Gelehrten, der seinen „Acker",
das Papier, mit der Feder pflügt.

Der Tod antwortet:
15 Höret, höret, höret neue wunderliche Kunde! Grausame und unerhörte
Klagen fechten Uns an. Woher die kommen, ist Uns völlig fremd. Doch
Drohen, Fluchen, Zetergeschrei, Händeringen und allerlei Anwurf – da sind
Wir bis jetzt allseits gut davongekommen. Dennoch, Sohn, wer du auch bist,
melde dich und tu kund, was dir an Leid von Uns widerfahren sei, weswegen
20 du Uns so unziemlich behandelst. […] Wir wissen nicht, wessen du Uns so
freventlich bezichtigst.

Der Ackermann:
Man nennt mich einen Ackermann, mein Pflug stammt vom Vogelkleid
und ich wohne im Böhmerland. Voll Hass, widerwärtig und widerstrebend
25 soll ich Euch immer entgegentreten, denn Ihr habt mir den 12. Buchstaben,
den Hort meiner Freude, aus dem Alphabet grausam entrissen. [...] Ihr habt
mir die lichte Sommerblume meiner Wonne aus dem Anger meines Herzens
jämmerlich ausgerodet. [...] Darum will ich ohne Ende schreien: Ihr, Tod,
seid verflucht!

Der 12. Buchstabe im Alphabet ist das M.

Das Streitgespräch des Menschen mit dem Tod folgt dem herkömmlichen Verlauf
eines mittelalterlichen Rechtsstreits. Angeklagt wird der Tod, der Mensch ist „Klager":
Er klagt und klagt an. Denn der Tod hat ihm seine Frau Margaretha entrissen. Der
Kläger weist sich als Schreiber aus, mit einem damals bekannten Bild: Pflug = Feder,
Acker = Papier, Samen = Tinte. „Ackermann" heißt er, weil er seine Klage stellvertretend
für alle Menschen vorbringt. Denn in diesem Prozess geht es nicht nur um diesen
einen Menschen und seinen Verlust, den er als Unrecht erachtet. Die Sache, um
die es geht, ist die Frage, was der Mensch überhaupt wert ist. Der Tod, der im Plural
der Majestät von sich redet, verachtet den Menschen, verneint das Leben:

30 Ein Mensch wird in Sünde empfangen, mit unreinem, namenlosem
Unflat im Mutterleib ernährt, wird nackt geboren und ist ein beschmierter
Bienenkorb, ein ganzer Unrat, ein Kotfass, eine Wurmspeise, ein Abort,
ein widerlicher Spülzuber, ein fauliges Aas, ein schimmeliger Kasten,
ein Sack ohne Boden, eine löchrige Tasche, ein Blasebalg, ein gieriger
35 Schlund, ein stinkender Leimtiegel, ein übelriechender Harnkrug [...]
und eine übertünchte Grabstätte.

Mit „übertünchten Gräbern" vergleicht Christus die Heuchler (Matth. 23,27).

Der Ackermann hält dagegen:
Pfui über Euch, böser Schandsack! Wie macht Ihr ihn zunichte, wie setzt Ihr
ihm übel zu, wie sprecht Ihr ihm die Ehre ab – dem edlen Menschen,
40 Gottes allerliebster Kreatur, womit Ihr zugleich auch die Gottheit erniedrigt!
[...] Sollte Gottes allmächtige und ehrwürdige Hand mit dem Menschen
ein so unreines und unflätiges Werk geschaffen haben, wie Ihr beschreibt,
dann wäre er ein sträflicher und unwürdiger Schöpfer.

Ist Gottes Ehre unlösbar mit der Würde des Menschen verbunden? Darüber kann nur
Gott selber urteilen. So folgt – nach 32 Kapiteln, in denen abwechselnd Mensch und
Tod ihre Argumente vorgetragen haben – am Ende der Richtspruch Gottes:

Der Kläger beklagt seinen Verlust, als ob sie [die Frau] sein rechtmäßiges
45 Erbe wäre; er vergisst, daß sie ihm von Uns verliehen ward. Der Tod rühmt
sich einer Herrschaft, die er doch nur von Uns zu Lehen empfangen hat. [...]
Doch der Streit ist nicht ganz ohne Grund: Ihr habt beide gut gefochten.
Jenen zwingt sein Leid zu klagen, diesen die Anfechtung durch den Kläger, die
Wahrheit zu sagen. Darum: Kläger, habe die Ehre, Tod, habe den Sieg, weil
50 jeder Mensch das Leben dem Tod, den Leib der Erde, die Seele Uns zu geben
verpflichtet ist.

Darauf folgt nur noch ein Gebet: Ein Lobpreis Gottes in unzähligen sprachlichen Bildern und die Bitte, dass Margaretha der ewigen Seligkeit teilhaftig werde. Die Anfangsbuchstaben der einzelnen Abschnitte dieses Gebetes ergeben den Namen JOHANNES und die Buchstaben MA (wohl für Margaretha).

Johannes von Tepl und die Menschenwürde

Alles spricht dafür, dass Johannes im Dialog mit dem Tod eigene Erfahrung verarbeitet hat: den Verlust der Frau nach der Geburt des ersten Kindes, aber auch das massenhafte Sterben durch die Pest, die seit der Mitte des 14. Jh. Europa heimgesucht und etwa ein Drittel der Menschen hinweggerafft hat. **Johannes von Tepl** (um 1350–1414) war Schulrektor, Notar und Stadtschreiber in der böhmischen Stadt Saaz. Eine Zeit lang hat er auch in der kaiserlichen Kanzlei in Prag gearbeitet. Die Hauptstadt Böhmens, damals Residenz des Kaisers, war ein Zentrum der geistigen Bewegung des Humanismus.

Humanismus

- Zu Beginn des 14. Jh. war Italien der am weitesten entwickelte Teil Europas: Die Wirtschaft blühte, in den Stadtstaaten gewann das politisch erwachende Bürgertum Einfluss. Wissenschaften und Künste gaben einem neuen Lebensgefühl Ausdruck und einem Wandel des Denkens: Überwindung politischer und geistiger Vormundschaft hieß das Ziel. Dabei berief man sich auf die Denker und Dichter des griechischen und römischen Altertums: Man forderte „Wiedergeburt aus dem Geiste der Antike". Wir kennen diesen Begriff in der französischen Form: Renaissance.

Renaissance: heute auch allgemein im Sinne von Erneuerung gebraucht

- Die von Italien aus sich über weite Teile Europas ausbreitende Renaissance hatte wirtschaftliche und politische, besonders aber kulturelle Auswirkungen: Der Mensch und seine Belange sollten in die Mitte des Denkens, Trachtens und Handelns treten, das „Humane" (lateinisch *humanus* von homo ‚Mensch'). „Humanismus" heißt diese Strömung, die das geistige und soziale Leben zu durchdringen begann: Besinnung auf die Würde der menschlichen Person, auf den freien Gebrauch der Vernunft. Der deutsche Humanist **Ulrich von Hutten** schwärmte: „O Jahrhundert, o Wissenschaften! Es ist eine Lust zu leben. […] Die Studien blühen, die Geister regen sich." Die gelebte Wirklichkeit konnte solcher Begeisterung nur unvollkommen entsprechen, aber Wissenschaft und Bildung nahmen doch ungeahnten Aufschwung. So gründete z. B. Kaiser Karl IV. in Prag, der kaiserlichen Residenzstadt, die erste deutsche Universität (1348). Humanistische Bestrebungen mussten nicht in Gegensatz treten zur christlichen Lebensauffassung. Die Kirche aber sah sich mehr und mehr vor die Forderung nach Reformen gestellt: Der Humanismus wurde zum Wegbereiter der Reformation.

Nach dem Streitgespräch mit dem Tod beugt sich der Kläger ergeben dem Urteil des richtenden Gottes: Das entspricht der frommen Haltung des mittelalterlichen Menschen. Trotzdem verkündet das Urteil bisher Unerhörtes, es nimmt auseinander, was im Weltbild des Mittelalters noch untrennbar erschien: Sieg und Ehre. Die Vergänglichkeit des Menschen ist Gottes Wille, also siegt auf Erden der Tod. Aber die „Ehre" bleibt dem Menschen: Ausdrücklich bestätigt Gott das, was wir „Würde" nennen. Darin gibt er dem Ackermann mit der Feder Recht, dem Dichter als dem Sprachrohr der Menschheit und der Menschlichkeit, der selbstbewusst feststellt: „Der Mensch ist das allerachtbarste, allerkunstreichste und allerfreieste Werkstück Gottes."

Darum hat er das Recht Befinden und Anspruch frei zu äußern: „Wenn nach großem Leid große Klage folgen soll, dann würde ich unmenschlich handeln, wenn ich solche lobenswerte Gottesgabe, die niemand als allein Gott zu geben vermag, nicht beweinte." Der Mensch hat ein Recht auf Leben im Diesseits, wozu auch das Glück der Ehe gehört, auf eigene Erkenntnis, eigenes Handeln: Er ist unmittelbar zu Gott.

Die neu gewonnene „Ehre" ist also viel mehr als äußeres Ansehen: Sie ist Auszeichnung des Menschen, der Gottes Ebenbild ist. Der Tod hat Unrecht, sofern er starr am Alten festhalten will, indem er glaubt, „dass ein Knecht Knecht bleibt, ein Herr Herr". Ein deutlicher Ausdruck der neu erklärten Freiheit des Menschen ist die Sprache dieses Streitgesprächs, der kunstvolle Aufbau des Dialogs, der Ausdruck veränderten Fühlens und Denkens: Mitteilung, die andere bewegen will.

Gottes Wort auf gut Deutsch: Martin Luther

M. Luther:
Sendbrief vom Dolmetschen, 1530

gemein:
allgemein

Man muss nicht die Buchstaben in der lateinischen Sprache fragen, wie man gut Deutsch reden soll – so tun es die Esel –, sondern man muss die Mutter im Hause, die Kinder auf der Gasse, den gemeinen Mann auf der Straße drum fragen und denen auf das Maul sehen, wie sie reden, und danach dolmetschen.
5 So verstehen sie es denn und merken, dass man Deutsch mit ihnen redet. Wenn etwa Christus spricht: „Ex abundantia cordis os loquitur." Wenn ich den Eseln folgen soll, die werden mir die Buchstaben vorlegen und so dolmetschen: „Aus dem Überfluss des Herzens redet der Mund." Sage mir: Ist das Deutsch geredet? Welcher Deutsche versteht so etwas? […] Die Mutter im
10 Haus und der gemeine Mann reden vielmehr so: „Wes das Herz voll ist, des gehet der Mund über." Das heißt gut Deutsch geredet, dessen ich mich befleißigt habe und was ich leider nicht immer erreicht noch getroffen habe. Denn die lateinischen Buchstaben hindern über alle Maßen daran, sehr gut Deutsch zu reden.
15 Oder wenn der Verräter Judas sagt: „Ut quid perditio unguenti facta est?" Folge ich den Eseln und Buchstabilisten, dann muss ich's so verdeutschen: „Warum ist diese Verlierung der Salbe geschehen?" […] Wenn nun das gutes Deutsch ist, warum treten sie nicht hervor und machen uns so ein feines, hübsches neues Testament und lassen Luthers Testament liegen? Ich meine ja,
20 sie sollten ihre Kunst an den Tag bringen. […] „Es ist schade um die Salbe", das ist gutes Deutsch, daraus versteht man, dass Magdalena mit der verschütteten Salbe verschwenderisch umgegangen sei und Schaden angerichtet habe. Das war die Meinung des Judas, denn er glaubte, etwas Besseres damit anzufangen.

So schreibt **Martin Luther** 1530 in seinem *Sendbrief vom Dolmetschen.* Der Reformator arbeitet an einer vollständigen Übersetzung der Bibel ins Deutsche. Dazu sucht er eine Sprache, die für alle verständlich sein soll, denn er will möglichst viele Menschen mit Gottes Wort vertraut machen. Gelehrte konnten die Bibel im „Urtext" lesen: auf Hebräisch das Alte, auf Griechisch das Neue Testament. In der Kirche galt die lateinische Übersetzung, die „Vulgata". An die hielten sich die meisten schwer verständlichen deutschen Übersetzungen: Sie gaben den Text Wort für Wort wieder – nach dem Buchstaben, sagt Luther und nennt die „Buchstabilisten" „Esel", weil sie dabei oft den Sinn des Textes verfehlten, wie er beweist.

M. Luther, 1483–1546

Vulgata: allgemein üblich

Man muss hören, wie das Volk redet, sagt er, nämlich bildhaft und in einfachen Sätzen. Wo es nötig ist, muss man neue Ausdrücke prägen, die dem Sinn des ursprünglichen Textes möglichst nahe kommen: Luther übersetzt aus dem Urtext. So verdankt die deutsche Sprache dem Reformator viele neue Wörter, die wir noch heute gebrauchen, z. B. „friedfertig", „wetterwendisch", „Denkzettel", „Lästermaul". Für die Verbreitung der *Lutherbibel* sorgte eine neue Technik, die 1453 aufgekommen und inzwischen überall eingeführt war: der Buchdruck mit beweglichen Lettern. So konnte ein Drucker in Wittenberg, wo Luther wirkte, schon in den ersten 50 Jahren 100 000 Exemplare der neuen Bibel drucken.

Neue deutsche Wörter

Buchdruck

Keiner vor Luther – und wohl auch kaum einer nach ihm – hat die deutsche Sprache so nachhaltig geprägt wie er. Zwar blieb Latein noch lange die Sprache der Gelehrten, des Rechts und der Verwaltung. Die Sprache der Bibel aber wurde fortan die „Volkssprache". Das war eine gehobene Umgangssprache, die über die nur regional verständlichen Mundarten hinaus überall in deutschen Landen verstanden werden konnte.

„Ich habe keine bestimmte, eigene Sprache im Deutschen", sagt Luther, „sondern mache Gebrauch von der allgemeinen deutschen Sprache, so dass mich beide, Ober- und Niederdeutsche, verstehen können. Ich rede nach der sächsischen Kanzlei, der alle Fürsten und Könige in Deutschland folgen." Mag Luther auch die Bedeutung dieser Kanzleisprache überschätzt haben: Jedenfalls entstand auf diesem Wege ausgehend vom Ostmitteldeutschen die erste deutsche „Gemeinsprache".

Gehobene Umgangssprache als „Gemeinsprache"

In dieser Sprache hat der Reformator seine Botschaften ausgesandt, zum Beispiel die Flugschriften *An den christlichen Adel deutscher Nation von des christlichen Standes Besserung* oder *Von der Freiheit eines Christenmenschen,* beide 1520. Glaubensfreiheit setzt voraus, dass man Gottes Wort auch ohne Vermittlung durch andere lesen und bedenken kann.

Die 4000 Exemplare der ersten Auflage von Luthers wohl erfolgreichster Flugschrift waren nach 14 Tagen ausgegeben; 13 weitere Drucke folgten noch im ersten Jahr. Das Reformprogramm galt der Überwindung von Missständen in Kirche und Welt und damit seelischer, gesellschaftlicher und wirtschaftlicher Nöte. Adressat war besonders der junge Kaiser Karl V. Der „christliche Adel" solle zur Besserung der Zustände in der Christenheit „ein rechtes, freies Konzil" einberufen – und damit ein Recht wahrnehmen, das dem Papst vorbehalten war.

Flugblatt /
Flugschrift

- Das Flugblatt ist eines der ältesten Mittel der Massenkommunikation: eine
- kurze, gedruckte Mitteilung, ein- oder doppelseitig; bei größerem Umfang
- (mehreren Seiten) sagt man Flugschrift. Mitgeteilt wurden interessante Bege-
- benheiten: Die Bezeichnung „newe zeitung", d. h. neue Nachricht (etwas, wo-
- nach man sich richten kann oder soll), zeigt die Vorläuferschaft zur späteren
- Zeitung. Bilder dienten als Blickfang und konnten auch Leseunkundigen nahe
- bringen, worum es ging. Eine andere, damals aufkommende Funktion von
- Flugblättern und -schriften gibt es noch heute: Man kann damit im Tagesstreit
- auch religiöse und politische Meinungen verbreiten. Martin Luther ist wohl der
- berühmteste Verfasser von Flugschriften; etwa 3000 Titel sind von ihm bekannt.
- Die nach Erfindung des Buchdrucks mögliche massenhafte Verbreitung hatte
- zur Folge, dass schon in der Mitte des 16. Jh. Behörden versuchten die Verbrei-
- tung von Flugblättern und -schriften durch Verordnungen zu regeln. Heutige
- „Handzettel" dienen meist der Werbung, aber auch politischer Aktion. Ein be-
- rühmtes Beispiel aus der jüngeren Geschichte ist die Flugblattaktion der
- „Weißen Rose", einer studentischen Widerstandsgruppe im Kampf gegen
- Hitler, 1943 an der Münchner Universität. Die tapferen Verfasser und Verteiler
- wurden hingerichtet.

Evangelisches
Kirchenlied

Im Gottesdienst sollten die Gläubigen fortan mehr Lieder in ihrer eigenen Sprache singen. Zum ersten lutherischen Gesangbuch trug Luther selbst zahlreiche Liedtexte bei, denen später noch weitere folgten. Zu den bis heute bekanntesten (und nicht nur im evangelischen Gottesdienst gesungenen) gehören das Weihnachtslied „Vom Himmel hoch, da komm ich her" und das zum „Reformationslied" gewordene „Ein feste Burg ist unser Gott", eine freie Bearbeitung des 46. Psalms. Als Beispiel für Luthers Sprachkraft hier die dritte der vier Strophen dieses Liedes:

Vnd wenn die welt vol Teuffel wer
vnd wolt vns gar verschlingen,
So fürchten wir vns nicht so sehr,
Es sol vns doch gelingen
5 Der Fürst dieser welt
wie sawr er sich stellt
thut er uns doch nicht
das macht er ist gericht
Ein wörtlein kan jn fellen.

u und *v* wie *i* und *j*: ein Buchstabe
gar: ganz
Umlaut: durch kleines *e* über dem Vokal bezeichnet
sawr (gesprochen: „sauer"): grimmig
sich stellt: auftritt
nicht: nichts
wörtlein: vgl. Matth. 4,10

Der farent Schueler ins Paradeiß

Die Peurin gehet ein und spricht:
Ach wie manchen Seuftzen ich senck,
wenn ich vergangner Zeit gedenck,
da noch lebet mein erster Man,
5 den ich je lenger lieb gewan,
dergleich er mich auch wiederumb,
wann er war einfeltig und frumb.
Mit im ist all mein Freud erstorben,
wie wol mich hat ein andr erworben.
10 Der ist meim ersten gar ungleich,
er ist karg und wil werden reich,
er kratzt und spart zusam das Gut,
hab bei im weder Freud noch Mut.
Gott gnad noch meinem Man, dem alten,
15 der mich viel freundlicher thet halten;
künt ich im etwas guts noch than,
ich wolt mich halt nicht saumen dran.

Der farent Schueler gehet ein und spricht:
Ach liebe Mutter, ich kumb herein,
20 bit, lass mich dir befolhen sein,
mit deiner milten Hand und Gab,
wann ich gar viel der Künste hab,
die ich in Büchern hab gelesen. […]
wiss, ich bin ein farender Schuler
25 und fahr im Land her und hin.
Von Pariß ich erst kommen bin
itzund etwo vor dreien Tagen.

Hans Sachs, 1550

wann: denn
einfeltig (hier): schlicht, redlich

Die Peurin:
Secht, lieber Herr, was hör ich sagen,
30 kumbt ir her auß dem Paradeiß?
Ein Ding ich fragen muss mit Fleiß,
habt ir mein Man nicht drin gesehen?

Ein kleiner Hörfehler: Paradies statt Paris. Wenn die Frau so etwas glauben kann, jemand komme aus dem Paradies, muss man das ausnutzen, denkt der Schüler: Wie sieht der Mann aus? Er habe nur ein Leintuch und einen blauen Hut ins Grab mitbekommen, nicht mal einen Pfennig für ein Bad, sei also auf Almosen angewiesen. Der Schüler verspricht, bei seiner Rückkehr dem armen Mann ein Bündel mit Kleidern und Stiefeln mitzubringen, das die Frau eilig schnürt. Dazu gibt sie noch zwölf Gulden mit, ein kleines Vermögen, das sie ihrem jetzigen Mann verheimlicht und im Kuhstall vergraben hat. Und beim nächsten Mal soll es noch mehr geben, damit der Verstorbene es so gut hat wie die anderen Paradiesbewohner, baden, spielen und zechen kann. Für den Boten gibt es einen Taler als Lohn. Der zieht freudig ab und die Bäuerin beginnt vor Glück zu singen. Da kommt der Bauer heim und erfährt, was geschehen ist, lässt sich aber seinen Zorn nicht anmerken, sondern sagt, er wolle noch zehn Gulden hinterherbringen. Monolog des Bauern, während sie draußen den Knecht das Pferd satteln heißt:

Ach, Herr Gott, wie hab ich ein Weib,
die ist an Seel, Vernunft und Leib
ein Dildapp, Stockfisch, halber Narr,
irs gleich ist nicht in unser Pfarr,
5 die sich lest uberreden leider
und schickt irem Man Gelt und Kleider,
der vor eim Jar gestorben ist,
durch des farenden Schulers List.
Ich wil nachreitn, thu ich in erjagen,
10 so wil ich im die Haut vol schlagen,
in niderwerfen auf dem Feld,
im widernemen Kleidr und Geld,
darmit wil ich dann heimwertz kern
bern: schlagen   und mein Weib wol mit Feusten bern.

Dem Schüler, der den Bauern von weitem heranreiten sieht, schwant Unheil. Er versteckt das Bündel und tut so, als erwarte er jemanden – der Bauer sucht ja einen Davonlaufenden mit einem Bündel auf dem Rücken. Ja, der sei eben vorbei gekommen, der laufe übers Moor dort in den Wald. Da man ihm dorthin nur zu Fuß folgen kann, bittet der Bauer den Schüler doch so lange auf sein Pferd aufzupassen. Da sagt der Schüler nicht Nein. Monolog des doppelt „Beschenkten":

Wie frölich schaint mir heut das Glück
vollkummenlich in allem Stück:
Die Frau gibt mir Rock, Hosn und Schu,
so gibt der Man das Ross darzu […]

₅ Wil eilends auf den Graman sitzen
und in das Paradeiß nein schmitzen,
ins Wirtshaus, da die Hüner braten,
den Pauern lassen im Moß umb waten.

Graman:
Grauer (Pferd)

Und verschwindet mit Pferd und Bündel. Der erfolglos Zurückkommende muss erkennen, dass er „der größte Narr auf Erden" ist: Wie sein Weib, das er für ihre Dummheit hat verprügeln wollen, ist er dem „Landsbescheißer" aufgesessen. Eine Ausrede muss her: Er habe dem Boten das Pferd überlassen, damit der schneller vorankomme und dem Verstorbenen auch noch das Reittier bringen könne. Der Dank der Bäuerin kennt keine Grenzen:

Ja, du mein hertzenlieber Man,
erst vermerck ich dein treues Hertz.
Ich sag dir das in keinem Schertz.
Wolt Gott, das du auch stürbest morgen
₅ das du nur sehest unverborgen,
wie ich dir auch in gleicher Weis
nach schicken wolt ins Paradeiß […]

Des Bauern Bitte, „solch geistlich Ding" doch lieber für sich zu behalten, kommt zu spät: Die ganze Dorfgemeinde wisse es schon – und alle hätten sich mit ihr gefreut! So ein Weib ist schon ein Unglück. Wenn nur der Mann nicht ebenso leichtgläubig versagt hätte! Außerdem: Ist sie ihm nicht treu ergeben! Da bleibt am Ende die Erkenntnis, die der Bauer – im Namen des Autors – dem Publikum mitteilt:

Denn zieh man Schad gen Schaden ab,
darmit man Fried im Ehstand hab
und kein Uneinigkeit aufwachs;
das wünschet uns allen Hans Sachs.

Hans Sachs
Holzschnitt von 1567. Der 73-Jährige vermerkt in dem aufgeschlagenen Buch, dass er bisher 5867 Gedichte verfasst habe. Auf den Blättern rechts und links steht: „Auf dass nichts Böses draus erwachs, das wünscht uns allzeit
Hans Sachs. Amen."

„Zu Gottes ehr, zu straff der laster, lob der tugent": Hans Sachs

Ein Happyend, aber mit Haken: Um des lieben Friedens willen, um die Ehe und den Ruf nicht zu gefährden hat man einlenken müssen. Aber was soll man von solch haarsträubend dummer Leichtgläubigkeit halten, die da im Spiele ist? Am einfachsten, man findet sie lächerlich: Lachen befreit, besonders das Lachen über andere, die den Schaden davontragen. Hier lachen Bürger über „einfältige" Bauern: der „Held" des Stücks – und das Publikum dieses „Fastnachtsspiels".

Der es verfasst hat, **Hans Sachs**, kam 1494 in der reichen Stadt Nürnberg zur Welt als Sohn eines Schneidermeisters und starb dort 1576 als hochangesehener Bürger, wohlhabender Handwerksmeister, berühmter „Meistersinger", Verfasser von über 6000 Dichtungen aller Art (ausgenommen Romane). Er besuchte die Lateinschule, schloss die Schuhmacherlehre ab, zog fünf Jahre auf Wanderschaft durch Deutschland und ließ sich 1520 als Meister in seiner Heimatstadt nieder. Etwa dreißig Jahre lang übte er sein Handwerk aus, dann widmete er sich nur noch der Tätigkeit, die er bis dahin nebenher betrieben hatte: dem Dichten.

Politisch hatten Handwerker in Nürnberg nichts zu sagen. Die andernorts oft einflussreichen Zünfte, Vertretungen der Handwerksordnung, waren dort nicht erlaubt. Umso stärker bestimmten Handwerkergruppen das gesellige und kulturelle Leben der Stadt, besonders durch sogenannte „Singschulen", die wie Zünfte organisiert

Meistersinger in Nürnberg

waren. Dort pflegte man den „Meistersang", fertigte nach strengen Regeln geistliche und weltliche Lieder. „Meister" – so hatte man im Mittelalter die Spruchdichter genannt. Die Handwerksmeister, die nun in deren Fußstapfen traten, mussten mit ihrer Dichtung nicht ihren Lebensunterhalt bestreiten.

Sie waren meist wohlhabend und darum unabhängig. Lediglich Zensur durch die Ordnungsmächte konnte ihnen Grenzen setzen. Hans Sachs war zeitweise davon be-

„Schuster, bleib bei deinen Leisten!" Sprichwort antiker Herkunft

troffen, als er – nicht im Meistersang, sondern in Spruchdichtung und Prosadialogen – zu offenkundig für Luther eintrat: Der Schuster solle gefälligst bei seinen Leisten bleiben. Der strenge Meistersang wurde kaum angefochten, blieb er doch im Rahmen einer Gruppe von Eingeweihten.

Die Meistersinger dichteten zur „kurtzweil" und blieben dabei unter sich. Wer hingegen mit Dichtung in die Öffentlichkeit wirken wollte, musste vielen Menschen Kurzweil bieten – in einer anderen, allgemein verständlichen Weise. So hat Hans Sachs –

Fastnachtsspiele neuer Art

neben mehr als 4000 geistlichen und weltlichen Meisterliedern und meist lehrhafter Dichtung anderer Art, darunter Fabeln und Schwänke – 85 „Fastnachtsspiele" geschrieben und damit zugleich dieser Gattung ein eigenes Gesicht gegeben.

Bis dahin waren Fastnachtsspiele nur lockere, nicht selten zotige, zum Teil improvisierte Beiträge zum ausgelassenen Fastnachtreiben gewesen, die man lose aneinander reihte, wie es heute noch bei Karnevalsveranstaltungen geschieht. An die Stelle solcher „Reihenspiele" setzte Hans Sachs in sich geschlossene kleine Theaterstücke mit drei bis sechs Spielern, durchschnittlich 340 Verse umfassend. Zeitweise verfügte er über eine eigene Spieltruppe, die an festen Spielorten auftrat – und nicht nur zur Fastnachtszeit. Die Handlung erwuchs – wie das Spiel vom „Fahrenden Schüler" zeigt –

Das goldene Mittelmaß

vornehmlich aus Dialogen, die auf eine „Moral" hinausliefen, eine handfeste Lehre, die das Publikum zur religiösen und bürgerlichen Ordnung hinführen sollte: „vernünfftigkeyt" und „gülden mittelmessigkeyt" waren Ziele für das hiesige, Bußfertigkeit für das jenseitige Leben:

„Würck buß und kere dich zu Gott,
Auff das dir nach dem leibling todt
Dort ewigs Leben aufferwachs.
Das wünscht uns allen Hans Sachs."

Narren und Weise

Wer über die Schwächen anderer lacht ohne die eigenen zu erkennen, ist selber der größte Narr. Diese Erkenntnis wollte ein Buch vermitteln, das 1494 im Geburtsjahr von Hans Sachs herauskam und zum größten deutschsprachigen Erfolgsbuch in Europa wurde.

Sebastian Brant: *Das Narrenschiff*, 1494 – ein früher Bestseller (eingeholt erst 1774 von Goethes *Werther*, ↑ S. 98)

Das Narrenschiff
Holzschnitt zum 108. Kapitel.
Von einem „Schluraffenland" müßiggängerischen Wohllebens hatte eine Lügengeschichte des 14. Jh. erzählt (wohl aus Sehnsucht nach dem verlorenen Paradies). Mhd. *sluraffe* ‚fauler Tor' steht für Narr. Auf der sorglosen Fahrt nach Narragonien heißt die Parole *Gaudeamus omnes:* „Lasst uns alle fröhlich sein!" Wer drohende Gefahr missachtet, geht unter.

Zu diesem Erfolg hat wohl auch die ansprechende Aufmachung beigetragen: Die 112 Kapitel sind wie Flugblätter angelegt, fast alle mit Holzschnitten versehen, von denen viele dem jungen Dürer zugeschrieben werden. Titel: *Das Narrenschiff*. Autor ist der elsässische Humanist und Gelehrte **Sebastian Brant**, Professor für Kirchenrecht, Kanzler (Stadtschreiber) der Stadt Straßburg und Kaiserlicher Rat. Narrheit war für ihn Untugend aus Unkenntnis, also heilbar, so hoffte er, durch Belehrung, deren alle Menschen bedürftig seien: „Wer sich recht spiegelt, der lernt wohl, dass er nicht weise sich dünken soll." So bevölkern das Narrenschiff Menschen aller Art, an der Spitze der Autor selbst: als Büchernarr.

Albrecht Dürer, 1471–1528

Hier geht es also nicht darum, dass ein Stand – der Gelehrte – sich über andere lustig macht, wie dann zum Beispiel Bürger über Bauern. Wenn hier von Wucherern, Reitern, Schreibern, Köchen und Kellnern – und einmal auch von einem Bauern – die Rede ist, dann nur soweit sie in ihrem Verhalten ganz allgemein menschliche

Mängel spiegeln: Unwissen, Unvernunft, moralische Gebrechlichkeit. Alle Menschen brauchen Belehrung, müssen begreifen, wie sie wirklich sind um sich ändern zu können:

> Also erprobt er Werk und Wort
> Vom Morgen bis zum Abend fort,
> Bedenkt die Sachen, die er tut,
> Verwirft, was bös, und lobt, was gut.
> 5 Das ist eines rechten Weisen Mut. [...]
> Wer also leben wird auf Erden,
> Dem wird auch Gott gewogen werden,
> Weil er die Weisheit recht erkannt. [...]
> Dies wünscht Sebastianus Brant.

Gerade weil er sich selbst der Narrheit bezichtigt, spricht doch zuletzt ein „weiser Mann".

Wie zwei Lalen miteinander die Häuser tauschen

Wunderseltsame, abenteuerliche, unerhörte und bisher unbeschriebene Geschichten und Taten der Lalen zu Laleburg, 1597

Die Lalen machten behende Fortschritte in ihrer Narrheit und betrieben sie so häufig, dass sie ihnen zur Gewohnheit wurde. Und wie sie zuerst aus zeitgemäßem und wohlbedachtem Rat mit der Torheit begonnen hatten, so ging sie danach in ihre Natur und ihre Art ein, so dass sie fürderhin nicht
5 mehr aus Weisheit Narrheit an den Tag legten, sondern aus rechter erblicher, angeborener Torheit. [...]
So waren zwei unter ihnen, die hatten einmal gehört, dass die Leute zu Zeiten durch Tausch viel Gewinn erzielt hatten. Das bewog sie, ihr Heil auch einmal miteinander zu versuchen und zu wagen. Und so kamen sie überein,
10 ihre Häuser miteinander zu tauschen. Das geschah aber beim Wein. [...]
Wie so etwas gerne zu geschehen pflegt, wenn der Wein eingeschlichen und der Verstand ausgewichen ist.
Als nun jeder dem anderen sein Haus einräumen sollte, nahm der eine, der zuoberst im Dorf wohnte, sein Haus (denn dazumal hatten die Bauern
15 noch nicht so große Paläste wie jetzt) und brachte es stückweise ins Dorf hinab. Der andere aber, der zuunterst im Dorf wohnte, brachte das seine dagegen hinauf. So hatten sie den Tausch miteinander vollzogen. Wer lacht doch da? Ei, lacht nur! Oder, wenn es nicht lachenswert ist, dann salzt es mit dem, was nachfolgt, so wird es wohlschmeckend werden. Man muss ja
20 eins mit dem anderen verkaufen und also Böses mit Gutem vertreiben.

Schwank

- Das Wort meint ursprünglich „schwingende Bewegung", dann „Streich, lustiger Einfall". Seit dem 15. Jh. bezeichnet Schwank eine lockere, witzige, oft derbkomische Erzählung in Prosa oder Vers, die eine Sache auf die Spitze („Pointe") treibt. Seit dem 19. Jh. ist Schwank auch die Bezeichnung für ein leichtes Lustspiel zur anspruchslosen Unterhaltung.

- Im Schwank geht es um menschliches Verhalten im Alltag, vor allem um Ver-
- spotten, Überlisten, Übertölpeln: *Tölpel* ‚Dörfler‘, also Bauer. Aber es kann
- auch Bauernschläue eingebildete Städter überlisten: Geistige Überlegenheit ist
- nicht standesgebunden. So ist **Till Eulenspiegel**, Hauptperson einer 1515 im
- Druck erschienenen Schwanksammlung, bäuerlicher Herkunft und er treibt sei-
- nen Spott mit Adeligen, Geistlichen, Bürgern, meist Handwerksmeistern.
- Indem er festgefahrene Redensarten wörtlich nimmt, entlarvt er starres Denken.
- So stellt er als Außenseiter die „Ordnung“ einer nach Ständen gegliederten
- Gesellschaft in Frage.
- Schwankliteratur, wie sie im 16. Jh. besonders im Elsass entstand oder zusam-
- mengestellt wurde, ist keine deutsche Eigenheit: Figuren und Handlungsmoti-
- ve waren international verbreitet. Schwänke wollen immer ein breites Publikum
- unterhalten: durch Witz (was ursprünglich Verstand bedeutet) und handfeste
- Komik, manchmal mit angefügter Lehre („Moral“). Auf unterhaltsam-nützliche
- Verwendung weist ein Titel wie „Rollwagenbüchlein“, eine beliebte Schwank-
- sammlung von **Jörg Wickram** aus dem Jahre 1555: Lektüre für den Reisewagen
- – zur „Zeitverkürtzung“.

Laleburg liegt überall: *Das Lalebuch*

Die Einwohner des Dorfes Laleburg, die Lalen, sind besonders kluge Leute, so dass
fremde Fürsten sich dort ihre Berater holen. Das missfällt den Frauen, weil daheim
nun alles verkommt. So beschließt der Rat, künftig werde man sich närrisch geben
um wieder zu sich selbst zu kommen. Das erscheint klug. Doch bald schon lässt sich
nicht mehr unterscheiden, ob die Narrheit noch Verstellung oder schon das wirkliche Wesen der Lalen ist. Zum Beispiel beim Bau des neuen Rathauses: Das ist drei-
eckig, nicht zu beheizen und ohne Fenster. So versucht man Licht in Säcken hinein-
zutragen.
„Ein Narr kann mehr fragen, als zehn Kluge beantworten können“, sagt ein Sprichwort. Aber die Lalen verfallen so sehr in Narrheit, dass am Ende ihr Dorf zerstört ist,
sie selbst verschollen sind: „doch ist jhr Thorheit und Narrey vberblieben vnnd vielleicht mir und dir auch ein gutes theil darvon worden“, meint der unbekannte Verfasser des *Lalebuchs*, das 1597 im Druck erschien.
Spätestens hier, in der Geschichte vom Häusertausch, musste der Leser begreifen, wer
und was wirklich gemeint ist. Wer humanistisch gebildet war, hatte es schon von den
Namen erfahren: „Lale“ ist abgeleitet von einem griechischen Verb, das „reden“ bedeutet: „Rat geben“ ebenso wie „schwätzen“. Auch die Ortsnamen sind Anspielungen
auf die griechische Antike: Laleburg liegt bei der Stadt Uthen (Nicht) im Reich Uto-
pien (Nirgendwo), wo Kaiser Udeys (Niemand) herrscht. Narrheit braucht keinen
bestimmten Ort – sie ist überall zu Hause.
Schon ein Jahr später, 1598, kam eine vereinfachte Neufassung des Buchs unter anderem Titel heraus: *Die Schiltbürger.* Die waren Wappen-Narren (*schilt* ‚Wappen‘). Man
versetzte sie später nach Schiltburg, schließlich nach Schilda bei Meißen. Also in die
Wirklichkeit? Die Anspielungen auf die griechische Antike verschwanden, der wohl-
bedachte Zusammenhang ging verloren. Was blieb, war eine lose gefügte, unkritische
Schwanksammlung zur gefälligen Unterhaltung.

Volksbücher

Romantik

↑ S. 156

Doktor Faustus

Goethes *Faust*

↑ S. 130

Diesen Begriff prägte erst 1807 der Publizist und Gelehrte **Joseph von Görres** (*Die teutschen Volksbücher*), der den Romantikern nahe stand, die volkstümliche Literatur sammelten und veröffentlichten (Märchen, Sagen, Volkslieder). In der erzählenden Unterhaltungsliteratur des 15. und 16. Jh. sah Görres Schöpfungen des „produktiv sich äußernden Volksgeistes". In Wirklichkeit waren die Verfasser dieser Literatur (die den Weg bereiteten für den späteren Roman) zunächst Adelige, Bürger, Gelehrte und sie wandten sich an höhere Stände: mit erdichteten Texten, die vor allem Stoffe aus Antike und Mittelalter nacherzählten (z. B. *Tristan und Isolde*), aber auch mit „Sachliteratur", wie wir heute sagen: Medizin-, Traum-, Rätsel-, Reise- und Legendenbüchern. Etwa 75 Titel mit rund 750 Auflagen sind bekannt.

Besonderen Erfolg, auch bei lesekundigen Bürgern, hatten Schwanksammlungen, die durch das neue Druckverfahren in großer Auflage verbreitet werden konnten. Die meisten dieser Texte waren schon vorher mündlich im „Volk" verbreitet worden. Ein herausragendes Beispiel ist die *Historia von D. Johann Fausten, dem weitbeschreyten Zauberer und Schwartzkünstler*, erschienen 1587. Eine Gestalt, die wirklich gelebt hat, der Alchimist und Quacksalber Georg Faust (um 1480–1540), wird mit mittelalterlichem Zauberwesen und Teufelsglauben (Teufelspakt) ebenso ausgestattet wie mit humanistisch-modernem Erkenntnisdrang und Glaubenszweifel („alle Gründe am Himmel und Erden erforschen") – beides führt zum schlimmen Ende, es gibt keine Rettung. Viele Dichter haben den Faust-Stoff dann aufgegriffen; am berühmtesten ist die Faust-Tragödie von Goethe.

Weltverneinung und Welttheater: Barock

Krieg um Glauben

Thränen des Vaterlandes. Anno 1636

Wir sind doch nunmehr gantz / ja mehr denn gantz verheeret!
   Der frechen Völcker Schaar / Die rasende Posaun
   Das vom Blutt fette Schwerdt / die donnernde Carthaun /
Hat aller Schweiß / und Fleiß / und Vorrath auffgezehrt.
5 Die Türme stehn in Glutt / die Kirch ist umgekehret.
   Das Rathauß ligt im Grauß / die Starcken sind zerhaun /
   Die Jungfern sind geschänd't / und wo wir hin nur schaun
Ist Feuer / Pest / und Tod / der Hertz und Geist durchfähret
   Hir durch die Schantz und Stadt / rinnt allzeit frisches Blutt.
10   Dreymal sind schon sechs Jahr / als unser Ströme Flutt /
Von Leichen fast verstopfft / sich langsam fort gedrungen
   Doch schweig ich noch von dem / was ärger als der Tod /
   Was grimmer denn die Pest / und Glutt und Hungersnoth
Das auch der Seelen Schatz / so vilen abgezwungen.

Andreas Gryphius

Völcker: Kriegsvölker, Heere
Carthaun: schweres Geschütz, Kanone
Grauß: Staub, Schutt (heute: Grus)

So sah es aus in Deutschland: im 18. Jahr des Krieges, der dreißig Jahre wütete. Der Dichter **Andreas Gryphius** hat es am eigenen Leibe erfahren, die Verfolgung des Glaubens wegen und den Krieg, der alles zerstörte: das Lebensnotwendige („Vorrat"), die Sicherheit der Stadt („Türme"), das religiöse Leben („Kirche") und die städtische Ordnung („Rathaus"), also Leben und Würde des Menschen. In starken Worten und erschütternden Bildern stellt er es dar. Kann es Schlimmeres geben? Was meint er mit „mehr denn gantz"? Die letzte Strophe des Sonetts deutet eine Antwort nur an: Vielen – nicht allen, das lässt Hoffnung – ist auch das höchste Gut geraubt worden. Der kostbarste Schatz des Menschen ist der christliche Glaube.
So ist dieser Krieg eine tödliche Gefahr auch für das Seelenheil. Denn er ist nicht nur grausame Vergewaltigung durch militärische und politische Macht, er ist auch ein Kampf der religiösen Bekenntnisse, der Konfessionen, der die Freiheit der Christenmenschen zerstört, indem er ihnen festgelegten „Glauben" aufzwingt.

30-jähriger Krieg, 1618–1648

- Das Wort kommt – wie die Sache – aus dem Italienischen (wörtlich: kleiner Ton – für ein liedhaftes Kling-Gedicht). Das Sonett ist eine streng durchkomponierte Gedichtform, die in die meisten europäischen Literaturen Eingang gefunden hat. Es besteht aus 14 Verszeilen, die in der Regel auf zwei vierzeilige (Quartette) und zwei dreizeilige Strophen (Terzette) aufgeteilt sind.
- Dieser Aufbau und das – vielfach abgewandelte – Reimschema (in diesem Gryphius-Sonett: abba abba ccd eed) sorgen für Geschlossenheit der Form.
- Daraus wohl erklärt sich die Beliebtheit der Sonettform in der Zeit des Barock: Die Spannungen der Zeit und die persönliche Bewegtheit werden formal gebändigt, eingebunden in die feste Struktur des Gedichts; subjektives, besonderes

Sonett

Barock ↑ S. 57

- Erleben wird auf Allgemeines bezogen. So läuft das Sonett oft auf eine „Pointe"
- hin: eine Erkenntnis, eine Frage, eine Forderung. Dichter und Leser werden „aus
- den Regionen der schwebenden Empfindung in das Gebiet des entschiedenen
- Gedankens gezogen" (A.W. Schlegel). Goethe bringt – in den letzten Terzetten
- zweier Sonette über die Sonettform – das Wesen dieser Form auf den Punkt:
-
- So ist's mit aller Bildung auch beschaffen:
- Vergebens werden ungebundne Geister
- Nach der Vollendung reiner Höhe streben.
-
- Wer Großes will, muss sich zusammenraffen,
- In der Beschränkung zeigt sich erst der Meister,
- Und das Gesetz nur kann uns Freiheit geben.
-
- Die Sonettform ist auch in späteren Jahrhunderten immer wieder aufgegriffen
- worden, zumal in Zeiten von Angst und Unsicherheit. Beispiel: Albrecht Haus-
- hofers „Moabiter Sonette", geschrieben am Ende des Zweiten Weltkriegs im Na-
- zikerker, im Angesicht des Todes.

„Im Schauplatz der Welt": Andreas Gryphius

Lateinische Verse unter diesem Kupferstich preisen den gelehrten Dichter Gryphius (lateinische Form von *Greif*). Da heißt es: „Diesen tragischen Dichter hat das glückliche Deutschland bewundert, der mit dem Blitz seines Geistes die steinernen Herzen der Menschen trifft."

Andreas
Gryphius,
1616–1664

Als 20-Jähriger schrieb **Andreas Gryphius** ein Sonett mit dem Titel *Trauerklage des verwüsteten Deutschlandes,* das etwa 25 Jahre später mit verändertem Text und dem Titel *Thränen des Vaterlandes* herauskam. Als Sohn eines lutherischen Pfarrers war Gryphius 1616 im schlesischen Glogau zur Welt gekommen. Sein Geburtsdatum steht über einem Gedicht, das wie ein „Programm" seines Lebens klingt:

Über die Nacht meiner Geburt
II. Octob. hora XII. p. m.

hora: Stunde
p. m.: post
meridiem
(nach Mittag)

Die Erden lag verhült mit Finsternüß und Nacht /
Als mich die Welt empfing / Der Hellen Lichter Pracht /
Der Sternen goldne Zier umgab des Himmels Awen
Warumb? Umb dass ich nur soll nach dem Himmel schawen.

Der 2. Oktober also, um Mitternacht. Ein „falsches" Geburtsdatum hingegen nennt Gryphius im Titel eines Sonetts: *Der Autor über seinen Geburts-Tag den 29. Septembr. des MDCXVI. Jahres.* Das ist nach dem Heiligenkalender das Fest des Erzengels Michael, der als „Engel-Printz dem Teuffel triumphirt": Symbolische Bedeutung galt in jener Zeit mehr als ein nacktes Datum.

Die Schulzeit auf dem Gymnasium stand unter dem Zeichen der katholischen Gegenreformation, die für die Evangelischen schwere Verfolgungen mit sich brachte. Über fünf Jahre lang studierte Gryphius dann in Holland Staatslehre und Naturwissenschaften. Auf ausgiebigen Reisen durch Frankreich und Italien nahm er Verbindung auf mit namhaften Vertretern der Wissenschaft und der Literatur und er lernte das europäische Theater kennen: Während Deutschland unter den Greueln und Zerstörungen des Krieges auch kulturell erstarb, erlebten vor allem Frankreich, England und die Niederlande nicht nur einen machtpolitischen und wirtschaftlichen Aufstieg, sondern auch eine Blütezeit der Künste und der Wissenschaften. Der junge Gelehrte schien für eine glänzende Universitätslaufbahn vorbestimmt zu sein; an ehrenvollen Angeboten fehlte es nicht. Doch Gryphius entschied sich für einen anderen Weg: 1650 wurde er Syndikus, Rechtsberater der Landstände im Fürstentum Glogau. In diesem Amte konnte er seinen bedrängten Glaubensgenossen beistehen, unter Gefahr für sich selbst.

Gegenreformation: Reaktion
der katholischen
Kirche auf die
Reformation

Andererseits brachte die vom Jesuitenorden vorangetriebene Gegenreformation auch Anstöße für ein neues kulturelles Leben nach dem Kriege, die Gryphius nutzen konnte. So wurde zum Beispiel das „Jesuitendrama", verfasst meist von Lehrern an Jesuitenschulen, ein Wegbereiter für das deutsche Theater.

Jesuiten:
katholischer
Orden „zur Verteidigung und
Verbreitung des
Glaubens"

Gryphius begann im Stil der Zeit mit lateinischen Dichtungen, ging aber bald zu deutschsprachiger Poesie über. Besonders erfolgreich war er mit seiner Lyrik und mit Dramen, die ihm schon zu Lebzeiten Ruhm eintrugen. Sie waren wichtig für den Beginn eines deutschsprachigen Theaters.

Gryphius schrieb vor allem Trauerspiele, zum Beispiel Märtyrer-Stücke, mit denen er auch geschichtliche Ereignisse aufgriff und gelegentlich politisch Stellung bezog zu aktuellen Zeitfragen. Mit seinen Lustspielen wandte er sich gegen allzu derbe Komik in volkstümlichen Dichtungen, etwa eines Hans Sachs (↑ S. 48). Dabei trat er immer für das Festhalten an der bestehenden Ordnung ein: Als komisch erschien, wer aus dieser Ordnung herausfiel.

*Catharina von
Georgien oder
Bewehrete Beständigkeit,* 1657

*Horribilicri-
brifax,* 1657

Diesseitswahn und Jenseitstrost

Die Herrlichkeit der Erden
Muss Rauch und Aschen werden,
Kein Fels, kein Erz kann stehn.
Dies, was uns kann ergetzen,
5 Was wir für ewig schätzen,
Wird wie ein leichter Traum vergehn.

Was sind doch alle Sachen,
Die uns ein Herze machen,
Als schlechte Nichtigkeit?
10 Was ist des Menschen Leben,
Der immer um muss schweben,
Als eine Phantasie der Zeit?

So beginnt ein 15-strophiges Gedicht von Andreas Gryphius. Die lateinische Überschrift – *Vanitas! Vanitatum vanitas!* – heißt: *Nichtigkeit! Der Nichtigkeiten Nichtigkeit!* Man kann „Vanitas" auch anders übersetzen: Eitelkeit, Vergeblichkeit, leerer Schein. Ruhm ist „falscher Wahn". Weisheit, Besitz und Ehre, Krone, Thron und Schlösser – alles hinfällig. Lust wird „mit Herzensangst vergällt". Was uns die Zeit schenkt, gilt nur einen Augenblick. Was aber bleibt? Die Ewigkeit. So endet das Gedicht:

fleuchen:
flüchten,
Zuflucht suchen

einig:
einzig, allein

Verlache Welt und Ehre,
Furcht, Hoffen, Gunst und Lehre
Und fleuch den Herren an.
Der immer König bleibet,
5 Den keine Zeit vertreibet,
Der einig ewig machen kann.

Wohl dem, der auf ihn trauet!
Er hat recht fest gebauet
Und ob er hier gleich fällt:
10 Wird er doch dort bestehen
Und nimmermehr vergehen,
Weil ihn die Stärke selbst erhält.

In der Hinfälligkeit alles Irdischen gibt es nur einen Trost: die Aussicht auf ewiges Leben im Jenseits. Doch deshalb ist der Christ auch aufgefordert den Tag gottwohlgefällig zu nutzen. Und er darf auch – gerade im Bewusstsein der Vergänglichkeit – den Augenblick lustvoll genießen. Ist doch diese Welt eine Schöpfung Gottes. Also kann man sie bejahen, soll man erkennen, dass die Spuren des Schöpfers in schönen Erscheinungen sichtbar werden. Auch davon wissen die Dichter ein Lied zu singen. Kirchenlieder des Barock, die noch heute in kirchlichen Gesangbüchern lebendig sind, bezeugen das. Da findet man neben dem Vanitas-Lied des Andreas Gryphius zum Beispiel den *Sommer-Gesang* von **Paul Gerhardt**:

Paul Gerhardt,
1607–1676,
bedeutendster
deutscher Kir-
chenlieddichter

Geh aus, mein Herz, und suche Freud
In dieser lieben Sommerzeit
An deines Gottes Gaben [...]

Bäume, Blumen, Vögel, Hirsch und Bienen, Bäche, Wiesen, Wein und Weizen –
alles verherrlicht den Herrn. So schließlich auch der Dichter:

Ich singe mit, wenn alles singt,
Und lasse, was dem Höchsten klingt
Aus meinem Herzen rinnen [...]

Sein eigenes Herz spricht der Dichter an und die achte Strophe beginnt mit „ich", das
sich dann bis zum Schluss des 15-strophigen Liedes noch viele Male nennt. Herz und
Seele des gläubigen Einzelnen drängen nach vorn, während bei Luther noch das Bekenntnis der Gemeinde im Vordergrund stand: „Nun freut euch, lieben Christen
g'mein, / Und lasst uns fröhlich springen. / Dass wir getrost und all in ein / mit Lust
und Liebe singen."

- Die Herkunft des Begriffs Barock ist nicht eindeutig. Er wurde zunächst auf die
  bildende Kunst bezogen und klang ursprünglich negativ: im Sinne von „schief
  gewunden", überladen, schwülstig. Heute versteht man unter Barock – besonders im Blick auf bildende Kunst, Literatur und Musik – eine europäische Epoche zwischen 1550 und 1750, die vor allem in Westeuropa geprägt war durch die
  Herausbildung moderner Staaten, ein neues Verständnis der Naturwissenschaften und eine Blüte der Künste. Die „klassischen" Zeiten (Klassik ↑ S. 107) der
  großen westeuropäischen Nationen liegen im 17. Jh., also rund 200 Jahre vor der
  deutschen Klassik. Diese „Verspätung" erklärt sich großenteils aus den Folgen
  des 30-jährigen Krieges.
- Kulturelle Aktivität ging vorwiegend von den Höfen aus, dem Sitz absolutisti-
  scher Herrschaft, die sich „von Gottes Gnaden" und daher über den Gesetzen
  wähnte; aber auch das erstarkende Bürgertum in den Städten meldete sich zu
  Wort; von dort kamen auch die oft mächtigen Hofbeamten, vor allem Juristen.
  Bürgerliche Gelehrte prägten auch, neben adeligen, Literatur und Bildungswesen: kirchliche und weltliche Schulen und Universitäten.
- Mitteleuropa, vor allem Deutschland, war lange Zeit gelähmt durch Krieg,
  Hunger, Seuchen (Pest-Epidemien). Daraus erklären sich Lebensäußerungen,
  die scheinbar einander widersprechen: Weltverneinung und Lebensgier ebenso
  wie das Bestreben sich in festen „Gebäuden" einzurichten: architektonisch,
  politisch, literarisch, religiös, moralisch. Zeichen dafür waren u. a. strenge Formen gesellschaftlicher Konvention, steifes höfisches Zeremoniell, ausgeprägtes
  Repräsentationsbedürfnis, das Ausdruck suchte in Prunkbauten, prächtiger
  Garderobe und aufwendigen Inszenierungen auf der Bühne (Theater und
  Oper).
- Regelhaftigkeit sollte auch für die Literatur gelten, deren Reichtum an
  schmückenden Formen uns heute oft als überladen erscheint. Solcher Formwil-
  le bestimmte auch die Bemühungen um eine deutsche Literatursprache, die das

Barock

Cervantes, *Don
Quijote*, 1605/15;
Calderon, *Das
Leben ein Traum*,
1635
Corneille,
Horatius, 1640
Racine, *Phädra*,
1677
Shakespeare,
Hamlet, 1600

absolutistisch:
losgelöst, nicht
gebunden (an
eine Verfassung)

Konvention:
Verhaltensregel
Zeremoniell:
Regelwerk für
feierliche Hand-
lungen
Repräsentation:
aufwendiges
Auftreten

- Latein ablösen sollte. Zahlreiche „Sprachgesellschaften" bildeten sich mit dem
- Ziel der Erneuerung und Neubildung von Sprache und Literatur.

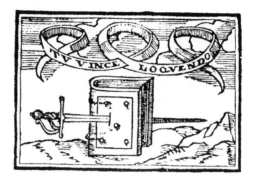

TU VINCE LOQUENDO –
„Siege du durch Reden!"
Emblem – Sinn-Bild aus Motto,
Abbildung und Deutung –
gegen den Krieg

Von der Deutschen Poeterey: Martin Opitz

Friedrich von
Logau: *Sinn-
Getichte,* 1654

Die deutsche Sprache

Deutsche mühen sich jetzt hoch, Deutsch zu reden fein und rein,
Wer von Herzen redet Deutsch, wird der beste Deutsche sein.
Kann die deutsche Sprache schnauben, schnarchen, poltern, donnern, krachen,
Kann sie doch auch spielen, scherzen, liebeln, gütteln, kürmeln, lachen.

liebeln: liebkosen
gütteln: gut,
freundlich sein
kürmeln: (bei
Kindern) lallen,
auch lärmen

Ein „Sinngedicht" des schlesischen Barockdichters **Friedrich von Logau.** Dichter und
Gelehrte – meist war beides in einer Person vereinigt – besannen sich auf die Aus-
druckskraft der deutschen Sprache. Warum sollte sie weniger „können" und gelten als
das gelehrte Latein oder das „vornehme" Französisch! Es komme nur darauf an dem
Deutschen eine „feine" und „reine" Gestalt zu geben, es zu einer „Hochsprache" zu
machen, von „unfeiner" Mundart und Fremdwörtern zu reinigen, die als modisch
galten.

Martin Opitz,
1597–1639

Das deutlichste Signal dazu gab 1624 der schlesische Gelehrte und zeitweilige Diplomat **Martin Opitz** in seinem *Buch von der Deutschen Poeterey.* Da klagt er im Kapitel
Von der Zubereitung und Zier der Worte, dass „allerlei lateinische, französische, spanische [...] Wörter in den Text unserer Rede geflickt werden. [...] Wie seltsam dieses
nun klingt, so ist nichtsdestoweniger die Torheit innerhalb von kurzen Jahren so ein-
gerissen, dass ein jeder, der nur drei oder vier ausländische Wörter, die er oft nicht versteht, erwischt hat, bei aller Gelegenheit sich bemüht, dieselben herauszuwerfen
[...]."

Mit der Forderung die deutsche Sprache von Verwilderung und modischem Schnick-schnack zu reinigen, stand Opitz nicht allein. Nach französischen und italienischen Vorbildern fanden sich adelige und bürgerliche Gelehrte, Dichter und Hofbeamte zu „Sprachgesellschaften" zusammen um die deutsche Sprache zu pflegen und zu för-dern. Die erste und wichtigste war – mit über 500 Mitgliedern, darunter später auch Opitz – die 1617 in Weimar gegründete „Fruchtbringende Gesellschaft", die nach ihrem Wappen auch „Palmenorden" genannt wurde. Und das waren die Ziele:

Reinigung der Sprache und Regelung des Schreibens

– einheitliche Rechtschreibung und Grammatik
– Wörterbücher, die den zulässigen Wortschatz darboten
– Reinigung der Sprache
– Regeln für die Dichtkunst (Poetik)
– Übersetzung fremdsprachiger Literatur
– Förderung von Bildung und Kultur überhaupt

Deutschtümeln-de Übertreibung: „Tageleuchter" statt Fenster (lat. *fenestra*), „Gesichtserker" für Nase (lat. *nasus*)

- Unter „Poetik" verstand man zunächst die Lehre von den Formen der Dicht-
- kunst, der Poesie (abgeleitet von einem Verb, das ‚machen' bedeutet), und zwar
- im Sinne von Regeln und Gesetzen. Lehrbücher der poetischen „Technik" gab
- es schon in der Antike, in der deutschen Literatur zum Beispiel bei den Meister-
- singern.
- Wichtige Wegweisung für die deutsche Literatur gaben **Martin Opitz** und an-
- dere Barockdichter und -gelehrte, später **Johann Christoph Gottsched** – und
- andere, die ihnen widersprachen (z. B. **Lessing**).
- Seit dem 18. Jh. versteht man unter „Poetik" nicht mehr Regelhaftigkeit, son-
- dern die Lehre vom Wesen der Dichtkunst, wissenschaftliche Analyse und Be-
- schreibung.

Poetik

Meistersinger
↑ S. 48

Gottsched
↑ S. 75
Lessing
↑ S. 74

Einen „Schulmeister" hat man Opitz später gescholten, der Dichtung als bloßes Re-gelwerk gesehen habe. Man muss ihn aber aus seiner Zeit heraus zu verstehen suchen: als einen gelehrten Literaten, der sich mit anderen darum bemühte gegen die Sprach-verwilderung anzukämpfen, überhaupt erst einmal eine deutsche Literatursprache auszubilden und Formen der Dichtkunst zu definieren und zu erproben. Wegweisend ist vor allem, was er für die Verslehre geleistet hat. Wenn Regeln formuliert sind, kann man sich kritisch damit auseinandersetzen und neue Wege suchen. So ist es dann auch geschehen. Die Dichter des 18. Jh. konnten aufbauen auf dem, was die Barockdich-tung erarbeitet hatte. Durch diese Literatur der Gelehrten für „Gebildete" wurde volksnahe Dichtung freilich für längere Zeit in den Hintergrund gedrängt: Den fol-genden Epochen blieb es vorbehalten sie wieder zu „entdecken".

- Vers heißt „Zeile" (ursprünglich Furche, lat. *versus* ‚Wenden des Pflugs'). Der
- Rhythmus (das „Fließen") einer Gedichtzeile wird bestimmt durch Art, Zahl
- und Abfolge der „Versfüße", das sind die kleinsten rhythmischen Einheiten. Die
- ergaben sich in der griechischen und der lateinischen Dichtung aus der Länge
- der Silben. So bildeten eine kurze und eine lange Silbe einen „Jambus", eine lan-
- ge und eine kurze Silbe einen „Trochäus". Längen kann man messen; so sprach
- man vom „Metrum" (‚Maß').

Versmaß

- Die deutsche Dichtung ist mit dieser zunächst übernommenen Vorgabe nicht
- zurechtgekommen. Im Deutschen spielen Akzente die wichtigste Rolle, die ver-
- schiedenen Stärkegrade der Betonung. Das hat Opitz in seiner Poetik in Regeln
- zu fassen versucht: Der natürlich gesprochene Wortakzent und die metrische
- Betonung sollen aufeinander bezogen sein; bloße Silbenzählerei und -messerei
- entsprechen nicht den gegebenen Wortakzenten. So ist das Wort *hinaus* von
- Natur ein Jambus, *einzig* ein Trochäus. Opitz hat nur diese beiden Versfüße
- anerkannt. So erklärt sich im Barock die Vorliebe für das sechshebige Zeilenmaß
- des „Alexandriners" aus sechs Jamben:
-
- Ich weiß nicht, was ich will, / ich will nicht, was ich weiß
- ◡ ─́ ◡ ─́ ◡ ─́ ◡ ─́ ◡ ─́ ◡ ─́
- Ein Einschnitt (eine „Zäsur") nach der dritten Hebung bewirkt eine Teilung der
- Zeile (↑ *Thränen des Vaterlandes,* S. 53).

Figuren aus Worten

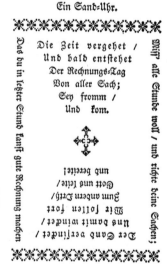

Figurengedicht von
Theodor Kornfeld, 1685

Der im Titel genannte Gegenstand wird sichtbar in der Wortgestalt des Gedichts.
Alles ist spiegelbildlich aufeinander bezogen: Rechts das Maß der irdischen Zeit –
links die Entsprechung in der Ewigkeit. Das Kreuz in der Mitte – die Öffnung, durch
welche der Sand der Zeit rinnt – ist der Punkt, in dem Zeit und Ewigkeit sich treffen:
bei jeder Umkehr.
Im spielerisch-kunstfertigen Umgang mit Wörtern, Silben, Buchstaben haben Barockdichter mit der Sprache geradezu experimentiert, ihre Elemente zum Gegenstand
der Untersuchung gemacht: Wörter analytisch zerlegt oder synthetisch zusammengefügt, Vergleiche aneinandergereiht, bis die Möglichkeiten der Sprache ausgeschöpft
waren.

Des Krieges Buchstaben

Friedrich von
Logau

Kummer, der das Mark verzehret,
Raub, der Hab und Gut verheeret,
Jammer, der den Sinn verkehret,
Elend, das den Leib beschweret,
5 Grausamkeit, die Unrecht fähret:
Sind die Frucht, die Krieg gewähret.

Der letzte Vers zieht die Summe und schließt den eintönigen Reim des Krieges. Ein solches Gedicht, bei dem die Anfangsbuchstaben der Verse ein Wort oder einen Satz ergeben, nennt man „Akrostichon".

Ein geistreiches Spiel zwischen Gelehrsamkeit und volkstümlicher Derbheit treibt **Georg Greflinger**. 1648, im Jahr des Westfälischen Friedens, erschien von ihm, zunächst als anonymes Flugblatt, ein Gedicht mit dem Titel *Der Mars ist nun im Ars*. Lateinkundige wussten natürlich: *Mars* ist der Kriegsgott der Römer, *ars* heißt Kunst und *lex* Gesetz. Aber jedermann wusste auch: *Ars* bezeichnet im Deutschen den Körperteil, auf dem man sitzt. *Ars* in klanglicher Verbindung mit *lex* – da konnte ein Deutscher schon auf „falsche" Gedanken kommen. Also gab der Dichter dem Leser einen Wink mit dem Zaunpfahl in Gestalt eines „warnenden" Zweizeilers:

Wohlgemeint und bös verstanden
Machet manche Schrift zuschanden.

Das heißt: Es liegt an dir, lieber Leser, wie du das verstehen willst. Dass nach der Verrohung der Sitten im Kriege nun wieder Gesetz und Kunst regieren sollen, war klar. Aber muss man das mit todernster Miene sagen! Ein Schelm, wer schlecht dabei denkt. Hier von den zehn Strophen die sechste und die siebente:

Im Mars ist nichts / das unser Hertz erfreut /
Lex aber hat viel Lust und Lieblichkeit.
Desgleichen Ars, Ars ist so wunder fein /
Dass jederman im Ars will Bürger seyn.

5 Lex mich im Mars sehr wenig schützen kan /
Dann wo der Mars regiert, kommt Lex nicht an.
Nun aber Mars im Ars, Lex mich beschirmt /
Und hilfft nun nicht / dass Mars viel scheust und stürmt.

„Da ich sonst schier leibeigen": Catharina Regina von Greiffenberg

Auf die unverhinderliche Art der Edlen Dicht-Kunst

Catharina Regina von Greiffenberg: *Geistliche Sonette*, 1662

Trutz / dass man mir verwehr / des Himmels milde Gaben /
den unsichtbaren Strahl / die schallend Heimligkeit /
das Englisch Menschenwerk; das in und nach der Zeit /

englisch: zu Engel

wann alles aus wird seyn / allein bestand wird haben /
5 das mit der Ewigkeit / wird in die wette traben /
die Geistreich wunder-Lust / der Dunkelung befreyt;
die Sonn in Mitternacht / die Strahlen von sich streut /
die man / Welt-unverwehrt / in allem Stand kan haben.
Diß einig ist mir frey / da ich sonst schier Leibeigen /
10 aus übermachter Macht des Ungelücks / muss seyn.
Es will auch hier mein Geist / in dieser Freyheit zeigen /
was ich beginnen wurd / im fall ich mein allein:
dass ich / O Gott / dein Ehr vor alles würd erheben.
Gieb Freyheit mir / so will ich Ewigs Lob dir geben.

einig:
einzig, allein

wurd: würde

„Trutz" steht am Anfang, ewiges Gotteslob am Ende: Beides umschließt das Leben der Dichterin. Sie hat es der „Edlen Dicht-Kunst" geweiht. Um die geht es in den beiden Quartetten des Sonetts. Dichten, sagt die Greiffenberg, ist nicht nur lehr- und lernbar mit dem Verstande, sondern vor allem eine Himmelsgabe, Eingebung des Geistes: Inspiration. Etwas Verborgenes („Heimligkeit") wird zur Sprache gebracht („schallend"), wenn die Dichterin der „unsichtbare Strahl" trifft, der – „welt-unverwehrt" – keine Grenzen des Standes, der gesellschaftlichen Ordnung kennt. So verstanden ist Dichtung religiöse Erleuchtung. Daran möchte die Dichterin teilhaben, denn solche Kunst überdauert die Zeiten. Für Catharina Regina von Greiffenberg muss Kunst „im Dienst der himmlischen Deoglori" stehen, dieses Wort prägt sie für Gotteslob. In einem Augenblick besonderer religiöser Begeisterung hat sie sich früh diesem Dienst geweiht. Wie die Engel Gott dienen, will sie dichterisch „Englisch Menschenwerk" leisten, das „in und nach der Zeit" besteht. Dies allein macht ihre Freiheit aus, sagt sie.

„Die Kunst ist lang, das Leben kurz" übersetzt Goethe eine Spruchweisheit der Antike.

Und was verwehrt ihr den Weg zu diesem Ziel? Es sind die äußeren „Widerwärtigkeiten" einer von Männern bestimmten Welt. Die 1633 auf einem Schloss in Niederösterreich Geborene weiß, wovon sie spricht, wenn sie „leibeigen" sagt. Leibeigen war das adelige Fräulein natürlich nicht, aber doch vielfach eingeschränkt, bedrückt. Der protestantische Landadel in Österreich, dem sie angehörte, war aufgeschlossen für humanistische Bildung, das kam der Erziehung zugute. Aber er war ständig bedroht durch die absolutistisch regierenden Habsburger, welche die Gegenreformation durchsetzten. Protestantischen Gottesdienst konnte man nur außerhalb der Landesgrenzen besuchen: im slowakischen Pressburg. Dort gelobte die 18-Jährige ihr Leben ganz Gott zu weihen.

leibeigen:
persönlich unfrei
(bäuerliche
Abhängigkeit
vom Grund-
herrn)

Doch das familiäre Geschick stieß sie auf andere Wege. Als sie sechs oder sieben Jahre alt war, starb der Vater, und dessen Bruder Hans Rudolph trat an seine Stelle. Später verliebte sich der etwa 60-Jährige Onkel in seine Pflegetochter, er wollte sie heiraten. Obwohl sie seine Liebe nicht erwiderte, gab Catharina Regina schließlich nach. Das war 1664.

In äußerster Widerwärtigkeit, so der Titel eines Sonetts, suchte die Greiffenberg Trost und Erfüllung in der Dichtung: *Hertz-aufmunterung in großer Trübsal,* wie es in einer anderen Sonett-Überschrift heißt. Zugang zur zeitgenössischen Dichtung und erste literarische Anerkennung hatte sie schon in Nürnberg gefunden, wo man bei drohender Türkengefahr Zuflucht suchte. Dort fand sie in **Sigmund von Birken** einen Seelenfreund. Der war Oberhaupt des „Löblichen Hirten- und Blumenordens an der Pegnitz", dessen Mitglied sie später wurde.

Die Nürnberger
„Pegnitz-Schä-
fer" waren die
einzige Dichter-
gesellschaft, die
Frauen aufnahm.

Catharina Regina von Greiffenbergs literarischer Ruhm hatte 1662 begonnen: mit dem Erscheinen ihrer *Geistlichen Sonnette / Lieder und Gedichte.* Herausgeber waren ihr Onkel, der die Gedichte „ohne Vorwissen und Erlaubnis" seines „geliebten Fräul. Muhme" veröffentlichte, und Sigmund von Birken, der in einem Vorwort die christliche Dichterin als vorbildhaft würdigte.

Zu ihren Lebzeiten hatte die Dichterin besonderen Erfolg mit religiösen Erbauungsschriften, die sie in den letzten beiden Jahrzehnten ihres Lebens schrieb. Ihre große Hoffnung freilich den Kaiser zum lutherischen Glauben zu bekehren erfüllte sich nicht. Nach dem Tode ihres Mannes beeinträchtigten finanzielle Sorgen Leben und Arbeit. Einige Jahre später, 1683, zog sie nach Nürnberg, wo sie anerkannt, ja verehrt wurde. Dort starb sie 1694.

Die mannigfachen „Widerwärtigkeiten", die arge Beschränkung der Freiheit auch der Frau aus dem Adelsstand, haben Catharina Regina von Greiffenberg nicht besiegt. Die „unverhinderliche Art der Edlen Dicht-Kunst" war stärker: der Freiraum, den sie sich – für den „Dienst der himmlischen Deoglori" – trutzig erstritten hat. Diese Selbstbehauptung einer Frau war im Jahrhundert des Barock eine seltene Ausnahme.

1670 schrieb von Birken, es sei bewiesen, „dass die Natur dieses Geschlecht von der Tugend- und Weisheit-Fähigkeit nicht ausschließe".

Nach einer langen Zeit des Vergessens hat man diese Dichtungen erst in den 60er Jahren unseres Jahrhunderts wieder „entdeckt".

„Simplicii Residenz wird erobert, geplündert und zerstört"

Wiewohl ich nicht bin gesinnet gewesen, den friedliebenden Leser mit diesen Reutern in meines Knans Haus und Hof zu führen, weil es schlimm genug darin hergehen wird: So erfordert jedoch die Folge meiner Histori, dass ich der lieben Posterität hinterlasse, was für Grausamkeiten in diesem unserm
5 Teutschen Krieg hin und wieder verübet worden. […] Das Erste, das diese Reuter taten, war, dass sie ihre Pferde einstellten, hernach hatte jeglicher seine sonderbare Arbeit zu verrichten, deren jede lauter Untergang und Verderben anzeigte, denn obzwar etliche anfingen zu metzgen, zu sieden und zu braten, dass es sah, als sollte ein lustig Bankett gehalten werden, so waren hingegen
10 andere, die durchstürmten das Haus unten und oben, ja das heimlich Gemach war nicht sicher. […] Andere machten von Tuch, Kleidung und allerlei Hausrat große Päck zusammen, als ob sie irgends ein Krempelmarkt anrichten wollten, was sie aber nicht mitzunehmen gedachten, wurde zerschlagen, etliche durchstachen Heu und Stroh mit ihren Degen, als ob sie nicht Schaf und
15 Schwein genug zu stechen gehabt hätten, etliche schütteten die Federn aus den Betten und fülleten hingegen Speck, andere dürr Fleisch und sonst Gerät hinein, als ob alsdann besser darauf zu schlafen gewesen wäre; andere schlugen Ofen und Fenster ein, gleichsam als hätten sie ein ewigen Sommer zu verkündigen, Kupfer und Zinnengeschirr schlugen sie zusammen und packten
20 die gebogenen und verderbten Stück ein, Bettladen, Tisch, Stühl und Bänk verbrannten sie, da doch viel Klafter dürr Holz im Hof lag, Hafen und Schüsseln musste endlich alles entzwei, entweder weil sie lieber Gebraten aßen oder weil sie bedacht waren, nur ein einzige Mahlzeit allda zu halten; unser Magd ward im Stall dermaßen traktiert, dass sie nicht mehr daraus gehen konnte,
25 welches zwar eine Schand ist zu melden! den Knecht legten sie gebunden auf die Erd, steckten ihm ein Sperrholz ins Maul und schütteten ihm einen Melkkübel voll garstig Mistlachenwasser in Leib, das nenneten sie ein

Simplicii: des Simplicius

Grimmelshausen: Der Abenteuerliche Simplicissimus, 1668

Reuter: Reiter Knan: (mundartlich) Vater Histori: Geschichte Posterität: Nachwelt metzgen: schlachten

Hafen: Topf

traktieren: schlimm behandeln

Partei: Teil
(des Trupps)

Schwedischen Trunk, wodurch sie ihn zwangen, eine Partei anderwärts zu
führen, allda sie Menschen und Vieh hinwegnahmen und in unsern Hof
30 brachten, unter welchen mein Knan, mein Meuder und unser Ursele auch
waren.

Stein: Feuerstein

Da fing man erst an, die Stein von den Pistolen und hingegen an deren Statt
der Bauren Daumen aufzuschrauben und die armen Schelmen so zu foltern,

maßen: so wie

als wenn man hätt Hexen brennen wollen, maßen sie auch einen von den
35 gefangenen Bauren bereits in Backofen steckten und mit Feuer hinter ihm her
waren, ohnangesehen er noch nichts bekannt hatte; einem andern machten sie

reiteln: drehen
Bengel: Knüppel
in summa:
im ganzen
Invention: Einfall

ein Seil um den Kopf und reitelten es mit einem Bengel zusammen, dass ihm
das Blut zu Mund, Nas und Ohren heraus sprang. In Summa, es hatte jeder
seine eigene Invention, die Bauren zu peinigen, und also auch jeder Bauer sei-
40 ne sonderbare Marter: Allein mein Knan war meinem damaligen Bedünken
nach der glückseligste, weil er mit lachendem Mund bekennete, was andere
mit Schmerzen und jämmerlicher Weheklag sagen mussten, und solche Ehre
widerfuhr ihm ohne Zweifel darum, weil er der Hausvater war, denn sie setzten ihn zu einem Feuer, banden ihn, dass er weder Händ noch Füß regen
45 konnte, und rieben seine Fußsohlen mit angefeuchtem Salz, welches ihm
unser alte Geiß wieder ablecken und dadurch also kitzeln musste, dass er vor
Lachen hätte zerbersten mögen; das kam so artlich, dass ich Gesellschaft halber, oder weil ichs nicht besser verstund, von Herzen mitlachen musste.
In solchem Gelächter bekannte er seine Schuldigkeit und öffnet den verborge-
50 nen Schatz, welcher von Gold, Perlen und Kleinodien viel reicher war, als man
hinter Bauren hätte suchen mögen. Von den gefangenen Weibern,
Mägden und Töchtern weiß ich sonderlich nichts zu sagen, weil mich die
Krieger nicht zusehen ließen, wie sie mit ihnen umgingen. […] Mitten in
diesem Elend wendet ich Braten und half nachmittag die Pferd tränken, durch
55 welches Mittel ich zu unserer Magd in Stall kam, welche wunderwerklich zer-
strobelt aussah, ich kennete sie nicht, sie aber sprach zu mir mit kränklicher
Stimm: „O Bub lauf weg, sonst werden dich die Reiter mitnehmen, guck dass
du davonkommst, du siehest wohl, wie es so übel": Mehrers konnte sie nicht
sagen.

Verkehrte Welt

Soldaten überfallen einen Bauernhof im Spessart, „allwo die Wölf einander gute
Nacht geben". So ist es vieltausendfach zugegangen im „Teutschen Krieg". Der Zehnjährige, der die Greuel erlebt, kann nicht begreifen, was da geschieht. Wer Bettzeug
mit Fleisch und Gerät füllt, verkehrt doch den eigentlichen Zweck. Und so weiter.
Verkehrt ist alles und besonders, wie man mit Menschen umgeht. Das Kind in seiner
Unschuld kann das nicht verstehen. Aber der da erzählt, macht deutlich, dass er Abstand hat vom Erzählten. Er schreibt in der Vergangenheitsform, urteilt über weit Zu-
rückliegendes: „meinem damaligen Bedünken nach […], weil ichs nicht besser verstund." Die kritische Absicht des Erzählers wird deutlich: Hat das Kind nicht
eigentlich „Recht" – müsste einer, der so lacht, nicht „glückselig" sein? Krasser als mit
solch bitterem Spott kann man kaum ausdrücken, dass die Welt völlig verkehrt ist. Es
ist der oft verzweifelte Spott der Satire.

Satire

- Satire war in antiker Dichtung die Bezeichnung für ein Spottgedicht, das
- menschliche Schwächen und gesellschaftliche Missstände geißelte (wahrschein-
- lich von lateinisch *satura* ‚Fruchtschüssel, satt aufgetragen‘). Später meint Sati-
- re keine bestimmte literarische Form mehr, sondern eine Darstellungsweise, die
- weniger durch direkten Spott „von außen" angreift, vielmehr indirekt eine Per-
- son oder einen Sachverhalt kritisch „aus sich heraus" in komischer Übertreibung
- darstellt. „Lachend die Wahrheit sagen", riet der römische Dichter **Horaz**: „Gibt
- doch auch in der Schule der Lehrer manchmal Zuckerwerk als Lockmittel, da-
- mit die Kinder Lust bekommen, die Grundlagen zu lernen." Das „Lockmittel"
- Satire freilich soll eher bitter aufstoßen. So meint es wohl Grimmelshausen,
- wenn er über seinen „Simplicissimus" sagt: „Es hat mir wollen behagen, mit
- Lachen die Wahrheit zu sagen."

Satirische Erzählweise kündigt sich schon in der Überschrift des Kapitels an (es ist das vierte von den insgesamt 166 Kapiteln des Romans): Da ist von der „Residenz" des Simplicius die Rede; so nannte man gemeinhin einen fürstlichen Wohnsitz, keinen rauchgeschwärzten Bauernhof mit Strohdach, wie er im ersten Kapitel ausführlich beschrieben wird: als ein „Palast" besonderer Art. Mit dem spottenden Hinweis, dass „desgleichen ein jeder König mit eigenen Händen zu bauen nicht vermag". Dieser Umgebung entspricht die geistige Verfassung des Jungen: „Ja, ich war so perfekt und vollkommen in der Unwissenheit, dass mir unmöglich war zu wissen, dass ich so gar nichts wusste." Der Leser merkt: Das hat sich inzwischen gründlich geändert! In diesem Roman, in dem ein Ich-Erzähler über eine weit zurückliegende Vergangenheit berichtet, wimmelt es geradezu von gelehrten Anspielungen, vor allem auf antike Literatur. Der Erzähler beweist, dass er ein vielbelesener Mann ist, der einen weiten „Bildungsweg" hinter sich hat.

„Ich weiß, dass ich nichts weiß." – Zeugnis wahrer Weisheit nach dem griechischen Philosophen **Sokrates**.

Und auf diesem Weg soll er ausgerechnet durch die hier geschilderten Greueltaten gelangt sein? Da wird unüberhörbar die Frage nach dem „Sinn" des Bösen in der Welt gestellt. Nämlich mit der Behauptung, „dass alle solche Übel von der Güte des Allerhöchsten, zu unserm Nutz, oft notwendig haben verhängt werden müssen". Notwendig, damit der Mensch zur Erkenntnis Gottes und seiner selbst findet? Sicher ist: Nur in der Begegnung und in der Auseinandersetzung mit der Welt und den Menschen kann man zum vollen Menschentum gelangen. Und der Weg dahin wird hart, wenn die Welt so verkehrt ist wie im „Teutschen Krieg". Eine abenteuerliche Weltfahrt beginnt mit der Flucht aus der scheinbaren Waldidylle. So ist es einst auch Parzival ergangen.

Vom Sinn des Bösen in der Welt

Parzival ↑ S. 23

Der Abenteuerliche Simplicissimus Teutsch

Titelkupfer der (auf 1669 vordatierten) Erstausgabe von 1668. Eine Gestalt mit menschlichen und tierischen Zügen zertritt Larven der Torheit. Auch der Satyr, von dem man fälschlich „Satire" ableitete, war ein Zwitterwesen aus Mensch und Tier (Bock). Die Bilder im Buch – Narrenkappe, Würfel, Kanone, Schiff u. a. – illustrieren den Roman. Die Geste der linken Hand bedeutet „Hohn" (Hörner).

Das ist: Die Beschreibung des Lebens eines seltsamen Vaganten, genannt Melchior Sternfels von Fuchshaim, wo und welcher Gestalt er nämlich in diese Welt gekommen, was er darin gesehen, gelernt, erfahren und ausgestanden, auch warum er solche wieder freiwillig verlassen. Überaus lustig und für jeden nützlich zu lesen. An den Tag gegeben von German Schleifheim von Sulsfort.

Der lange Titel gibt wie im Barock üblich schon den Inhalt des Buches in Kurzform: Simplicissimus, der „Allereinfältigste", ist die Hauptgestalt, der „Held" des Romans. Obwohl adeligen Namens, ist er ein Vagant, ein Landfahrender. Seine Geschichte, die er selbst erzählt, hat ein anderer veröffentlicht. Simplicissimus hat die Welt leidvoll erfahren, daraus Lehren gezogen und sich wieder von ihr abgewandt. Warum? Das soll nun der Leser erfahren: auf „lustige" Weise und zu seinem Nutzen.

Wer die beiden Namen genau betrachtet, kann hier schon merken: Erzähler und Herausgeber sind ein und dieselbe Person. Die Namen sind nämlich „Anagramme", d. h. aus denselben Buchstaben zusammengesetzt wie der Name des Autors Christoffel von Grimmelshausen.

Unfreiwillig flieht Simplicius in die Welt. Und er trifft (wie einst Parzival) zunächst auf Verwandte, ohne dass die Beteiligten das erkennen. Der fromme Einsiedler, der ihn aufnimmt, ist sein Vater. Der hat in den Kriegswirren seine Frau verloren: Sie hat auf der Flucht bei den Spessartbauern ihr Kind zur Welt gebracht und ist kurz darauf gestorben. Darum also hatte der Bauer solche Kostbarkeiten zu verbergen: Es war die

Hinterlassenschaft dieser Frau für den Sohn. Aber das erfährt Simplicius – und mit ihm der Leser – erst sehr viel später.

Der Einsiedler gibt dem weltfremden Kind den Namen „Simplicius", also „Einfälti-ger" (was sich dann noch zu „Simplicissimus" steigern lässt). Er lehrt ihn lesen und schreiben, macht aus der „Bestia" einen Christenmenschen und gibt ihm drei Lehren mit auf den Weg: „sich selbst erkennen, böse Gesellschaft meiden und beständig ver-bleiben". Doch wie soll einer beständig sein in unruhigen Zeiten und die Gesellschaft kann man sich auch nicht aussuchen, wenn Gewalt herrscht. Trotzdem kann man zur Selbsterkenntnis gelangen – oder vielleicht gerade dadurch?

Bestia: wildes Tier

Lehren fürs Leben

Die nächste Station auf dem Weg ist die Stadt Hanau. Dort wird Simplicius Page beim schwedischen Gouverneur. Der ist, wie später klar wird, ein Bruder der verstorbenen Mutter. Am Hofe verspottet man den „Einfältigen" als Narren. Doch der beweist schon Klugheit, indem er die Rolle annimmt: So kann er den Spott zurückgeben! Dann gerät er unter die Soldaten, wird immer mehr zum Opfer des Krieges. Dem sucht er zu entkommen, indem er selbst zum Täter wird und Schuld auf sich lädt. Im wirbelnden Wechsel von Aufstieg und Fall treibt es ihn auf verschlungenen Wegen durch die Welt. In aller Wirrsal nimmt er doch jede sich bietende Gelegenheit wahr Kenntnisse und Fähigkeiten zu erwerben. Am Oberrhein trifft er seinen Knan wieder und erfährt seine wirkliche Herkunft, seinen Namen und das Schicksal seiner Mut-ter. Nach dem Friedensschluss zieht er sich auf einen Hof im Schwarzwald zurück, bis er schließlich der Welt ganz entsagt und Einsiedler wird: „[…] ob ich aber wie mein Vater selig bis an mein Ende darin verharren werde, steht dahin." Noch immer also gibt es keinen sicheren Hafen der Beständigkeit. So findet der Roman nach dem fünf-ten Buch erst ein vorläufiges Ende:

Die Rolle des Narren

Der Einsiedler

> Gott verleihe uns allen seine Gnade, damit wir allesamt dasjenige von ihm
> erlangen, woran uns am meisten gelegen, nämlich ein seliges
> ENDE.

„Ich bin der Anfang und das Ende": Baldanders

Die Abenteuer des Simplicius sind noch nicht ausgestanden. Eine neue Weltfahrt steht ihm bevor: „Der Eremit wird aus einem Wald- ein Wallbruder", ein Pilger. Und das heißt: Der Roman erfährt eine „Continuatio", eine Fortsetzung. Auf einer seiner Waldspaziergänge findet Simplicius ein steinernes Bildnis, das zum Leben erwacht. Es stellt sich ihm mit dem Namen „Baldanders" vor und kündigt an: „Gleichwie mein Ursprung aus dem Paradies ist und mein Tun und Wesen besteht so lang die Welt bleibt, also werde ich dich auch nimmermehr gar verlassen, bis du wieder zur Erden wirst, davon du herkommst, es sei dir gleich lieb oder leid." Baldanders ist ein reden-der Name für eine allegorische Figur, wie sie in der Barockdichtung häufig vorkom-men.

Der Pilger

Continuatio, 1669

Die Figur des Baldanders ist von H. Sachs (↑ S. 48) über-nommen

Allegorie

- Allegorie (nach einem griechischen Verb für ‚etwas anders, bildhaft sagen‘) ist
- die bewusste Umsetzung von Begriffen und Gedachtem (Abstraktem) in bild-
- hafte Darstellung (Konkretes), also Veranschaulichung. Wenn ein Begriff in
- einer Person sinnlich fassbar wird, spricht man von „Personifizierung": „Gerech-
- tigkeit" zum Beispiel erscheint allegorisch als Frau mit verbundenen Augen (sie
- handelt unparteiisch) und mit einer Waage (das Urteil ist ausgewogen). Bald-
- anders verkörpert die Einsicht, dass auf Erden „Unbeständigkeit allein bestän-

Fabel ↑ S. 73
- dig sey". Auch ein Vorgang kann allegorisch vermittelt werden, etwa in einer
- Fabel: List und Macht zum Beispiel streiten miteinander als Fuchs und Löwe.

Simplicius fragt Baldanders, „ob er denn den Menschen zu sonst nichts tauge, als sie
und alle ihre Händel so mannigfaltig zu verändern". Doch, antwortet der, er könne

Mit stummen
Dingen reden:
lesen
sie eine Kunst lehren, „dadurch sie mit allen Sachen, die sonst von Natur stumm sind,
[…] reden können": die Kunst des Lesens. Die will Simplicius auch lernen.
„Legenden der alten Heiligen" lesend fragt sich Simplicius, was er eigentlich tue: „du
liegst halt hier auf der faulen Bärenhaut und dienst weder Gott noch den Menschen!"

sich schicken:
sich fügen
Also will er sich wieder „in die Unbeständigkeit der Welt schicken". Er begibt sich auf
Pilgerschaft, bis er, schiffbrüchig, auf eine einsame Insel verschlagen wird. Ein hollän-
discher Kapitän birgt seine letzten Aufzeichnungen, geschrieben auf Palmblätter:

> Zuletzt als ich mit herzlicher Reu meinen ganzen geführten Lebenslauf
> betrachtete und meine Bubenstück, die ich von Jugend auf begangen, mir
> selbsten vor Augen stellte und zu Gemüte führete, dass gleichwohl der barm-
> herzige Gott unangesehen aller solcher groben Sünden mich bisher nit allein
> 5 vor der ewigen Verdammnis bewahrt, sondern Zeit und Gelegenheit geben
> hatt mich zu bessern, zu bekehren, ihn um Verzeihung zu bitten und um
> seine Guttaten zu danken, beschrieb ich alles, was mir noch eingefallen, in
> dieses Buch. […] ein ehrlicher gesinnter christlicher Leser wird sich vielmehr
> verwundern und die göttliche Barmherzigkeit preisen, wenn er findet, dass so
> 10 ein schlimmer Gesell wie ich gewesen, dennoch die Gnad von Gott gehabt,

resignieren:
entsagen
Glorie: Herrlich-
keit (Gottes)
> der Welt zu resignieren und in einem solchen Stand zu leben, darinnen er zur
> ewigen Glori zu kommen und die selige Ewigkeit nächst dem heiligen Leiden
> des Erlösers zu erlangen verhofft, durch ein seliges Ende.

Autodidakt:
einer, der ohne
fremde Hilfe
lernt
Ein genialer Autodidakt: Christoffel von Grimmelshausen

> Betreffend meiner Person Wenigkeit / dass ich nehmlich nichts studirt /
> sonder im Krieg uffgewachsen / und allda wie ein anderer grober Esel keine
> Wissenschaften / gefast habe / dahero auch nicht genugsamb seye Bücher
> zu schreiben […]; solches ist niemand leider als mir.

Als er dies schrieb, war Johann Jacob Christoffel von Grimmelshausen noch Gastwirt
„Zum Silbernen Sternen" in Gaisbach, vielleicht auch schon im Dienste des Straßburger Bischofs Schultheiß im benachbarten Renchen bei Offenburg. Ein Jahr später,
1668, kam das Werk heraus, das ihn berühmt machte, das wohl bedeutendste literarische Werk des Barock in Deutschland: *Der Abenteuerliche Simplicissimus Teutsch,* ein

gewaltiger Roman, der noch zu des Autors Lebzeiten in fünf Auflagen (und einem Raubdruck) erschienen ist. Man muss nicht studiert haben um schreiben zu können. Gelehrsamkeit bringt ja nicht selten Steif-Langweiliges hervor. Grimmelshausen war ein genauer Beobachter der Lebenswirklichkeit, konnte lebendig schreiben und bildete sich, wo immer er konnte: ein genialer Autodidakt. Was war dem Schreiben vorausgegangen?

Ein wildbewegtes Leben, dazu ungemein fleißige Lektüre. Seine schriftstellerische Arbeit begann Grimmelshausen mit 45 Jahren – für das Jahrzehnt, das ihm dann noch blieb. Rund 3000 Druckseiten umfasst sein literarisches Werk.

Wohl 1621 kam Grimmelshausen in der lutherischen Reichsstadt Gelnhausen zur Welt. Er verlor früh seine Eltern und wuchs bei einem Großvater auf, der, als Bäcker, den Adelstitel abgelegt hatte. Sechs oder sieben Jahre besuchte er die lutherische Lateinschule. Zwölf- oder dreizehnjährig kam er als Trossjunge zum kaiserlichen Heer, das seine Heimatstadt zerstört hatte. Später wurde er Musketier, 1643 für sechs Jahre Regimentsschreiber und -sekretär in Offenburg.

Der Kommandant, ein Freiherr von Schauenburg, übernahm ihn dann in den zivilen Dienst. Für etwa zehn Jahre hatte Grimmelshausen nun auch Gelegenheit sich weiterzubilden: Er hat sie fleißig genutzt. 1649 heiratete er die Tochter eines angesehenen Bürgers der elsässischen Stadt Zabern; vorher muss er zum Katholizismus übergetreten sein. Zehn Kinder sind in den folgenden zwanzig Jahren aus dieser Ehe hervorgegangen. Zeit für seine literarischen Arbeiten fand Grimmelshausen erst als Schultheiß in Renchen. Dort hatte er gegen Ende seines Lebens noch einmal arg unter dem Krieg zu leiden: Gegen die Belastungen durch französische Truppen kämpfte er mit schriftlichen Eingaben, gegen Zerstörung schließlich noch einmal als Soldat. In dieser Zeit des Widerstandes zum Schutze der heimatlichen Region starb er 1676 im Alter von 55 Jahren.

Dass Lebenserfahrung seine Dichtung geprägt hat, ist nicht zu bestreiten. Trotzdem sind eigene Erlebnisse kaum die Grundlage des weitverzweigten Romangeschehens. Er hat vielmehr in großer Zahl literarische Vorlagen verarbeitet: von antiker über mittelalterliche Literatur bis zu Hans Sachs. Doch wichtiger als die Herkunft des Roman-„Stoffes" ist die literarische Absicht des Dichters. Er brauche, sagt er, seinen Zeitgenossen nicht zu erklären, was Krieg bedeutet. „Dieweilen aber seit dem Friedensschluss so ein Hauffen junger Schnautzhahnen uffgewachsen, die nur desswegen gern einen Krieg sehen, weil sie nit wissen, was Krieg ist", muss er ihnen klarmachen, was sie da erwartet – „so doch der getreue Gott langfristlich verhüten wolle". Das christliche Friedensgebot ist zwar eindeutig: „Aber ich fand nicht allein niemand, der diesem Befehl Christi nachzukommen begehrt, sondern jedermann tat gerade das Widerspiel."

So geht es in Grimmelshausens Werk nicht nur um die Frage, wie der Mensch zu sich selbst und zu Gott findet, sondern auch um den Dienst an den Menschen und um ihr friedliches Zusammenleben. Diesen Dienst kann der Einsiedler allein und im Abseits lebend immerhin als „sinnreicher Poet" leisten. Doch zu dem „Rat", den Literatur vielleicht indirekt geben kann, soll die „Tat" treten im – wenn auch begrenzten – Wirkfeld des Lebens. Das gilt für den Dichter Grimmelshausen ebenso wie für sein literarisches Geschöpf Simplicius. Der nämlich kehrt in den sogenannten „Simplizianischen Schriften", die Grimmelshausen als die Bücher 7 bis 10 seines Weltromans ansieht, mehrfach in die Welt zurück: Da treten aus Episoden des großen Romans

Lebens- und Leseerfahrungen

Musketier: Fußsoldat (mit Luntenflinte, Muskete)

Schultheiß: Bürgermeister einer kleinen Gemeinde

junge Schnauzhähne: kriegsbegeistert aus Unkenntnis

Zum Rat die Tat

1670: *Courasche* – warnendes Beispiel

einzelne Gestalten in den Vordergrund, mit denen man die Welt aus anderer Perspektive zu betrachten lernt. Praktisches Handeln wird vorgezeigt. Am meisten bekannt wurde die „Landstreicherin" Courasche. Da wird eine Frau zur Hauptfigur, eine warnende Gestalt: „Was mir fehlt, ist die Reue", bekennt sie nach einem arg sündigen Leben, „und was mir fehlen sollte, ist der Neid und der Geiz." Jetzt komme jede Ermahnung für sie zu spät. Aber nicht zu spät sei es für junge Leute an ihrem Beispiel den trügerischen Wahn eines bloß weltzugewandten Wandels zu erkennen: „Wendet euch an all die Jungen", heißt es am Schluss, „deren Herzen noch nicht mit anderen Bildnissen befleckt sind wie das der Courasche. Lehrt, ermahnt, bittet, ja beschwört sie, dass sie es aus Unbesonnenheit nie so weit kommen lassen, wie es die arme Courasche hat kommen lassen."

Nicht jugendgeeignet – Berlin anno 1876

Kanon: Verzeichnis mustergültiger Autoren und Werke

Trotzdem hatte die *Courasche* kaum eine Chance in den „Kanon" der Schullektüre aufgenommen zu werden. Anders der *Simplicissimus,* wenn auch in verkürzter Fassung und mit „gereinigtem" Text. Aber auch in dieser Form hat das Buch 1876 Landtag und Regierung in Preußen beschäftigt. Während einer in dem Roman „das wertvollste Kulturbild [sah], welches uns aus jener Zeit von den Nachwehen und Wirkungen des 30-jährigen Krieges hinterlassen ist", erblickte die Gegenseite nichts als „Zoten und Unlauterkeiten aus dem wüsten Leben eines Landsknechts"; von „Irrfahrten, Liebesabenteuern, Diebstahl, Unzucht, Mord, Bruch des Fahneneids" werde auf mehr als 200 Seiten erzählt, während „die Bekehrungsgeschichte, das Sittliche" nur sehr wenige Seiten einnähme. 1879 tadelte die Zeitschrift „Der praktische Schulmann" den „Hang des Verfassers zu unsauberen Schilderungen. Dass dergleichen überhaupt vorkommen, beruht in den Zeitverhältnissen, die leider das Unsittlichste brachten und dagegen abstumpften; dass aber im Simplicissimus das Gemeine ziemlich oft und zuweilen mit einem wahren Galgenhumor berührt wird, das lässt sich keineswegs entschuldigen. Der Verfasser tritt uns in dieser Beziehung als ein Mann entgegen, der seine niedere Herkunft und schlechte Jugenderziehung niemals verleugnen kann."

Roman

Volksbücher ↑ S. 52

- Der Begriff kam im 12. Jh. in Frankreich auf. Seine heutige Bedeutung hat er erst
- im Zeitalter des aufkommenden Bürgertums in Europa angenommen: als Be-
- zeichnung für eine umfangreiche erzählende Prosadichtung. Eine gewisse Vor-
- stufe zum deutschen Roman bilden die Volksbücher.
- Wichtig für Entstehung und Verbreitung des neuzeitlichen Romans war die
- Technik des Buchdrucks. Zu Wegbereitern wurden einige Werke von weltlite-
- rarischem Rang wie *Don Quijote* von **Cervantes** (1605–1615) oder *Robinson*
- *Crusoe* von **Defoe** (1719).

Epos ↑ S. 23

- Während das Epos ein ideales Gesamtbild entwerfen wollte, Volksbücher
- bestimmte Typen herausstellten (zum Beispiel den des „Narren"), geht es im
- Roman stärker um persönliche Einzelschicksale, in deren Erfahrungen („Aben-
- teuern") ein Stück Welt sichtbar wird. Viele Romantypen haben sich im Laufe
- der Zeit herausgebildet; eine für alle zutreffende Definition gibt es nicht.
- In Deutschland ist als frühestes Beispiel Grimmelshausens *Simplicissimus*

- weltliterarisch bedeutsam und bis heute lebendig geblieben. Erst im 18. Jh.
- kamen in größerer Zahl Romane heraus, die über ihre Zeit hinaus wirksam
- blieben, zum Beispiel **Johann Gottfried Schnabels** *Insel Felsenburg* (1731–1743,
- als Entwurf einer „vorbildlichen" Gesellschaft ein „utopischer" Roman); Roma-
- ne von **Christoph Martin Wieland** *(Geschichte des Agathon,* 1766/67); **Sophie**
- **von La Roches** *Geschichte des Fräuleins von Sternheim* (1771); vor allem *Die*
- *Leiden des jungen Werther* von **Goethe** (1774), ein besonders deutliches Beispiel
- für die 1774 erhobene Forderung, die „innere Geschichte des Menschen" solle
- „aus der Folge abwechselnder und verschiedener Zustände" ablesbar sein (**Frie-**
- **drich von Blankenburg**: *Versuch über den Roman*).

Werther
↑ S. 98

Im Zeitalter der Aufklärung

Herrscher und Untertanen

G. E. Lessing,
1759
Aesopus ↑ S. 73

Der Löwe mit dem Esel

Als des Aesopus Löwe mit dem Esel, der ihm durch seine fürchterliche
Stimme die Thiere sollte jagen helfen, nach dem Walde ging, rief ihm eine
nasenweise Krähe von dem Baume zu: Ein schöner Gesellschafter!
Schämst du dich nicht, mit einem Esel zu gehen? – Wen ich brauchen kann,
₅ versetzte der Löwe, dem kann ich ja wohl meine Seite gönnen.
So denken die Großen alle, wenn sie einen Niedrigen ihrer Gemeinschaft
würdigen.

Der Löwe ist der Mächtige und Prächtige, der Esel der unansehnliche, aber nützliche
Diener. Die Krähe stellt – aus sicherer Entfernung – unbequeme Fragen. Drei Tiere,
die menschliche Eigenschaften zeigen. Jeder kann verstehen, was gemeint ist – auch
ohne die allgemeine Lehre, die „Moral" des letzten Satzes: Die „Fabel" genügt. Mit
ihrer Hilfe stellt der Dichter **Gotthold Ephraim Lessing** eine gesellschaftlich-politi-
sche Tatsache vor Augen: Es gibt Herrscher und Untertanen, Herren und Knechte.
Die Fabel fordert zum Nachdenken auf über dieses missliche Verhältnis der Ungleich-
heit und Unfreiheit: Sie klärt auf. Nur „Aufgeklärte" können eine Änderung herbeiführen – wenn sie den Mut aufbringen.

Aufklärung

- „Aufklärung ist der Ausgang des Menschen aus seiner selbstverschuldeten Un-
- mündigkeit. Unmündigkeit ist das Unvermögen, sich seines Verstandes ohne
- Leitung eines anderen zu bedienen", sagt der Philosoph **Immanuel Kant** (1784).
- Der „Wahlspruch der Aufklärung" heiße also: „Habe Mut, dich deines eigenen
- Verstandes zu bedienen!"
- Mut ist nötig, weil die herrschenden Autoritäten die „Vormundschaft", ihre geis-
- tige und politische Macht, nicht aufgeben wollen. Kirchen bestehen auf festen
- Lehrsätzen (Dogmen), verfolgen sogar Andersgläubige. Fürsten, die sich über
- den Gesetzen wähnen, wollen diese absolutistische Herrschaft behalten, keine

Gewaltenteilung:
Gesetzgebung,
Regierung,
Rechtsprechung
in verschiedenen
Händen

- Teilung der Gewalt zulassen. Und die einflussreichen „Stände" der Gesellschaft
- wollen an der festgefügten Standesordnung nicht rütteln lassen: Adel und hohe
- Geistlichkeit an der Spitze der Pyramide, darunter das Bürgertum, seinerseits
- gegliedert in eine gehobene Klasse (Patrizier und hohe Beamte) und einen Mit-
- telstand, am Boden die meist abhängigen, oft unfreien Bauern. Wer dieses Sy-
- stem mit geistigen Mitteln in Frage stellt, wie es die „Aufklärer" tun in Philoso-
- phie, Wissenschaft und Literatur, erschüttert damit auch die Machtverhältnisse.
- So wurde die Aufklärung zur Wegbereiterin der Französischen Revolution.

empirisch: aus
Erfahrung,
Beobachtung,
Untersuchung
gewonnen

- Fragwürdig wurden auch die herrschenden Lehren von den Naturgesetzen: Sie
- hielten empirischen Erkenntnissen nicht stand. Überall trat kritisches Denken
- auf den Plan und legte Maßstäbe der „Ratio" an, der Vernunft, die dem Men-
- schen von Natur aus innewohne. Autorität könne sich nur daraus begründen.

- Doch nicht nur Rationalismus bestimmte das europäische Zeitalter der Aufklä-
- rung. Auch mit den Kräften des Gefühls bekämpfte man geistige, religiöse und
- politische Erstarrung. Gegen Einseitigkeit und Unduldsamkeit dogmatischer
- Orthodoxie wandte sich der Pietismus mit dem Anspruch subjektiver Herzens-
- frömmigkeit (lateinisch *pietas* ‚Frömmigkeit'): Toleranz und Zuwendung zum
- Menschen wurden gefordert. Und auch außerhalb solcher religiös gebundener
- Kreise pflegte man in der Dichtung den Ausdruck von „Empfindsamkeit".

dogmatisch:
an Lehrmeinun-
gen festhaltend
Orthodoxie:
behauptete
Rechtgläubigkeit

Zu vernünftigem Denken gehört es auch eine Sache von verschiedenen Seiten aus zu
betrachten. So wechselt Lessing in der folgenden Fabel vom Esel und vom Löwen die
Sichtweise – und neue Erkenntnis blitzt auf. Er verzichtet auf eine ausgesprochene
Lehre. Das heißt: Denke selber nach!

Der Esel mit dem Löwen

Als der Esel mit dem Löwen des Aesopus, der ihn statt seines Jägerhorns
brauchte, nach dem Walde ging, begegnete ihm ein andrer Esel von seiner
Bekanntschaft und rief ihm zu: Guten Tag, mein Bruder! – Unverschämter!
war die Antwort. –
Und warum das? fuhr jener Esel fort. Bist du deswegen, weil du mit einem Löwen gehst, besser als ich? mehr als ein Esel?

- Die Fabel, eine der ältesten Gattungen der Literatur, ist eine kurze Erzählung (lat.
- *fabula*), die auf unterhaltsame Weise belehren will. Dies nicht direkt, sondern im
- Gewande eines „Beispiels". Handelnde „Personen" sind Tiere, die typische Ei-
- genschaften und Machtverhältnisse verkörpern: Macht (Löwe), Wehrlosigkeit
- (Lamm), List (Fuchs) usw. Darin spiegelt sich die menschliche Gesellschaft wie
- sie wirklich ist, jedoch mit Verhaltensweisen, die eben – noch – nicht mensch-
- lich sind. Darüber soll nachgedacht werden.
- Als „Erfinder" der Fabel gilt **Äsop**, der um 550 v. Chr. gelebt haben soll, ein Skla-
- ve in Kleinasien, der auf diese Art seine Einsichten in gesellschaftliche Zustän-
- de mitgeteilt habe: zum Nachdenken, als Überlebenshilfe, wohl weniger in der
- Hoffnung einen Wandel bewirken zu können. Die „Lehre" war verkleidet. Erst
- später hat man sie auch direkt ausgesprochen und ans Ende der Fabel gestellt:
- ein erhobener Zeigefinger. Man hat sich also nicht mehr darauf verlassen, dass
- die „Pointe" von sich aus die Sache auf den Punkt bringt. Die angehängte Leh-
- re, auch „Moral" (Nutzanwendung) genannt, ist oft einem Sprichwort ver-
- gleichbar, das eine Lebensweisheit ausspricht.
- So stellt **Martin Luther** ans Ende der Äsop-Fabel von Wolf und Lamm eine all-
- gemeine „Lere":
-
- Der wellt lauff ist / Wer frum sein wil / der mus leiden / solt man eine sache
- vom zaun brechen / Denn Gewalt gehet fur Recht / […] Wenn der wolff will /
- so ist das lamb unrecht

Tierfabel

- **Marie de France** hingegen, eine mittelalterliche Autorin (etwa 1130–1200), gibt
- als „Moral" der Fabel ein konkretes Zeitbild:
-
- Das tun auch die hochgestellten Räuber, die Vizegrafen und Richter mit
- denen, die sie unter ihrer Gerichtsbarkeit haben. Aus Habgier finden sie eine
- falsche Anklage, die ausreicht, um sie zugrunde zu richten; oft lassen sie sie
- zu Gericht zusammenrufen: Sie nehmen ihnen ihr Fleisch und ihre Haut,
- so wie es der Wolf dem Lamm tat.

Auch Lessing hat die Fabel vom Wolf und vom Lamm aufgegriffen, aber er geht einen eigenen Weg: Er verzichtet nicht nur auf eine ausdrücklich formulierte „Moral", er verändert sogar die Aussage der Fabel, auch wenn sich die Machtverhältnisse zu seiner Zeit noch nicht völlig gewandelt haben:

Der Wolf und das Schaf

Der Wolf kam zum Bach. Da entsprang das Lamm. Bleib nur, du störst mich nicht, rief der Wolf. Danke, rief das Lamm zurück, ich habe im Äsop gelesen. (Helmut Arntzen, 1966)

Der Durst trieb ein Schaf an den Fluss; eine gleiche Ursache führte auf der andern Seite einen Wolf herzu. Durch die Trennung des Wassers gesichert und durch die Sicherheit höhnisch gemacht, rief das Schaf dem Räuber hinüber: „ich mache dir doch das Wasser nicht trübe, Herr Wolf? Sieh mich recht an; habe ich dir nicht etwa vor sechs Wochen nachgeschimpft? Wenigstens wird es mein Vater gewesen seyn." Der Wolf verstand die Spötterey; er betrachtete die Breite des Flusses und knirschte mit den Zähnen. Es ist dein Glück, antwortete er, dass wir Wölfe gewohnt sind, mit euch Schafen Geduld zu haben; und ging mit stolzen Schritten weiter.

Wie mögen die Mächtigen zu Lessings Zeiten dies wohl verstanden haben?

Gotthold Ephraim Lessing

Gotthold Ephraim Lessing um 1767 (Erscheinungsjahr der *Minna von Barnhelm*), abgebildet in J.W. L. Gleims *Freundschaftstempel,* der fast alle namhaften dichterischen Zeitgenossen vereint (jedoch nicht Goethe und Schiller).

Geboren wurde er 1729 als Sohn eines Pfarrers in Kamenz bei Dresden. Er erhielt ein Stipendium für die berühmte Fürstenschule in Meißen, wo man den „rührigen Geist" des Jungen lobte und ihn mit fünfzehn vorzeitig entließ, weil er alle anderen übertraf. In Leipzig studierte er dann Theologie und Philosophie, später auch Medizin. Der glänzend erworbene Titel eines Magisters war für Lessing kein „Abschluss": Studiert hat er sein ganzes Leben lang; er wurde einer der größten Gelehrten seines Jahrhunderts. Da er weder Pfarrer noch Professor werden wollte, musste er seinen kärglichen Lebensunterhalt als freier Schriftsteller und Journalist bestreiten, immer im Kampf für die Freiheit des Denkens und Handelns: „Wahrheit" sei niemals „Besitz", sondern ein immer neu zu erstrebendes Ziel.

> „Jeder sage, was ihm Wahrheit dünkt, und die Wahrheit selbst sei Gott befohlen."

Berühmt wurde Lessing vor allem als Autor für das Theater, mit dem er sich auch theoretisch und kritisch befasste. Bekanntschaft mit der Bühne und Anregung zu eigenen Stücken gewann er durch die „Neuberin": Friederike Caroline Neuber, selbst erfolgreiche Schauspielerin, war Prinzipalin einer Theatertruppe und erwarb große Verdienste um ein literarisch anspruchsvolles Theater. 1747 führte sie erstmals ein Stück auf, das der 18-Jährige Lessing geschrieben hatte: *Der junge Gelehrte.*

> *Prinzipalin:* Direktorin auf eigene Rechnung; König August der Starke ernannte ihre Schauspieler zu „Hoff-Comödianten".

Zwanzig Jahre später wurde Lessing selber Dramaturg am neugegründeten „Nationaltheater" in Hamburg, war also zuständig für Auswahl und Einrichtung von Stücken für das Theater. Der Versuch scheiterte. Aber seine theoretischen Schriften aus dieser Zeit wurden wegweisend: die *Hamburgische Dramaturgie.*

Drama

- Das griechische Wort bedeutet ‚Handlung'. In der Literatur bezeichnet Drama
- – neben Epik und Lyrik – eine Grundform der Dichtung. Ein Drama stellt
- durch handelnde und redende Personen ein auf der Bühne gegenwärtiges Geschehen vor. Es wendet sich also an Zuschauer, nicht an Leser.
- Das europäische Drama hat seinen Ursprung bei den Griechen der Antike. Dort
- bildeten sich Formen und Regeln heraus, an denen man lange festzuhalten suchte. Einer der Ersten, die sich davon frei machten, war der englische Dramatiker
- **William Shakespeare** (1564–1616), dessen Stücke später mehr und mehr das
- Theater in Deutschland beeinflussten.
- Nach dem Vorbild der klassischen französischen Tragödie trat in der Nachfolge
- von Martin Opitz in Deutschland vor allem **Johann Christoph Gottsched**, Professor für Poesie und Philosophie in Leipzig, für die Einhaltung fester Regeln im
- Drama ein. In seinem *Versuch einer critischen Dichtkunst vor die Deutschen* (1730)
- beginnen die Anweisungen für Dramatiker wie ein Rezept: „Der Poet wählet
- sich einen moralischen Lehrsatz, den er seinen Zuschauern auf sinnliche Art einprägen will [...]" Eine wichtige Forderung galt den sogenannten „drei Einheiten": des Ortes, der Zeit, der Handlung. Die gespielte Handlung solle auf ein
- Thema konzentriert und in sich geschlossen sein, möglichst an einem Schauplatz ablaufen (auch das Publikum wechsle ja nicht den Ort) und höchstens die
- Zeit eines „Umlaufs der Sonne" beanspruchen. Die sogenannte „Ständeklausel"
- legte das Personal für die Tragödie im Gegensatz zur Komödie fest.
- Tragödie oder Trauerspiel nennt man eine ernste Handlung um einen unlösbaren Konflikt, der meist zum Untergang des „Helden"/der „Heldin" führt. Hier
- durften die Hauptpersonen nur von hohem Stande sein (Fürsten, Adelige). Akteure einer Komödie hingegen, eines Lustspiels, das menschliche Unzulänglich-

> Aufbau ↑ S. 126f.
> Epos ↑ S. 23
> Lyrik ↑ S. 34

> Martin Opitz ↑ S. 58

> Aufbau eines klassischen Dramas ↑ S. 126

- keit aufspießte, waren Personen niederen Standes.
- Dagegen wandte sich Lessing: „[…] wenn wir mit Königen Mitleid haben,
- so haben wir es mit ihnen als mit Menschen und nicht als mit Königen."
- So sprengte er die Formen, machte in *Minna von Barnhelm* (1763) Adelige
- zu Hauptpersonen eines Lustspiels und schuf mit *Miss Sara Sampson* (1755) das
- erste „bürgerliche Trauerspiel" in Deutschland.

Einkünfte aus Brotberufen erlangte Lessing ab 1760 als Sekretär eines preußischen Generals in der Festung Breslau, ab 1770 als Bibliothekar des Braunschweiger Hofes in Wolfenbüttel. 1781 starb er in Braunschweig, 52 Jahre alt, erschöpft von der Mühsal eines Lebens voller Arbeit und Entbehrungen.

Der „Esel" beim „Löwen"

Minna von Barnhelm oder Das Soldatenglück

Siebenjähriger Krieg zwischen Österreich und Preußen, 1756–1763

Ein Zeitstück, „verfertiget im Jahre 1763", also am Ende des verheerenden Siebenjährigen Krieges, aufgeführt erst 1767, ausgewiesen als „Lustspiel". Die Titelheldin, ein sächsisches Edelfräulein, ist verlobt mit dem Major von Tellheim, der aus dem preußischen Militärdienst „verabschiedet" wurde, weil – zu Unrecht – vor dem Kriegsgericht angeklagt. Aus verletzter „Ehre" will er die Verlobung lösen: Er will nicht von Minna finanziell abhängig sein. Die aber kämpft um ihre Liebe: „[…] seiner Geliebten sein Glück nicht wollen zu danken haben, ist Stolz, unverzeihlicher Stolz." Solche überlegene Haltung einer Frau war ungewöhnlich für die Sitten der damaligen Gesellschaft. Doch: „Gleichheit ist allein das feste Band der Liebe", sagt Minna selbstbewusst.
Ungewöhnlich auch: Tellheim begreift allmählich, dass die „Ehre", die sein Leben zu zerstören droht, hohl ist, bloß äußeres Ansehen meint. Er wird aus Erfahrung klug: „Die Dienste der Großen sind gefährlich und lohnen der Mühe, des Zwanges, der Erniedrigung nicht, die sie kosten. Ich ward Soldat aus Parteilichkeit, ich weiß selbst nicht für welche politische Grundsätze. […]" Damit übt Tellheim Kritik an der absoluten Fürstenherrschaft. „Soldatenglück", recht verstanden, kann da nur heißen: diesen Dienst quittieren.

> DAS FRÄULEIN Verabschiedet sind Sie? So höre ich. […] Wie ist es gekommen, dass man einen Mann von Ihren Verdiensten nicht beibehalten?
> V. TELLHEIM Es ist gekommen, wie es kommen müssen. Die Großen haben sich überzeugt, dass ein Soldat aus Neigung für sie ganz wenig, aus Pflicht
> 5 nicht viel mehr, aber alles seiner eignen Ehre wegen tut. Was können sie ihm also schuldig zu sein glauben? Der Friede hat ihnen mehrere meinesgleichen entbehrlich gemacht; und am Ende ist ihnen niemand unentbehrlich.
> DAS FRÄULEIN Sie sprechen, wie ein Mann sprechen muss, dem die Großen
> 10 hinwiederum sehr entbehrlich sind. Und niemals waren sie es mehr als itzt. Ich sage den Großen meinen großen Dank, dass sie ihre Ansprüche auf einen Mann haben fahren lassen, den ich doch nur sehr ungern mit ihnen geteilt hätte. – Ich bin Ihre Gebieterin, Tellheim; Sie brauchen weiter keinen Herrn. – Sie verabschiedet zu finden, das Glück hätte ich mir kaum

15 träumen lassen! – Doch Sie sind nicht bloß verabschiedet: Sie sind noch
mehr. Was sind Sie noch mehr? Ein Krüppel, sagten Sie: nun, (*indem sie
ihn von oben bis unten betrachtet*) der Krüppel ist doch noch ziemlich ganz
und gerade, scheinet doch noch ziemlich gesund und stark. – Lieber Tellheim, wenn Sie auf den Verlust Ihrer gesunden Gliedmaßen betteln zu
20 gehen denken, so prophezeie ich Ihnen, dass Sie vor den wenigsten Türen
etwas bekommen werden, ausgenommen vor den Türen der gutherzigen
Mädchen wie ich.

V. TELLHEIM Jetzt höre ich nur das mutwillige Mädchen, liebe Minna.

DAS FRÄULEIN Und ich höre in Ihrem Verweise nur das „liebe Minna".

25 – Ich will nicht mehr mutwillig sein. Denn ich besinne mich, dass sie allerdings ein kleiner Krüppel sind. Ein Schuss hat Ihnen den rechten Arm ein
wenig gelähmt. – Doch, alles wohl überlegt, so ist auch das so schlimm
nicht. Um soviel sicherer bin ich vor Ihren Schlägen.

V. TELLHEIM Fräulein!

30 DAS FRÄULEIN Sie wollen sagen: aber Sie um soviel weniger vor meinen.
Nun, nun, lieber Tellheim, ich hoffe, Sie werden es nicht dazu kommen
lassen.

V. TELLHEIM Sie wollen lachen, mein Fräulein. Ich beklage nur, dass ich nicht
mitlachen kann.

35 DAS FRÄULEIN Warum nicht? Was haben Sie denn gegen das Lachen?
Kann man denn nicht auch lachend sehr ernsthaft sein? Lieber Major, das
Lachen erhält uns vernünftiger als der Verdruss. Der Beweis liegt vor uns.
Ihre lachende Freundin beurteilt Ihre Umstände weit richtiger als Sie selbst.
Weil Sie verabschiedet sind, nennen Sie sich an Ihrer Ehre gekränkt; weil
40 Sie einen Schuss in dem Arme haben, machen Sie sich zu einem Krüppel.
Ist das so recht? Ist das keine Übertreibung? Und ist es meine Einrichtung,
dass alle Übertreibungen des Lächerlichen so fähig sind? Ich wette, wenn
ich Ihren Bettler nun vernehme, dass auch dieser ebenso wenig stichhalten
wird. Sie werden einmal, zweimal, dreimal Ihre Equipage verloren haben; | *Equipage:* Ausrüstung (eines Offiziers)
45 bei dem oder jenem Bankier werden einige Kapitale jetzt mit schwinden;
Sie werden diesen und jenen Vorschuss, den Sie im Dienste getan, keine
Hoffnung haben wiederzuerhalten: Aber sind Sie darum ein Bettler?

„Die Komödie will durch Lachen bessern", sagt Lessing in der *Hamburgischen Dramaturgie,* „aber nicht eben durch Verlachen. […] Ihr wahrer allgemeiner Nutzen liegt
in dem Lachen selbst; in der Übung unserer Fähigkeit, das Lächerliche zu bemerken."
Zum Beispiel die Verblendung dieses Offiziers im absolutistisch regierten Staat. So
hat Lessing auf der Bühne die Stimme erhoben „für die Rechte der Untertanen und
gegen Aussaugung und Despotismus", gegen Verhältnisse in Preußen, „welches Land | *Despotismus:* Willkür- und Gewaltherrschaft
bis auf den heutigen Tag das sklavischste Land von Europa ist".
Kein Wunder, dass der preußische Hof Einspruch erhob, als das Stück in Hamburg
aufgeführt werden sollte; es wurde tatsächlich vorübergehend verboten.

Verfolgte Wahrhaftigkeit

Immerhin, die Preußen hatten erkannt, welchen politischen Sprengstoff das Lustspiel barg. So hellsichtig war man am Braunschweiger Hof später nicht: zu erkennen, welchen geistigen Rebellen man in Dienst genommen hatte. Als zum Geburtstag der „gnädigsten Landesmutter" 1772 Lessings Trauerspiel *Emilia Galotti* aufgeführt wurde, klatschte man Beifall – und erkannte nicht im Spiegel das eigene Bild. Denn die Handlung des Stücks versetzt zwar in eine italienische Kleinstadt in der Mitte des 18. Jahrhunderts, sollte aber deutsche Verhältnisse zur Zeit Lessings treffen. Der hatte es geschrieben in der Absicht „dem vornehmen Hofpöbel die Wahrheit zu sagen".

1772: Emilia Galotti

Der Stoff stammt aus der römischen Antike. Ein sittenstrenger Vater tötet – auf deren Wunsch – seine Tochter um sie vor Schande zu bewahren: vor dem Zugriff eines Vertreters der Herrenkaste. Wer aus Notwehr „keine Gesetze achtet, ist ebenso mächtig, als wer keine Gesetze kennt" – nämlich der willkürlich regierende Fürst, der meint über den Gesetzen zu stehen, „absolut" zu sein. Lessing stellt hier also keinen Machtmissbrauch Einzelner an den Pranger, sondern die herrschende Staatsform überhaupt in Frage, 17 Jahre vor der Französischen Revolution. „Ich will doch sehen", sagt Emilia, „wer der Mensch ist, der einen Menschen zwingen kann."

Zensur

• Ursprünglich bezeichnete das lateinische Wort *censura* das Amt des Zensors im
• alten Rom, der für die Wahlen die Einteilung in Vermögensklassen vorzuneh-
• men hatte, aber auch Kontrolle über die Sitten ausübte, z. B. bei Theaterauffüh-
• rungen. Die Zensur im heutigen Verständnis des Wortes ist in der Sache älter:
• der Eingriff – etwa durch staatliche oder kirchliche Macht – in die Freiheit der
• Meinungsäußerung, die nur durch eine freiheitliche Verfassung wirksam ge-
• schützt werden kann. In Artikel 5 des Grundgesetzes der Bundesrepublik
• Deutschland heißt es: „Eine Zensur findet nicht statt."

1778 ereilte Lessing doch noch die Zensur. Er hatte Schriften eines „Ungenannten" veröffentlicht, in denen die Tatsächlichkeit – nicht die Wahrheit – biblischer Wunder bestritten wurde, zum Beispiel der Auferstehung. Dass Lessing solche Auffassungen zur Diskussion stellte, muss nicht heißen, dass er sie in jedem Falle teilte. Doch man machte ihn zum Schuldigen. Speerspitze der Entrüstung wurde der Hamburger Hauptpastor Goeze, dem Lessing öffentlich mit Briefen unter dem Titel *Anti-Goeze* antwortete. Der Vorwurf ein Ketzer zu sein berührte ihn nicht: Ein Ketzer sei „ein Mensch, der mit seinen eigenen Augen wenigstens sehen wollte. Die Frage ist nur, ob es gute Augen gewesen [...]." Der Herzog von Braunschweig verbot Lessing, künftig Schriften zu veröffentlichen, die nicht vorher die Zensur durchlaufen hatten.

Anti-Goeze, 1778

Lessing: „Ich muss versuchen, ob man mich auf meiner alten Kanzel, auf dem Theater, wenigstens noch ungestört will predigen lassen."

Nathan der Weise

Mit diesem *Dramatischen Gedicht,* dessen Aufführung er nicht mehr erlebt hat, beantwortet Lessing 1779 die Frage Goezes, „was für eine Religion er selbst als die wahre
erkenne und annehme". In der Mitte dieses gleichnishaften Bühnenstücks steht die
Parabel von den drei Ringen, die der Jude Nathan dem muslimischen Sultan Saladin
erzählt.

Parabel ↑ S. 277

Vor grauen Jahren lebt ein Mann im Osten,
Der einen Ring von unschätzbarem Wert
Aus lieber Hand besaß. Der Stein war ein
Opal, der hundert schöne Farben spielte,
5 Und hatte die geheime Kraft, vor Gott
Und Menschen angenehm zu machen, wer
In dieser Zuversicht ihn trug. Was Wunder,
Dass ihn der Mann im Osten darum nie
Vom Finger ließ und die Verfügung traf,
10 Auf ewig ihn bei seinem Hause zu
Erhalten? Nämlich so. Er ließ den Ring
Von seinen Söhnen dem geliebtesten
Und setzte fest, dass dieser wiederum
Den Ring von seinen Söhnen dem vermache,
15 Der ihm der liebste sei; und stets der liebste,
Ohn Ansehn der Geburt, in Kraft allein
Des Rings, das Haupt, der Fürst des Hauses werde.

3. Aufzug,
7. Szene

Das geht so lange gut, bis ein Vater von drei Söhnen sich nicht entscheiden kann, welcher ihm der liebste sei: Er verspricht jedem den Ring und lässt darum zwei weitere
anfertigen, die dem ersten genau gleichen. Nach seinem Tode kommt es zum Streit:
Welcher ist der „rechte Ring"? Ein Richter muss entscheiden.

Der Richter sprach: „Wenn ihr mir nun den Vater
Nicht bald zur Stelle schafft, so weis ich euch
Von meinem Stuhle. Denkt ihr, dass ich Rätsel
Zu lösen da bin? Oder harret ihr,
5 Bis dass der rechte Ring den Mund eröffne? –
Doch halt! Ich höre ja, der rechte Ring
Besitzt die Wunderkraft, beliebt zu machen,
Vor Gott und Menschen angenehm. Das muss
Entscheiden! Denn die falschen Ringe werden
10 Doch das nicht können! – Nun, wen lieben zwei
Von euch am meisten? – Macht, sagt an! Ihr schweigt?
Die Ringe wirken nur zurück und nicht
Nach außen? Jeder liebt sich selber nur
Am meisten? – O, so seid ihr alle drei
15 Betrogene Betrüger! Eure Ringe
Sind alle drei nicht echt. Der echte Ring

Vermutlich ging verloren. Den Verlust
Zu bergen, zu ersetzen, ließ der Vater
Die drei für einen machen. […]
20 „Und also", fuhr der Richter fort, „wenn ihr
Nicht meinen Rat, statt meines Spruches, wollt:
Geht nur! – Mein Rat ist aber der: Ihr nehmt
Die Sache völlig, wie sie liegt. Hat von
Euch jeder seinen Ring von seinem Vater:
25 So glaube jeder sicher seinen Ring
Den echten. – Möglich, dass der Vater nun
Die Tyrannei des *einen* Rings nicht länger
In seinem Hause dulden wollen! – Und gewiss,
Dass er euch alle drei geliebt und gleich
30 Geliebt, indem er zwei nicht drücken mögen,
Um einen zu begünstigen. – Wohlan!
Es eifre jeder seiner unbestochnen,
Von Vorurteilen freien Liebe nach!
Es strebe von euch jeder um die Wette,
35 die Kraft des Steins in seinem Ring an Tag
Zu legen! komme dieser Kraft mit Sanftmut,
Mit herzlicher Verträglichkeit, mit Wohltun,
Mit innigster Ergebenheit in Gott,
Zu Hilf! Und wenn sich dann der Steine Kräfte
40 Bei euern Kindes-Kindeskindern äußern:
So lad ich über tausend tausend Jahre
Sie wiederum vor diesen Stuhl. Da wird
Ein weisrer Mann auf diesem Stuhle sitzen
Als ich und sprechen. Geht!" – So sagte der
45 Bescheidne Richter.

Die Ringe stehen für die großen Weltreligionen, die in Jerusalem zusammentreffen, wo das Stück spielt – und einander blutig bekämpfen: Judentum, Christentum und Islam. Nathan hat als einziger seiner Familie einen Pogrom überlebt. Doch er wandelt Hass in Vernunft, die alle Vorurteile überwinden hilft und verzeihen lehrt. Damit überzeugt er die anderen: Sultan Saladin und die Christen, die es verdienen so zu heißen. „Sind Christ und Jude eher Christ und Jude als Mensch?" Menschenrecht ist nur von Dauer, wenn es für alle Menschen gilt.

Pogrom:
Ausschreitung,
bes. für Juden-
verfolgung

Blankvers

Jambus ↑ S. 59

- Zur besonderen Wirkung des *Nathan*-Stückes hat auch seine Versform beigetra-
- gen. Sie wurde aus der englischen Dichtung in die deutsche übernommen, z. B.
- von den Stücken Shakespeares: *blank verse,* ‚ungereimter Vers'. Der Blankvers
- ist ein Fünftakter (fünfhebiger Jambus). Er ist wegen seiner Schmiegsamkeit seit
- Lessings *Nathan* der bevorzugte Vers des deutschen Dramas.

Ein Prediger in der Wüste?

Mehr als ein halbes Jahrhundert nach dem *Nathan* schreibt der nach Paris emigrierte deutsche Schriftsteller **Heinrich Heine**, dessen Schriften ein Jahr vorher die Zensur in Deutschland verboten hat, über Lessing:

H. Heine
↑ S. 206

> Alle Richtungen des Geistes, alle Seiten des Lebens verfolgte dieser Mann mit
> Enthusiasmus und Uneigennützigkeit. Kunst, Theologie, Altertumswissen-
> schaft, Dichtkunst, Theaterkritik, Geschichte, alles trieb er mit demselben
> Eifer und zu demselben Zwecke. In allen seinen Werken lebt dieselbe große
> 5 soziale Idee, dieselbe fortschreitende Humanität, dieselbe Vernunftreligion,
> deren Johannes er war und deren Messias wir noch erwarten.
> Diese Religion predigte er immer, aber leider oft ganz allein und in der Wüste.
> Und dann fehlte ihm auch die Kunst, den Stein in Brot zu verwandeln;
> er verbrachte den größten Teil seines Lebens in Armut und Drangsal; das ist
> 10 ein Fluch, der fast auf allen großen Geistern der Deutschen lastet und
> vielleicht erst durch die politische Befreiung getilgt wird. Mehr, als man ahnte,
> war Lessing auch politisch bewegt, eine Eigenschaft, die wir bei seinen Zeit-
> genossen gar nicht finden; wir merken jetzt erst, was er mit der Schilderung
> des Duodezdespotismus in „Emilia Galotti" gemeint hat.

H. Heine:
*Die Romantische
Schule*, 1835

Johannes
(der Täufer):
Prophet, der den
Messias verkün-
det hat

Duodezstaat:
sehr kleiner
(Dutzend-)Staat

Vernunft und Empfindsamkeit

> Hier seh ich an verschiednen Stellen
> Ein silberreines Wasser quellen.
> Erst über weißem Sande fließen,
> Hernach sich übers Land ergießen.
> 5 Sich über Weg und Fußsteig lenken
> Und Wiesen, Gras und Kraut ertränken.
> Mir fiel bei diesem Wasser ein:
> Es hieß der Schöpfer auf der Erden
> Zwar alle Ding und Körper werden;
> 10 Doch können sie sich nicht allein
> Nach Ordnung und Vernunft regieren;
> Es müssen darum Menschen sein,
> Um sie zum rechten Zweck zu führen.
> Dem Geist des Menschen ist die Kraft
> 15 Von dem, der alles schuf, geschenket.
> Da er der Körper Eigenschaft
> Nach Regul, Maß und Ordnung lenket.
> Was könnte nicht aus diesem Bach,
> Der Tag und Nacht beständig läuft
> 20 Und sonder Aufsicht nach und nach
> Das Land verderbet und ersäuft,
> Sowohl zur Lust als Fruchtbarkeit der Erden
> Für Nutzen nicht geschaffen werden!

Barthold
Hinrich Brockes,
1680–1747

sonder: ohne

physikalisch (hier): die Anschauung der wohleingerichteten Natur
moralisch (hier): die Nützlichkeit im Sinne von Vernunft und Verantwortung

Einige Verse aus einem Gedicht, das die *„Kräfte der menschlichen Vernunft"* preist. Schönheit und Zweckgerichtetheit der Natur machen die Weisheit ihres Schöpfers sichtbar. Zwischen Gott und Natur steht der Mensch mit dem Auftrag den göttlichen Ordnungswillen zu verwirklichen. **Barthold Hinrich Brockes**, der einer reichen Hamburger Kaufmannsfamilie entstammte, hat auch beruflich Ordnungsaufgaben wahrgenommen: als hoher Beamter und Diplomat. Sein dichterisches Hauptwerk heißt *Irdisches Vergnügen in Gott, bestehend in Physikalisch- und Moralischen Gedichten* (1721–1748). Das sind Texte, in denen sinnliches Naturgefühl gebändigt erscheint durch den höheren Auftrag der Vernunft.

Aber schon im Zeitalter der Aufklärung suchte die Lyrik neue Wege, eine neue Sprache, die ganz persönliche Begegnung mit der Natur unmittelbar ausdrückt. Bahnbrechend wurde hier vor allem **Friedrich Gottlieb Klopstock**:

1724–1803

Die frühen Gräber

> Willkommen, o silberner Mond,
> Schöner, stiller Gefährt der Nacht!
> Du entfliehst? Eile nicht, bleib, Gedankenfreund!
> Sehet, er bleibt, das Gewölk wallte nur hin.
>
> 5 Des Maies Erwachen ist nur
> Schöner noch wie die Sommernacht,
> Wenn ihm Tau, hell wie Licht, aus der Locke träuft,
> Und zu dem Hügel herauf rötlich er kömmt.

Hier erfährt sich der Mensch im direkten Gegenüber zur Natur, ja im Miteinander: Der Mond wird zum Gefährten, gar zum Freund, den der Dichter persönlich anredet. Und der Mai wird zur lebendigen Gestalt, die beim Erwachen Schönheit verbreitet. Nicht mehr Zweckhaftigkeit bestimmt die Natur – sie erscheint als Ausdruck menschlichen Empfindens und wirkt in ihrer jeweiligen Stimmung auf den Menschen ein. Der Klang und die rhythmische Bewegtheit der Worte geben es wieder. Gewiss ist dies noch eine erhabene, abgehobene Literatursprache: Gefährte, Gedankenfreund, Gewölk, wallen. Aber sie spricht doch die Sinne stärker an als den Verstand.

„Der Messias, ein Name, der unendliche Eigenschaften bezeichnet, sollte durch ihn aufs Neue verherrlicht werden." Goethe, 1812

Klopstock, aufgewachsen im Geiste des Pietismus, hat Theologie studiert. 25 Jahre hindurch hat ihn sein Hauptwerk beschäftigt: *Der Messias,* ein biblisches Epos in 20 Gesängen, empfindsame Aneignung und gefühlvolle Darstellung biblischer Stoffe. Das konnte er ohne wirtschaftliche Not vollbringen: Schon die Begeisterung über die ersten drei Gesänge, die 1748 erschienen, verschafften ihm einen Ehrensold des dänischen Königs. Klopstock gilt als der Erste in Deutschland, der Dichtung als Beruf ausübte.

Anna Louisa Karsch, die „dichtende Viehmagd"

Belloisens Lebenslauf

Ich ward geboren ohne feierliche Bitte
Des Kirchspiels ohne Priesterflehn
Hab ich in strohbedeckter Hütte
Das erste Tageslicht gesehn,
5 Wuchs unter Lämmerchen und Tauben
Und Ziegen bis ins fünfte Jahr
Und lernt an einen Schöpfer glauben,
Weil's Morgenroth so lieblich war,
So grün der Wald, so bunt die Wiesen,
10 So klar und silberschön der Bach.
Die Lerche sang für Belloisen
Und Belloise sang ihr nach.
Die Nachtigall in Elsensträuchen
Erhub ihr süßes Lied und ich
15 Wünscht ihr im Tone schon zu gleichen.
Hier fand ein alter Vetter mich
Und sagte: Du sollst mit mir gehen.
Ich ging und lernte bald bei ihm
Die Bücher lesen und verstehen,
20 Die unsern Sinn zum Himmel ziehn.
Vier Sommer und vier Winter flogen
Zu sehr beflügelt uns vorbei;
Des Vetters Arm ward ich entzogen
Zu einer Bruderwiege neu.
25 Als ich den Bruder groß getragen,
trieb ich drei Rinder auf die Flur
Und pries in meinen Hirtentagen
Vergnügt die Schönheit der Natur,
Ward früh ins Ehejoch gespannet,
30 Trugs zweimal nacheinander schwer,
Und hätte mich wol nichts ermannet,
Wenn's nicht den Musen eigen wär,
Im Unglück und in bittern Stunden
Dem beizustehn, der ihre Huld
35 Vor der Geburt schon hat empfunden.
Sie gaben mir Muth und Geduld
Und lehreten mich Lieder dichten,
Mit kleinen Kindern auf dem Schooß.
Bei Weib- und Magd- und Mutterpflichten,
40 Bei manchem Kummer, schwer und groß,
Sang ich den König und die Schlachten,
Die Ihm und seiner Heldenschaar
Unsterblichgrüne Kränze brachten,

Anna Louisa
Karsch,
1722–1791

Else: Feldwermut

Vetter:
Verwandter

Musen:
(ursprünglich
altgriechische)
weibliche Gott-
heiten der
Künste und der
Wissenschaften

Friedrich II.
von Preußen

Und hatte noch manch saures Jahr,
45 Eh frei von andrer Pflichten Drang
Mir Tage wurden zu Gesang!

Im Rückblick reimt sich am Ende, was in einem langen, mühseligen Leben nur selten harmonisch klang. Geboren 1722 in einer abgelegenen Meierei nahe der polnischen Grenze, aufgewachsen in kümmerlichen Verhältnissen, früh mit Magddiensten beladen. Der Vater starb bald; die Mutter mochte das Kind nicht, es sei zu hässlich. Ein Großonkel lehrte sie lesen und schreiben. Mit fünfzehn gab man sie einem Tuchweber zur Frau. Der lud ihr schwerste Arbeit auf und verstieß sie nach elf Jahren mit den vier Kindern; das fünfte trug sie im Leibe. Ein Jahr später zwang man die so „Entehrte" in eine zweite unglückliche Ehe: mit dem arbeitsscheuen Schneidergesellen Karsch. Das war die eine, die bittere Seite des Lebenslaufs.

Nur auf der anderen war sie Belloise – die schöne Luise. Da hob die Dichtkunst sie heraus aus Kummer und Unansehnlichkeit: der Lesedurst des Kindes, das jede erreichbare Lektüre verschlang, eine ungewöhnliche Fantasie und die erstaunliche Fähigkeit alles und jedes in Verse umzusetzen, mochte es auch hapern mit Grammatik und Rechtschreibung. Ihr Talent blieb nicht unbemerkt. So konnte sie mit Gedichten zu allen möglichen Gelegenheiten – Hochzeit, Geburt, Kindtaufe usw. – zum Lebensunterhalt der Familie beitragen. Meist zahlte man mit Naturalien. Sogar die feinere Gesellschaft entdeckte sie: ein „Kind des Volkes" als Naturtalent! Es fanden sich Gönner, die sie nach zehn schlimmen Ehejahren von dem prügelnden Säufer Karsch befreiten: Er musste zu den Soldaten.

Ihre Begeisterung für den Preußenkönig Friedrich II. verschaffte ihr Freunde sogar bei Hofe. Eine Prinzessin vertonte Gedichte „der Karschin". Doch die versprochene Pension blieb aus; erst Friedrichs Nachfolger schenkte ihr ein Haus in Berlin, das freilich neue Schuldenlast nach sich zog. Die Gelegenheitsgedichte und die preußisch-patriotischen Gesänge halfen ihr zwar sich über Wasser zu halten, Dichtung von Rang aber waren sie nicht.

Ihre tiefere Begabung, die sich in anrührender Erlebnisdichtung äußerte, entdeckte ein namhafter literarischer Zeitgenosse: **Johann Wilhelm Ludwig Gleim**. Die tiefe Liebe, die sie ihm entgegenbrachte, erwiderte er nicht. Aber er blieb ihr freundschaftlich verbunden und besorgte 1764 eine Ausgabe von *Auserlesenen Gedichten* „der Karschin", deren Erlös ihr sehr zugute kam: So erfuhr sie am Ende ihres Lebens noch ein bescheidenes Glück. Anna Louisa Karsch, die erste deutsche Schriftstellerin, die von ihrer literarischen Arbeit ihren Lebensunterhalt bestreiten konnte, starb 1791.

Marginalien:

Gelegenheitsdichtung: im Gegensatz zu Erlebnisdichtung Texte für bestimmte Anlässe

J.W. L. Gleim: *Preußische Kriegslieder [...] von einem Grenadier*, 1758

Unterhaltsame Belehrung für Kinder

SCHWEIN

Georg Christian Raff, *Naturgeschichte für Kinder,* 1778

sage deine Geschichte her! O, wie kan ich das! Und warum denn nicht?
Du solst und must sie hersagen, du wüste garstige Sau! Kanst du dich immer
im Koth und Mist herumwälzen und Äkker und Wiesen und Gärten durch-
5 wühlen und sonst noch allerhand Unfug treiben, so kanst du auch das thun.
Rede also oder du kriegst Schläge.

So! Sie wollen mich also zwingen? Nun, das ist lustig! Wissen Sie denn aber
auch, dass die Peitsche durch meine groben Borsten, harte Haut und dikken
Spek nicht durchgeht und ich sie also nicht sonderlich viel fühle und fürchte?
10 Oder wollen Sie mich prügeln und mir Kopf und Füße entzwei schlagen?
Ich dächte, Sie solten Beides bleiben lassen, wenn Sie Nuzen von mir haben
wollen. Ich gebe zwar keine Milch, wie die Ziege, werffe aber dagegen alle Jahr
sechs bis zehn Junge; ja ich ferkle wol, wenn man mich auch nur ein wenig gut
und billig hält, des Jahrs zweimal, so dass ich also in einem Jahr eine Familie
15 von zwanzig Stük zusammenbringen kan. Und – und –

Halts Maul, fatale Grunzerin! Nicht wahr, es gibt zahme und wilde Schweine?
Ja. Nun so sag uns denn, worin der Unterschied unter euch besteht! […]

Georg Christian Raff hatte die für einen Gelehrten, zumal damals, seltene Gabe für
Kinder schreiben zu können. Humorvoll plaudert er mit ihnen und, wie hier, mit
Tieren, die er jungen Lesern nahe bringen will, dazu das Pflanzen- und das Steinreich.
Seine 1778 erschienene *Naturgeschichte für Kinder zum Gebrauch in Stadt- und Land-
schulen* war ein gelungenes und überaus erfolgreiches „Sachbuch", wie wir heute
sagen.

Ein Sachbuch-Bestseller

Bücher, die sich direkt an die Jugend wandten, hatte es bis dahin so gut wie gar nicht
gegeben – und schon gar keine unterhaltsamen. Im Zeitalter der Aufklärung machte
man einen Anfang damit. Drei Dinge wollte man miteinander verbinden: Unterhaltung, Belehrung und moralische Nutzanwendung. Dass dabei von dichterischer
Qualität kaum die Rede sein konnte, fiel nicht ins Gewicht. So machte der Pädagoge
Joachim Heinrich Campe aus **Daniel Defoes** Roman *Robinson Crusoe* einen beleh-
renden und moralisierenden Unterricht: *Robinson der Jüngere, zur angenehmen und
nützlichen Unterhaltung für Kinder* (1779/80) wurde das berühmteste Kinderbuch seiner Zeit; es wurde in viele Sprachen übersetzt und erlebte in hundert Jahren hundert
Auflagen, die Raubdrucke nicht mitgezählt.

Joachim Heinrich Campe: „Er hat den Kindern unglaubliche Dienste geleistet; er ist ihr Entzücken und sozusagen ihr Evangelium." Goethe, 1830

Holzstich nach einer Zeichnung von
Ludwig Richter. Der Vater, unter der
Landkarte, erzählt und erklärt vor
allem den Söhnen und ihren Freunden von Robinson; die Mutter, neben
dem Strickkorb, hält die Tochter.

Ein belehrend-
erzählendes
Kinderbuch als
Bestseller

VATER […] Indem er nun nach der lezten Landspize hingehen wolte:
blieb er plözlich, wie vom Donner gerührt, auf einer Stelle stehen, wurde
blass wie die Wand und zitterte am ganzen Leibe.

JOHANNES Warum denn?

5 VATER Er sahe, was er hier zu sehen nicht vermuthet hatte, – die Fußstapfen
eines, oder mehrerer Menschen, im Sande.

NIKOLAS Und davor erschrickt er so? Das solte ihm ja lieb sein!

VATER Die Ursache seines Schreckens war diese: Er dachte sich in diesem
Augenblikke den Menschen, von dem diese Spur herrührte, nicht als ein

10 mit ihm verbrüdertes, Liebe athmendes Wesen, welches bereit wäre, ihm
zu helfen und zu dienen, wo es nur könte: sondern als ein grausames
menschenfeindliches Geschöpf, das ihn wüthend anfallen, ihn tödten und
verschlingen würde. Mit einem Worte: Er dachte sich bei dieser Spur
keinen gesitteten Europäer; sondern einen wilden menschenfressenden

15 *Kannibalen,* deren es damahls, wie ihr schon wisst, auf den Karibischen
Inseln sol gegeben haben.

GOTTLIEB Ja, das glaub ich; da must er auch wohl vor erschrecken!

VATER Aber weiser und besser wäre es doch gewesen, wenn er sich von
Jugend an hätte gewöhnt gehabt, vor keiner auch noch so grossen Gefahr

20 dergestalt zu erschrecken, dass er seines Verstandes nicht mehr mächtig
bliebe. Und dahin, meine lieben Kinder, können wir es alle bringen, wenn
wir uns nur frühzeitig genug bemühen, gesund und stark an Leib und Seele
zu werden.

So begann die erzählende Kinderliteratur in Deutschland.

Geniezeit: Sturm und Drang

Prometheus

Prometheus

Johann
Wolfgang
Goethe, 1774

Bedecke deinen Himmel, Zeus,
Mit Wolkendunst!
Und übe, Knaben gleich,
Der Diefteln köpft,
5 An Eichen dich und Bergeshöhn!
Musst mir meine Erde
Doch lassen stehn
Und meine Hütte,
Die du nicht gebaut,
10 Und meinen Herd,
Um dessen Glut
Du mich beneidest.

Ich kenne nichts Ärmer's
Unter der Sonn als euch Götter.
15 Ihr nähret kümmerlich
Von Opfersteuern
Und Gebetshauch
Eure Majestät
Und darbtet, wären
20 Nicht Kinder und Bettler
Hoffnungsvolle Toren.

Da ich ein Kind war,
Nicht wusst, wo aus, wo ein,
Kehrte mein verirrtes Aug
25 Zur Sonne, als wenn drüber wär
Ein Ohr, zu hören meine Klage,
Ein Herz wie meins,
Sich des Bedrängten zu erbarmen.

Wer half mir wider
30 Der Titanen Übermut?
Wer rettete vom Tode mich,
Von Sklaverei?
Hast du's nicht alles selbst vollendet,
Heilig glühend Herz?
35 Und glühtest, jung und gut,
Betrogen, Rettungsdank
Dem Schlafenden da droben?

Titanen:
altes Göttergeschlecht, Kinder
des Himmels
(Uranos) und
der Mutter Erde
(Gaja)

Ich dich ehren? Wofür?
Hast du die Schmerzen gelindert
40 Je des Beladenen?
Hast du die Tränen gestillet
Je des Geängsteten?
Hat nicht mich zum Manne geschmiedet
Die allmächtige Zeit
45 Und das ewige Schicksal,
Meine Herrn und deine?

Wähntest du etwa,
Ich sollte das Leben hassen,
In Wüsten fliehn,
50 Weil nicht alle Knabenmorgen-
Blütenträume reiften?

Hier sitz ich, forme Menschen
Nach meinem Bilde,
Ein Geschlecht, das mir gleich sei,
55 Zu leiden, weinen,
Genießen und zu freuen sich
Und dein nicht zu achten,
Wie ich.

Grausam bestraft:
Prometheus, an eine Felsspitze
geschmiedet; ein Adler frisst täglich seine Leber, die nachts wieder
nachwächst. Zeichnung von
Johann Heinrich Füssli:
Der gefesselte Prometheus, um
1770/71 (Titel einer Tragödie von
Aischylos, 5. Jh. v. Chr.).

olympisch:
nach dem Sitz
der Götter, dem
Berg Olympos

Prometheus, der hier spricht, ist eine Gestalt der griechischen Sage. Er entstammt dem alten Göttergeschlecht der Titanen. Die aber wurden verdrängt von den olympischen Göttern. Deren Oberhaupt, Zeus, will den Menschen das Feuer vorenthalten – und damit die Fähigkeit mit eigenen Kräften ihre Welt aufzubauen, schöpferisch tätig zu sein. Doch Prometheus holt das Feuer vom Himmel. Er wird dafür grausam bestraft, aber schließlich wieder befreit.

Der 25-Jährige **Johann Wolfgang Goethe** lässt Prometheus in diesem Gedicht mit stolzen Worten seine Unabhängigkeit kundtun: Allmächtig seien nur die Zeit und das Schicksal, denen auch die Götter unterworfen seien. Die Menschen hätten den Göttern nichts zu verdanken. Trotzig wendet dieser Prometheus sich vom Himmel ab und erschafft seine eigene Welt. Die Götter, sagt er, sind nur für sich selbst da; ihre Herrschaft ist nur möglich, weil es unmündige, abhängige Menschen gibt, die an sie glauben. Wer dies, weil „aufgeklärt", begreift, geht fortan eigene Wege, folgt der schöpferischen Kraft, die ihm eingeboren ist: seinem „ingenium". Das „Genie" ist stark genug seine Stellung in der Welt zu behaupten, und das heißt: sein eigenes Bild vom Menschen zu formen und weiterzugeben. Von der Herrschaft unmündig übernommener Autoritäten in Familie, Gesellschaft, Staat und Kirche befreit sich das schaffende Genie ebenso wie von „vorgeschriebenen" Formen der Dichtung. Das bezeugen in diesem Gedicht die freien Rhythmen, die unterschiedliche Verszahl der Strophen, die ungewöhnliche Fügung mancher Sätze.

ingenium (lat.): natürliche Begabung

Prometheus heißt ‚der Vorausdenkende'. Selbständiges Denken, Nachdenken über die eigene Person und ihre Stellung in der Welt – das war schon Forderung der Aufklärung. Hier kommt noch etwas hinzu, das über den kritisch denkenden Menschen hinausweist: ein „heilig glühend Herz", das den ganzen Menschen fordert und – in Freude und Leid – über sich hinausreißt.

Aufklärung ↑ S. 72

Eine „deutsche literarische Revolution"

Im Frühjahr 1770 kommt der 20-Jährige Johann Wolfgang Goethe nach Straßburg um dort sein Jurastudium abzuschließen. Der Sohn einer Frankfurter Patrizierfamilie, vielseitig begabt und interessiert, hat schon Gedichte und anderes veröffentlicht, ist aber als Schriftsteller noch nicht bekannt. Das französische Straßburg ist eine weltoffene Stadt, Anziehungspunkt für junge deutsche Literaten, die dort zu einer Gruppe zusammenfinden und für die deutsche Literatur neue Welten entdecken wollen. Das ist vor allem das Verdienst eines damals 25-Jährigen: des Philosophen, Theologen und Schriftstellers **Johann Gottfried Herder**.

1744–1803

Von einer „deutschen literarischen Revolution" spricht Goethe später im Rückblick. Man wollte nicht mehr *die* Natur nachahmen in der Dichtung, sondern *der* Natur, das heißt: es ihr gleichtun, originell sein, ursprünglich, aus eigener Kraft schöpfen und schaffen.

Für den jungen Goethe wird der Straßburger Aufenthalt noch zu einem ganz besonderen Erlebnis durch die Begegnung mit **Friederike Brion**. Sie ist Tochter des Pfarrers in Sesenheim, einem Dorf im elsässischen Ried zwischen Rheinauen und Hagenauer Forst. Zeugnisse einer glühenden Liebe sind die *Sesenheimer Lieder:* Statt wie bisher eher tändelnd nach der Mode der Zeit schreibt Goethe hier „Erlebnisdichtung" von mitreißender Leidenschaft.

„Wo Wirkung, Kraft, Tat, Gedanke, Empfindung ist, die vom Menschen nicht gelernt und nicht gelehrt werden kann – da ist Genie! … Das Göttliche ist Genie! … Genie schafft!"
J. K. Lavater

So liebt die Lerche
Gesang und Luft,
Und Morgenblumen
Den Himmelsduft,

5 Wie ich dich liebe
Mit warmem Blut,
Die du mir Jugend
Und Freud und Mut

Zu neuen Liedern
10 Und Tänzen gibst.
Sei ewig glücklich,
Wie du mich liebst!

Ursprünglicher Titel Maifest

So endet das *Mailied* von 1771. Die Begegnung endet traurig: Friederike bleibt allein zurück, keine Spur von ewigem Glück. „[…] hier war ich zum ersten Mal schuldig", erinnert sich Goethe vierzig Jahre später; „ich hatte das schönste Herz in seinem Tiefsten verwundet. […]"

Eine neue Sprache deutscher Dichtung

Straßburg – das bedeutet ein neues Verständnis, eine neue Sprache deutscher Dichtung. Dabei wollten sich auch junge „Genies", die sich sonst von allem frei zu machen suchten, auf „Vorbilder" berufen, auf Weltliteratur wie Homer, die Bibel oder Shakespeare, aber auch auf „Volkslieder", wie Herder sie sammelte und 1773 herausgab; Goethe hat dazu beigetragen. *Stimmen der Völker in Liedern* heißt die Sammlung später: Die „unverbildete", also nicht „gelehrte", dafür bildhafte und sinnenkräftige Sprache dieser dem „Volke" nahen Dichtung, in Zeiten gelehrsamer Schriftstellerei missachtet, wird für die Dichtung „entdeckt". Ein geistesverwandter Zeitgenosse, **Johann Georg Hamann**, nennt Poesie „die Muttersprache des menschlichen Geschlechts" und Goethe schließt daraus, „dass die Dichtkunst überhaupt eine Welt- und Völkergabe sei, nicht ein Privaterbteil einiger feinen, gebildeten Männer". Das Genie als Stimme aus dem Herzen und zum Herzen des „Volkes" – das sprengte in der Tat Fesseln der Literatur, war Ausdruck einer „deutschen literarischen Revolution".

Stimmen der Völker in Liedern

Volkslied

- Den Begriff hat Johann Gottfried Herder geprägt, nach engl. *popular song*. Er
- sah in den von der gelehrten Literatur missachteten, mündlich überlieferten Liedern, die in verschiedenen Gruppen und Schichten des Volkes lebendig waren,
- „die bedeutendsten Grundgesänge einer Nation", ja der „Menschheit". Darin
- vernehme man „Ihren verhohlenen Schmerz, ihren verspotteten Gram, / Und
- die Klagen, die Niemand hört, das ermattete Ächzen / Des Verstoßenen"; aber
- auch „die Liebe, die Hoffnung / Und den geselligen Trost und den unschuldigen
- Scherz / Und den fröhlichen Spott und die helle Lache des Volkes". Diese tröstlich-heitere Seite hat man vor allem hervorgehoben, wenn vom Volkslied die
- Rede war, weniger den sozialen Protest. Den hat erst ernsthafte Folklore in unserer Zeit auch in den alten Liedern wieder „entdeckt".
- Inhalte und Weisen der Volkslieder unterscheiden sich zum Beispiel nach Anlässen: Liebe, Hochzeit, Tod; Trauer, Scherz, Spott; Arbeit, Feste; Weihnachten,

Folklore (engl. ‚Wissen der Völker'): Volksüberlieferung, z. B. Lied und Brauchtum

- Neujahr, Martinstag, Wallfahrten usw. Auch nach Gruppen: Kinder, Hirten,
- Bauern; Handwerker, Bergleute; Studenten, Fahrende usw. Das „Volk" hat vie-
- le Gesichter.
- Die Herkunft dieser Lieder darf man sich kaum so vorstellen, dass sie spontan
- „aus dem Volke" entstanden sind. Auch Texte namhafter Autoren sind zu Lie-
- dern geworden, zum Beispiel *Heidenröslein* von Goethe oder *Der Lindenbaum*
- von **Wilhelm Müller**. Die Namen der Verfasser gerieten in den Hintergrund,
- wurden vergessen. Oder „Kunstlieder" wurden abgewandelt, wie überhaupt
- Texte vielfach verändert, „zersungen" wurden. Dabei ging der „Sinn" zuweilen
- verloren. **Gottfried August Bürger** spricht von „ahndungsvollem Unzusam-
- menhang". Auch „Gassenhauer" und „Schlager" konnten zu Volksliedern wer-
- den: Darüber entscheidet ihre Dauerhaftigkeit.

Soziale Not und Abgründe der Seele

Der Bauer
An seinen durchlauchtigen Tyrannen

Wer bist du, Fürst, dass ohne Scheu
Zerrollen mich dein Wagenrad,
Zerschlagen darf dein Ross?

Wer bist du, Fürst, dass in mein Fleisch
5 Dein Freund, dein Jagdhund, ungebleut
Darf Klau und Rachen haun?

Wer bist du, dass durch Saat und Forst
Das Hurra deiner Jagd mich treibt,
Entatmet, wie das Wild? –

10 Die Saat, so deine Jagd zertritt,
Was Ross und Hund und du verschlingst,
Das Brot, du Fürst, ist mein.

Du Fürst hast nicht, bei Egg und Pflug,
Hast nicht den Erntetag durchschwitzt.
15 Mein, mein ist Fleiß und Brot! –

Ha! du wärst Obrigkeit von Gott?
Gott spendet Segen aus; du raubst!
Du nicht von Gott, Tyrann!

*Gottfried August
Bürger,
1747–1794*

Tyrann:
Gewaltherrscher

Prometheus gegen Zeus – das war Auflehnung des genialischen Geistes gegen unbe-
gründete Autorität allgemein. Hier nun gewinnt der Protest den Boden gesellschaftlicher Wirklichkeit. Das Gedicht des Amtmanns und Gerichtshalters **Gottfried
August Bürger** von 1773 ist revolutionär, indem es unerträgliche Verhältnisse geißelt.

Prometheus
↑ S. 87

Wunderbare Reisen zu Wasser und zu Lande des Freiherrn von Münchhausen, 1786

Dieser Dichter begegnet uns heute vor allem noch als Bearbeiter der *Münchhausen-*Geschichten.

Ruhm erlangte er zu seiner Zeit hauptsächlich durch ein einziges Gedicht: die Ballade *Lenore* (1774), ein gespenstisches Geschehen, das freilich ganz realistisch beginnt:

> Lenore fuhr ums Morgenrot
> Empor aus schweren Träumen:
> „Bist untreu, Wilhelm, oder tot?
> Wie lange willst du säumen?"
> 5 Er war mit König Friedrichs Macht
> Gezogen in die Prager Schlacht
> Und hatte nicht geschrieben,
> Ob er gesund geblieben.

1756–1763

1757 siegt Friedrich II. von Preußen über die Österreicher; sechs Jahre später erst endet der Siebenjährige Krieg. Die Überlebenden kehren heim: Wilhelm bleibt aus. Lenore zweifelt an Gottes Erbarmen und wünscht sich selbst den Tod.

> „O Mutter! Was ist Seligkeit?
> O Mutter! Was ist Hölle?
> Bei ihm, bei ihm ist Seligkeit
> und ohne Wilhelm Hölle!
> 5 Lisch aus, mein Licht, auf ewig aus!
> Stirb hin, stirb hin in Nacht und Graus!
> Ohn ihn mag ich auf Erden,
> Mag dort nicht selig werden."

Eine Stunde vor Mitternacht lässt ein Reiter den Pfortenring erklingen: Wilhelm. Eintreten will er nicht, aber Lenore mit sich nehmen: ins weit entfernte Brautbett. Der gespenstische Ritt durch die Nacht endet auf einem Friedhof. Der Reiter zerfällt, nur ein Skelett bleibt, „mit Stundenglas und Hippe": die Gestalt des Todes.

Hippe: sichelförmiges Messer

> Nun tanzten wohl bei Mondenglanz
> Rundum herum im Kreise
> Die Geister einen Kettentanz
> Und heulten diese Weise:
> 5 „Geduld! Geduld! Wenn's Herz auch bricht!
> Mit Gott im Himmel hadre nicht!
> Des Leibes bist du ledig;
> Gott sei der Seele gnädig!"

Illustration zu *Lenore*
von Daniel Chodowiecki,
einem der bedeutendsten
Kupferstecher des 18. Jh.
Zeichen des Todes: Sense, Spaten,
Totenkopf.

Ballade

- Das Wort bezeichnete ursprünglich ein Tanzlied, dann ein – zunächst wohl ge-
- sungenes – erzählendes Gedicht. Goethe sah in der Ballade die drei „Naturfor-
- men" der Dichtung „wie in einem lebendigen Ur-Ei vereint": Die Ballade ver-
- bindet epische Formen und Elemente (Darstellung eines Geschehens) mit
- lyrischen (Stimmung) und dramatischen (Spannung, Dialog). In diesem Sinne
- waren schon das germanische Heldenlied und manches Volkslied des späteren
- Mittelalters (*Es waren zwei Königskinder*) Balladen.
- In den 60er Jahren des 18. Jh. brachte der schottische Schriftsteller **James Mac-**
- **pherson** Balladen und Sagen heraus, die er einem greisen und blinden Sänger
- des 3. Jh. namens Ossian zuschrieb. Obwohl bald als „Fälschung" entlarvt (es
- handelt sich um gesammelte, übersetzte und eigene Texte Macphersons) faszi-
- nierten diese „nordischen Balladen" viele Schriftsteller in Europa; in Deutsch-
- land vor allem Klopstock, Herder und die jungen Genies des „Sturm und
- Drang".
- Mit Bürgers *Lenore* begann in Deutschland die „Kunstballade", die zunächst die
- Begegnung des Menschen mit magischen Mächten (so auch Goethe 1782 mit
- dem *Erlkönig*), später auch Menschen im Ringen um sittlich rechtes Handeln
- vorstellte (so Schiller 1798 in *Die Bürgschaft*). Das Zusammenwirken Schillers
- und Goethes führte zu einem Höhepunkt deutscher Balladendichtung. Die
- Gattung Ballade hat bis in unsere Zeit immer wieder Dichter und Liedermacher
- gereizt, die seit dem 19. Jh. mehr und mehr auch sozialkritische Absichten
- mit ihr verbinden (z. B. **Heinrich Heine**, **Bertolt Brecht**, **Wolf Biermann**).

Hildebrandslied
↑ S. 9

„Balladenjahr",
1797 ↑ S. 117

Heine ↑ S. 206
Brecht ↑ S. 281
Biermann
↑ S. 318

Abgesehen vom moralischen Schluss ist die Botschaft von Bürgers *Lenore:* Es gibt
unbegreifliche Mächte, die stärker sind als der Mensch mit seiner Vernunft, seinem
planenden Verstand. Schon des Menschen Begeisterung und Leidenschaft verbinden
ihn mit geheimnisvollen Kräften, lassen Abgründe der Seele und der Welt ahnen. Der
ungemein große Erfolg dieser Ballade erklärt sich aus dem mitreißenden Rhythmus,
der Unmittelbarkeit des Klangs, der zum Beispiel aus den volkstümlich anmutenden
Interjektionen erwächst:

Geheimnisvolle
Mächte

Interjektion:
Empfindungs-
wort

Und hurre hurre, hopp hopp hopp!
Ging's fort in sausendem Galopp,
Dass Ross und Reiter schnoben
Und Kies und Funken stoben.

Darüber darf man jedoch nicht übersehen, wie genau die Ballade konstruiert ist: Bürger hat lange daran gearbeitet. Getragen war er dabei vom Bestreben nach „Popularität", von der Suche nach Formen, die möglichst alle begeistern sollten: ebenso „die Dame am Putztisch wie die Tochter der Natur hinter dem Spinnrocken wie auf der Bleiche".

Ein „ganzer Kerl": Goethes *Götz*

Über den Reichsritter Götz von Berlichingen ist die kaiserliche Acht verhängt. Ein Reichsheer belagert seine Burg Jagsthausen.

> GEORG Sie sind in der Nähe, ich habe sie vom Turn gesehen. Die Sonne ging auf und ich sah ihre Piken blinken. Wie ich sie sah, wollt mir's nicht bänger werden, als einer Katze vor einer Armee Mäuse. Zwar wir spielen die Ratten.
>
> 5 GÖTZ Seht nach den Torriegeln. Verrammelt's inwendig mit Balken und Steinen. *(Georg ab.)*
> Wir wollen ihre Geduld für'n Narren halten und ihre Tapferkeit sollen sie mir an ihren eigenen Nägeln verkäuen. *(Trompete von außen.)* Aha! ein

> rotröckiger Schurke, der uns die Frage vorlegen wird, ob wir Hundsfötter
> 10 sein wollen. *(Er geht ans Fenster.)* Was soll's? *(Man hört in der Ferne reden.)*
> GÖTZ *(in seinen Bart.)* Einen Strick um deinen Hals.
> *(Trompeter redet fort.)*
> GÖTZ „Beleidiger der Majestät!" – Die Aufforderung hat ein Pfaff gemacht.
> *(Trompeter endet.)*

> 15 GÖTZ *(antwortet.)* Mich ergeben! Auf Gnad und Ungnad! Mit wem redet ihr! Bin ich ein Räuber! Sag deinem Hauptmann: Vor Ihro Kaiserliche Majestät hab ich, wie immer, schuldigen Respekt. Er aber, sag's ihm, er kann mich – – – *(Schmeißt das Fenster zu.)*

Die derbe Redewendung hat Goethe nicht zu erfinden brauchen. Er fand sie in der *Lebensbeschreibung Herrn Goezens von Perlichingen, zugenannt mit der eisernen Hand,* verfasst von diesem selbst, gedruckt 1731. Diese Gestalt des 16. Jahrhunderts hat Goethe in ihren Bann gezogen. Götz lebte von 1480 bis 1562. In jener Zeit wurden die deutschen Landesfürsten immer mächtiger, das Kaisertum umso schwächer. Götz geriet zwischen die Fronten, wurde in zahlreiche Fehden der Mächtigen verstrickt. Früh verlor er seine rechte Hand, eine eiserne sollte sie ersetzen. Er geriet in Gefangenschaft, musste Urfehde schwören. Trotzdem ließ er sich halb gezwungen zum Anführer aufständischer Bauern machen. Sein Versuch ihre mörderischen Ausschreitungen zu zügeln misslang.

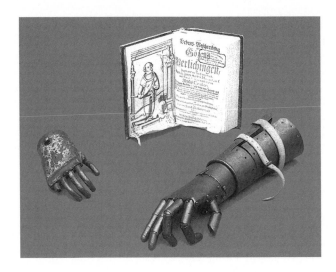

Vor Götzens *Lebensbeschreibung* dessen erste, noch primitive „eiserne Hand" und die zweite, mechanisch wesentlich besser konstruiert.

Mit diesen historischen Tatsachen ist der junge Goethe gut zweihundert Jahre später sehr frei umgegangen. Ihn begeisterte der „freie Rittersmann", der „nur abhängt von Gott, seinem Kaiser und von sich selbst". Der „tapfer und edel" ist „in seiner Freiheit und gelassen und treu im Unglück". Der gegen Verfall und Verrat all dessen kämpft, was ihm heilig ist: Freiheit, Treue, schlichte Redlichkeit und Mannesmut. So ein „ganzer Kerl", der als „Selbsthelfer" kämpft gegen eine „verderbte Welt" und auch im Scheitern noch großartig erscheint, musste doch wie kaum ein anderer in die Welt der stürmisch drängenden „Genies" passen.

So schildert Götz seinem geliebten Reiterbuben Georg seinen Traum von der Zukunft:

> GÖTZ Sollten wir nicht hoffen, […] dass Verehrung des Kaisers, Fried
>   und Freundschaft der Nachbarn und Lieb der Untertanen der kostbarste
>   Familienschatz sein wird, der auf Enkel und Urenkel erbt? Jeder würde das
>   Seinige erhalten und in sich selbst vermehren, statt dass sie jetzo nicht
> 5   zuzunehmen glauben, wenn sie nicht andere verderben.
> GEORG Würden wir hernach auch reiten?
> GÖTZ Wollte Gott, es gäbe keine unruhigen Köpfe in ganz Deutschland! Wir
>   würden noch immer zu tun genug finden. Wir wollten die Gebirge von
>   Wölfen säubern, wollten unserm ruhig ackernden Nachbar einen
> 10 Braten aus dem Wald holen und dafür die Suppe mit ihm essen. Wär uns
>   das nicht genug, wir wollten uns mit unsern Brüdern, wie Cherubim mit
>   flammenden Schwertern, vor die Grenzen des Reichs gegen die Wölfe,
>   die Türken, die Füchse, die Franzosen, lagern und zugleich unsers teuern
>   Kaisers sehr ausgesetzte Länder und die Ruhe des Reichs beschützen.
> 15 Das wäre ein Leben! Georg! wenn man seine Haut für die allgemeine
>   Glückseligkeit dransetzte.

Cherubim: himmlische Wächtergestalten. Gott stellte „die Cherubim auf und das lodernde Flammenschwert, damit sie den Weg zum Baum des Lebens bewachten". 1. Mose 3,24

Götz stirbt im Gefängnis umgeben von seinen Getreuesten. Seine letzten Worte sind ein Ruf nach Freiheit, woraus die Gefährten eine Verpflichtung für die Zukunft ableiten:

Weh der Nachkommenschaft, die dich verkennt!

1773 erscheint Goethes Schauspiel – im Selbstverlag. Mit den Mitteln des „regelmäßigen Theaters" war einem Kerl wie Götz natürlich nicht beizukommen. Die stürmische Handlung sprengte die herkömmlichen Regeln der Bühne. Fast sechzig Szenen werfen Schlaglichter auf ein wildbewegtes Geschehen. So häufig wechseln die Schauplätze. An die Möglichkeit dieses eigenwillige Drama auf die Bühne zu bringen hat der Dichter selbst nicht geglaubt. Doch schon 1774 gelang die erste Aufführung.

Da war eine neue Sprache zu hören: Gekünstelte Rede bleibt Sache der Höfe. Götz und die Seinen sprechen, wie das Volk es versteht: direkt, in starken Bildern, die an Luther und Hans Sachs erinnern. Der *Götz* brachte seinem Autor Ruhm und dem deutschen Theater starke Impulse. Mit ihm meldete sich erstmals und gleich erfolgreich das Theater des „Sturm und Drang" zu Wort: So hat man bald die kurze „Geniezeit" genannt – nach einem Stück, das diesem Anspruch viel weniger entsprach als *Götz*.

Friedrich Maximilian Klinger: Sturm und Drang, 1776

Rebellen und Räuber

Friedrich Schiller: Die Räuber, 1781

Extremitäten: Extremes, Außerordentliches
Rom und Sparta: Republiken des Altertums, mit freiheitlicher Verfassung, von kriegerischer Männlichkeit geprägt

Pflanzschule: übersetzt wörtlich lat. *seminarium*

Der Schinder hatte nicht nur Tierkadaver zu beseitigen, sondern auch unliebsame Literatur.

Nein, ich mag nicht daran denken! – Ich soll meinen Leib pressen in eine Schnürbrust und meinen Willen schnüren in Gesetze. Das Gesetz hat zum Schneckengang verdorben, was Adlerflug geworden wäre. Das Gesetz hat noch keinen großen Mann gebildet, aber die Freiheit brütet Kolosse und Extremitä-
5 ten aus. […] Stelle mich vor ein Heer Kerls wie ich und aus Deutschland soll eine Republik werden, gegen die Rom und Sparta Nonnenklöster sein sollen.

So spricht Karl von Moor, der zweifelhafte Held in dem Schauspiel *Die Räuber,* das zehn Jahre nach Goethes *Götz* erschien, ohne den Namen des Verfassers, der es auf eigene Kosten hatte drucken lassen: 800 Exemplare. Das war **Johann Christoph Friedrich Schiller**, zehn Jahre jünger als Goethe, geboren 1759 in Marbach am Neckar, Sohn eines Offiziers und Wundarztes im Dienste des Herzogs Karl Eugen von Württemberg. Theologie sollte er studieren. Doch der Herzog erfuhr von dem begabten Schüler und steckte ihn in seine Militär-Pflanzschule (später: „Hohe Karlsschule"), wo er fast acht Jahre blieb. Er studierte Jura, dann Medizin und wurde 1780 Regimentsmedikus in Stuttgart. Obwohl es verboten war, las der Zögling der Studienkaserne schöngeistige Literatur: Klopstock, Shakespeare, Lessing u. a. Eine Erzählung von **Christian Friedrich Daniel Schubart** gab den Anstoß für das *Räuber*-Drama: „Wir wollen ein Buch machen, das aber durch den Schinder absolut verbrannt werden muss."

Die Uraufführung der *Räuber* 1782 im Mannheimer Nationaltheater war ein ungeheurer Erfolg. Ein Augenzeuge berichtet: „Das Theater glich einem Irrenhaus, rollende Augen, geballte Fäuste, stampfende Füße, heisere Aufschreie im Zuschauerraum. Fremde Menschen fielen einander schluchzend in die Arme, Frauen wankten, einer Ohnmacht nahe, zur Thüre. Es war eine allgemeine Auflösung wie im Chaos, aus

dessen Nebeln eine neue Schöpfung hervorbricht!" Schiller war heimlich zugegen; er hatte keine Erlaubnis ins „Ausland" zu reisen. Das trug ihm zwei Wochen Arrest ein, vor allem aber: Schreibverbot. So floh er aus Württemberg. Die „Gesetze", gegen die er verstoßen hatte, waren Ausdruck der Willkür eines Despoten.

Ganz anders sieht es aus bei Karl von Moor. Er kämpft nicht gegen despotisches Unrecht, aber er verstößt auch nicht bloß gegen gesellschaftliche Regeln und staatliche Verordnungen: Sein Handeln stellt die sittliche Ordnung der Welt in Frage, er verletzt Grundgesetze der Menschlichkeit. Wie kommt es dazu? Karl will – wie der „verlorene Sohn" im biblischen Gleichnis – zum Vater heimkehren. Doch das hintertreibt sein Bruder Franz, der sich als Zweitgeborener wegen des Erbes, aber auch seiner Hässlichkeit wegen benachteiligt fühlt. Enttäuscht geht Karl mit einer Gruppe von „Libertinern" in die böhmischen Wälder und wird Hauptmann einer Räuberbande. Welche Verblendung dazu treibt, wird in den Worten eines Jüngeren deutlich:

> Männer such ich, die dem Tod ins Gesicht sehen und die Gefahr wie eine zahme Schlange um sich spielen lassen, die Freiheit höher schätzen als Ehre und Leben, deren bloßer Name, willkommen den Armen und Unterdrückten, die Beherztesten feig und Tyrannen bleich macht.

Das sind die „Kerls", in denen die schreibenden „Genies" sich so gerne wiederfänden. Doch denen steht Schiller eher kritisch gegenüber. Und Karl muss erkennen, dass er Kumpan grausamer Mordbrenner geworden ist, die seinen vermeintlichen Kampf für Freiheit und Gerechtigkeit zum Verbrechen machen. So ruft er den „Rächer im Himmel" an:

> Was kann ich dafür? Was kannst du dafür, wenn deine Pestilenz, deine Teurung, deine Wasserfluten den Gerechten mit dem Bösewicht auffressen? Wer kann der Flamme befehlen, dass sie nicht auch durch die gesegneten Saaten wüte, wenn sie das Genist der Hornissel zerstören soll? O pfui, über
> 5 den Kindermord! den Weibermord – den Krankenmord! Wie beugt mich diese Tat! Sie haben meine schönsten Werke vergiftet. […] Geh, geh! Du bist der Mann nicht, das Racheschwert der oberen Tribunale zu regieren, du erlagst bei dem ersten Griff. – Hier entsag ich dem frechen Plan, gehe, mich in irgendeiner Kluft der Erde zu verkriechen, wo der Tag vor meiner
> 10 Schande zurücktritt.

„Freiheit" heißt das letzte Wort des Götz bei Goethe. Das ist auch für Schiller ein hohes Ziel, für das man kämpfen muss, freilich mit gerechten Mitteln. Mit seinen feindlichen Brüdern in den *Räubern* aber stellt er etwas anderes vor Augen: Sie verkörpern beide den Zweifel an der sittlichen Ordnung der Welt, durch die ein „Riss" gehe. Diese Zerrissenheit macht Franz sich böse zunutze. Karl lehnt sich die eigene Schuld erkennend und bereuend gegen diesen Zustand der Welt auf – und scheitert:

> O über mich Narren, der ich wähnte, die Welt durch Greuel zu verschönern und die Gesetze durch Gesetzlosigkeit aufrechtzuerhalten! Ich nannte es Rache und Recht. – Ich maßte mich an, o Vorsicht, die Scharten deines Schwertes auszuwetzen und deine Parteilichkeit gutzumachen – aber – o eitle Kinderei –

Libertiner: (religiöse) „Freigeister", aber auch „Wüstlinge"

Pestilenz: Pest, schwere Seuche

Tribunal: Gerichtshof

Götz ↑ S. 94

Vorsicht: Anrede Gottes („göttliche Vorsicht")

15 da steh ich am Rande eines entsetzlichen Lebens und erfahre nun mit Zähneklappern und Heulen, dass *zwei Menschen, wie ich, den ganzen Bau der sittlichen Welt zugrunde richten würden.* Gnade – Gnade dem Knaben, der *Dir* vorgreifen wollte – *Dein* eigen allein ist die Rache. Du bedarfst nicht des Menschen Hand.

Für die Welt kann Karl nichts mehr tun, auch nicht für sich selbst. Aber einem armen Mann kann er durch Selbstanzeige eine hohe Kopfprämie verschaffen:

Louisdor:
wertvolle Goldmünze

Ich erinne mich, einen armen Schelm gesprochen zu haben, […] der im Taglohn arbeitet und elf lebendige Kinder hat. – Man hat tausend Louisdor geboten, wer den großen Räuber lebendig liefert. Dem Mann kann geholfen werden.

Das Titelblatt der zweiten Auflage
der *Räuber,* dieses Mal mit dem Namen
des Verfassers. „In tirannos" heißt
„Wider die Tyrannen!"

„… diesen Kerker verlassen": Goethes *Werther*

*Die Leiden des
jungen Werther,*
1774

Am 18. August

Musste denn das so sein, dass das, was des Menschen Glückseligkeit macht, wieder die Quelle seines Elendes würde?
Das volle warme Gefühl meines Herzens an der lebendigen Natur, das mich mit so vieler Wonne überströmte, das ringsumher die Welt mir zu einem
5 Paradiese schuf, wird mir jetzt zu einem unerträglichen Peiniger, zu einem quälenden Geist, der mich auf allen Wegen verfolgt. […]

Es hat sich vor meiner Seele wie ein Vorhang weggezogen und der Schauplatz des unendlichen Lebens verwandelt sich vor mir in den Abgrund des ewig offenen Grabs. Kannst Du sagen: Das ist! da alles vorüber geht? da alles mit
10 der Wetterschnelle vorüberrollt, so selten die ganze Kraft seines Daseins ausdauert, ach in den Strom fortgerissen, untergetaucht und an Felsen zerschmettert wird? Da ist kein Augenblick, der nicht dich verzehrte und die Deinigen um dich her, kein Augenblick, da du nicht ein Zerstörer bist, sein musst; der harmloseste Spaziergang kostet tausend armen Würmchen das
15 Leben, es zerrüttet ein Fußtritt die mühseligen Gebäude der Ameisen und stampft eine kleine Welt in ein schmähliches Grab. Ha! nicht die große seltne Not der Welt, diese Fluten, die eure Dörfer wegspülen, diese Erdbeben, die eure Städte verschlingen, rühren mich; mir untergräbt das Herz die verzehrende Kraft, die in dem All der Natur verborgen liegt, die nichts gebildet hat,
20 das nicht seinen Nachbar, nicht sich selbst zerstörte. Und so taumle ich beängstigt. Himmel und Erde und ihre webenden Kräfte um mich her: Ich sehe nichts als ein ewig verschlingendes, ewig wiederkäuendes Ungeheuer.

Dieser Ausschnitt umfasst ein Drittel des ganzen Briefes.

Der erste Brief Werthers an seinen Freund Wilhelm trägt das Datum vom 4. Mai 1771. Gut drei Monate lebt er nun schon in der kleinen Stadt, die ihm wenig zusagt. Umso mehr hat es ihm die Umgebung angetan: die herrliche Natur und die einfachen, herzlichen Menschen. Im Hause des fürstlichen Amtmanns begegnet der empfindsame junge Mann Lotte, die rührend Mutterstelle vertritt bei ihren acht jüngeren Geschwistern. Auch Kinder beflügeln die Stimmung der „wunderbaren Heiterkeit", die Werther hier beseelt. Mit Lotte verbindet ihn sofort eine Geistes- und Seelenverwandtschaft: „Klopstock" heißt das Erkennungswort. Doch sie ist „so gut als verlobt" mit Albert, der in seiner nüchternen Gelassenheit wie ein Gegenbild zu Werther erscheint: „Ein braver lieber Mann, dem man gut sein muss." Albert begegnet Werther freundschaftlich und der muss erkennen, dass seine Leidenschaft ein stilles Glück zerstören würde. So will er Abschied nehmen. Der Brief vom 18. August zeigt den Umschwung: vom „Paradies" ins „Elend". Auch die Natur, mit der er sich eins fühlte, scheint ihn plötzlich wieder auszustoßen. Eine Gefährdung, die in ihm schon angelegt ist, eine „schleichende Krankheit", offenbart sich als „Krankheit zum Tode". Bedrohlicher als die großen Katastrophen der Natur erscheinen ihm die zerstörerischen Kräfte, die auch dem kleinsten Leben innewohnen.

Klopstock ↑ S. 82

Die menschliche Natur [...] hat ihre Grenzen: Sie kann Freude, Leid, Schmerzen bis auf einen gewissen Grad ertragen und geht zugrunde, sobald der überstiegen ist. Hier ist also nicht die Frage, ob einer schwach oder stark ist? sondern ob er das Maß seines Leidens ausdauern kann? es mag nun moralisch
5 oder körperlich sein: Und ich finde es ebenso wunderbar zu sagen, der Mensch ist feige, der sich das Leben nimmt, als es ungehörig wäre, den einen Feigen zu nennen, der an einem bösartigen Fieber stirbt.

Werther tritt in den Dienst eines Gesandten, der ihm zuwider ist: „ein Mensch, der nie mit sich selbst zufrieden ist und dem's daher niemand zu Danke machen kann". Dem Freunde schreibt er am 24. Dezember:

Galeere:
Schiffstyp, meist
von festge-
schmiedeten
Sträflingen
gerudert
neckt: quält

Und daran seid ihr alle schuld, die ihr mich in das Joch geschwatzt und mir
so viel von Aktivität vorgesungen habt. Aktivität! Wenn nicht der mehr tut,
der Kartoffeln legt und in die Stadt reitet, sein Korn zu verkaufen, als ich,
so will ich zehn Jahre noch mich auf der Galeere abarbeiten, auf der ich nun
5 angeschmiedet bin. […]
Was mich am meisten neckt, sind die fatalen bürgerlichen Verhältnisse. Zwar
weiß ich so gut als einer, wie nötig der Unterschied der Stände ist, wie viel
Vorteile er mir selbst verschafft: Nur soll er mir nicht eben gerade im Wege
stehen, wo ich noch ein wenig Freude, einen Schimmer von Glück auf dieser
10 Erde genießen könnte.

Das Leben bei Hofe ödet und widert ihn an. Man demütigt ihn auch: Weil er der ein-
zige Nichtadelige ist, muss er eine Abendgesellschaft wieder verlassen. So gibt er die
Stellung auf. Schließlich kehrt er wieder in Lottes Nähe zurück, die inzwischen mit
Albert verheiratet ist. Das macht die Lage unerträglich:

Am 30. Oktober
Wenn ich nicht schon hundertmal auf dem Punkte gestanden bin, ihr um
den Hals zu fallen! Weiß der große Gott, wie einem das tut, so viele Liebens-
würdigkeiten vor einem herumkreuzen zu sehen und nicht zugreifen zu
dürfen; und das Zugreifen ist doch der natürlichste Trieb der Menschheit.
Greifen die Kinder nicht nach allem, was ihnen in den Sinn fällt? Und ich?

Ossian ↑ S. 93

Werther besucht Lotte um Abschied zu nehmen. Sie bittet ihn Gesänge Ossians vorzulesen, die er übersetzt und ihr geschickt hat. Die leidenschaftliche Stimmung der
Dichtung überwältigt die beiden, sie umarmen sich. Doch „in ängstlicher Verwirrung, bebend zwischen Liebe und Zorn", reißt Lotte sich los.
Am nächsten Tag, es ist der 22. Dezember 1772, schreibt Werther einen Abschieds-
brief an Lotte. Albert schickt er „ein offenes Zettelchen" mit der Bitte, ihm für eine
Reise seine Pistolen zu leihen. Als es Mitternacht schlägt, schießt er sich eine Kugel
durch den Kopf.

tuschen: zur
Ruhe bringen

Um zwölfe mittags starb er. Die Gegenwart des Amtmannes und seine
Anstalten tuschten einen Auflauf. Nachts gegen Eilfe ließ er ihn an die Stätte
begraben, die er sich erwählt hatte. Der Alte folgte der Leiche und die Söhne.
Albert vermocht's nicht. Man fürchtete für Lottens Leben. Handwerker
trugen ihn. Kein Geistlicher hat ihn begleitet.

Werthers letzter Brief an Lotte: „…du Lotte reichst mir das Werkzeug, du, von deren Händen ich den Tod zu empfangen wünschte und ach! nun empfange."

Werther und das „stürmische Element" der Zeit

Eigenes Erleben hat Eingang gefunden in diesen Roman: 1772 ging Goethe als eine Art Praktikant an das Reichskammergericht nach Wetzlar. Dort verliebte er sich in Charlotte Buff, die mit dem hannoverschen Gesandtschaftssekretär Kestner verlobt war. Und er erlebte aus nächster Nähe den Tod des braunschweigischen Legationssekretärs Karl Wilhelm Jerusalem: Weil er sich in seiner Ehre verletzt fühlte und unglücklich verliebt war in eine verheiratete Frau, nahm er sich das Leben. Die Pistolen hatte er sich von Kestner ausgeliehen. Doppelter Anlass für „großen Trübsinn", der Goethe bewog im Schreiben Trost zu suchen: Die „Komposition" des Romans sollte ihm heraushelfen aus dem „stürmischen Elemente". 1774 erschien der Roman *Die Leiden des jungen Werther*. Der Dichter gibt sich als Herausgeber von Briefen aus und tritt erst gegen Ende auch als Erzähler auf. Die Briefe stellen das Geschehen einseitig von Werther aus dar: Antworten gibt es nicht.

- Der Brief (lat. *breve* ‚kurz') als schriftliche Mitteilungsform ist von ältesten Zeiten her bekannt. Schon im Altertum verwendete man ihn um religiöse (die Apostelbriefe des Neuen Testaments), philosophische, politische, literarische u. a. Anschauungen öffentlich kundzutun. Das 18. Jh. war eine Blütezeit sog. „Briefromane", in denen meist ein angeblicher Herausgeber erfundene Briefe vorlegt, oft mit Einleitung, Anmerkungen, Nachwort. So erschien 1771 ein Briefroman von **Sophie von La Roche**, der auch Goethe beeinflusst hat: *Geschichte des Fräuleins von Sternheim. Von einer Freundin derselben aus Original-Papieren und anderen zuverlässigen Quellen gezogen.*

Brief/ Briefroman

Sophie von La Roche ↑ S. 71

Der *Werther* hatte ungeheuren Erfolg, er traf einen Nerv der Zeit. Überall in Europa las man ihn. Ein „Werther-Fieber" brach aus: Man parfümierte sich mit „Eau-de-Werther", umgab sich mit allerlei Werther-Nippes; junge Männer kleideten sich wie ihr Idol: gelbe Weste, blauer Frack mit Messingknöpfen, braune Stulpenstiefel,

Napoleon soll den *Werther* siebenmal gelesen haben.

runder Filzhut über ungepudertem Haar. Von zahlreichen „stilechten" Selbstmorden wird berichtet.

Werther ist keine revolutionäre Gestalt: Sein Protest gilt der persönlichen Situation. Das schließt Kritik an den gesellschaftlichen Verhältnissen nicht aus. Werther ist Außenseiter. Er scheitert in einer leidenschaftlichen Liebe und zerbricht an der Wirklichkeit. Nur im Tode sieht er einen Ausweg aus dem „Käfig" seiner Existenz. Für den Weg, der dahin führt, hat Goethe eine „unerhört" neue Sprache gefunden: für die neuen Erfahrungswelten der Seele und des Geistes in Natur und Kunst, für das geradezu religiöse Naturgefühl, für die empfindsame Beobachtung innerer Vorgänge, die hier in einer schwärmerischen Liebesbegegnung gipfeln. In dieser Sprache erkannten viele Zeitgenossen den Ausdruck ihrer Sehnsucht und ihrer Verzweiflung, auch eines bedrohlichen Wirklichkeitsverlusts: „die ganze Welt verliert sich um mich her", erkennt Werther.

Klassik

Das menschliche Maß

Grenzen der Menschheit

Johann
Wolfgang
Goethe, 1781

Wenn der uralte
Heilige Vater
Mit gelassener Hand
Aus rollenden Wolken
5 Segnende Blitze
Über die Erde sät,
Küss ich den letzten
Saum seines Kleides,
Kindliche Schauer
10 Treu in der Brust.

Denn mit Göttern
Soll sich nicht messen
Irgendein Mensch.
Hebt er sich aufwärts
15 Und berührt
Mit dem Scheitel die Sterne,
Nirgends haften dann
Die unsichern Sohlen
Und mit ihm spielen
20 Wolken und Winde.

Steht er mit festen,
Markigen Knochen
Auf der wohlgegründeten
Dauernden Erde,
25 Reicht er nicht auf,
Nur mit der Eiche
Oder der Rebe
Sich zu vergleichen.

Was unterscheidet
30 Götter von Menschen?
Dass viele Wellen
Vor jenen wandeln,
Ein ewiger Strom:
Uns hebt die Welle,
35 Verschlingt die Welle
Und wir versinken.

Ein kleiner Ring
Begrenzt unser Leben
Und viele Geschlechter
40 Reihen sich dauernd
An ihres Daseins
Unendliche Kette.

Prometheus
↑ S. 87

In trotziger Selbstbehauptung hatte der „Halbgott" Prometheus, das schöpferische Genie, dem höchsten Gott Hohn gesprochen. In diesem Goethe-Gedicht, sechs oder sieben Jahre später, spricht der Mensch, der die Majestät der Gottheit ehrfürchtig anerkennt, in „kindlichem" Vertrauen. Nicht blinde Gläubigkeit kommt da zu Wort, sondern Einsicht: klare Unterscheidung zwischen göttlichem und menschlichem Wesen. Wenn der Mensch sich vermessen erhebt, verliert er den Boden unter den Füßen. Bleibt er aber nur der Erde verhaftet, muss er erkennen, dass die Natur ihm dort überlegen ist. Also hat der Mensch seinen Ort zu finden zwischen den Bereichen, an denen er nur teilhat: Himmel und Erde, Geist und Materie. Er muss das rechte Maß finden, indem er die Grenzen erkennt, die ihm gesetzt sind.

Zwei Bilder kennzeichnen diese Bestimmung: Ring und Kette. Der Ring drückt die Begrenztheit des einzelnen Menschen aus, seine Endlichkeit, aber auch harmonisch vollendete Geschlossenheit. Dass die einzelnen Ringe sich zu einer „unendlichen Kette" reihen, macht die unbegrenzte Dauer des Menschenwesens aus: Die Kette der Geschlechter setzt die Menschheit fort. So ist die Dimension des Menschlichen ausgewiesen: gegenüber der ewigen Gottheit und dem ständigen Kreislauf der Natur, die mit ihren vier Elementen in den vier ersten Strophen des Gedichts bildhaft erscheint: Feuer (Blitz), Wasser (Welle), Luft (Wind) und Erde.

Wenn der Mensch sich seiner Grenzen bewusst ist, erkennt er zugleich seine Freiheit zum sittlichen Handeln, das ihn aus allen anderen Geschöpfen heraushebt. Darin hat er teil am göttlichen Wesen.

1783

Das Göttliche

Edel sei der Mensch,
Hilfreich und gut!
Denn das allein
Unterscheidet ihn
5 Von allen Wesen,
Die wir kennen.

Heil den unbekannten
Höhern Wesen,
Die wir ahnen!
10 Ihnen gleiche der Mensch;
Sein Beispiel lehr uns
Jene glauben.

In der Möglichkeit sittlich gut zu handeln erkennt sich der Mensch als Ebenbild der Gottheit und dies lehrt ihn an Gott zu glauben. Die Natur hingegen ist nicht fähig zu unterscheiden: Die Sonne leuchtet über Böse und Gute.

> Nur allein der Mensch
> Vermag das Unmögliche:
> Er unterscheidet,
> Wählet und richtet;
> 5 Er kann dem Augenblick
> Dauer verleihen.
>
> Er allein darf
> Den Guten lohnen,
> Den Bösen strafen,
> 10 Heilen und retten,
> Alles Irrende, Schweifende
> Nützlich verbinden.

Also hat der Mensch den Auftrag das von der Gottheit vorgesehene Maß zu erkennen und sich selbst und die Welt danach einzurichten.

Goethe in Weimar

Flüchtige Begegnung mit dauerhaften Folgen: Karl August, Erbprinz von Weimar, lernt den Frankfurter Anwalt Johann Wolfgang Goethe kennen. Der einzige Sohn einer wohlhabenden Bürgerfamilie vernachlässigt seine Anwaltsgeschäfte und führt ein ungebundenes Leben, sehr zum Leidwesen seines Vaters. Der Prinz und der genialische Bürger finden Gefallen aneinander. Wenig später lädt der Achtzehnjährige, gerade Herzog geworden, den acht Jahre Älteren ein an den Hof nach Weimar zu kommen. Im November 1775 trifft Goethe dort ein. Und bleibt in Weimar bis zu seinem Tode im Jahre 1832.

„Ein halbes Dorf ist das Weimar, in das Goethe einfährt, auf Feldwegen, die man kaum Straße nennen kann. [...] Die Häuser sind bescheiden oder ärmlich, Schweine und Hühner treiben sich auf den schmutzigen Straßen herum, Ackerwagen begegnen der Kutsche."
(Richard Friedenthal)

Ein scheinbar ungleiches Paar: der junge Herzog, der sich hauptsächlich für die Jagd und das Militärwesen interessiert, und der Bürgersohn, finanziell besser gestellt als die meisten Mitglieder der adeligen Hofgesellschaft, mit denen er bei den Mahlzeiten nicht am selben Tisch sitzen darf. Er zählt schon zu den bekanntesten Schriftstellern Deutschlands. Drei Raubdruck-Ausgaben seiner *Schriften* beginnen gerade 1775 zu erscheinen, natürlich ohne Honorar für den Autor abzuwerfen, aber ein sicheres Zeichen seiner Bekanntheit. Finanziell ist er ohnehin unabhängig – wie sollte er sonst in Weimar auskommen! Der Hof ist arm, das Leben in der rückständigen, nur 6000 Einwohner zählenden Stadt recht kärglich, zumal im Vergleich mit der reichen Freien und Reichsstadt Frankfurt am Main.

Was den Herzog und seinen Günstling zunächst verbindet, ist das Bedürfnis nach ungestümer Lebenslust, fern von der zeremoniellen Langeweile eines auch sonst wenig attraktiven Hoflebens. Fern auch von Pflichten und Verantwortung. Von wilden Ritten und ausgelassenen Gelagen wird berichtet: „Sturm und Drang" wörtlich genommen und mutwillig ausgelebt.

Doch solches „Genietreiben" ist nur der Anfang – und auch nur die eine Seite des Lebens am Weimarer Hof. Auf der anderen wirkt Herzoginmutter **Anna Amalia**. Sie gründet einen „Musenhof", versammelt, ohne Rücksicht auf Stand und Herkunft, Künstler um sich, darunter so namhafte Schriftsteller wie **Herder** und **Wieland**.

Der Glanz dieser bedeutenden Geister überstrahlt die ärmlichen äußeren Verhältnisse. „Ein kleiner Ring begrenzt unser Leben", heißt es später in Goethes Gedicht. Er hat die kleine, überschaubare Weimarer Welt wohl als Herausforderung begriffen: „Solche engen Verhältnisse", sagt er, „können nur durch die höchste Consequenz, wodurch sie die Gestalt einer großen Haushaltung annehmen, interessant werden."

Die Konsequenz, zu der Goethe sich durchringt, heißt: Pflichten auf sich nehmen, Verantwortung tragen. Er übernimmt oder gründet „Kommissionen" der Verwaltung und leitet sie – Bergbau, Militär, Straßenbau, Finanzen –, ist also, nach heutigem Sprachgebrauch, hoher Ministerialbeamter oder Minister, zuletzt mit dem Titel „Wirklicher Geheimer Rat": „Es kommt mir wunderbar vor, dass ich so wie im Traum mit dem dreißigsten Jahr die höchste Ehrenstufe, die ein Bürger in Teutschland erreichen kann, betrete." Auch den Adelstitel holt der Herzog für ihn beim Kaiser ein.

Der Staatsdiener Goethe ist sich auch für geringfügige Angelegenheiten nicht zu schade und peinlich genau hält er die strengen Formen untertänigen Verkehrs mit dem Landesherrn ein, den er im privaten Umgang duzt. Ordnung ist ihm wichtig.

So zeigt sich die Abkehr vom „Genietreiben" bald im Auftreten in der höfischen Gesellschaft. Richtschnur und Wegbegleitung bietet ihm dabei die Hofdame **Charlotte von Stein**, sieben Jahre älter als er und mit einem hohen Hofbeamten verheiratet. Sie wird ihm zur „lieben Seelenführerin", der er alles anvertrauen kann: 1700 Briefe geben davon Zeugnis. Man schreibt einander, auch wenn die Entfernung gering ist. Nur zum Teil handelt es sich um Briefe im eigentlichen Sinne, um persönlichen, intimen Austausch. Was Goethe Charlotte mitteilt, liest sich streckenweise wie ein Tagebuch, ist Selbstgespräch und -bekenntnis, aber auch einfach „Literatur", enthält Naturschilderung, Studien für künftige Dichtung und vieles mehr.

Die andere Seite der Korrespondenz kennen wir nicht. Frau von Stein hat ihre – in französischer Sprache abgefassten – Briefe verbrannt. Was sie für Goethes Leben und Laufbahn bedeutet, steht außer Zweifel: „Vollende Dein Werk, mache mich recht

Raubdruck:
nicht vom Autor
genehmigter
Druck

Frankfurt hatte
etwa 35 000
Einwohner

Genietreiben
kontra
Musenhof

Johann Gottfried
Herder ↑ S. 89

Consequenz:
Zielstrebigkeit,
Beharrlichkeit

Der Staatsdiener

1782: Adelstitel
für Goethe

Die Seelenführerin: Charlotte
von Stein

gut!" schreibt er einmal. Gedichte wie *Grenzen der Menschheit* bezeugen den Wandel vom ungebärdig-schweifenden „Genie" zum – nicht minder genialen – „Klassiker".

↑ S. 103

- Einen römischen Bürger der höchsten Steuerklasse nannte man „classicus". Seit-
- dem ist „klassisch" gleichbedeutend mit „erstrangig". Noch heute drückt man
- mit dem Ausruf „Klasse!" Bewunderung aus. Früh schon hat man „klassisch"
- auch auf herausragende Werke der Künste bezogen. „Klassik" wurde damit zu
- einem Epochen-Begriff. Blütezeiten der Dichtung zum Beispiel versah man mit
- diesem Gütesiegel. So spricht man rückblickend sogar von einer mittelhoch-
- deutschen Klassik um 1200. Europäische Nationalliteraturen erlebten ihre Klas-
- sik um 1600 (Frankreich, England, Spanien). Als Gründe für die „verspätete"
- deutsche Klassik führt man vor allem die sprachliche Verwilderung und die po-
- litische Zersplitterung durch den Dreißigjährigen Krieg an.
- Das Streben nach kultureller Einigung verstärkte sich in der Zeit um und nach
- 1800 durch das Aufkommen eines deutschen Nationalgedankens, zunächst im
- Kampf gegen Napoleon. Vor allem Schiller wollte man zum „Nationaldichter"
- machen. Erst nach 1850 aber bezeichnete man die Zeit der Begegnung der bei-
- den deutschen „Klassiker" Goethe und Schiller als Epoche der (Weimarer) Klas-
- sik.
- Wichtige Strömungen der Geistes- und Literaturgeschichte fanden da zueinan-
- der: Idealvorstellungen von antiker, vor allem griechischer Kunst (Renaissance),
- die Betonung der Menschenwürde (Humanismus), das Streben nach aufgeklär-
- tem Bewusstsein und persönlicher Verantwortung (Aufklärung), die Erfahrung
- einer mit dem Verstande nicht zu begreifenden Gefühlswelt (Pietismus) und die
- Entdeckung unergründlicher seelischer Abgründe (Sturm und Drang).
- Dies alles sollte zu harmonischer Einheit geführt werden und damit zeitlose Gül-
- tigkeit und Vorbildlichkeit erlangen: „Bildung" hieß das Ziel und dieser Begriff
- meinte formvollendete „Schönheit" ebenso wie geistige und seelische Prägung
- zu Wahrhaftigkeit und sittlich gutem Handeln. In der zeitübergreifenden Norm
- eines „großen Stils" suchten die Künstler der Klassik Bändigung und Maß in der
- wildbewegten Zeit zwischen der Französischen Revolution und der Auflösung
- des alten Reiches: „den ruhenden Pol in der Erscheinungen Flucht" (Schiller).

Klassik

Europäische
Klassiker ↑ S. 57

1618–1648

Humanismus
↑ S. 41
Aufklärung
↑ S. 72
Pietismus ↑ S. 73
Sturm und
Drang ↑ S. 96
„Dem Wahren,
Schönen,
Guten" steht als
Widmung über
dem Frankfurter
Opernhaus von
1880.

Sieht man von Briefen ab, hat Goethes erstes Weimarer Jahrzehnt autobiografisch kei-
nen Niederschlag gefunden. Es war bestimmt von der Tätigkeit in Verwaltung und
Politik des Kleinstaats. Die Dichtung geriet in den Hintergrund. Die Teilnahme am
„Gesellschaftsspiel" des „Musenhofes" war eher Kurzweil, gehobener Zeitvertreib.
Literarische, musikalische und bildnerische Versuche gehörten im 18. Jahrhundert
zum Leben der höheren Stände, das in Weimar auch in Theateraufführungen seinen
Ausdruck fand. Goethe machte bei allem mit, gab meist den Ton an. Große Dichtung
entstand auf diese Weise nicht. Aber vieles bahnte sich an, bereitete sich vor.

Französische Re-
volution: 1789 ff.

Ende des Heili-
gen Römischen
Reiches deut-
scher Nation:
1806

1788

Egmont, ein Trauerspiel

Ketzer:
Irrgläubige nach
Cathari, die
„Reinen"

Graf Egmont,
niederländischer
Feldherr,
1522–1568

Wilhelm der
Schweiger, Prinz
von Oranien,
1533–1584

Brüssel im Jahre 1568. Angst breitet sich aus. Wird der spanische König Philipp II. in seinen niederländischen Provinzen ein strengeres Regiment einführen, den protestantischen „Ketzern" ihre „Freiheiten" nehmen? Statthalterin dort ist Margarete von Parma, die die Ablösung durch den grausamen Herzog von Alba fürchtet: „Jeder ist bei ihm gleich ein Gotteslästerer, ein Majestätsschänder", und mit solcher Beschuldigung könne man „sie alle sogleich rädern, pfählen, vierteilen und verbrennen." Das Volk hätte am liebsten den Grafen Egmont zum Herren, den Sprecher des oppositionellen Adels. Das ist ein Mann nach dem Herzen der einfachen Menschen; der kann „leben und leben lassen". Auch Wilhelm von Oranien käme in Frage: „Das ist ein rechter Wall." Und ein vorsichtiger politischer Kopf: „Ich stehe immer wie über einem Schachspiele und halte keinen Zug des Gegners für unbedeutend." So rät er Egmont mit den anderen Anführern Brüssel zu verlassen um nicht Alba in die Hände zu fallen. Doch Egmont ist sorglos, fühlt sich sicher, will sogar zu Albas Begrüßung erscheinen, wovon Oranien dringend abrät.

Zweiter Aufzug:
Egmonts
Wohnung

EGMONT Und wenn er drauf besteht?

ORANIEN Kommen wir umso weniger.

EGMONT Und der Krieg ist erklärt und wir sind die Rebellen. Oranien,
    lass dich nicht durch Klugheit verführen; ich weiß, dass Furcht dich nicht
5   weichen macht. Bedenke den Schritt!

ORANIEN Ich hab ihn bedacht.

EGMONT Bedenke, wenn du dich irrst, woran du schuld bist: an dem
    verderblichsten Kriege, der je ein Land verwüstet hat. Dein Weigern ist das
    Signal, das die Provinzen mit *einmal* zu den Waffen ruft, das jede Grau-
10 samkeit rechtfertigt, wozu Spanien von jeher nur gern den Vorwand
    gehascht hat. Was wir lange mühselig gestillt haben, wirst du mit einem
    Winke zur schrecklichen Verwirrung aufhetzen. Denk an die Städte, die
    Edeln, das Volk, an die Handlung, den Feldbau, die Gewerbe! und denke
    die Verwüstung, den Mord! – Ruhig sieht der Soldat wohl im Felde seinen
15 Kameraden neben sich hinfallen; aber den Fluss herunter werden dir die
    Leichen der Bürger, der Kinder, der Jungfrauen entgegenschwimmen, dass
    du mit Entsetzen dastehst und nicht mehr weißt, wessen Sache du vertei-
    digst, da die zugrunde gehen, für deren Freiheit du die Waffen ergriffst.
    Und wie wird's dir sein, wenn du dir still sagen musst: Für meine Sicherheit
20 ergriff ich sie.

ORANIEN Wir sind nicht einzelne Menschen, Egmont. Ziemt es sich, uns für
    Tausende hinzugeben, so ziemt es sich auch, uns für Tausende zu schonen.

EGMONT Wer sich schont, muss sich selbst verdächtig werden.

ORANIEN Wer sich kennt, kann sicher vor- und rückwärts gehen.

25 EGMONT Das Übel, das du fürchtest, wird gewiss durch deine Tat.

ORANIEN Es ist klug und kühn, dem unvermeidlichen Übel entgegen-
    zugehn.

EGMONT Bei so großer Gefahr kommt die leichteste Hoffnung in Anschlag.

ORANIEN Wir haben nicht für den leisesten Fußtritt Platz mehr.

30 Der Abgrund liegt hart vor uns. [...]

Oranien will es gar nicht erst auf eine „gefährliche Probe" ankommen lassen.

> EGMONT Keine Probe ist gefährlich, zu der man Mut hat.
> ORANIEN Du wirst aufgebracht, Egmont.
> EGMONT Ich muss mit meinen Augen sehen.
> ORANIEN O sähst du diesmal nur mit den meinigen! Freund, weil du sie
> ⁵ offen hast, glaubst du, du siehst. Ich gehe! Warte du Albas Ankunft ab
> und Gott sei bei dir! Vielleicht rettet dich mein Weigern. Vielleicht, dass
> der Drache nichts zu fangen glaubt, wenn er uns nicht beide auf einmal
> verschlingt. Vielleicht zögert er, um seinen Anschlag sicherer auszuführen;
> und vielleicht bis dahin siehest du die Sache in ihrer wahren Gestalt.
> ₁₀ Aber dann schnell! schnell! Rette! rette dich! [...]
> EGMONT *(allein)* Dass andrer Menschen Gedanken solchen Einfluss auf uns
> haben! Mir wär es nie eingekommen und dieser Mann trägt seine Sorglich-
> keit in mich herüber. – Weg! – das ist ein fremder Tropfen in meinem
> Blute. Gute Natur, wirf ihn wieder heraus!

Das ist Egmont, der sich mit einem „Nachtwandler" vergleicht: Den dürfe man auch nicht warnen, wenn er auf dem „gefährlichen Gipfel eines Hauses spazierte". Doch dieser Leichtsinn lässt ihn ins Verderben stürzen: Alba nimmt ihn gefangen.

Die spanischen Truppen sind allgegenwärtig; in Brüssel herrscht Friedhofsruhe. Wie **Friedhofsruhe** „Maschinen, in denen der Teufel sitzt", erscheinen die Soldaten: „Ein Tritt, so viele ihrer sind." Alba fordert blinden Gehorsam. Die Bürger ducken sich. Nur Klärchen, Egmonts Geliebte, ruft öffentlich dazu auf, ihn zu befreien: „Mit seinem Atem flieht der letzte Hauch der Freiheit." Die junge Frau aus dem Volke hat sich in glücklichen Tagen für ihn entschieden, wollte nicht „versorgt" sein, kein „ruhiges Leben" führen. Nun steht sie zu ihm im Angesicht des Todes: „Egmonts Freiheit oder den Tod!" ruft sie den andern zu.

Mit dem Todesurteil greift zum ersten Mal die Sorge nach Egmont. Doch immer noch **Todesurteil** erwartet er Befreiung von außen: „[...] sie rühren sich zu Tausenden", wähnt er. Klärchen hingegen sieht klar, wie die Welt wirklich ist: „Furchtsam schaut der Bürger aus seinem Fenster [...] und fürchterlich wächst im Lichte das Mordgerüst." Da nichts mehr zu retten ist, greift sie zum Gift.

Egmont nimmt sein Schicksal an, nur die „Sorge für dieses Land" nimmt er mit ins **Fünfter Aufzug:** Grab: „Es glaubt der Mensch, sein Leben zu leiten, sich selbst zu führen und sein In **Gefängnis** nerstes wird unwiderstehlich nach seinem Schicksal gezogen." Sein Traum: „Die Frei **Freiheitstraum** heit in himmlischem Gewande, von einer Klarheit umflossen, ruht auf einer Wolke. Sie hat die Züge von Klärchen [...]" Sie zeigt ihm die Symbole des Widerstands der Niederländer gegen die spanische Tyrannei „und reicht ihm einen Lorbeerkranz", das Zeichen des Triumphs. Nun kann Egmont sagen: „[...] ich sterbe für die Freiheit, für die ich lebte und focht und der ich mich jetzt leidend opfre."

Freiheit und Ordnung

Freiheitskampf

Zweifach ist die Freiheit, die im verklärenden Traumbild verheißen wird: Da geht es einmal um die Freiheit der Niederlande, errungen in 80-jährigem Kampf, der mit Egmonts Hinrichtung anhebt. Mit den geschichtlichen Ereignissen ist Goethe sehr frei umgegangen. Ihm geht es hier in erster Linie um eine andere Freiheit – und dabei zeigt sich, was die Dramengestalt Egmont mit Goethes eigenem Ringen zu tun hat, mit den Entscheidungen, die vor ihm liegen. Als Egmont wieder einmal alle Befürchtungen in den Wind schlägt, sagt sein Sekretär: „[…] es wird dem Fußgänger schwindlig, der einen Mann mit rasselnder Eile daherfahren sieht." Die Antwort:

Zweiter Aufzug:
Egmonts
Wohnung

> Kind! Kind! nicht weiter! Wie von unsichtbaren Geistern gepeitscht,
> gehen die Sonnenpferde der Zeit mit unsers Schicksals leichtem Wagen durch;
> und uns bleibt nichts, als mutig gefasst die Zügel festzuhalten und bald rechts,
> bald links, vom Steine hier, vom Sturze da, die Räder wegzulenken.
> Wohin es geht, wer weiß es? Erinnert er sich doch kaum, woher er kam.

*Aus meinem
Leben. Dichtung
und Wahrheit,*
1811/14. Der Titel
meint „durch
Dichtung zur
Wahrheit".

Jambus ↑ S. 59

Diese Sätze stellt Goethe 25 Jahre später ans Ende seiner Autobiografie *Dichtung und Wahrheit,* die sein Leben bis zum Aufbruch nach Weimar darstellt: aus der Sicht des 60-Jährigen, der sein Leben wie ein Beobachter reflektiert. Im Egmont-Drama ist dies eine der Stellen, wo Prosa in jambisches Versmaß übergeht, wenn auch ohne Aufteilung in Verse:

> Ich stehe hoch und kann und muss noch höher steigen; ich fühle Hoffnung,
> Mut und Kraft. Noch hab ich meines Wachstums Gipfel nicht erreicht und
> steh ich droben einst, so will ich fest, nicht ängstlich stehn. Soll ich fallen,
> so mag ein Donnerschlag, ein Sturmwind, ja ein selbst verfehlter Schritt mich
> abwärts in die Tiefe stürzen […]

Schrankenloses Hochgefühl wird eingebunden in vorgegebene Form. Ein Zeichen für den Wandel, wie er sich allenthalben abzeichnet in diesem wegweisenden ersten Weimarer Jahrzehnt: vom „Genietreiben" des „Sturm und Drang" zum Formwillen der „Klassik". Zwischen den Anfängen der Arbeit am *Egmont* und der Vollendung liegen zwölf Jahre.

„Ordnung und Freiheit!" fordern die fortschrittlichen Bürger in Brüssel zu Beginn des Dramas; „Sicherheit und Ruhe!" die andern, die jedes Wagnis scheuen. Freiheit und Ordnung sind die Pole, zwischen denen der Dichter Ort und Weg sucht in diesem Stadium der Klärung. Die „Staatssachen" lähmen sein dichterisches Schaffen. Von den vielen Plänen und Entwürfen, die zum Teil noch aus der Frankfurter Zeit stammen, ist nichts zu Ende geführt: Auf seinem ureigenen Felde sieht der Dichter nichts als Versäumnisse. Kleinere Versuche der „Flucht" aus der Enge Weimars hat es schon

Harzreise, 1777,
Berlin, 1778,
*Briefe aus der
Schweiz,* 1779

gegeben: Reisen in den Harz, in die Schweiz. Jetzt geht es um mehr: um einen „Ausbruch", der endlich Klarheit und Distanz schaffen soll, auch gegenüber Charlotte von Stein. Das erfordert ein fernes Ziel und lange Abwesenheit.

Zu den wenigen Dichtungen, die in den letzten Jahren entstanden sind, zählen Lieder der Sehnsucht nach dem Land „klassischer" Träume: „Kennst du das Land, wo die Zitronen blühn?" heißt es da und „Nur wer die Sehnsucht kennt, / Weiß, was ich leide!" Am 7. September 1786 bricht er auf, heimlich zu nächtlicher Stunde ohne das Ziel zu nennen. Zwei Jahre bleibt er fort. Das ist mehr als eine *Italienische Reise*, wie er gut 30 Jahre später seinen Bericht überschreibt. Hauptsächlich in Rom nimmt er Aufenthalt, registriert zunächst als „Filippo Miller, pittore": Maler. In einem schlichten Maler-Quartier lebt er. Fast tausend Zeichnungen bringt er dann aus Italien mit.

Aufbruch nach Italien: 1786

1816/17

In Rom bezieht Goethe eine karg möblierte Kammer im Hause eines alten Lohnkutschers. Dort wohnen deutsche Künstler, darunter der Maler Johann Heinrich Wilhelm Tischbein, von dem diese Tuschzeichnung stammt. Blick aus der Enge ins Weite: auf die Pinien des Monte Pincio im Norden, wo im Altertum berühmte Römer ihre Villen mit großen Gärten hatten.

Neue Welten gilt es zu entdecken und festzuhalten. Eindrücke, die dem Leben neue Richtungen weisen: Zeugnisse der Antike, Natur und Landschaften, südländisches Treiben in einer großen Stadt, ein freier Umgang mit der Liebe. Sieht man von einem Berlin-Besuch ab, sind Rom, Neapel und Venedig die einzigen größeren Städte, die Goethe zu Gesicht bekommen hat. Schauen und lernen, erleben und genießen: Eine ungeheure Lebensfülle breitet sich vor ihm aus.

Lebensfülle

Im Reich der Künste interessieren ihn vor allem Bauten und Skulpturen; dabei handelt es sich oft nur um römische Kopien griechischer Originale oder gar um Gipsabgüsse. „Es ist alles, wie ich mirs dachte, und alles neu." Ganz besonders faszinieren ihn Reichtum und Vielfalt der Natur und ihre wunderbare Ordnung. Ein neues Feld intensiver Tätigkeit tut sich auf. Naturwissenschaftliche Arbeiten haben seitdem für Goethe den gleichen Rang wie seine Dichtung. Ja, seine Farbenlehre beschäftigt ihn oft mehr als alles andere.

Zeugnisse der Antike

Der Naturwissenschaftler

Wichtige Werke werden in Italien neu aufgegriffen, fortgeführt, ausgearbeitet, zu endgültiger Form gebracht, sofern man das bei einem Dichter sagen kann, der auf viele seiner Werke immer wieder verändernd zurückgekommen ist. Neben *Egmont* sind das vor allem die Dramen *Torquato Tasso* und *Iphigenie auf Tauris*. Goethe nennt als Thema des *Tasso* die „Disproportion des Lebens mit dem Talent", ein Missverhältnis also: Dem hochsensiblen Dichter Tasso steht der herzogliche Staatssekretär Antonio gegenüber; beide werden am Ende Freunde. Zwei Welten, die in Goethe selbst im Widerstreit lagen.

Torquato Tasso, 1789: Dichter und Staatsmann

Iphigenie auf Tauris, 1786

Als Inbegriff der Weimarer Klassik erscheint – zumal der Nachwelt – das Schauspiel *Iphigenie auf Tauris*. Goethe selbst hat auf einer Liebhaberbühne den Orest gespielt, den von Schuld und Schicksal Gejagten, der ruhelos durch die Welt flieht, bis er mit Hilfe der Schwester die Kraft zur Läuterung findet: „Alle menschlichen Gebrechen sühnet reine Menschlichkeit", gibt der Dichter später dem Stück als Widmung auf den Weg. Iphigenie ist vom Schicksal auf eine Insel verschlagen worden, wo grausame Bräuche herrschen; es gelingt ihrem Edelmut „Barbaren" und Griechen zu versöhnen. Das Gute erweist sich als stärker. Goethe selbst findet später das handlungsarme, nur auf feierliche Rede in jambischen Versen gestellte Stück „ganz verteufelt human".

Barbaren: für die Griechen alle, die nicht Griechisch sprachen

1788

Als ein anderer kehrt Goethe nach Weimar zurück. Fortan fühlt er sich dort als „Gast", der von allem „Mechanischen" der Regierungsgeschäfte frei sein will. Dem Herzog schreibt er: „Was ich sonst bin, werden Sie beurteilen und zu nutzen wissen." Der Herzog akzeptiert, belässt Goethe seinen Sitz im Ministerrat – und sein Gehalt, das dem Dichter ein behagliches Leben sichert. Zu einem „Universalmenschen" will Goethe sich bilden, der als Künstler und als Naturforscher wirkt, im Ansehen der Zeitgenossen vor allem als Schriftsteller und Dichter.

„Universalmensch" mit Gehaltsanspruch

Christiane Vulpius, ab 1806 C. von Goethe, 1765–1816

Eine 23-Jährige holt er in sein Haus: Christiane Vulpius. Deren Bruder Christian August hat sich mit populären Ritter-, Räuber- und Zauberromanen einen Namen gemacht und es mit Goethes Starthilfe zum Oberbibliothekar und Großherzoglichen Rat gebracht. Christiane wird Goethes Geliebte, Haushälterin, Lebensgefährtin. 1789 kommt ein Sohn zur Welt. Erst 17 Jahre später – Christiane hat das Haus erfolgreich gegen plündernde französische Soldaten verteidigt – geht Goethe die Ehe mit ihr ein, legalisiert er das Verhältnis vor der Gesellschaft. Christiane von Goethe stirbt 1816 im Alter von 51 Jahren.

Don Carlos, Infant von Spanien

Friedrich Schiller, 1787

MARQUIS Jüngst kam ich an von Flandern und Brabant. –
So viele reiche, blühende Provinzen!
Ein kräftiges, ein großes Volk – und auch
Ein gutes Volk – und, Vater dieses Volkes,
5   Das, dacht ich, das muss göttlich sein! – Da stieß
Ich auf verbrannte menschliche Gebeine –
(Hier schweigt er still; seine Augen ruhen auf dem König, der versucht, diesen Blick zu erwidern, aber betroffen und verwirrt zur Erde sieht.)
Sie haben Recht. *Sie* müssen. Dass sie *können*,
10 Was Sie zu müssen eingesehn, hat mich
Mit schaurender Bewunderung durchdrungen.
O schade, dass, in seinem Blut gewälzt,
Das Opfer wenig dazu taugt, dem Geist
Des Opferers ein Loblied anzustimmen!
15 Dass Menschen nur – nicht Wesen höh'rer Art –
Die Weltgeschichte schreiben! – Sanftere
Jahrhunderte verdrängen Philipps Zeiten;
Die bringen milde Weisheit; Bürgerglück

Wird dann versöhnt mit Fürstengröße wandeln,
20   Der karge Staat mit seinen Kindern geizen,
Und die Notwendigkeit wird menschlich sein.
KÖNIG Wann, denkt Ihr, würden diese menschlichen
Jahrhunderte erscheinen, hätt ich vor
Dem Fluch des jetzigen gezittert? Sehet
25   In meinem Spanien Euch um. Hier blüht
Des Bürgers Glück in nie bewölktem Frieden;
Und *diese* Ruhe gönn ich den Flamändern.

                                          Flamänder:
                                          Flamen

MARQUIS *(schnell)* Die Ruhe eines Kirchhofs! Und Sie hoffen
Zu endigen, was Sie begannen? hoffen,
30   Der Christenheit gezeitigte Verwandlung,
Den allgemeinen Frühling aufzuhalten,
Der die Gestalt der Welt verjüngt? *Sie* wollen
Allein in ganz Europa – sich dem Rade
Des Weltverhängnisses, das unaufhaltsam
35   In vollem Laufe rollt, entgegenwerfen?
Mit Menschenarm in seine Speichen fallen?
Sie werden nicht! Schon flohen Tausende
Aus Ihren Ländern froh und arm. Der Bürger,
Den Sie verloren für den Glauben, war
40   Ihr edelster. Mit offnen Mutterarmen
Empfängt die Fliehenden Elisabeth

                                        Elisabeth I.,
                                        Königin von
                                        England,

Und fruchtbar blüht durch Künste unsers Landes
Britannien. Verlassen von dem Fleiß
Der neuen Christen, liegt Grenada öde

                                        1533–1603

45   Und jauchzend sieht Europa seinen Feind
An selbstgeschlagnen Wunden sich verbluten.

                                          Grenada: spani-
                                        sche Provinz.

(Der König ist bewegt; der Marquis bemerkt es und tritt einige Schritte näher.)
Sie wollen pflanzen für die Ewigkeit
Und säen Tod? Ein so erzwungnes Werk

                                        Politische
                                        Flüchtlinge aus

50   Wird seines Schöpfers Geist nicht überdauern.
Dem Undank haben Sie gebaut – umsonst

                                        den Niederlan-
                                        den fanden

Den harten Kampf mit der Natur gerungen,
Umsonst ein großes königliches Leben
Zerstörenden Entwürfen hingeopfert.

                                        Aufnahme in
                                        England; Schiller

55   Der Mensch ist mehr, als Sie von ihm gehalten.
Des langen Schlummers Bande wird er brechen

                                        hat dies auf ganz
                                        Spanien

Und wiederfordern sein geheiligt Recht.

                                        übertragen.

Zu einem Nero und Busiris wirft
Er Ihren Namen und – das schmerzt mich; denn

                                        Nero:
                                        tyrannischer

60   Sie waren gut.
KÖNIG Wer hat Euch dessen so
  Gewiss gemacht?

                                        römischer Kaiser
                                        Busiris:

MARQUIS *(mit Feuer)* Ja, beim Allmächtigen!
Ja – Ja – ich wiederhol es. Geben Sie,

                                        in der griechi-
                                        schen Sage

65   Was Sie uns nahmen, wieder! Lassen Sie,

                                        grausamer
                                        Ägypterkönig

Großmütig wie der Starke, Menschenglück
Aus Ihrem Füllhorn strömen – Geister reifen
In Ihrem Weltgebäude! Geben Sie,
Was Sie uns nahmen, wieder. Werden Sie
70   Von Millionen Königen ein König.
(Er nähert sich ihm kühn und indem er feste und feurige Blicke auf ihn richtet.)
O könnte die Beredsamkeit von allen
Den Tausenden, die dieser großen Stunde
75   Teilhaftig sind, auf meinen Lippen schweben,
Den Strahl, den ich in diesen Augen merke,
Zur Flamme zu erheben! – Geben Sie
Die unnatürliche Vergöttrung auf,
Die uns vernichtet. Werden Sie uns Muster
80   Des Ewigen und Wahren. Niemals – niemals
Besaß ein Sterblicher so viel, so göttlich
Es zu gebrauchen. Alle Könige
Europens huldigen dem span'schen Namen.
Gehn Sie Europens Königen voran.
85   Ein Federzug von dieser Hand und neu
Erschaffen wird die Erde. Geben Sie
Gedankenfreiheit. –

Goethes *Egmont*
↑ S. 108

1568. Philipp II. von Spanien schickt sich an in seinen niederländischen Provinzen für „Ordnung" zu sorgen. Darunter versteht er bedingungslosen Gehorsam. Verteidigung des alten Glaubens gegen die „neuen Christen", die Anhänger der Reformation: „Die Pest der Ketzerei steckt meine Völker an." Einer seiner „Granden", der hohen Adeligen im königlichen Dienst, wagt ihm zu widersprechen: Marquis Posa. Der hat sich um das Königreich verdient gemacht, bleibt aber dem Hofe fern: „Ich kann nicht Fürstendiener sein." Solch stolze Unabhängigkeit beeindruckt den König: „Wer mich entbehren kann, wird Wahrheit für mich haben." So macht er Posa zum engsten Berater und erteilt ihm besondere Vollmachten. Für einen Augenblick sieht es so aus, als könnte Posa den König mit seinen Argumenten überzeugen: mit der Forderung nach religiöser Toleranz und politischer Freiheit: „Bürgerglück […] versöhnt mit Fürstengröße."

Posa ist kein Umstürzler, will die Monarchie nicht beseitigen. Als ein „Abgeordneter der ganzen Menschheit" fordert er freies Denken und Versöhnung der Gegensätze. Doch der Weltbürger weiß: „Das Jahrhundert ist meinem Ideal nicht reif. Ich lebe ein Bürger derer, die kommen werden." Darum ist er, wenn friedliche Appelle erfolglos bleiben, zu bewaffnetem Widerstand bereit.

Spanisches Weltreich mit Teilen Nordafrikas, Amerikas, Philippinen (nach König Philipp)
Infant:
Kronprinz Don Carlos, 1545–1568

Philipp hält sich an die gegenwärtigen Tatsachen, wie er sie sieht. Der Herrscher, in dessen Reich die Sonne nicht untergeht, versteht sich als Diener des „rechten" Glaubens, den er mit aller Macht bewahren will, um jeden Preis. Der einsame Mächtige erfüllt von Misstrauen gegen jedermann ist als Mensch eine traurige Gestalt. Um Spaniens Macht zu mehren hat er die Tochter des französischen Königs geheiratet: Elisabeth, die eigentlich seinem Sohn verlobt war. Don Carlos, der Infant, liebt die Frau seines Vaters. Sein engster Freund ist Marquis Posa, der ihn zum Widerpart des

Königs aufbauen will: Er soll den Niederlanden die Freiheit bringen. Carlos, guten Willens, aber überfordert, wird zum Spielball und schließlich zum Opfer komplizierter höfischer Intrigen. Liebe wird zum Werkzeug von Politik und jeglicher Anspruch von Menschlichkeit gerät in den Strudel nackten Machtwillens. Herzog Alba triumphiert, er erhält das Oberkommando in den Niederlanden. Posa wird ermordet, Elisabeth auf ihr unglückliches Los zurückgeworfen. Vom Schmerz versteinert überliefert Philipp seinen Sohn der kirchlichen Verfolgungsgewalt, der Inquisition. Sein letztes Wort im Drama ist an den Großinquisitor gerichtet, den obersten Vollstrecker eines unmenschlichen „Gesetzes", der im Namen Gottes zu handeln wähnt, wenn er den Menschen „der Verwesung lieber als der Freiheit" überantwortet: „Kardinal, ich habe das Meinige getan. Tun Sie das Ihre."

Inquisition (‚Untersuchung'): richterliche Verfolgung von „Ketzern" (offizielle Einrichtung 1231–1859)

Geschichte – „Magazin für meine Phantasie": Friedrich Schiller

Das Schicksal des historischen Don Carlos liegt ziemlich im Dunkeln. Ein schwächliches Kind, durch „knechtische Erziehung" bedrückt, seelisch und körperlich anfällig: kein geeigneter Thronfolger in den Augen des Vaters. Es gab Fluchtpläne, Gerüchte um Verschwörung in Sachen Niederlande. Der Vater ließ den 23-Jährigen gefangen nehmen. Carlos starb im Gefängnis. Posa spielte in Wirklichkeit allenfalls eine Nebenrolle. Kein faktentreues Geschichtsbild also, sondern ein „erfundenes" Drama, das eine verwirrende Liebesgeschichte mit politischem Intrigenspiel verbindet in der Absicht zukunftweisende Ideen wirksam herauszustellen. Schiller hat etwa vier Jahre an dem Stück gearbeitet und es 1787 als „dramatisches Gedicht" im klassischen Blankvers herausgebracht. Goethes *Egmont* erschien ein Jahr später.

Blankvers ↑ S. 80

Mit der Flucht aus Württemberg 1782 hatten für Schiller sieben schwere Jahre eines unsteten Lebens begonnen. Freunde halfen ihm. So fand er zunächst Zuflucht auf einem adeligen Gut in Thüringen. Am 1. September 1783 nahm ihn das Mannheimer Nationaltheater unter Vertrag: Binnen eines Jahres sollte er drei Stücke liefern. Das hätte gelingen können, wäre er nicht nach dem zweiten schwer erkrankt. Fortan hatte er fast immer mit Krankheit zu kämpfen, musste seine Arbeiten und Dichtungen einem geschwächten Körper abringen. Als nach einem Jahr der Vertrag nicht erneuert wurde, war Schiller zwar ein anerkannter Bühnendichter, aber von finanziellen Problemen bedrückt. Nach den *Räubern* begründeten zwei große Dramen seinen Ruhm.

Schillers Flucht ↑ S. 97

Die Räuber ↑ S. 96

1783

Ein „republikanisches Trauerspiel" nennt Schiller *Die Verschwörung des Fiesko zu Genua*. Der adelige Titelheld schwankt zwischen dem Kampf für die Freiheit der Republik und eigenem Machtstreben. Zusammen mit anderen Verschwörern stürzt er den tyrannischen Herrscher, will sich dann aber selbst zur Alleinherrschaft aufschwingen. Ein Mitverschwörer tötet ihn um die Sache des Volkes zu retten. Das mit verwickelten Geschehnissen überladene Stück brachte auf der Bühne keinen Erfolg. Aber es zeigte den Weg, auf dem Schiller dann zum berühmtesten Theaterdichter Deutschlands wurde: auf dem Schauplatz der Geschichte, der moralischen und politischen Entscheidung.

1783

Mehr Glück hatte Schiller wenig später mit dem „bürgerlichen Trauerspiel" *Kabale und Liebe*. Der erste Entwurf ist wohl in Stuttgart entstanden: im Arrest, den der Herzog verhängte, weil Schiller unerlaubt das Land verlassen hatte. Die frei erfundene

Kabale: altertümlich für Intrige, hinterlistiges Ränkespiel

Handlung erinnert in manchen Zügen an Verhältnisse am Württemberger Hof. Der ursprüngliche Titel *Luise Millerin* nennt die Person, die der tragische Konflikt am stärksten betrifft: Luise ist die Tochter eines Bürgers, des Musikers Miller. Sie liebt Ferdinand, den Sohn des verbrecherisch-machtgierigen Präsidenten von Walter, der eine standesgemäße Heirat für seinen Sohn vorgesehen hat. Luise ist bereit die Schranken der Konvention anzuerkennen: Ihre Liebe ist unbedingt, hängt nicht von Erfüllung ab. Doch Ferdinand will die Standesschranken brechen. Damit führt er das Unheil herbei: Die Liebenden werden als Opfer einer „satanisch fein" gesponnenen Intrige erst im Tode vereint.

Konvention:
in der Gesellschaft geltende Regeln

Szenenbild einer Berliner Inszenierung von *Kabale und Liebe* (Hans Hollmann, 1969): Riesenhaft über allem der Fürst, hündische Ergebenheit fordernd. Aufbegehren ist tödlich.

Tragik

„Jener Kommandant, dem die Wahl gelassen wird, entweder die Stadt zu übergeben oder seinen gefangenen Sohn vor seinen Augen durchbohrt zu sehen, wählt ohne Bedenken das Letztere, weil die Pflicht gegen sein Kind der Pflicht gegen sein Vaterland billig untergeordnet ist." Dieses Beispiel wählt Schiller (1792) zum Aufweis einer tragischen Situation: Die trete dann ein, „wenn eine moralische Pflicht übertreten werden muss, um einer höhern und allgemeinern desto gemäßer zu handeln." Ohne „Bedenken" heißt nicht ohne tiefen Schmerz: Wie auch immer der Kommandant entscheidet, er macht sich schuldig. Auch Philipp in *Don Carlos* sah sich vor eine solche Entscheidung gestellt. Der ausweglose Konflikt, in dem der Mensch sich hier zu entscheiden hat, ist ihm von außen auferlegt worden. Eine „Zwickmühle" kann sich aber auch im Innern des Menschen auftun: als Widerstreit zwischen „Neigung" und „Pflicht". Wenn Ausweg oder Lösung nicht möglich, schweres Leid oder gar Untergang unausweichlich sind, spricht man von Tragik. Die Menschen, denen ein solches Schicksal vor Augen tritt, zum Beispiel in einer „Tragödie", reagieren mit Schrecken, Mitleid und Trauer, aber oft auch mit Bewunderung.

Tragik in mannigfacher Gestalt ist ein Grundzug menschlichen Daseins und darum immer wieder auch Thema der Dichtung. Schon das althochdeutsche

Tragödie
↑ Drama, S. 75

* *Hildebrandslied* ist ein Beispiel. In heutiger Umgangssprache freilich wird tra-
* gisch kaum noch im Sinne von ‚ausweglos' gebraucht, manchmal eher zur Ver-
* schleierung von Schuld: Die meisten „tragischen" – also besonders traurigen –
* Unglücksfälle im Straßenverkehr wären wohl vermeidbar.

Hildebrandslied
↑ S. 9

Wie neun Jahre vorher für Goethe wurde auch für Schiller die Begegnung mit Karl August von Weimar zu einem entscheidenden Wendepunkt. Er widmete dem Herzog den ersten Aufzug seines *Don Carlos* und wurde daraufhin zum Rat in weimarischen Diensten ernannt. Ein Freund und Verehrer, der Schiller zu sich nach Leipzig und Dresden holte, verschaffte ihm dadurch zwei finanziell sorgenfreie Jahre. Nach *Don Carlos* hat der Dichter über mehr als ein Jahrzehnt kein Drama mehr geschrieben.

Schiller und Weimar

Historische Studien und Schriften waren jetzt sein Hauptgeschäft. 1788 erschien der erste Teil einer Darstellung der *Geschichte des Abfalls der vereinigten Niederlande von der Spanischen Regierung* (sie blieb ohne Abschluss). Schiller übernahm eine – unbesoldete – Professur für Geschichte in Jena, wohin er dann übersiedelte. Mit dem Titel eines Hofrats gewährte ihm der Herzog eine kleine Pension. So konnte er 1790 die Ehe mit Charlotte von Lengefeld eingehen. In den folgenden drei Jahren war er finanziell abgesichert: Zwei dänische Freunde und Förderer – Erbprinz und Finanzminister – halfen mit einer „Ehrengabe" (in fünffacher Höhe der herzoglichen Pension). Ein schweres Lungenleiden, von dem er sich nie mehr ganz erholt hat, setzte seiner Lehrtätigkeit ein Ende. Trotzdem brachte er eine *Geschichte des Dreißigjährigen Krieges* zum Abschluss.

Der Historiker

1802 erhielt Schiller den Adelstitel

1792

Dass er in strengem Sinne kein Historiker sei, hat Schiller unmissverständlich zum Ausdruck gebracht: „[...] zu einem musterhaften Professor werde ich mich nie qualifizieren; aber dazu hat mich die Vorsehung ja auch nicht bestimmt. [...] Die Geschichte ist überhaupt nur ein Magazin für meine Phantasie und die Gegenstände müssen sich gefallen lassen, was sie unter meinen Händen werden."

Das „Balladenjahr" 1797

Ballade ↑ S. 93

Sieben Jahre dauerte es, bis die beiden Weimarer „Klassiker" anfängliche Fremdheit überwunden hatten. Vor allem Goethe hielt sich zurück. Schiller fand, er verhalte sich „wie ein Gott, ohne sich selbst zu geben", eingestellt „ganz auf den höchsten Genuss der Eigenliebe". Dieser Glückliche, der alle in seinen Bann zog, stellte ihm das eigene harte Los vor Augen. Um so erfreulicher dann für beide die Freundschaft, die sich anbahnte; nicht ohne eine gewisse Distanz im persönlichen Umgang, aber getragen von dem Wunsch nach fruchtbarem Austausch. So entstand eine enge „Arbeitsgemeinschaft" geprägt von kritischer Solidarität und gegenseitiger Anerkennung und Anregung.

Schiller über Goethe: „Wie leicht ward sein Genie von seinem Schicksal getragen und wie muss ich bis auf diese Minute noch kämpfen."

Was die beiden zunächst zusammenführte, war die Gründung einer literarischen Zeitschrift, zu der Schiller 1794 aufrief: *Die Horen* wurden zum wichtigsten publizistischen Organ der Weimarer Klassik. Die gemeinsame Leitung des Weimarer Hoftheaters und die streitbare Auseinandersetzung mit literarischen Zeitgenossen waren weitere Formen der Zusammenarbeit. Als besonders folgenreich sollte sich eine Art Wettstreit im Jahre 1797 erweisen. Da ging es um den Versuch die drei „Naturformen

Goethe an Schiller: „Sie haben mir eine zweite Jugend verschafft und mich wieder zum Dichter gemacht, welches

zu sein ich so gut
wie aufgehört
hatte."
Horen: drei grie-
chische Göttin-
nen, die für Ge-
rechtigkeit,
Ordnung und
Frieden standen

der Poesie" (Goethe) an der Gattung Ballade zu erproben: Epik, Lyrik und Dramatik – Erzählung, Stimmung, Spannung. Was da entstanden ist, hat wohl nicht den Rang großer klassischer Werke. Sicher aber haben gerade diese Balladen Schiller und Goethe in weitesten Kreisen des Volkes bekannt gemacht. Über dreißig Jahre später erinnert sich Goethe im Gespräch an die Balladen jener Zeit: „Ich verdanke sie größtenteils Schiller, der mich dazu trieb […] Ich hatte sie alle schon seit vielen Jahren im Kopf, sie beschäftigten meinen Geist als anmutige Bilder, als schöne Träume, die kamen und gingen und womit die Phantasie mich spielend beglückte."

F. Schiller, Juni
1797
Nach einer
Begebenheit
z. Z. des franzö-
sischen Königs
Franz I.
(1515–1547)

Der Handschuh

Vor seinem Löwengarten,
Das Kampfspiel zu erwarten,
Saß König Franz
Und um ihn die Großen der Krone
5 Und rings auf hohem Balkone
Die Damen in schönem Kranz.

Und wie er winkt mit dem Finger,
Auf tut sich der weite Zwinger
Und hinein mit bedächtigem Schritt
10 Ein Löwe tritt
Und sieht sich stumm
Rings um,
Mit langem Gähnen
Und schüttelt die Mähnen
15 Und streckt die Glieder
Und legt sich nieder.

Und der König winkt wieder,
Da öffnet sich behend
Ein zweites Tor,
20 Daraus rennt
Mit wildem Sprunge
Ein Tiger hervor,
Wie der den Löwen erschaut,
Brüllt er laut,
25 Schlägt mit dem Schweif
Einen furchtbaren Reif
Und recket die Zunge
Und im Kreise scheu
Umgeht er den Leu
30 Grimmig schnurrend,
Darauf streckt er sich murrend
Zur Seite nieder.

Und der König winkt wieder,
Da speit das doppelt geöffnete Haus
35 Zwei Leoparden auf einmal aus,
Die stürzen mit mutiger Kampfbegier
Auf das Tigertier,
Das packt sie mit seinen grimmigen Tatzen
Und der Leu mit Gebrüll   *Leu:* Löwe
40 Richtet sich auf, da wirds still
Und herum im Kreis,
Von Mordsucht heiß,
Lagern die greulichen Katzen.

Da fällt von des Altans Rand   *Altan:*
45 Ein Handschuh von schöner Hand   balkonartiger
Zwischen den Tiger und den Leu'n   Vorbau
Mitten hinein.

Und zu Ritter Delorges spottender Weis
Wendet sich Fräulein Kunigund:
50 „Herr Ritter, ist eure Lieb so heiß,
Wie Ihr mirs schwört zu jeder Stund,
Ei, so hebt mir den Handschuh auf.“

Und der Ritter in schnellem Lauf
Steigt hinab in den furchtbarn Zwinger
55 Mit festem Schritte
Und aus der Ungeheuer Mitte
Nimmt er den Handschuh mit keckem Finger.

Und mit Erstaunen und mit Grauen
Sehens die Ritter und Edelfrauen
60 Und gelassen bringt er den Handschuh zurück,
Da schallt ihm sein Lob aus jedem Munde,
Aber mit zärtlichem Liebesblick –
Er verheißt ihm sein nahes Glück –
Empfängt ihn Fräulein Kunigunde.
65 Und er wirft ihr den Handschuh ins Gesicht: Auf Wunsch der
„Den Dank, Dame, begehr ich nicht“,   Hofdame Char-
Und verlässt sie zur selben Stunde.   lotte von Stein
    hat Schiller die
    drittletzte Zeile

Rhythmus und Klang der Verse und spannend aufgebaute Handlung finden mitrei-   vorübergehend
ßend zusammen. In die zum Bersten gespannte Ruhe fällt das Zeichen menschlichen   durch eine mil-
Hochmuts: die Aufforderung zu einer vermeintlichen Liebesprobe, die der Ritter mu-   dere ersetzt:
tig besteht. Freilich nur um die ungeheuerliche Leichtfertigkeit zu entlarven: durch   „Und der Ritter
wohlberechnet-heftige Verletzung höfischen Anstands. Die Lehre, obgleich unausge-   sich tief verbeu-
sprochen, ist nicht zu überhören: Ohne Achtung menschlicher Würde kann von Lie-   gend spricht …“
be nicht die Rede sein.

Schiller und Goethe
im Gespräch (Federzeichnung 1804)
„Ein jeder konnte dem andern etwas geben,
was ihm fehlte, und etwas dafür empfangen"
(Schiller 1794).

J. W. Goethe,
Juli 1797

Der Zauberlehrling

Hat der alte Hexenmeister
Sich doch einmal wegbegeben!
Und nun sollen seine Geister
Auch nach meinem Willen leben!
5 Seine Wort und Werke
Merkt ich und den Brauch
Und mit Geistesstärke
Tu ich Wunder auch.
   Walle! walle
10   Manche Strecke,
   Dass, zum Zwecke,
   Wasser fließe
  Und mit reichem, vollem Schwalle
  Zu dem Bade sich ergieße!

15 Und nun komm, du alter Besen!
Nimm die schlechten Lumpenhüllen!
Bist schon lange Knecht gewesen;
Nun erfülle meinen Willen!
Auf zwei Beinen stehe,
20 Oben sei ein Kopf,
Eile nun und gehe
Mit dem Wassertopf!

Der Lehrling wiederholt den Zauberspruch und der wirkt – mehr als erwünscht. Wie aber hält man den überfließenden Wassersegen wieder auf? Sicher nicht mit hilflosem Schimpfen:

O, du Ausgeburt der Hölle!
Soll das ganze Haus ersaufen?
Seh ich über jede Schwelle
Doch schon Wasserströme laufen.
5 Ein verruchter Besen,
Der nicht hören will!
Stock, der du gewesen,
Steh doch wieder still!
    Willst's am Ende
10 Gar nicht lassen?
Will dich fassen,
Will dich halten
Und das alte Holz behende
Mit dem scharfen Beile spalten.

Mit dem Erfolg, dass nun zwei dienstbare Geister den Überfluss vermehren.

Und sie laufen! Nass und nässer
Wird's im Saal und auf den Stufen.
Welch entsetzliches Gewässer!
Herr und Meister! hör mich rufen! –
5 Ach, da kommt der Meister!
Herr, die Not ist groß!
Die ich rief, die Geister,
Werd ich nun nicht los.
    „In die Ecke,
10 Besen! Besen!
Seid's gewesen!
Denn als Geister
Ruft euch, nur zu seinem Zwecke,
Erst hervor der alte Meister."

Das Machtwort von sechs Versen setzt dem Wort- und Wasserschwall des Lehrlings –
92 Verse – ein Ende. Klang, Rhythmus und dramatischer Aufbau finden auch in dieser Ballade großartig zusammen. Die einprägsame „Moral" ist sprichwörtlich geworden: „Die ich rief, die Geister, werd ich nun nicht los." Sie wird auch heutigen „Zauberlehrlingen" als Warnung zugerufen, wenn ihnen die entfesselten Kräfte moderner Technik zu entgleiten drohen.
Die beiden Balladen sind klassische Meisterwerke der Balladendichtung, zudem verständlich auch für ein großes Publikum, das ohne besondere Vorkenntnisse an Literatur herangeht. Auch die beiden Dichter hatten – bei allem Ernst ihrer Absichten – einfach Spaß am literarischen Wettstreit.
Außer den Gemeinsamkeiten zeigen die Texte auch charakteristische Unterschiede. In Goethes Balladen spielen oft magische Kräfte eine Rolle, wie Menschen sie manchmal auch heute noch in Naturerscheinungen zu erfahren meinen. Ein bekanntes Beispiel ist die Ballade *Der Erlkönig,* entstanden 1782. Der Zauberlehrling ist ohnmächtig gegenüber den Mächten, die sein Halbwissen entfesselt hat. Die kann nur der

magisch:
übersinnlich,
zauberkräftig

zauberkräftige Meister bannen, der in die Geheimnisse eingeweiht ist. Ziel der Kritik ist diese Leichtfertigkeit des Lehrlings. Schiller sind solche magischen Bezüge fremd. Ihm geht es um die Freiheit menschlicher Entscheidung: zum Guten wie zum Bösen.

„Verrat trennt alle Bande": Schillers *Wallenstein*

Friedrich Schiller: *Wallenstein*, 1798/99: *Wallensteins Lager Die Piccolomini Wallensteins Tod*

Leumund: Ruf, Nachrede

MAX Wenn du geglaubt, ich werde eine Rolle
　　In deinem Spiele spielen, hast du dich
　　In mir verrechnet. Mein Weg muss gerad sein.
　　Ich kann nicht wahr sein mit der Zunge, mit
5　　Dem Herzen falsch […]
　　– Ich geh zum Herzog. Heut noch werd ich ihn
　　Auffordern, seinen Leumund vor der Welt
　　Zu retten. Eure künstlichen Gewebe
　　Mit einem graden Schritte zu durchreißen.
10 OCTAVIO Das wolltest du?
　　MAX Das will ich. Zweifle nicht.
　　OCTAVIO Ich habe mich in dir verrechnet, ja.
　　Ich rechnete auf einen weisen Sohn,
　　Der die wohltät'gen Hände würde segnen,
15　　Die ihn zurück vom Abgrund ziehn – und einen
　　Verblendeten entdeck ich, den zwei Augen
　　Zum Toren machten, Leidenschaft umnebelt,
　　Den selbst des Tages volles Licht nicht heilt.
　　Befrag ihn! Geh! Sei unbesonnen gnug,
20　　Ihm deines Vaters, deines Kaisers
　　Geheimnis preiszugeben. Nöt'ge mich
　　Zu einem lauten Bruche vor der Zeit! […]
　　Lass mich's erleben, dass mein eigner Sohn
　　Mit unbedachtsam rasendem Beginnen
25　　Der Staatskunst mühevolles Werk vernichtet.
　　MAX O! diese Staatskunst, wie verwünsch ich sie!
　　Ihr werdet ihn durch eure Staatskunst noch
　　Zu einem Schritte treiben – Ja, ihr könntet ihn,
　　Weil ihr ihn schuldig *wollt,* noch schuldig *machen.*
30　　O! das kann nicht gut endigen – und mag sich's
　　Entscheiden, wie es will, ich sehe ahnend
　　Die unglückselige Entwicklung nahen. –
　　Denn dieser Königliche, wenn er fällt,
　　Wird eine Welt im Sturze mit sich reißen
35　　Und wie ein Schiff, das mitten auf dem Weltmeer
　　In Brand gerät mit einem Mal und berstend
　　Auffliegt und alle Mannschaft, die es trug,
　　Ausschüttet plötzlich zwischen Meer und Himmel,
　　Wird er uns alle, die wir an sein Glück
40　　Befestigt sind, in seinen Fall hinabziehn.

Halte du es, wie du willst! Doch mir vergönne,
Dass ich auf meine Weise mich betrage.
Rein muss es bleiben zwischen mir und ihm.
Und eh' der Tag sich neigt, muss sich's erklären,
45 Ob ich den Freund, ob ich den Vater soll entbehren.

Die Piccolomini
V,3

Ein Konflikt zwischen Vater und Sohn. Ort und Zeit der Handlung: die böhmische Stadt Pilsen im Jahre 1634, mitten im Dreißigjährigen Krieg. Octavio Piccolomini, der Vater, ist Generalleutnant in der Armee des kaiserlichen Feldherrn Wallenstein, sein Sohn Max Oberst in einem Reiterregiment. Das „Spiel", das Max nicht mitmachen will, ist ein Intrigenspiel um Macht, fragwürdige „Staatskunst". Worum geht es? Wallenstein, Herzog von Friedland, befehligt ein mächtiges, bunt zusammengewürfeltes Heer, das nur durch seine Person zusammengehalten wird. Allerdings wissen sich die Soldaten auch „in des Kaisers Pflicht". Weiß sich auch der Feldherr in dieser Pflicht zu Treue und Gehorsam? Oder wird eigenes Machtgelüst siegen? Und wie werden sich dann Offiziere und Soldaten verhalten, die ein Regimentskommandeur so beschreibt:

Fremdlinge stehn sie da auf diesem Boden,
Der Dienst allein ist ihnen Haus und Heimat.
Sie treibt der Eifer nicht fürs Vaterland,
Denn Tausende, wie mich, gebar die Fremde
5 Nicht für den Kaiser, wohl die Hälfte kam
Aus fremdem Dienst feldflüchtig uns herüber,
Gleichgültig, unterm Doppeladler fechtend,
Wie unterm Löwen und den Lilien.
Doch alle führt an gleich gewalt'gem Zügel
10 Ein Einziger, durch gleiche Lieb und Furcht
Zu Einem Volke sie zusammen bindend.
Und wie des Blitzes Funke sicher, schnell,
Geleitet an der Wetterstange, läuft,
Herrscht sein Befehl vom letzten fernen Posten,
15 Der an die Dünen branden hört den Belt,
Der in der Etsch fruchtbare Täler sieht,
bis zu der Wache, die ihr Schilderhaus
Hat aufgerichtet an der Kaiserburg.

Die Piccolomini
I,2

Doppeladler,
Löwe, Lilien:
Herrschafts-
zeichen von
Österreich,
Schweden,
Frankreich

Belt: Wasser-
straße in der
westlichen Ost-
see zum Kattegat
Etsch: Fluss in
Südtirol

Der Kaiserhof in Wien misstraut der gefährlichen Macht des Feldherrn und will sie verringern, das Heer aufteilen.
Der zweite Teil des Wallenstein-Dramas steht unter der Überschrift *Die Piccolomini*. Octavio, bedingungslos kaisertreu und ehrgeizig, wird zum Gegenspieler Wallensteins, der mit dem Gedanken spielt die Krone Böhmens zu erringen. Um dieses Ziel zu erreichen und einem drohenden Abbau seiner Macht zuvorzukommen sinnt er auf Abfall vom Kaiser und auf ein Bündnis mit den feindlichen Schweden. Sogar seine Tochter Thekla will er zum Mittel für seine Pläne machen: „Auf Europens Thronen" will er ihren Gatten suchen. Doch Thekla liebt Max. Mit diesem gerät sie ins Zentrum des tragischen Konflikts.

Die Piccolomini

Wallensteins Tod

Dessen Ende kündigt schon die Überschrift des dritten Teils an, der umfangreicher ist als die beiden anderen zusammen: *Wallensteins Tod*. Der Feldherr tut Max sein Vorhaben kund sich mit den Schweden zu verbünden.

Wallensteins Tod
II,1

MAX Mein General! – Du machst mich heute mündig. […]
    Zum ersten Male heut verweisest du
    Mich an mich selbst und zwingst mich, eine Wahl
    Zu treffen zwischen dir und meinem Herzen.
5 WALLENSTEIN Sanft wiegte dich bis heute dein Geschick,
    Du konntest spielend deine Pflichten üben,
    Jedwedem schönen Trieb Genüge tun,
    Mit ungeteiltem Herzen immer handeln.
    So kann's nicht ferner bleiben. Feindlich scheiden
10 Die Wege sich. Mit Pflichten streiten Pflichten.
    Du musst Partei ergreifen in dem Krieg,
    der zwischen deinem Freund und deinem Kaiser
    Sich jetzt entzündet.

„Der Jugend glückliches Gefühl" hat keine Chance in der Wirklichkeit dieser treulosen Welt; die Liebe Max' und Theklas kann keine Erfüllung finden.

    Vertrauen, Glaube, Hoffnung ist dahin,
    Denn alles log mir, was ich hoch geachtet.

Max sucht den Tod im Kampf mit den Schweden. Thekla klagt:

Wallensteins Tod
IV,12

    Da kommt das Schicksal – Roh und kalt
    Fasst es des Freundes zärtliche Gestalt
    Und wirft ihn unter den Hufschlag seiner Pferde –
    – Das ist das Los des Schönen auf der Erde!

Als Wallenstein die Nachricht vom Tode Max' erhält, spürt er die dunkle Hand des Schicksals, die nun nach ihm greift:

Wallensteins Tod
IV,3

spinnt: nach der Vorstellung von antiken Schicksalsgöttinnen; eine spinnt den Lebensfaden, die zweite misst ihn, die dritte schneidet ihn ab.

    Er ist der Glückliche. Er hat vollendet.
    Für ihn ist keine Zukunft mehr, ihm spinnt
    Das Schicksal keine Tücke mehr – sein Leben
    Liegt faltenlos und leuchtend ausgebreitet,
5 Kein dunkler Flecken blieb darin zurück […]
    O ihm ist wohl! Wer aber weiß, was uns
    Die nächste Stunde schwarz verschleiert bringt!

Als die Entscheidung gefallen, das Bündnis mit den Schweden geschlossen ist, entgleiten Wallenstein die Dinge völlig: Der „Zufall" herrscht, das Schicksal nimmt seinen Lauf. Immer mehr Truppen fallen ab von dem Abtrünnigen, über den der Kaiser die Acht verhängt hat. Doch nun fühlt sich Wallenstein auf einmal befreit:

Es ist entschieden, nun ist's gut – und schnell
Bin ich geheilt von allen Zweifelsqualen,
Die Brust ist wieder frei, der Geist ist hell,
Nacht muss es sein, wo Friedlands Sterne strahlen.
5 Mit zögerndem Entschluss, mit wankendem Gemüt
Zog ich das Schwert, ich tat's mit Widerstreben,
Da es in meine Wahl noch war gegeben!
Notwendigkeit ist da, der Zweifel flieht,
Jetzt fecht ich für mein Haupt und für mein Leben.

Wallensteins Tod
III,10

Nacht:
Wallenstein ver-
traut der Astro-
logie („Die Ster-
ne lügen nicht").

Noch weiß er nichts von dem „Mordnetz", das sich über ihm zusammenzieht: Einer der einstmals Getreuen dingt die Mörder. Octavio will zuletzt noch das Äußerste verhindern, doch er kommt zu spät. Wie König Philipp in *Don Carlos* steht Octavio Piccolomini am Ende da als ein einsamer Mensch: auf dem Gipfel seiner Macht, aber innerlich zerbrochen. Ein Brief mit dem kaiserlichen Siegel trifft ein. Die Aufschrift – es sind die letzten Worte der Tragödie: „Dem *Fürsten* Piccolomini".

König Philipp
↑ S. 114

Späte Dramen Schillers

Schiller war auf dem Weg des Erfolgs. 1799 zog er von Jena nach Weimar. Ein höheres Gehalt und vor allem die Einnahmen durch das Theater enthoben ihn fortan der finanziellen Sorgen. 1802 wurde der Dichter in den erblichen Adelsstand erhoben. Den nächsten großen Bühnenerfolg nach *Wallenstein* brachte das Trauerspiel *Maria Stuart,* das im Juni 1800 uraufgeführt wurde.

Goethe fand das
Wallenstein-Dra-
ma „so groß,
dass in seiner Art
zum zweiten Mal
nichts Ähnliches
vorhanden" sei.

Die historische Maria Stuart, Königin von Schottland, wurde nach fast 15-jähriger Gefangenschaft in England 1587 enthauptet. Die protestantischen Schotten hatten ihre katholische Königin vertrieben, nachdem sie den Mörder ihres zweiten Ehemannes geheiratet hatte. Die englische Königin Elisabeth, ihre Verwandte, nahm sie auf, setzte sie aber gefangen, weil sie sich durch umstürzlerische Pläne bedroht sah. Nach kirchlichem Recht war Elisabeth unehelicher Herkunft; sie musste Maria als Rivalin fürchten. Schiller glaubte nicht an die Verwicklung Marias in die Verschwörung gegen Elisabeth, wohl aber an eine (nicht erwiesene) Mitschuld an der Ermordung ihres Mannes.

Maria Stuart,
1800

Das „Trauerspiel in fünf Aufzügen" ist nach strengen klassischen Regeln aufgebaut. Die Handlung konzentriert sich auf wenige Tage und zwei Schauplätze, die sich abwechseln: das Schloss zu Fotheringhay, Marias Gefängnis, und den Palast zu Westminster, Elisabeths Regierungssitz. Sie setzt ein nach Marias Verurteilung; die Vorgeschichte wird nach und nach mitgeteilt. Als Mörderin und Verschwörerin hat man Maria verurteilt, die ihrerseits Elisabeth anklagt: Sie habe die um Hilfe flehende königliche „Schwester" nicht königlich aufgenommen. Maria drängt auf eine Begegnung, der Elisabeth bisher ausgewichen ist – aus berechtigter Furcht: Elisabeth müsste das königliche Recht der Gnade walten lassen. In ihrem „Zweifelmut" sieht sie nur einen Ausweg: Maria müsste heimlich aus dem Weg geräumt werden.

„Denn Gnade
bringt die könig-
liche Nähe."

In die politische Berechnung mischen sich ganz persönliche Gefühle, vor allem Neid: Maria habe immer ihrer „Neigung" folgen können, während sie, Elisabeth, nur „strengen Königspflichten" unterworfen sei: „Die Könige sind nur Sklaven ihres Standes,

Pflicht und
Neigung
↑ Tragik, S. 116

In Wirklichkeit waren beide Königinnen nach damaligen Vorstellungen schon recht betagt: Maria 44, Elisabeth 53 Jahre alt.

dem eignen Herzen dürfen sie nicht folgen." Schließlich scheut Elisabeth die Begegnung, weil sie den Vergleich mit Marias jugendlicher Schönheit fürchtet, von der alle Welt schwärmt.

Genau in der Mitte erreicht das Drama seinen Höhepunkt. Durch geplanten „Zufall" begegnet Elisabeth Maria. Die fällt ihr zu Füßen: „Die Gottheit bet ich an, die Euch erhöhte!" Und: „[…] ehrt in mir Euch selbst [...]" Noch einmal werden die gegenseitigen Vorwürfe ausgetauscht. Schließlich entsagt Maria „jedwedem Anspruch auf dies Reich". Sie ist nur noch ein Mensch, der um Freiheit bittet. Aber auch Elisabeth handelt in diesem Augenblick nicht mehr als Königin. Nicht nur, dass sie die königliche Gnade verweigert – sie wird ausfällig, grob beleidigend. „Vor Zorn glühend, doch mit einer edeln Würde" behauptet Maria ihre Person und die Rechtmäßigkeit ihres Anspruchs, auf den sie verzichtet hat: „Regiere Recht, so läget *Ihr* vor mir im Staube jetzt, denn *ich* bin Euer König." Nun wenden sich die Richtungen von Abstieg und Aufstieg. Zwar führt der weitere Weg Maria aufs Schafott, Elisabeth zur – nun unbedrohten – Machtfülle. Aber im Inneren der Personen verhält es sich umgekehrt: Maria, die leidende Heldin, gewinnt an Einsicht und innerer Stärke. Sie erkennt, dass ihr moralisch Recht geschieht durch das Unrecht, das ihr angetan wird.

„Gott würdigt mich, durch diesen unverdienten Tod die frühe schwere Blutschuld abzubüßen."

So wird der Weg zum Blutgerüst zum Triumphzug. Da „keine ird'sche Neigung" mehr sie treibt, kann sie sagen: „Die Krone fühl ich wieder auf dem Haupt." Auch Elisabeth triumphiert: „Ich bin Königin von England!" Aber sie weiß, um welchen Preis. Innerlich unsicher hat sie das Todesurteil zwar unterzeichnet, aber ohne klare Weisung an ihren Staatssekretär weitergegeben, der nur gelernt hat Befehle auszuführen. So meint sie sich der Verantwortung entziehen zu können. Die Vollstrecker, die doch tatsächlich in ihrem Auftrag handeln, verbannt oder verurteilt sie dann. Ein redlicher Ratgeber wendet sich entsetzt von ihr ab: „Ich habe deinen edlern Teil nicht retten können." Ein wankelmütiger Intrigant, der ihr persönlich sehr nahestand, flieht außer Landes. Am Ende ist sie allein. „Sie bezwingt sich und steht in ruhiger Fassung." Dort Triumph der Gegnerin im Tode, hier die Notwendigkeit verzweifelten Durchhaltens auf dem Thron: Der Dichter hat zuletzt wohl auch Elisabeth seinen Respekt nicht versagen wollen.

Aufbau eines klassischen Dramas

Drama ↑ S. 75

- In seinem 1863 erschienen Buch *Die Technik des Dramas* hat der Schriftsteller
- **Gustav Freytag** (1816–1895) den Aufbau eines Dramas nach klassischem Muster
- beschrieben. Es besteht aus fünf „Akten" (von lateinisch *actus* ‚Handlung'), die
- in „Szenen" (griechisch *skene* ‚Zelt') unterteilt sind. (Gleichbedeutend mit
- „Akt" ist die ältere Bezeichnung „Aufzug", abgeleitet vom Aufziehen des Vorhangs oder auch dem der Personen auf die leere Bühne.) Die fünf Akte entsprachen den Phasen der Handlung:
- 1. Akt der Einleitung (Exposition): Hineinversetzen in die Situation (Ort, Zeit, Personen) und Anstoß zur Handlung („erregendes Moment")
- 2. Akt der Steigerung: Zuspitzung der Handlung
- 3. Akt des Höhepunkts, in dem der Umschwung (die Peripetie) einsetzt
- 4. Akt der Umkehr von der aufsteigenden zur fallenden Handlung
- 5. Akt der Katastrophe oder der Lösung

Beispiel: *Maria Stuart*

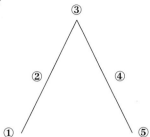

① Exposition: Gegenwärtige Situation, Ergebnis der Vorgeschichte. Anhänger und Gegner Marias. Erregendes Moment: Lässt sich die Vollstreckung des Urteils verhindern (Interesse Marias) oder umgehen durch heimlichen Mord (Interesse Elisabeths)?

② Steigerung: Elisabeth im Zwiespalt zwischen königlicher Gnade und politischer Berechnung. Doppelspiel eines Verehrers der Maria (scheinbares Eingehen auf Mordwunsch) und Intrige eines Vertrauten der Elisabeth (der in Maria ein Mittel für eigene Zwecke sieht); Anstoß zur Begegnung der Königinnen.

③ Höhepunkt: Die Begegnung. Innerer Umschwung.

④ Umkehr wird deutlich, aber verzögert: Unentschlossenheit Elisabeths wird verstärkt durch weitere Winkelzüge. Ausfertigung des Urteils, aber unklare Weisung für den weiteren Fortgang.

⑤ Innerer Triumph Marias im Tode; Elisabeth auf dem Höhepunkt äußerer Macht, aber vor den Trümmern ihrer persönlichen Existenz.

Solchen festen Regeln zum Aufbau eines Dramas hatte schon Lessing widersprochen und die Dichter des „Sturm und Drang" hatten sie völlig über den Haufen geworfen und lediglich Szenen aufeinander folgen lassen. Das 19. Jahrhundert ging ebenfalls wieder mehr und mehr zu offenen Formen über.

Eine „romantische Tragödie" nennt Schiller sein Drama *Die Jungfrau von Orleans*. Diese Bezeichnung weist auf die wunderbaren Ereignisse hin, die hier auf das Handeln der Menschen einwirken und das geschichtliche Drama in die Nähe der Legende rücken. Die historische Jeanne d'Arc war ein Bauernmädchen, das sich im „Hundertjährigen Krieg" zwischen Engländern und Franzosen durch göttliche Eingebung dazu berufen fühlte Frankreich zu retten: das belagerte Orleans zu entsetzen, den König in Reims zu krönen und die Engländer zu besiegen. Nach diesen Erfolgen geriet sie zuletzt doch in die Gewalt der Feinde. 1431 wurde sie, von einem geistlichen Gericht als Ketzerin und Zauberin verurteilt, in Rouen verbrannt. 25 Jahre später hob man das Urteil auf.

Der göttliche Auftrag an Schillers *Jungfrau* lautet: „Geh hin, du sollst auf Erden für mich zeugen!" Dazu soll sie Helm und Rüstung tragen und Frankreichs Feinde töten. Die Liebe zu einem Mann ist ihr untersagt. Daraus erwächst der tragische Konflikt: zwischen den Bedingungen ihres Gelübdes und ihrem menschlichen, weiblichen Gefühl. Zunächst handelt sie als willenloses Werkzeug und führt auf wunderbare Weise die Wende herbei im Kampf gegen die Engländer: Mit dem Kampfruf „Gott und die Jungfrau!" stürmen die Franzosen von Sieg zu Sieg.

Lessing ↑ S. 76
Götz ↑ S. 94

Die Jungfrau von Orleans, 1801

Romantik
↑ S. 156
Legende ↑ S. 17
1338–1453

Die Jungfrau von Orleans wurde im 19. Jh. zur franz. Nationalheldin, 1920 von der katholischen Kirche zur Heiligen erklärt.

Pflicht und Neigung ↑ Tragik, S. 116

Dritter Aufzug

Auf dem Gipfel des Ruhms ermahnt Johanna den König zur Menschlichkeit: „So muss die Gnade Freund und Feind umschließen." Der Dichter legt ihr sogar prophetische Worte in den Mund, die auf das umwälzende Geschehen seiner eigenen Zeit vorausweisen, die Französische Revolution von 1789:

> Dein Stamm wird blühn, solang er sich die Liebe
> Bewahrt im Herzen seines Volks;
> Der Hochmut nur kann ihn zum Falle führen
> Und von den niedern Hütten, wo dir jetzt
> Der Retter ausging, droht geheimnisvoll
> Den schuldbefleckten Enkeln das Verderben!

Hochrangige und edle Bewerber weist sie ab:

> Ich bin die Kriegerin des höchsten Gottes
> Und keinem Manne kann ich Gattin sein."

„Ein Stoff wie das Mädchen von Orleans findet sich so bald nicht wieder, weil hier das Weibliche, das Heroische und das Göttliche selbst vereinigt sind."
Schiller 1803

Sie besiegt den englischen Heerführer Lionel, doch sie kann ihn nicht töten: „Mir ist das Herz verwandelt und gewendet." Das empfindet sie als Bruch ihres Gelübdes. Schuldgefühl durchdringt sie, weil sie „eines Mannes Bild im Herzen" trägt. Frankreich jubelt dem König zu und ruft „Heil der Jungfrau, der Erretterin!" Die aber beklagt traurig ihr Geschick, das sie sich ja nicht selbst ausgesucht habe. „Und bin ich strafbar, weil ich menschlich war? Ist Mitleid Sünde?"

Johanna gerät in die Gewalt der Feinde. Doch ihr Glaube wirkt Wunder. Als es zur entscheidenden Schlacht kommt und die Reihen der Franzosen zu wanken beginnen, fallen durch die Kraft des Gebets die Ketten von ihr ab: Sie erscheint den französischen Truppen, führt den Sieg herbei – und fällt selbst im Kampf. Das Ende ist Verklärung: „Der Himmel ist von einem rosichten Schein beleuchtet." Davor Johanna „ganz frei aufgerichtet, die Fahne in der Hand". Sie sieht den Himmel offen und die Jungfrau Maria, die sie empfangen will. Als sie zu Boden sinkt, senken sich die Fahnen auf sie nieder ihren Opfertod zu ehren.

Wilhelm Tell,
1804

Das Schauspiel *Wilhelm Tell* ist Schillers populärstes Theaterstück. Zwar stellt er Tell in die Mitte seines Dramas; aber dessen eigentlicher Held ist das Volk der Schweizer, das von kaiserlichen Zwingherren grausam unterdrückt seine Unabhängigkeit erkämpft: „Verbunden werden auch die Schwachen mächtig."

Die Gestalt des Schützen Tell entstammt einer alten Sage und wurde spätestens im 15. Jh. mit dem Befreiungskampf der Schweizer Eidgenossen verbunden.

Zunächst verbünden sich die drei „Urkantone", von denen einer, Schwyz, der Schweiz den Namen gegeben hat. Den Treueschwur leistet man auf dem „Rütli", einer „Wiese, von hohen Felsen und Wald umgeben" (*Wilhelm Tell* II,2):

Rütlischwur:
1291

> – Wir wollen sein ein einzig Volk von Brüdern,
> In keiner Not uns trennen und Gefahr.
> – Wir wollen frei sein, wie die Väter waren,
> Eher den Tod als in der Knechtschaft leben.
> – Wir wollen trauen auf den höchsten Gott
> Und uns nicht fürchten vor der Macht der Menschen.

Der Jäger Tell ist nicht dabei. Er hält sich am liebsten abseits: „Der Starke ist am mächtigsten allein", sagt er. Die Tat, nicht Rat sei seine Sache. Und seine Tat, im rechten Augenblick, gibt das Signal zum Aufstand. Das Motiv ist private Rache: Er hat sich geweigert vor dem Zeichen der Tyrannei das Knie zu beugen: vor einer Stange mit dem Hut des Reichsvogts Gessler. Der zwingt den Meisterschützen einen Apfel vom Kopf seines Buben zu schießen. Tell tötet später den unmenschlichen Tyrannen, der ihm das „Ungeheure" abgenötigt hat. Dem Aufstand, den diese Tat auslöst, schließen sich auch die Adeligen an, die nicht „Fürstenknechte" werden wollen: „Der Adel steigt herab von seinen alten Burgen und schwört den Städten seinen Bürgereid." Der Gedanke der Freiheit ist das Band, das alle vereint: das „Volk der Hirten", den starken Einzelgänger, den gewandelten Adel. „Das Land ist frei!"

Der Apfelschuss

Landvogt Gessler im Jeep: Apfelschuss-Szene in einer modernen Inszenierung des *Wilhelm Tell* (Claus Peymann, Burgtheater Wien, 1989)

Wilhelm Tell wurde Schillers volkstümlichstes Stück. Sein großer Erfolg hat viel dazu beigetragen, dass Tell, wenn auch nicht unumstritten, zum Schweizer Nationalhelden wurde. Und das Stück hat immer wieder tyrannischen Regimen Ärger bereitet. „Gerechtigkeit des Himmels, wann wird der Retter kommen diesem Lande?" Wenn diese verzweifelte Frage eines Fischers am Ende des Ersten Auftritts beim Publikum Beifallsstürme auslöste, mussten die Machthaber begreifen: Die Menschen beziehen das auf ihre eigene Situation!

Im Sommer des Jahres 1804 hatte Schiller einen besonders heftigen Krankheitsanfall zu bestehen. Die Erholung war „kümmerlich". Nach einem ungewöhnlich harten Winter waren seine Kräfte völlig erschöpft. Friedrich von Schiller starb am 9. Mai 1805. Ich „verliere nun einen Freund", schrieb Goethe, „und in demselben die Hälfte meines Daseins."

Dezember 1941: Wilhelm Tell soll „nach dem Wunsche des Führers [...] als Lehrstoff in den Schulen nicht mehr behandelt werden".

Epilog: Nachwort

Goethe schrieb
den *Epilog* 1805
zu einer Bühnen-
aufführung von
Schillers be-
rühmtem *Lied
von der Glocke,*
1799.

*nach wildem
Sturm zum Dau-
ernden:* Lebens-
lauf als Weg zur
Klassik

das dunkle Buch:
wohl der
Geschichte

Epilog

[…]
Denn er war unser! Mag das stolze Wort
Den lauten Schmerz gewaltig übertönen!
Er mochte sich bei uns, im sichern Port,
Nach wildem Sturm zum Dauernden gewöhnen.
5 Indessen schritt sein Geist gewaltig fort
Ins Ewige des Wahren, Guten, Schönen
Und hinter ihm, in wesenlosem Scheine,
Lag, was uns alle bändigt, das Gemeine.
[…]
10 Ihr kanntet ihn, wie er mit Riesenschritte
Den Kreis des Wollens, des Vollbringens maß,
Durch Zeit und Land, der Völker Sinn und Sitte,
Das dunkle Buch mit heiterm Blicke las;
Doch wie er atemlos in unsrer Mitte
15 In Leiden bangte, kümmerlich genas,
Das haben wir in traurig schönen Jahren,
Denn er war unser, leidend miterfahren.
[…]
Auch manche Geister, die mit ihm gerungen,
20 Sein groß Verdienst unwillig anerkannt,
Sie fühlen sich von seiner Kraft durchdrungen,
In seinem Kreise willig festgebannt:
Zum Höchsten hat er sich emporgeschwungen,
Mit allem, was wir schätzen, eng verwandt.
25 So feiert ihn! Denn was dem Mann das Leben
Nur halb erteilt, soll ganz die Nachwelt geben.

Faust – Goethes „Hauptgeschäft"

„Die bedeutende
Puppenspielfabel
klang und
summte gar viel-
tönig in mir wi-
der." *(Aus mei-
nem Leben)*

Urfaust, 1774

*Faust. Eine
Tragödie*
I: 1808
II: 1831

Die Gestalt des Doktor Faust hat Goethe von Kindertagen an in ihren Bann gezogen;
zuerst als Figur im Puppenspiel, dann im Volksbuch (↑ S. 52): der Wissenschaftler und
Zauberer, der einen Pakt mit dem Teufel einging. Pläne zu einem eigenen Faust-Drama kamen schon in der Straßburger Zeit (1771) auf.
Mit der alten Faust-Erzählung verknüpfte Goethe dann ein Ereignis von 1772: die
öffentliche Hinrichtung der „Kindsmörderin" Susanna Margaretha Brandt in Frank-
furt, Vergeltung für die Verzweiflungstat einer von aller Welt verlassenen und verfem-
ten jungen Frau.
Zwei Jahre später entstand dann eine erste Dramen-Fassung. Sie wurde erst lange nach
Goethes Tod aufgefunden und *Urfaust* genannt. Die nächste Fassung von 1790 blieb
Fragment. Goethe wollte endgültig Abschied nehmen von seinem Vorhaben. Doch
Schiller gab neuen Anstoß. So entwarf Goethe 1797 den Gesamtplan für ein großes
Faust-Drama, das er 1831 vollendete, nicht lange vor seinem Tod.

Der *Erste Teil,* ein in sich abgeschlossenes Drama, erschien 1808. Die Arbeit am *Zweiten Teil* wurde in den letzten Lebensjahren von 1825 an zum „Hauptgeschäft, Hauptzweck, Hauptwerk". Nach seiner Vollendung – vor Goethes letztem Geburtstag – wurde das Werk versiegelt. Es erschien erst nach dem Tode des Dichters.

Ein *Vorspiel auf dem Theater* ist dem Faust-Drama vorangestellt: Der Dichter streitet mit dem Theaterdirektor um Wert und Ansehen seiner Kunst. Er denkt an die „Nachwelt", der Unternehmer ans Geschäft. Berechtigte Interessen müssen zusammenfinden. Goethe selbst musste in seinem Amt als Theaterleiter beiden Seiten gerecht werden. Dritter im Gespräch ist ein Schauspieler, als „lustige Person" ausgewiesen. Ihm geht es darum die „Mitwelt" gut zu unterhalten. Ganz nebenbei gibt er auch schon einen Hinweis auf die Fausthandlung:

Vorspiel auf dem Theater

> Wer fertig ist, dem ist nichts recht zu machen,
> Ein Werdender wird immer dankbar sein.

Deutlicher weisen die Schlussworte des Direktors auf das hin, was auf der Bühne nun folgen wird:

> So schreitet in dem engen Bretterhaus
> Den ganzen Kreis der Schöpfung aus
> Und wandelt mit bedächt'ger Schnelle
> Vom Himmel durch die Welt zur Hölle.

In der Tat: Mit einem *Prolog im Himmel* beginnt das Spiel, mit einer Wette, die dann in der Welt ausgefochten wird. Doch heißt die Endstation nicht Hölle. Der Herr, Urquell allen Lichts, aller Einsicht, spricht mit einem Wesen der Finsternis: Mephistopheles. Dieser Name kommt schon im alten Puppenspiel vor. Mephistopheles zweifelt am Sinn der menschlichen Vernunft, worauf der Herr den Blick auf Faust lenkt. Er soll zum Beispielfall werden. Der Herr stellt fest:

Prolog im Himmel, um 1800

Mephistopheles: Dieser Name wird nirgends erklärt.

> Wenn er mir jetzt auch nur verworren dient,
> So werd ich ihn bald in die Klarheit führen.

Denn: „Es irrt der Mensch, solang er strebt." Das heißt aber auch: Wer strebt, ist nicht verloren. In dieser Gewissheit kann der Herr Mephistopheles freie Hand lassen bei dem Versuch Faust vom rechten Wege abzubringen. Eine Wette, ohne Risiko für die himmlische Sache:

> Zieh diesen Geist von seinem Urquell ab
> Und führ ihn, kannst du ihn erfassen,
> Auf deinem Wege mit herab
> Und steh beschämt, wenn du bekennen musst:
> Ein guter Mensch in seinem dunklen Drange
> Ist sich des rechten Weges wohl bewusst.

*Der Tragödie
erster Teil
Szene Nacht*

Bilanz des
verzweifelten
Gelehrten

Das Weltendrama beginnt mit der Verzweiflung des Doktor Faust. Alle Wissenschaften hat er gründlich studiert: Philosophie, Jura, Medizin, Theologie. Herausgekommen ist dabei nur die Erkenntnis, „dass wir nichts wissen können". Eine traurige Bilanz für einen, der schon seit zehn Jahren junge Menschen mit den Wissenschaften vertraut zu machen sich müht. Was nun? Kann „Magie" die Lösung bringen? Können übersinnliche Mächte helfen zu begreifen, „was die Welt im Innersten zusammenhält?" Auch dies erweist sich als aussichtslos. Als Faust schließlich mit Hilfe von Gift allem ein Ende machen will, retten ihn „Himmelstöne": Ein „Chor der Engel" weckt „kindliche Gefühle" durch die Osterbotschaft „Christ ist erstanden". Rührung überkommt ihn: „[…] die Erde hat mich wieder".

Mit neuer Hoffnung erlebt Faust die Welt „draußen vor dem Tor", das frühlingsfroh „bunte Gewimmel" der bürgerlichen Welt, die mit ihrem Dasein zufrieden ist. Auf wundersame Weise taucht dann Mephistopheles in Fausts Studierzimmer auf und stellt sich vor: „Ich bin der Geist, der stets verneint!" Verneinen heißt für ihn zugrunde richten:

*Szene
Studierzimmer*

> So ist denn alles, was ihr Sünde,
> Zerstörung, kurz das Böse nennt,
> Mein eigentliches Element.

Aber Mephistopheles gibt auch zu, dass seine Macht begrenzt, dass er nur ein Teil ist „von jener Kraft, die stets das Böse will und stets das Gute schafft". Werkzeug also einer höheren Vernunft, die dem Menschen einen Stachel ins Fleisch setzt, damit er in seinem Streben nicht erlahme? Mephistopheles trifft Faust in einem Augenblick, da der besonders anfällig, besonders angreifbar erscheint. Er flucht allem Irdisch-Begrenzten, das ihm nicht genügen kann:

> Fluch sei der Hoffnung! Fluch dem Glauben
> Und Fluch vor allem der Vernunft.

Gegen solchen Missmut gebe es ein Mittel, meint Mephisto.

> Hör auf, mit deinem Gram zu spielen,
> Der, wie ein Geier, dir am Herzen frisst;
> Die schlechteste Gesellschaft lässt dich fühlen,
> Dass du ein Mensch mit Menschen bist.
> 5 Doch so ist's nicht gemeint,
> Dich unter das Pack zu stoßen.
> Ich bin keiner von den Großen;
> Doch willst du mit mir vereint
> Deine Schritte durchs Leben nehmen,
> 10 So will ich mich gern bequemen,
> Dein zu sein, auf der Stelle,
> Ich bin dein Geselle,
> Und mach ich dir's recht,
> Bin ich dein Diener, bin dein Knecht!

15 FAUST Und was soll ich dagegen dir erfüllen?
MEPHISTOPHELES Dazu hast du noch eine lange Frist.
FAUST Nein, nein! der Teufel ist ein Egoist
    Und tut nicht leicht um Gottes willen,
    Was einem andern nützlich ist.
20   Sprich die Bedingung deutlich aus;
    Ein solcher Diener bringt Gefahr ins Haus.
MEPHISTOPHELES Ich will mich *hier* zu deinem Dienst verbinden,
    Auf deinen Wink nicht rasten und nicht ruhn;
    Wenn wir uns *drüben* wiederfinden,
25   So sollst du mir das Gleiche tun.
FAUST Das Drüben kann mich wenig kümmern;
    Schlägst du erst diese Welt zu Trümmern,
    Die andre mag darnach entstehn.
    Auf dieser Erde quillen meine Freuden
30   Und diese Sonne scheinet meinen Leiden;
    Kann ich mich erst von ihnen scheiden,
    Dann mag, was will und kann, geschehn.
    Davon will ich nichts weiter hören,
    Ob man auch künftig hasst und liebt
35   Und ob es auch in jenen Sphären
    Ein Oben oder Unten gibt.
MEPHISTOPHELES In diesem Sinne kannst du's wagen.
    Verbinde dich; du sollst, in diesen Tagen,
    Mit Freuden meine Künste sehn,
40   Ich gebe dir, was noch kein Mensch gesehn.
FAUST Was willst du armer Teufel geben?
    Ward eines Menschen Geist, in seinem hohen Streben,
    Von deinesgleichen je gefasst?
    Doch hast du Speise, die nicht sättigt, hast
45   Du rotes Gold, das ohne Rast,
    Quecksilber gleich, dir in der Hand zerrinnt,
    Ein Spiel, bei dem man nie gewinnt,
    Ein Mädchen, das an meiner Brust
    Mit Äugeln schon dem Nachbar sich verbindet,
50   Der Ehre schöne Götterlust,
    Die, wie ein Meteor, verschwindet?
    Zeig mir die Frucht, die fault, eh' man sie bricht,
    Und Bäume, die sich täglich neu begrünen!
MEPHISTOPHELES Ein solcher Auftrag schreckt mich nicht,
55   Mit solchen Schätzen kann ich dienen.
    Doch, guter Freund, die Zeit kommt auch heran,
    Wo wir was Guts in Ruhe schmausen mögen.
FAUST Werd ich beruhigt je mich auf ein Faulbett legen,
    So sei es gleich um mich getan!
60   Kannst du mich schmeichelnd je belügen,
    Dass ich mir selbst gefallen mag,

Kannst du mich mit Genuss betrügen,
Das sei für mich der letzte Tag!
Die Wette biet ich!

65 MEPHISTOPHELES Topp!
FAUST Und Schlag auf Schlag!
Werd ich zum Augenblicke sagen:
Verweile doch! du bist so schön!
Dann magst du mich in Fesseln schlagen,
70 Dann will ich gern zugrunde gehn!
Dann mag die Totenglocke schallen,
Dann bist du deines Dienstes frei,
Die Uhr mag stehn, der Zeiger fallen,
Es sei die Zeit für mich vorbei!

Mephisto bietet Faust den üblichen Teufelspakt an: Der Teufel leistet „hier" auf Erden jeglichen Dienst; dafür verfügt er „drüben" über die Seele des Vertragspartners. Ein klares Geschäft mit festgelegtem Ausgang. Faust aber zieht die Offenheit einer Wette vor: Nur wenn es Mephistopheles gelingt, Faust durch Verführung zum Genuss von seinem Streben abzubringen, hat er gewonnen. Faust will zwar das Leben in vollen Zügen genießen und dazu soll Mephistopheles ihm verhelfen. Niemals aber, sagt er, werden dessen Dienste sein höheres Streben befriedigen. Streben und Zufriedenheit schließen einander aus. So verspottet er jeden Versuch ihn mit irdischen Schätzen zu ködern: „Bäume, die sich täglich neu begrünen", hat auch der Teufel nicht zu bieten. So sicher ist Faust sich seiner Sache, dass er die Wette sogar mit seinem Blute besiegelt. Er weiß, dass dieser Verneiner „eines Menschen Geist, in seinem hohen Streben" nie begreifen kann. Die Unersättlichkeit eines solchen Strebens kann Mephistopheles nur falsch verstehen. Er sieht nicht Qualität, nur Quantitäten. Dafür ist er zuständig:

Den schlepp ich durch das wilde Leben,
Durch flache Unbedeutenheit,
Er soll mir zappeln, starren, kleben
und seiner Unersättlichkeit
5 Soll Speis und Trank vor gier'gen Lippen schweben;
Er wird Erquickung sich umsonst erflehn,
Und hätt er sich auch nicht dem Teufel übergeben,
Er müsste doch zugrunde gehn!

„Flache Unbedeutenheit", seichtes Vergnügen, ist schnell zur Hand. Bei einem Saufgelage mit Studenten in „Auerbachs Keller" in Leipzig offenbart sich „gar herrlich" die „Bestialität" der Besinnungslosigkeit. Das wirre „Zauberwesen" einer „Hexenküche" widerstrebt Faust, bis er in einem Spiegel „das schönste Bild von einem Weibe" erblickt. Sollte das der „Inbegriff von allen Himmeln" sein? Durch einen Zaubertrunk verjüngt begegnet er Margarete und entflammt sogleich in ungeheurer Leidenschaft. In Augenblicken der Nachdenklichkeit sieht er zwar, was er anzurichten droht; aber die Begierde fegt alle Bedenken beiseite:

Szene
Wald und Höhle

Fühl ich nicht immer ihre Not?
Bin ich der Flüchtling nicht? der Unbehauste?
Der Unmensch ohne Zweck und Ruh,
Der wie ein Wassersturz von Fels zu Felsen brauste
5 Begierig wütend nach dem Abgrund zu?
Und seitwärts sie, mit kindlich dumpfen Sinnen,
Im Hüttchen auf dem kleinen Alpenfeld
Und all ihr häusliches Beginnen
Umfangen in der kleinen Welt.
10 Und ich, der Gottverhasste,
Hatte nicht genug,
Dass ich die Felsen fasste
Und sie zu Trümmern schlug!
Sie, ihren Frieden musst ich untergraben!
15 Du, Hölle, musstest dieses Opfer haben!
Hilf, Teufel, mir die Zeit der Angst verkürzen!
Was muss geschehn, mag's gleich geschehn!
Mag ihr Geschick auf mich zusammenstürzen
Und sie mit mir zugrunde gehn!

Mephistopheles spinnt die Fäden des Verderbens, schafft Gold herbei um die Betörung anzubahnen, sorgt für Gelegenheiten zur Begegnung, beschafft einen Schlaftrunk für Gretchens Mutter, der jedoch den Tod herbeiführt, tötet schließlich, Faust unsichtbar zur Seite stehend, Gretchens Bruder, der die Ehre seiner Schwester verteidigen will. Doch sein Versuch Faust von zweifelnden Gedanken abzulenken durch derb-erotische Späße beim Hexentanz in der „Walpurgisnacht" misslingt. Selbst in dieser Umgebung erblickt Faust in einem „Zauberbild" das „gute Gretchen" – mit den „Augen einer Toten". Von allen verlassen, von der Gesellschaft verachtet hat Gretchen in wahnsinniger Verzweiflung ihr gemeinsames Kind ertränkt. Das bringt sie in den Kerker. Faust wird von Reue gepackt: „Mir ekelt's!" Trotzdem ruft er nach Mephistopheles' Künsten. Der bereitet die Flucht aus dem Kerker vor. Doch Gretchen hellsichtig in irdischer Umnachtung hat sich schon von dieser Welt gelöst: „Zum Blutstuhl bin ich schon entrückt." Aber sie ahnt: Das weltliche Gericht ist nur eine Stufe zum „Gericht Gottes", in dessen Hand sie sich gibt. „Wir werden uns wiedersehen", sagt sie zu Faust: im Jenseits. Eine „Stimme von oben" verkündet ihr, dass sie „gerettet" ist. Im Himmel gilt eine andere, eine höhere Gerechtigkeit.

Szene
Walpurgisnacht

Szene
Trüber Tag. Feld

Szene *Kerker*

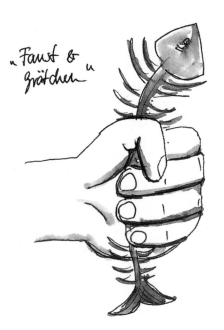

Faust und Grätchen
(Christina Bauer, 1993):
Bitterer Wort- und Bildwitz über
Verführung und Gewalt. „Fasse mich
nicht so gewaltsam an!" (Gretchen im
Kerker zu Faust). Im Gedicht vom
Heidenröslein (wohl 1771) reimt
„stechen" auf „brechen": „Half ihr
doch kein Weh und Ach,/
Musst es eben leiden."

Der Tragödie zweiter Teil

Nach der Tragödie des Gelehrten und der Liebenden beginnt Fausts Weltfahrt. Sie stellt Bilder aus einem Zeitraum von drei Jahrtausenden vor Augen und lässt Faust neue Bereiche des Lebens erfahren: politische Macht, künstlerische Vollendung. Leistung wie Versagen weisen ihn aus als den Vertreter einer modernen Zeit, der die Fesseln der Tradition sprengt und im Vertrauen allein auf sich selbst neue Wege sucht; ein Künstler, Herrscher und Wahrheitsucher, der sich frei macht von bislang herrschenden Autoritäten. Auch im Handeln von Fausts Zeitgenossen treten Möglichkeiten kommender Zeiten ans Licht. So erzeugt Fausts einstiger Schüler Wagner in der Retorte „Homunculus", ein künstliches Menschengebilde.

Homunculus ‚Menschlein'

Mephisto mischt sich überall ein, löst zum Beispiel am Kaiserhof Finanzprobleme durch die Erfindung des Papiergeldes und verhilft dem Feldherrn Faust zum Sieg in der Schlacht.

Die Neuzeit

Modernes Geldwesen und Finanzspekulation, schrankenloses Forschen ohne Rücksicht auf mögliche Folgen, Eroberungszüge zu Wasser und zu Lande durch Krieg und Handel – das sind Wesensmerkmale der sogenannten „Neuzeit", die das Mittelalter abgelöst und den Menschen, der eigenen Gesetzen folgt, in den Mittelpunkt des Weltbildes gestellt hat. Gegen Ende seines Weges sieht sich Faust als Schöpfer neuer Gesellschaftsformen, der als Kolonisator dem Meer durch Deichbau Land abringt. Für seine Zwecke übt er bedenkenlos Macht aus, geht er sogar über Leichen: Ein altes Ehepaar, das in seiner Hütte wohnen bleiben will, räumt Mephistopheles durch Brandstiftung aus dem Weg. Selbst als die Sorge sich bei Faust einschleicht und ihr Hauch ihn erblinden lässt, gibt er nicht auf:

Der Kolonisator

> Dass sich das größte Werk vollende,
> Genügt *ein* Geist für tausend Hände.

Das „Geklirr der Spaten", das der Erblindete freudig vernimmt, hält er für Arbeitsgeräusche vom Deichbau. In Wirklichkeit aber sind es die unheimlichen Gehilfen des Mephistopheles, die Fausts Grab schaufeln: An diesen „Fortschritt" denkt er noch nicht. Noch sieht er die Erfüllung der Aufgabe vor sich, Lebensraum für Millionen zu schaffen:

> Solch ein Gewimmel möcht ich sehn,
> Auf freiem Grund mit freiem Volke stehn.
> Zum Augenblicke dürft ich sagen:
> Verweile doch, du bist so schön!
> 5 Es kann die Spur von meinen Erdentagen
> Nicht in Äonen untergehn. –
> Im Vorgefühl von solchem hohen Glück
> Genieß ich jetzt den höchsten Augenblick.

Fünfter Akt:
Großer Vorhof des
Palastes

Äonen: Ewigkeit

Das ist kein Stehenbleiben im Genuss, sondern eine Vision, ein Zukunftsbild, das zum Weitergehen auffordert: „Vorgefühl" nur einer ersehnten Erfüllung erlebt im Augenblick des leiblichen Todes. Was jetzt folgt, ist Fausts irdischem Streben schon entzogen: Jenseitige Mächte kämpfen um seine Seele. Dabei unterliegen die greulichen „Helfershelfer" des Mephistopheles den „himmlischen Heerscharen", die „Fausts Unsterbliches" aufwärts tragen:

> Gerettet ist das edle Glied
> Der Geisterwelt vom Bösen,
> Wer immer strebend sich bemüht,
> den können wir erlösen.
> 5 Und hat an ihm die Liebe gar
> Von oben teilgenommen,
> Begegnet ihm die selige Schar
> Mit herzlichem Willkommen.

Fünfter Akt:
Bergschluchten

Unablässiges menschliches Streben allein also genügt noch nicht. Immer bleibt da „ein Erdenrest zu tragen, peinlich", also schmerzlich abzubüßen. Nur die „ewige Liebe" kann davon befreien.
Eine von den Büßenden, die den Aufstieg begleiten, „sonst Gretchen genannt", bittet bei der „Mater gloriosa" für den „früh Geliebten". Die antwortet:

Fünfter Akt:
Himmel

Mater gloriosa:
glorreiche
Gottesmutter
Maria

> Komm! hebe dich zu höhern Sphären!
> Wenn er dich ahnet, folgt er nach.

So erscheint Faust zum Schluss die Gnade in weiblicher Gestalt: durch Gretchen, welche die irdische Liebe, und Maria, welche die himmlische Liebe verkörpert. Die letzten Worte des Faust-Dramas verkünden das Ende der Tragödie:

> Das Ewig-Weibliche
> Zieht uns hinan.

Außenseiter: Jean Paul, Hölderlin, Kleist

„Ich stehe und bleibe allein": Jean Paul

Leben des vergnügten Schulmeisterlein Maria Wuz in Auenthal, 1790

War der Tag gar zu toll und windig – es gibt für uns Wichte solche Hatztage, wo die ganze Erde ein Hatzhaus ist und wo die Plagen wie spaßhaft gehende Wasserkünste uns bei jedem Schritte ansprützen und einfeuchten – so war das Meisterlein so pfiffig, dass es sich unter das Wetter hinsetzte und sich nichts
5 darum schor; es war nicht Ergebung, die das unvermeidliche Übel aufnimmt, nicht Abhärtung, die das ungefühlte trägt, nicht Philosophie, die das verdünnte verdauet, oder Religion, die das belohnte verwindet, sondern der Gedanke ans warme Bette war's. Abends, dacht er, lieg ich auf alle Fälle, sie mögen mich den ganzen Tag zwicken und hetzen wie sie wollen, unter meiner warmen Zu-
10 deck und drücke die Nase ruhig ans Kopfkissen acht Stunden lang.

„Vergnügt" nannte man zu jener Zeit einen Menschen, dem genügte, was ihm beschieden war. Und sei es, wie hier, nur die Aussicht auf ein warmes Bett. Wer zufrieden ist, kann fröhlich sein; so verstehen wir heute „vergnügt". „Eine Art Idylle" nennt **Jean Paul** diese Erzählung, in der er humorvoll den Lebenskünstler Wuz in seinem

Auenthal: Wiesental

Auenthal durchs Leben begleitet und seine Übungen schildert in der „Kunst, stets fröhlich zu sein". Eine glückliche Kindheit macht Wuz den Anfang leicht. Aber auch später versteht er es allem eine gute Seite abzugewinnen: „[...] den ganzen Tag freute er sich auf oder über etwas."

Buchmessen gab es seit dem 16. Jh. in Leipzig und Frankfurt am Main.

Weil er kein Geld hat Bücher zu kaufen, schreibt Wuz sich selbst „Gesammelte Werke". Zweimal im Jahr nämlich findet er im Buchmessen-Katalog die Titel der Neuerscheinungen – und geht dann selbst ans Werk, schreibt zum Titel das Buch. So kommt es, dass er zum Beispiel im Jahre 1781 neben anderem gleichzeitig Schillers *Räuber* und Kants *Kritik der reinen Vernunft* verfassen muss, ein besonders schwieriges philo-

Die Räuber ↑ S. 96

sophisches Werk.

Messias ↑ S. 82

Bei Klopstocks *Messias* gelingt es ihm beim besten Willen nicht die darin herrschende Unverständlichkeit zu produzieren. Aber er findet einen Ausweg: Er schneidet einfach seine Schreibfedern falsch zu und so wird die Sache doch unleserlich: „Durch diese poetische Freiheit bog er dem Verstehen ungezwungen vor." So demonstriert Jean Paul, der Zeitgenosse klassischer Dichtung, seine Kritik an feierlich gehobenem Stil ebenso wie an erhabenen Gegenständen wie Philosophie und Religion. Auch das Verhältnis zwischen Schriftsteller und Publikum bringt er scheinbar ganz nebenbei zur Sprache, anknüpfend an das Verhalten seines Schulmeisterleins:

Er prahlte vor niemand als vor seiner Frau; und ich schätze den Vorteil so hoch, als er wert ist, den die Ehe hat, dass der Ehemann durch sie noch ein zweites Ich bekommt, vor welchem er sich ohne Bedenken herzlich loben kann. Wahrhaftig, das deutsche Publikum sollte ein solches zweites Ich von Autoren abgeben!

Hier zeigt sich, wie sich der Autor selbst an den Leser wendet. Immer wieder nimmt er auch Stellung zu dem, was er über Wuz erzählt, und macht deutlich, dass er bei aller liebevollen Schilderung auch Abstand hält zur schrulligen Versponnenheit seines „Helden". Er zeigt dem Leser sogar, wie geschickt er seine Erzählung anlegt. So verrät er erst gegen Ende, dass er Wuz, dessen Lebenslauf er doch von Anfang an begleitet, überhaupt erst kurz vor dessen Tod kennengelernt hat. Wuz' Frau hat ihn gebeten, weil er doch „auch ein Büchermacher" sei, den Sterbenskranken zu besuchen. Der erzählt ihm dann sein ganzes Leben. Zur Todesstunde selbst gelangt die Erzählung dann erst auf Umwegen:

> Ich habe meine Absicht klug erreicht, mich und meine Zuhörer fünf oder
> sechs Seiten von der traurigen Minute wegzuführen, in der vor unser aller
> Augen der Tod vor das Bett unsers kranken Freundes tritt und langsam mit
> eiskalten Händen in seine warme Brust hineindringt und das vergnügt
> 5 schlagende Herz erschreckt, fängt und auf immer anhält. Freilich am Ende
> kommt die Minute und ihr Begleiter doch. […]
> Um 11 1/2 Uhr nachts kamen Wuzens zwei besten Jugendfreunde noch einmal
> vor sein Bett, der Schlaf und der Traum, um von ihm gleichsam Abschied zu
> nehmen. Oder bleibt ihr länger und seid ihr zwei Menschenfreunde es
> 10 vielleicht, die ihr den ermordeten Menschen aus den blutigen Händen des
> Todes holet und auf euren wiegenden Armen durch die kalten unterirdischen
> Höhlungen mütterlich traget ins helle Land hin, wo ihn eine neue Morgen-
> sonne und neue Morgenblumen in waches Leben hauchen? –

In den letzten Stunden dieses zugleich unscheinbaren wie merkwürdigen Lebens erscheint dem Erzähler dieser Wuz – das Geschöpf einer Dichtung – wie ein Bruder. In dem Augenblick, da der „Todesengel" den „langen Traum des Lebens" in „Entzückung" überführt, erkennt der Betrachter mitfühlend, dass die Gewissheit des Todes alle Menschen verwandt sein lässt:

> […] so fühl ich unser aller Nichts und schwur, ein so unbedeutendes Leben
> zu verachten, zu verdienen und zu genießen. –
> Wohl dir, lieber Wuz, dass ich – wenn ich nach Auenthal gehe und dein
> verrasetes Grab aussuche und mich darüber kümmere, dass die in dein Grab
> 5 beerdigte Puppe des Nachtschmetterlings mit Flügeln daraus kriecht, dass
> dein Grab ein Lustlager bohrender Regenwürmer, rückender Schnecken, wir-
> belnder Ameisen und nagender Räupchen ist, indes du tief unter allen diesen
> mit unverrücktem Haupte auf deinen Hobelspänen liegst und keine liebko-
> sende Sonne durch deine Bretter und deine mit Leinwand zugeleimten Augen
> 10 bricht – wohl dir, dass ich dann sagen kann: „Als er noch das Leben hatte, ge-
> noss er's fröhlicher wie wir alle."
> Es ist genug, meine Freunde – es ist 12 Uhr, der Monatszeiger sprang auf
> einen neuen Tag und erinnerte uns an den doppelten Schlaf, an den Schlaf
> der kurzen und an den Schlaf der langen Nacht […]

Jean Paul dichtend in blumenumrankter Laube, im „warmen Lerchennest", wo man „die ganze äußere Welt mit ihren Wolfs- gruben, Beinhäusern und Gewitter- ableitern" vergessen mochte – wenn auch nur für kurze Weile.

1763–1825

Johann Paul Friedrich Richter, der sich als Dreißigjähriger den Schriftsteller-Namen Jean Paul zulegte, kam 1763 in Wunsiedel im Fichtelgebirge zur Welt, wo der Vater als (dritter) Lehrer und Organist auf eine Berufung ins Pfarramt wartete. Die familiären Verhältnisse waren anfangs eng und ärmlich. Mit großem Fleiß las sich der Heran-wachsende ein ungeheures Wissen zusammen. Aus seinen Aufzeichnungen erwuchs

Eine „Biblio-thek" aus Auf-zeichnungen

eine eigene „Bibliothek" (nicht so wie bei Wuz, der alles selber erfinden muss). Das Studium der Philosophie und der Theologie, das er 1781 aufnahm, gab er im selben Jahr wieder auf. Seinen Lebensunterhalt musste er lange Zeit als Hauslehrer und Erzieher bestreiten, beseelt von dem Willen ein freier Schriftsteller zu werden und „Bücher zu schreiben, um Bücher kaufen zu können". Wuz stirbt auf den Tag genau 43 Jahre nach dem Beginn seines Schulmeister-Daseins. Jean Pauls Schriftsteller-Dasein dauerte 42 Jahre. Die Liste seiner Veröffentlichungen ist lang.

Titan, 1800 /03

Als sein Hauptwerk betrachtete er den großen Erziehungsroman *Titan:* „Titan sollte heißen Anti-Titan. Jeder Himmelsstürmer findet seine Hölle; wie jeder Berg zuletzt seine Ebene aus seinem Tale macht. Das Buch ist der Streit der Kraft mit der Harmo-nie." Neben dem *Titan* gilt heute der Roman *Flegeljahre* als Jean Pauls bedeutends-

Flegeljahre, 1804 /05

tes Werk. Ein vieldiskutierter Text ist die *Rede des toten Christus vom Weltgebäude her-ab, dass kein Gott sei* aus dem „humoristischen Roman" mit dem vielsagenden Titel: *Blumen-, Frucht- und Dornenstücke oder Ehestand, Tod und Hochzeit des Armenadvo-katen F. St. Siebenkäs im Reichsmarktflecken Kuhschnappel* (1796/97).

Anmerkung Jean Pauls zum gran-diosen Angst-traum der *Rede:* „Wenn einmal mein Herz so unglücklich und ausgestorben wäre, dass in ihm alle Gefühle, die das Dasein Got-tes bejahen,

Für ein gutes Jahrzehnt wurde Jean Paul zum beliebtesten der anspruchsvollen Schrift-steller seiner Zeit in Deutschland, mehr gelesen als Goethe. Sein Einfluss auf die Literatur des 19. Jahrhunderts ist unbestritten. Doch die Leser blieben mehr und mehr aus. Jean Pauls Werke gelten mit Recht als schwierig, verlangen zum Verständnis ausführliche Kommentierung. Die Zeitgenossen fanden die herkömmlichen Mittel einigermaßen auf den Kopf gestellt: Dieser Autor setzte zwar einen Erzähler ein, mischte sich dann aber selbst kommentierend ein, redete die Leser unmittelbar an und zerstörte so die Illusion der erzählten Handlung, indem er zeigte, wie er sie herbeigeführt hatte. Und so weiter.

Nach Jahren intensiver und auch anerkannter Teilnahme am Literaturbetrieb zog sich der literarische Außenseiter nach Bayreuth zurück und wurde mehr und mehr auch in seinem Verhalten zum Sonderling und Einsiedler. Trotzdem nahm der überzeugte Republikaner wenigstens literarisch am politischen Geschehen der Zeit Anteil. Jean Paul ist 1825 in Bayreuth gestorben.

zerstöret wären: so würd ich mich mit diesem meinem Aufsatz erschüttern und – er würde mich heilen und mir meine Gefühle wiedergeben."

„… demüthig vor der allmächtigen Noth": Friedrich Hölderlin

Abendphantasie

F. Hölderlin, 1799

Vor seiner Hütte ruhig im Schatten sitzt
    Der Pflüger, dem Genügsamen raucht sein Herd.
        Gastfreundlich tönt dem Wanderer im
            Friedlichen Dorfe die Abendglocke.

5 Wohl kehren itzt die Schiffer zum Hafen auch,
    In fernen Städten, fröhlich verrauscht des Markts
        Geschäftger Lärm; in stiller Laube
            Glänzt das gesellige Mahl den Freunden.

itzt: jetzt

Wohin denn ich? Es leben die Sterblichen
10   Von Lohn und Arbeit; wechselnd in Müh und Ruh
        Ist alles freudig; warum schläft denn
            Nimmer nur mir in der Brust der Stachel?

Am Abendhimmel blühet ein Frühling auf;
    Unzählig blühn die Rosen und ruhig scheint
15   Die goldne Welt; o dorthin nimmt mich,
            Purpurne Wolken! Und möge droben

nimmt: nehmt

In Licht und Luft zerrinnen mir Lieb und Leid! –
    Doch, wie verscheucht von töriger Bitte, flieht
        Der Zauber; dunkel wird's und einsam
20   Unter dem Himmel, wie immer, bin ich –

Komm du nun, sanfter Schlummer! Zu viel begehrt
    Das Herz; doch endlich, Jugend! verglühst du ja,
        Du ruhelose, träumerische!
            Friedlich und heiter ist dann das Alter.

Der Blick fällt auf eine Idylle. So nennt man das kleine Bild einer überschaubaren, genügsamen, behaglichen Welt. Hier: das Ausruhn vor der Hütte, im Dorfe, in der Laube. Auch ein Fremder, ein Wanderer, kann eintauchen in diese freundliche, friedliche, gesellige Stimmung nach einem geschäftigen Tage. Nur einer bleibt draußen,

Idylle

Der Außenseiter

hat keinen Anteil am beständigen Wechsel von „Lohn und Arbeit", „Müh und Ruh";
also an der Lebenswirklichkeit, die diesem Bilde zugrunde liegt, auch wenn ein verklärender Schein darüber gebreitet ist: der Dichter. Der Stachel, der ihn unruhig lässt,
ist die Sehnsucht nach einer anderen Welt. Welcher? Auf der Schwelle zwischen Tag
und Nacht malt seine Fantasie farbige Zeichen an den Abendhimmel, deren Deutung
nur er versteht. Was ist das für ein „Frühling", was birgt die erträumte „goldne Welt",
in der „Lieb und Leid" sich lösen? Doch die Bitte in jene Welt „droben" entrückt zu
werden erweist sich als töricht. „Unter dem Himmel" steht, da die Nacht herabsinkt,
der Dichter, einsam „wie immer". Was bleibt ihm? Nichts weiter als die Aussicht,
dass sein ruheloses Sehnen für eine Weile im Schlummer, schließlich im
Alter ganz versinkt?

Friedrich Hölderlin Ehmals und jetzt
In jüngern Tagen war ich des Morgens froh,
   Des Abends weint ich; jetzt, da ich älter bin
      Beginn ich zweifelnd meinen Tag, doch
         Heilig und heiter ist mir sein Ende.

Zeichnung von Horst Janssen, 1993

Friedrich
Hölderlin,
1770–1843

„Stiftler" waren
auch die bedeu-
tenden Philoso-
phen Georg
Wilhelm Fried-
rich **Hegel**,
1770–1831,
und Friedrich
Wilhelm
Josef von
Schelling,
1735–1854

Briefroman
↑ S. 101
Hyperion,
1797/99

Hellas: antiker
Name für

In seinem dreißigsten Lebensjahr hat **Hölderlin** dieses Gedicht geschrieben: 1799,
kurz vor dem Anbruch eines neuen Jahrhunderts. Geboren ist er 1770 in Lauffen am
Neckar, aufgewachsen in wohlhabenden bürgerlichen Verhältnissen; herangebildet
wurde er in hervorragenden Klosterschulen und am berühmten Tübinger „Stift", mit
anderen, die dann in der deutschen und europäischen Geistesgeschichte eine bedeutende Rolle spielten.

Pfarrer, wie es vorgesehen war, wollte der Stipendiat der Theologie nicht werden. Also
musste er, wie manch anderer, seinen Lebensunterhalt als Hauslehrer bestreiten. Le-
bensinhalt sollte die Dichtung werden. Die Geisteswelt der Antike erfüllte ihn ebenso wie der Ruf nach Freiheit, Gleichheit und Brüderlichkeit, der von der Französischen Revolution ausging. In ihr sahen Hölderlin und seine Gesinnungsfreunde eine
späte Nachfolgerin der alten griechischen Republiken. In solchem Denken, kaum in
der Tat, war Hölderlin revolutionär.

In seinem Briefroman *Hyperion oder der Eremit in Griechenland,* der einzigen Buch-
veröffentlichung zu seinen Lebzeiten, lässt Hölderlin das alte Hellas im Freiheitskampf der Griechen gegen die Türken im 18. Jahrhundert wieder auferstehn.

Das ideale Ziel, das ihm vor Augen stand, war ein friedliches Zusammenleben aller
Menschen. Hölderlins große Vision war die Versöhnung von Gott, Mensch und
Natur, die Aufhebung der Gegensätze von Denken und Handeln, Person und Gesell-

schaft, Geist und Natur. Wie ein Prophet habe der Dichter den Auftrag in begeisternder Sprache den Menschen die verlorene Einheit und Ganzheit in Herz und Bewusstsein zu senken. Wenn die „Kinder des Augenblicks" wieder am Leben der „Gottheit" teilnehmen könnten – das wäre wie ein Wiedererblühn in einem neuen „Frühling", von dem die „Abendphantasie" träumt, in einer „goldnen Welt" erfüllt von „Licht und Luft" aufklärender Begeisterung.

Mit einer solchen Vision verband sich das Erlebnis einer großen Liebe, der Hölderlin in der „Diotima" seines Hyperion-Romans ein unvergängliches Denkmal gesetzt hat. Susette Gontard war die Frau eines Frankfurter Bankiers, bei dem Hölderlin im Januar 1796 eine Stelle als Hauslehrer antrat. Eine Liebe ohne Aussicht auf Erfüllung in der gesellschaftlichen Wirklichkeit. Im September 1798 musste Hölderlin das Haus Gontard verlassen. Ein Freund holte den Unglücklichen zu sich nach Homburg. Noch über anderthalb Jahre gab es Briefe und heimliche, flüchtige Begegnungen der Liebenden. „Wir haben heilige Pflichten für diese Welt", hieß die bittere Einsicht. Alles, was ihnen blieb, war der verzweifelte Glaube an „das allmächtige Wesen der Liebe, das uns ewig unsichtbar leiten und immer mehr und mehr verbinden wird." Diese Worte Susettes stehen in unmittelbarer zeitlicher Nachbarschaft zu Hölderlins *Abendfantasie*.

Große Dichtung entstand in den Homburger Jahren. Aber die Brüche verheilten nicht. Anzeichen seelischer und geistiger Erkrankung mehrten sich so, dass Hölderlin 1806 als „unheilbar" in eine Anstalt eingewiesen wurde. Im Jahr darauf wurde er in die Familie eines Tübinger Tischlers entlassen. Im „Turm" über dem Neckar lebte er noch 36 Jahre. Die Nacht war lang vor dem endgültigen Verglühen der Abendfantasie. „Friedlich" ja, aber auch „heiter"? Hölderlin starb 1843.

Zu den großen Enttäuschungen dieses Dichterlebens gehörten auch Hölderlins Erfahrungen mit den Weimarer „Dichterfürsten". Schiller nannte ihn zwar Goethe gegenüber seinen „Freund und Schutzbefohlenen" und er veröffentlichte einige von Hölderlins Gedichten. Aber er hielt doch Distanz; nicht zuletzt deshalb, weil ihn dieser Jüngere an sein eigenes Wesen mahnte: „Er hat eine heftige Subjektivität und verbindet damit einen gewissen philosophischen Geist und Tiefsinn. Sein Zustand ist gefährlich, da solchen Naturen so gar schwer beizukommen ist." Im Grunde haben Schiller und Goethe Hölderlins Dichtung verkannt. Richtig „entdeckt" hat man diesen großen Dichter deutscher Sprache erst zu Beginn des 20. Jahrhunderts.

1799, im Jahr der *Abendphantasie*, findet Hölderlin erstaunlich ruhig-besonnene Worte für das, was ihn die bitteren Erfahrungen seines Lebens gelehrt haben:

> „Ich begreife wohl, wie ein mächtiges Schicksal, das gründliche Menschen
> so herrlich bilden konnte, die schwachen nur mehr zerreißt, ich begreife es um
> so mehr, je mehr ich sehe, dass auch die größten ihre Größe nicht allein ihrer
> eigenen Natur, sondern auch der glücklichen Stelle danken, in der sie tätig
> 5 und lebendig mit der Zeit sich in Beziehung setzen konnten, aber ich begreife
> nicht, wie manche große reine Formen im Einzelnen und Ganzen so wenig
> heilen und helfen, und dieß ists vorzüglich, was mich so oft stille und
> demüthig vor der allmächtigen alles beherrschenden Noth macht."

Griechenland, 1822 für den neugriechischen Staat wieder aufgegriffen

„Das erste Kind der göttlichen Schönheit ist die Kunst. […] Der Schönheit zweite Tochter ist die Religion. Religion ist Liebe der Schönheit." *(Hyperion)*

Susette Gontard wird „Diotima"

Bei Isaak von Sinclair in Homburg

„Sei du, Gesang, mein freundlich Asyl!"

36 Jahre im Tübinger „Turm" „… ich spinne mich ein, weil überall es Winter ist; in seligen Erinnerungen hüll ich vor dem Sturme mich ein." *(Hyperion)*

Von den „Dichterfürsten" verkannt

„Der Richter Adam hat den Krug zerbrochen"

Heinrich von Kleist: *Der zerbrochne Krug,* 1808

Gevatter: Verwandter, Freund

ADAM Mir ahndet heut nichts Guts, Gevatter Licht.
LICHT Warum?
ADAM Es geht bunt alles überecke mir.
Ist nicht auch heut Gerichtstag?
5 LICHT Allerdings.
Die Kläger stehen vor der Türe schon.
ADAM Mir träumt, es hätt ein Kläger mich ergriffen
Und schleppte vor den Richtstuhl mich; und ich,
Ich säße gleichwohl auf dem Richtstuhl dort

schält: von schelten
hunzen: (wie einen Hund) ausschimpfen, übel behandeln
schlingeln: zum Schlingel erklären, abkanzeln
judizieren: Recht sprechen
Halseisen: Pranger, Schandpfahl

10 Und schält und hunzt und schlingelte mich herunter
Und judiziert den Hals ins Eisen mir.
LICHT Wie? Ihr Euch selbst?
ADAM So wahr ich ehrlich bin.
Drauf wurden beide wir zu eins und flohn
15 Und mussten in den Fichten übernachten.
LICHT Nun? Und der Traum meint Ihr –?
ADAM Der Teufel hols.
Wenns auch der Traum nicht ist, ein Schabernack,
Seis, wie es woll, ist wider mich am Werk!

Schauplatz des Lustspiels *Der zerbrochne Krug* von **Heinrich von Kleist** ist ein niederländisches Dorf nahe der Stadt Utrecht im 18. Jahrhundert. Am Morgen des Gerichtstags wird überraschend der Besuch des Gerichtsrats Walter gemeldet. Dem Dorfrichter Adam schwant Unheil, er hat ein schlechtes Gewissen. Der Grund: Er hat die junge Eve erpressen wollen, hat so „Schändliches" verlangt, „dass es kein Mädchenmund wagt auszusprechen". Das Druckmittel: ein gefälschtes Schreiben, das besagt, Eves Verlobter Ruprecht müsse zum Kriegsdienst nach Ostindien, wo die meisten den Tod finden. Nur er, der Dorfrichter, könne das mit einem Krankheitszeugnis verhindern. Um dieses Attest auszufertigen dringt er abends in Eves Kammer ein. Ruprecht überrascht und vertreibt ihn, zerschrammt ihm dabei den Kopf. Bei der Flucht stößt Adam einen Krug vom Sims und verliert seine Perücke. Die wird dann zu einem wichtigen Indiz gegen ihn. So weit die Vorgeschichte.

„So nimm, Gerechtigkeit, denn deinen Lauf!" heißt die Formel.

Das Stück beginnt am Morgen des Gerichtstags. Der kahlköpfige und zerschundene Richter erfindet allerlei Ausreden, muss aber auf Geheiß des Gerichtsrats die Amtshandlung eröffnen. Auf tritt Frau Marthe, Eves Mutter, mit den Resten des zerbrochenen Kruges, der ihr viel bedeutet:

Ornat: Amtstracht

Der Krüge schönster ist entzwei geschlagen.
Hier grade auf dem Loch, wo jetzo nichts,
Sind die gesamten niederländischen Provinzen
Dem span'schen Philipp übergeben worden.
5 Hier im Ornat stand Kaiser Karl der fünfte:
Von dem seht ihr nur noch die Beine stehn.
Hier kniete Philipp und empfing die Krone:
Der liegt im Topf, bis auf den Hinterteil,

Und auch noch der hat einen Stoß empfangen […]
10 Hier in der Mitte, mit der heilgen Mütze,
Sah man den Erzbischof von Arras stehn;
Den hat der Teufel ganz und gar geholt,
Sein Schatten nur fällt lang noch übers Pflaster.

Hier standen rings, im Grunde, Leibtrabanten,
15 Mit Hellebarden, dicht gedrängt, und Spießen,
Hier Häuser, seht, vom großen Markt zu Brüssel,
Hier guckt noch ein Neugierger aus dem Fenster:
Doch was er jetzo sieht, das weiß ich nicht.

Trabant:
Leibwächter
Hellebarde:
Stangenwaffe

Das Bild einer großen Welt liegt da in Scherben. Aber auch die kleine Welt des Dorfes, in deren Mitte nun Eve rückt, erscheint brüchig. „Dein guter Name lag in diesem
Topfe", hält Marthe der Tochter vor, „und vor der Welt mit ihm ward er zerstoßen."
Eves Ehre steht auf dem Spiel und ihre Lage erscheint ausweglos, tragisch: Sagt sie
die Wahrheit, ist Ruprecht verloren, muss sie meinen. Sagt sie nichts, muss Ruprecht
meinen, sie sei ihm untreu. Er hat den Flickschuster Leberecht in Verdacht, der seit
einiger Zeit um Eves Haus schleiche. Eve ist verletzt und empört.

EVE Unedelmütger, du! Pfui, schäme dich,
Dass du nicht sagst, gut, ich zerschlug den Krug!
Pfui, Ruprecht, pfui, o schäme dich, dass du
Mir nicht in meiner Tat vertrauen kannst.
5 Gab ich die Hand dir nicht und sagte Ja,
Als du mich fragtest, Eve, willst du mich?
Meinst du, dass du den Flickschuster nicht wert bist?
Und hättest du durchs Schlüsselloch mich mit
Dem Lebrecht aus dem Kruge trinken sehen,
10 Du hättest denken sollen: Ev ist brav,
Es wird sich alles ihr zum Ruhme lösen
Und ists im Leben nicht, so ist es jenseits
Und wenn wir auferstehn ist auch ein Tag.
RUPRECHT Mein Seel, das dauert mir zu lange, Evchen.
15 Was ich mit Händen greife, glaub ich gern.
EVE Gesetzt, es wär der Leberecht gewesen,
Warum – des Todes will ich ewig sterben,
Hätt ichs dir Einzigem nicht gleich vertraut;
Jedoch vor Nachbarn, Knecht' und Mägden –
20 Gesetzt, ich hätte Grund, es zu verbergen,
Warum, o Ruprecht, sprich, warum nicht sollt ich,
Auf dein Vertraun hin sagen, dass dus warst?
Warum nicht sollt ichs? Warum sollt ichs nicht?
RUPRECHT Ei, so zum Henker, sags, es ist mir recht,
25 Wenn du die Fiedel dir ersparen kannst.
EVE O du Abscheulicher! Du Undankbarer!
Wert, dass ich mir die Fiedel spare! Wert,

Fiedel:
Holzstück, das
um den Hals
einer oder eines
am Pranger
Stehenden gelegt
wurde (wie
Spielleute die
Fiedel um den
Hals hängen)

Dass ich mit einem Wort zu Ehren mich
Und dich in ewiges Verderben bringe.

30 WALTER Nun – ? Und dies einzge Wort –? Halt uns nicht auf.
Der Ruprecht also war es nicht?

EVE Nein, gnädger Herr, weil ers denn selbst so will,
Um seinetwillen nur verschwieg ich es:
Den irdnen Krug zerschlug der Ruprecht nicht,
35 Wenn ers Euch selber leugnet, könnt Ihrs glauben.

FRAU MARTHE Eve! Der Ruprecht nicht?

EVE   Nein, Mutter, nein!
Und wenn ichs gestern sagte, wars gelogen.

FRAU MARTHE Hör, dir zerschlag ich alle Knochen!

40 EVE Tut, was Ihr wollt.

WALTER *(drohend)*   Frau Marthe!

ADAM   He! Der Büttel! –
Schmeißt sie heraus dort, die verwünschte Vettel!
Warum solls Ruprecht just gewesen sein?
45 Hat sie das Licht dabei gehalten, was?
Die Jungfer, denk ich, wird es wissen müssen:
Ich bin ein Schelm, wenns nicht der Lebrecht war.

FRAU MARTHE War es der Lebrecht etwa? Wars der Lebrecht?

ADAM Sprich, Evchen, wars der Lebrecht nicht, mein Herzchen?

50 EVE Er Unverschämter, Er! Er Niederträchtger!
Wie kann er sagen, dass es Lebrecht –

WALTER   Jungfer!
Was untersteht Sie sich? Ist das mir der
Respekt, den Sie dem Richter schuldig ist?

55 EVE Ei, was! Der Richter dort! Wert, selbst vor dem
Gericht, ein armer Sünder, dazustehn –
– Er, der wohl besser weiß, wer es gewesen!

(Marginal glosses, left column:)

Büttel: Ordnungshüter
Vettel: liederliches altes Weib

Schelm: Schurke (heute nur noch scherzhaft: listiger Bursche)

Dem Gerichtsrat entgeht nicht, dass sich der Richter mehr und mehr in Widersprüche verstrickt. Um der „Ehre des Gerichts" willen nimmt er allmählich die Sache selbst in die Hand. Eine Zeugin bringt schließlich eindeutige Beweise. Doch der verzweifelte Richter verurteilt Ruprecht. Zum Schein bestätigt Walter die Gefängnisstrafe. Da endlich bricht Eve ihr Schweigen: „Der Richter Adam hat den Krug zerbrochen." Das teuflische Spiel kommt an den Tag. Nun sorgt Walter für Ordnung: Adam wird als Richter entlassen, Licht übernimmt die Amtsgeschäfte. Doch Frau Marthe lässt nicht locker, fragt nach der nächsten Instanz: „Soll hier dem Kruge nicht sein Recht geschehen?"

(Marginal gloss, left column:)

alter Adam: durch Luther volkstümlich gewordene Wendung

Das ist nicht nur ein witziger Schluss, sondern auch ein Fragezeichen: Ist mit dem Schiedsspruch des zufällig anwesenden Gerichtsrats die Welt der Justiz schon in Ordnung gebracht? Und ist der „alte Adam" geheilt? Dieses Bild spielt auf die „Erbsünde" an, die sich im Menschen immer wieder rege. Der Dorfrichter gebraucht es, als er hofft, Ruprecht zum Schuldigen machen zu können: „aufgelebt, du alter Adam!" Damit greift er auf, was er gleich zu Beginn zu Licht geäußert hat, spätere Enthüllung vorwegnehmend: „denn jeder trägt den leidgen Stein zum Anstoß in sich selbst."

(Marginal gloss, left column:)

Stein des Anstoßes: Ärgernis (biblischer Ausdruck)

Nicht ohne Grund hat Kleist die Gegenspielerin Adams und eigentliche „Heldin" des Stücks „Eve" genannt, wie er auch sonst sprechende Namen gewählt hat: „Licht" heißt der Schreiber, ein heller Kopf, „Walter" der Gerichtsrat, der waltend eingreift. „Ruprecht" ist rechtschaffen und manchmal ruppig, nicht immer schnell von Begriff; der Familienname ist „Tümpel".

Witz und Komik in Handlung und Sprache des „Lustspiels" verdrängen nicht den schlimmen Sachverhalt, sie stellen ihn eher schärfer heraus: dass dieser Richter nicht nur menschliche Schwächen zeigt, sondern böse das Recht beugt, die Notlage anderer erpresserisch auszunutzen versucht und Eve in tragischen Zwiespalt versetzt. Der Krug ist nicht zu flicken. Ist die Autorität der Rechtsordnung zu retten – über diesen einen Fall hinaus, in den eine höhere Instanz waltend eingreift? Bleibt nicht das System fragwürdig? Und wie ist es um Liebe und Treue bestellt? Ruprecht braucht greifbare Beweise, kann das unbedingte Vertrauen nicht leisten, das für Eve einzige Sicherheit ist. Doch wie soll in einer Welt, deren Ordnung so anfällig ist, menschliches Miteinander Bestand haben, wenn auf Gefühle kein Verlass ist? Von der „Goldwaage der Empfindung" ist in *Amphitryon* die Rede, Kleists anderer großer Komödie aus der gleichen Zeit.

Amphitryon, 1807

Dass die Vorgeschichte – die Tat – erst im Laufe des Prozesses enthüllt wird, bewirkt Spannung: Es ist der Aufbau eines „analytischen Dramas". Kleist bezieht sich ausdrücklich auf die antike Tragödie *König Ödipus* von **Sophokles**. Auch Ödipus verhandelt, jedoch zuerst unwissend und ohne subjektive Schuld, den eigenen Fall: Er hat seinen Vater erschlagen. Erschüttert muss er erkennen, dass er selbst der gesuchte Täter ist. Grausam bestraft er sich selbst zur Sühne für diese Tat. Adam hingegen läuft nach der Enthüllung davon und er findet einen milden Richter.

Sophokles: *König Ödipus,* 5. Jh. v. Chr.

Für seine Komödie mit tragischem Kern hat sich Kleist an die klassische Form der antiken Tragödie gehalten: Das Drama hat nur einen Akt; die 12 Auftritte folgen unmittelbar aufeinander.

Als Goethe 1808 das Stück in Weimar zur Uraufführung brachte, teilte er es in drei Akte und veränderte es auch sonst.

Heute zählt *Der zerbrochene Krug* von Kleist zu den wenigen unvermindert wirksamen klassischen Komödien der deutschen Literatur.

Die „gebrechliche Einrichtung der Welt": Heinrich von Kleist

„Ich kann nicht sterben, ohne mich, zufrieden und heiter, wie ich bin, mit der ganzen Welt und somit auch, vor allen anderen, meine teuerste Ulrike, mit Dir versöhnt zu haben […] Du hast an mir getan, ich sage nicht, was in Kräften einer Schwester, sondern in Kräften eines Menschen stand, um mich zu retten: Die Wahrheit ist, dass mir auf Erden nicht zu helfen war." Das schreibt am 21. November 1811 – „am Morgen meines Todes" – der 34-jährige **Heinrich von Kleist** dem Menschen, mit dem er sein ganzes Leben hindurch am innigsten verbunden war: seiner älteren Stiefschwester Ulrike. Dann vollzieht er das Ende. Er hat es sorgfältig geplant, zusammen mit der 31-jährigen, todkranken Henriette Vogel, mit der er Freundschaft zum Tode geschlossen hat. Der Todesplan ist gelungen – der „Lebensplan" gescheitert.

Heinrich von Kleist, 1777–1811

Dieses Miniaturporträt Heinrich von Kleists gilt als einzige zuverlässige Darstellung des Dichters. „Es liegt etwas Spöttisches darin, das mir nicht gefällt, ich wollte, er hätte mich ehrlicher gemalt", schreibt Kleist 1801 an seine Braut. Er habe sich um ein Lächeln bemüht um ihr zu gefallen.

1777 kam er zur Welt. Die Tradition der Familie bestimmte den Jungen zur Offizierslaufbahn. Mit fünfzehn trat er in den preußischen Militärdienst. Sieben Jahre später wurde er auf eigenen Wunsch entlassen um sich fortan „den Wissenschaften zu widmen". Denn die „Wunder der militärischen Disziplin" waren längst Gegenstand seiner „herzlichsten Verachtung" geworden. Offiziere erschienen ihm wie „Exerziermeister", Soldaten wie „Sklaven", das ganze System wie ein „Monument der Sklaverei". Später haben dann zwei kurze Versuche mit einer Beamtenlaufbahn gezeigt, dass auch der zivile Staatsdienst nicht Kleists Sache war.

Doch der „neue Lebensplan" stieß auf neue Schwierigkeiten. Das Studium – vor allem Physik und Mathematik – hielt er nur drei Semester durch. Eine Verlobung wurde nach zwei Jahren wieder gelöst. Die Beschäftigung mit der Philosophie **Immanuel Kants** soll ihn in eine tiefe Krise gestürzt haben, bis in seelische und körperliche Krankheit hinein. Er meinte wohl aus den Gedanken des großen Philosophen schließen zu müssen, der Mensch könne mit seiner sinnlichen Wahrnehmung und mit seiner Vernunft nicht zur Erkenntnis der Welt gelangen, „hienieden keine Wahrheit" finden. So bleibe ihm nichts als die immer bedrohte „Goldwaage" seines Gefühls.

Die Unsicherheit des Menschen in einer „gebrechlichen" Welt wurde zum zentralen Thema seiner Werke, die fast ausschließlich in den fünf letzten Lebensjahren entstanden und zu des Dichters Lebzeiten kaum Beachtung fanden. Nur drei der sieben (vollendeten) Theaterstücke fanden zu seiner Zeit eine Bühne, nur eins davon war einigermaßen erfolgreich. So blieb er weit entfernt von dem Ziel, der größte Dichter seiner Nation zu werden und damit zur geistigen Erneuerung Deutschlands im Kampf gegen Napoleon beizutragen. Goethe wollte er „den Kranz von der Stirn reißen". Der erschrak vor der „Verwirrung der Gefühle", die ihm im Werk dieses Dichters entgegenzudrängen schienen, und er verschloss sich solcher Zumutung. Erst das 20. Jahrhundert begriff allmählich die Größe dieses Frühvollendeten, der dem Bewusstsein seiner Zeit weit voraus war. Unter diesen Bedingungen – ohne Goethes Protektion – musste auch der Versuch einer literarischen Zeitschrift scheitern, die Kleist 1808 ins kurze Leben rief: *Phöbus*.

Immanuel Kant, 1724–1804

Die Familie Schroffenstein, 1804
Der zerbrochne Krug, 1808
Das Käthchen von Heilbronn, 1810

Protektion: Gönnerschaft

Phöbus: Apollon, griechischer Gott des Lichts

Ein bemerkenswerter Versuch war die Gründung der *Berliner Abendblätter,* einer Tageszeitung, die Kleist herausgab und redigierte. Sie existierte zwar nur ein halbes Jahr, wurde aber zu einem Stück Literaturgeschichte durch Texte, die Kleist selbst beisteuerte: Gedichte, Aufsätze und – am weitesten bekannt geworden – Anekdoten.

Berliner Abend-blätter, 1810/11

Sonderbarer Rechtsfall in England

Man weiß, dass in England jeder Beklagte zwölf Geschworene von seinem Stande zu Richtern hat, deren Ausspruch einstimmig sein muss und die, damit die Entscheidung sich nicht zu sehr in die Länge verziehe, ohne Essen und Trinken so lange eingeschlossen bleiben, bis sie eines Sinnes sind. Zwei
5 Gentlemen, die einige Meilen von London lebten, hatten in Gegenwart von Zeugen einen sehr lebhaften Streit miteinander; der eine drohte dem andern, und setzte hinzu, dass ehe vierundzwanzig Stunden vergingen, ihn sein Betragen reuen solle. Gegen Abend wurde dieser Edelmann erschossen gefunden; der Verdacht fiel natürlich auf den, der die Drohungen gegen ihn ausgestoßen
10 hatte. Man brachte ihn zu gefänglicher Haft, das Gericht wurde gehalten, es fanden sich noch mehrere Beweise und 11 Beisitzer verdammten ihn zum Tode; allein der zwölfte bestand hartnäckig darauf, nicht einzuwilligen, weil er ihn für unschuldig hielte.
Seine Kollegen baten ihn, Gründe anzuführen, warum er dies glaubte; allein er
15 ließ sich nicht darauf ein und beharrte bei seiner Meinung. Es war schon spät in der Nacht und der Hunger plagte die Richter heftig; einer stand endlich auf und meinte, dass es besser sei, einen Schuldigen loszusprechen, als 11 Unschuldige verhungern zu lassen; man fertigte also die Begnadigung aus, führte aber auch zugleich die Umstände an, die das Gericht dazu gezwungen
20 hätten. Das ganze Publikum war wider den einzigen Starrkopf; die Sache kam sogar vor den König, der ihn zu sprechen verlangte; der Edelmann erschien, und nachdem er sich vom Könige das Wort geben lassen, dass seine Aufrichtigkeit nicht von nachteiligen Folgen für ihn sein sollte, so erzählte er dem Monarchen, dass, als er im Dunkeln von der Jagd gekommen und sein
25 Gewehr losgeschossen, es unglücklicherweise diesen Edelmann, der hinter einem Busche gestanden, getötet habe. Da ich, fuhr er fort, weder Zeugen meiner Tat, noch meiner Unschuld hatte, so beschloss ich, Stillschweigen zu beobachten; aber als ich hörte, dass man einen Unschuldigen anklagte, so wandte ich alles an, um einer von den Geschworenen zu werden; fest
30 entschlossen, eher zu verhungern, als den Beklagten umkommen zu lassen. Der König hielt sein Wort und der Edelmann bekam seine Begnadigung.

Abwandlung des Ödipus-Adam-Stoffes: (unschuldiger) Täter als Geschworener

* Vom griechischen Ursprung des Wortes her meint Anekdote „etwas, das nicht
* schriftlich veröffentlicht ist", zum Beispiel etwas aus dem Leben einer histori-
* schen Persönlichkeit, das der offiziellen Hofberichterstattung nicht entsprach.
* Sozusagen ein „Geschichtchen" aus der Geschichte, aber neben der Geschichts-
* schreibung. Heute versteht man unter Anekdote eine kurze Erzählung, die
* etwas für eine Person, ein Ereignis, eine bestimmte Zeit oder Gesellschaft

Anekdote

Spitze: französisch *pointe*

Fabel ↑ S. 73
Schwank ↑ S. 50

1811 wurden
Hebels
Geschichten im
*Schatzkästlein des
Rheinländischen
Hausfreundes* zusammengefasst.

- Charakteristisches als merkwürdig präsentiert. Was da erzählt wird, muss nicht
- wirklich geschehen sein, aber doch denkbar und möglich. Meist wird, wie beim
- Witz, etwas auf den Punkt gebracht, auf die Spitze getrieben: Die Sache läuft
- dann auf eine Pointe hinaus, in der Wahrheit aufblitzt, Zusammenhänge
- begreifbar werden können. Fabel und Schwank sind ältere Verwandte der
- Anekdote.
- Vor allem in Zeitschriften und Zeitungen, früher häufiger in Kalendern, fanden
- und finden Anekdoten ihren Platz, meist ohne Verfasserangabe. Aber auch bedeutende Namen der Dichtung sind mit Anekdoten verbunden. Dabei spielt es
- kaum eine Rolle, ob die ganze Anekdote oder „nur" die jeweilige Ausformung
- dem Autor zuzuschreiben ist. Beispiele: **Matthias Claudius** (1740–1815), Herausgeber des *Wandsbeker Boten;* **Johann Peter Hebel** (1760–1826), Redakteur
- des *Rheinländischen Hausfreundes,* eines protestantischen Landkalenders; **Heinrich von Kleist**, Herausgeber der Tageszeitung *Berliner Abendblätter* (1810 / 11).

Michael Kohlhaas – Räuber aus Rechtsgefühl

Heinrich von
Kleist: *Michael
Kohlhaas,* 1810

Meierhof:
Bauernhof,
ursprünglich
Pachthof

An den Ufern der Havel lebte, um die Mitte des sechzehnten Jahrhunderts,
ein Rosshändler, namens Michael Kohlhaas, Sohn eines Schulmeisters, einer
der rechtschaffensten zugleich und entsetzlichsten Menschen seiner Zeit. –
Dieser außerordentliche Mann würde, bis in sein dreißigstes Jahr für das
5 Muster eines guten Staatsbürgers habe gelten können. Er besaß in einem
Dorfe, das noch von ihm den Namen führt, einen Meierhof, auf welchem er
sich durch sein Gewerbe ruhig ernährte; die Kinder, die ihm sein Weib
schenkte, erzog er, in der Furcht Gottes, zur Arbeitsamkeit und Treue; nicht
einer war unter seinen Nachbarn, der sich nicht seiner Wohltätigkeit, oder
10 seiner Gerechtigkeit erfreut hätte; kurz, die Welt würde sein Andenken haben
segnen müssen, wenn er in einer Tugend nicht ausgeschweift hätte. Das
Rechtsgefühl aber machte ihn zum Räuber und Mörder.

Junker: hier Sohn
eines Grafen

Mähre:
schlechtes Pferd

Wie es dazu kommt, ist eine lange Geschichte von Rechtsbruch, Gewalt und Gegengewalt. Sie beginnt mit einem Willkürakt des sächsischen Junkers von Tronka. Er verlangt von dem brandenburgischen Rosshändler Kohlhaas einen Pass für die Durchreise. Bis dahin will er zwei Rappen als Pfand behalten. In der Hauptstadt Dresden
erfährt Kohlhaas, dass ihm Unrecht geschehen ist. Doch als er sein Eigentum zurückholen will, findet er nur noch zwei dürre Mähren vor; seinen Knecht, der zur Pflege
bei den Pferden geblieben ist, hat man „zerprügelt und weggejagt". Noch zügelt Kohlhaas seinen Zorn über Unrecht und höhnische Beleidigung: „sein Rechtsgefühl, das
einer Goldwaage glich, wankte noch; er war, vor der Schranke seiner eigenen Brust,
noch nicht gewiss, ob eine Schuld seinen Gegner drücke." So will er sich erst noch bei
seinem Knecht Gewissheit verschaffen, ehe er in Dresden vor Gericht Anklage erhebt:

Denn ein richtiges, mit der gebrechlichen Einrichtung der Welt schon
bekanntes Gefühl machte ihn, trotz der erlittenen Beleidigungen, geneigt,
falls nur wirklich dem Knecht, wie der Schlossvogt behauptete, eine Art von
Schuld beizumessen sei, den Verlust der Pferde, als eine gerechte Folge davon,

5 zu verschmerzen. Dagegen sagte ihm ein ebenso vortreffliches Gefühl, und dieses Gefühl fasste tiefere und tiefere Wurzeln, in dem Maße, als er weiter ritt und überall, wo er einkehrte, von den Ungerechtigkeiten hörte, die täglich auf der Tronkenburg gegen die Reisenden verübt wurden: dass, wenn der ganze Vorfall, wie es allen Anschein habe, bloß abgekartet sein sollte, er mit seinen
10 Kräften der Welt in der Pflicht verfallen sei, sich Genugtuung für die erlittene Kränkung und Sicherheit für zukünftige seinen Mitbürgern zu verschaffen.

Noch sieht sich Kohlhaas der gerechten Ordnung unterworfen, die nicht Sache nur eines Einzelnen ist, sondern der ganzen Gesellschaft. Dass hier Gefühl gegen Gefühl steht, zeugt von der „gebrechlichen Einrichtung der Welt". Schließlich führt die Gewissheit, Unrecht erlitten zu haben, zur Klage in Dresden. Die wird niedergeschlagen: durch Umtriebe einflussreicher Verwandter des Junkers. Der nächste Schritt ist eine Bittschrift an den eigenen Landesherrn, den Kurfürsten von Brandenburg. Als Kohlhaas' Frau sie überreichen will, wird sie von einem Wachsoldaten grob zurückgestoßen und – ohne Absicht – tödlich verletzt.
Da Rechtssystem und Regierungen versagt haben, bleibt Kohlhaas, wie er meint, nur Selbstjustiz. Er verkauft seinen Besitz, gibt damit seine bürgerliche Existenz auf. Mit sieben Knechten überfällt er die Tronkenburg und äschert sie ein. Der Junker entkommt. Mit einem ständig wachsenden Kriegshaufen zieht Kohlhaas durchs Land und siegt über größere Heere. Er nennt sich „Statthalter Michaels, des Erzengels". Doch sein Rachefeldzug trifft nicht die Schuldigen, sondern das Volk. Da greift der Reformator Luther ein, mit einem geharnischten Schreiben, das öffentlich angeschlagen wird. Darin heißt es:

> Kohlhaas, der du dich gesandt zu sein vorgibst, das Schwert der Gerechtigkeit zu handhaben, was unterfängst du dich, Vermessener, im Wahnsinn stockblinder Leidenschaft, du, den Ungerechtigkeit selbst, vom Wirbel bis zur Sohle erfüllt? Weil der Landesherr dir, dem du untertan bist, dein Recht
> 5 verweigert hat, dein Recht in dem Streit um ein nichtiges Gut, erhebst du dich, Heilloser, mit Feuer und Schwert und brichst, wie der Wolf der Wüste, in die friedliche Gemeinheit, die er beschirmt. [...]
> Das Schwert, wisse, das du führst, ist das Schwert des Raubes und der Mordlust, ein Rebell bist du und kein Krieger des gerechten Gottes und dein Ziel
> 10 auf Erden ist Rad und Galgen und jenseits die Verdammnis, die über die Missetat und die Gottlosigkeit verhängt ist.

Gemeinheit:
Allgemeinheit,
Gemeinschaft

Rad und Galgen:
Instrumente zur
Hinrichtung

Kohlhaas sucht das Gespräch mit Luther, der daraufhin als Vermittler auftritt, stellt sich dem Gericht in Dresden und wird zum Tode verurteilt. Das Unrecht der Gegner jedoch kommt nicht vor Gericht. Nun fordert der Brandenburger Landesherr die Auslieferung seines Untertanen nach Berlin. Dort wird er nach einem fairen Prozess wegen Landfriedensbruchs ebenfalls zum Tode verurteilt: durch das Beil des Scharfrichters. Aber hier ist es kein einseitiges Urteil: Kohlhaas erhält Genugtuung und Wiedergutmachung und auch der schuldige Gegner wird bestraft.

> Der Kurfürst rief: „nun, Kohlhaas, der Rosshändler, du, dem solchergestalt Genugtuung geworden, mache dich bereit, kaiserlicher Majestät, deren

> Anwalt hier steht, wegen des Bruchs ihres Landfriedens, deinerseits
> Genugtuung zu geben!" Kohlhaas, indem er seinen Hut abnahm und auf die
> 5 Erde warf, sagte: dass er bereit dazu wäre! übergab die Kinder, nachdem er sie
> noch einmal vom Boden erhoben und an seine Brust gedrückt hatte, dem
> Amtmann von Kohlhaasenbrück und trat, während dieser sie, unter stillen
> Tränen, vom Platz hinwegführte, an den Block.

Kohlhaas ist einverstanden: Seine Menschenwürde ist wiederhergestellt und die Verbrechen, die er begangen hat, werden bestraft. Beides gehört zusammen und beide bekommen ihr Recht: die Person und die Ordnung des Ganzen. Der Konflikt ist gelöst und der „eigensinnige" aus der Bahn Geworfene findet in der Sühne durch den Tod zu sich selbst zurück.

> Kohlhaas […] wandte sich zu dem Schafott, wo sein Haupt unter dem Beil
> des Henkers fiel. Hier endigt die Geschichte vom Kohlhaas. Man legte die
> Leiche unter einer allgemeinen Klage des Volks in einen Sarg; und während
> die Träger sie aufhoben, um sie anständig auf den Kirchhof der Vorstadt zu
> 5 begraben, rief der Kurfürst die Söhne des Abgeschiedenen herbei und schlug
> sie, mit der Erklärung an den Erzkanzler, dass sie in einer Pagenschule erzogen
> werden sollten, zu Rittern. Der Kurfürst von Sachsen kam bald darauf,
> zerrissen an Leib und Seele, nach Dresden zurück, wo man das Weitere in der
> Geschichte nachlesen muss. Vom Kohlhaas aber haben noch im vergangenen
> 10 Jahrhundert, im Mecklenburgischen, einige frohe und rüstige Nachkommen
> gelebt.

Aus einer alten Chronik heißt der Untertitel dieser Novelle. In der Tat hat Kleist auf einen historischen Fall aus dem 16. Jahrhundert zurückgegriffen, aber eine ganz eigene Gestalt geschaffen.

Novelle

- Noch heute gibt es den Begriff „Gesetzesnovelle" für eine „Neuerung" (Zusatz
- oder Änderung) in einem Gesetz. Das entspricht der ursprünglichen Verwen-
- dung des Wortes Novelle. Die Bedeutung ‚Neuigkeit' hat auch die literarische
- Bezeichnung Novelle geprägt: für eine Erzählung, die sich auf einen Handlungs-
- strang konzentriert, einen Konflikt, der zielstrebig zur Entscheidung geführt
- wird.

Th.Storm
↑ S. 232

- **Theodor Storm** hat die Novelle eine „Schwester des Dramas" genannt: Der zen-
- trale Konflikt bestimme „das Ganze der Novelle" und organisiere seine Teile.
- Der geschlossenen Form entsprechen strenger Aufbau und objektive Erzählwei-
- se: Der Erzähler mischt sich in der Regel nicht selbst in das Geschehen ein. In-
- halt und Aufbau der Novelle sind bestimmt durch etwas Außergewöhnliches,
- das in eine geordnet erscheinende Welt einbricht und einen Prozess der Verän-
- derung, wenn nicht Zerstörung in Gang setzt. Goethe nennt die Novelle „eine
- sich ereignete unerhörte Begebenheit" und spricht von einem „Konflikt des Ge-
- setzlichen und des Ungebändigten […], der Leidenschaft und des Vorurteils".
- Unerhört heißt: etwas, wovon man noch nicht gehört hat, ein Noch-nie-Dage-
- wesenes, das aber tatsächlich oder doch möglich ist, kein Märchen. Als andere

- charakteristische Merkmale der Novellenform hat man „entscheidende Wendepunkte" genannt oder bestimmte dingliche oder bildhafte Leitmotive (Kohlhaas' Pferde).
- Nicht selten wird eine oder werden mehrere Novellen in eine „Rahmenerzählung" eingebettet: Rückblick auf einst Geschehenes, der Distanz schaffen kann.
- Die Anfänge der europäischen Novelle liegen in der Renaissance, also in der Zeit der gewaltigen Veränderungen im Umbruch vom Mittelalter zur Neuzeit. Seit Goethe, Kleist und der Romantik ist die Novelle eine wichtige und bis in unser Jahrhundert lebendige Gattung auch der deutschen Literatur.

Renaissance
↑ S. 41

Romantik
↑ *Der Sandmann*
von E. T. A.
Hoffmann,
S. 167

Romantik

Die „blaue Blume"

Novalis:
*Heinrich von
Ofterdingen,*
1800
Erster Teil:
Die Erwartung

Die Eltern lagen schon und schliefen, die Wanduhr schlug ihren einförmigen
Takt, vor den klappernden Fenstern sauste der Wind; abwechselnd wurde die
Stube hell von dem Schimmer des Mondes. Der Jüngling lag unruhig auf seinem Lager und gedachte des Fremden und seiner Erzählungen. Nicht die
5 Schätze sind es, die ein so unaussprechliches Verlangen in mir geweckt haben,
sagte er zu sich selbst; fern ab liegt mir alle Habsucht: Aber die blaue Blume
sehn ich mich zu erblicken. Sie liegt mir unaufhörlich im Sinn und ich kann
nichts anders dichten und denken. So ist mir noch nie zumute gewesen: Es ist,
als hätt ich vorhin geträumt oder ich wäre in eine andere Welt hinüberge-
10 schlummert [...]

Von fernen Welten muss er erzählt haben, jener geheimnisvolle Fremde; jedenfalls von
verlockenden Schätzen – und von einer wunderbaren Blume, die ein Geheimnis birgt.
Daher der wunderliche Zustand, in den Heinrich sich versetzt fühlt und dieses uner-
klärliche Getrieben-Sein. Das erinnert ihn an märchenhafte Geschichten aus „alten
Zeiten", in denen Wunderbares geschehen konnte.

Der Jüngling verlor sich allmählich in süßen Phantasien und entschlummerte.
Da träumte ihm erst von unabsehlichen Fernen und wilden, unbekannten
Gegenden. [...] Alle Empfindungen stiegen bis zu einer nie gekannten Höhe
in ihm. Er durchlebte ein unendlich buntes Leben [...].

Manches von dem, was er da träumt, wird er in seinem weiteren Leben wirklich
erfahren. Die Sehnsucht, die ihn nicht ruhen lässt, geht von der „blauen Blume" aus,
die ihm im Traum erscheint; tief im Innern eines Berges sieht er sie, in wundersamer
Umgebung.

15 Er fand sich auf einem weichen Rasen am Rande einer Quelle, die in
die Luft hinausquoll und sich darin zu verzehren schien. Dunkelblaue
Felsen mit bunten Adern erhoben sich in einiger Entfernung; das Tageslicht,
das ihn umgab, war heller und milder als das gewöhnliche, der Himmel
war schwarzblau und völlig rein. Was ihn aber mit voller Macht anzog, war
20 eine hohe lichtblaue Blume, die zunächst an der Quelle stand und ihn mit
ihren breiten, glänzenden Blättern berührte. Rund um sie her standen
unzählige Blumen von allen Farben und der köstlichste Geruch erfüllte die
Luft. Er sah nichts als die blaue Blume und betrachtete sie lange mit
unnennbarer Zärtlichkeit. Endlich wollte er sich ihr nähern, als sie auf
25 einmal sich zu bewegen und zu verändern anfing; die Blätter wurden glänzen-
der und schmiegten sich an den wachsenden Stengel, die Blume neigte sich
nach ihm zu und die Blütenblätter zeigten einen blauen ausgebreiteten
Kragen, in welchem ein zartes Gesicht schwebte. Sein süßes Staunen wuchs
mit der sonderbaren Verwandlung, als ihn plötzlich die Stimme seiner Mutter

30 weckte und er sich in der elterlichen Stube fand, die schon die Morgensonne
vergoldete.

Vorwegnahme eines Lebens im Traum, der ganz alltäglich beginnt: im Elternhaus,
beim „einförmigen Takt" der Uhr. Die Begegnung mit dem Fremden hat Heinrich in
Unruhe versetzt. Nun erlebt er im Traum eine „andere Welt", die an Geschichten aus
„alten Zeiten" erinnert. Das bewirkt Verwandlung: Als der Jüngling geweckt wird,
vergoldet Morgensonne die „elterliche Stube". Ein neuer, ein anderer Tag bricht an.

Das einzige authentische Porträt von
Novalis, ein Stich von Eduard Eichens, 1845
(nach einem Gemälde von Franz Gareis).
„Novalis heißt der Mythos der Jugend-
schwermut, dieser endlosen, spielerischen,
voller unbeantworteter Fragen, voller Poesie
und Launen, voller Abgründe und Trostlosig-
keiten" (Ernst Kamnitzer, 1929).

„Einer, der Neuland bestellt": Novalis

„Die Erwartung" steht über dem ersten Teil dieses Romans von **Friedrich von Hardenberg**, der sich, wie einst schon ein Vorfahr, **Novalis** nennt, nach dem lateinischen
Wort für ‚Brachland': einer, der Land urbar macht für neue Aussaat. So einer ist auch
Heinrich, der sich aufmacht die „blaue Blume" zu suchen, Fernes zu erkunden, Frem-
des zu erfahren und für sein Leben fruchtbar werden zu lassen. Der Dichter hat ihm
den Namen eines sagenhaften Minnesängers gegeben, der im 13. Jahrhundert gelebt
haben soll. Und so heißt auch der Roman, dessen erster Teil im Jahre 1800 vorlag:
Heinrich von Ofterdingen. Heinrich, Sohn eines Bürgers im mittelalterlichen Eisen-
ach, reist mit der Mutter nach Augsburg. Auf dieser Reise lernt der junge Mann die
„Welt" kennen, aus Geschichten, Begegnungen, eigenem Bemühen: Handel und
Bergbau, Kreuzzug und Krieg, fremde (arabische) Kultur, Geschichte früherer Zeiten.
All diese Eindrücke, heißt es nur scheinbar widersprüchlich „befremdeten ihn angenehm". Und er begegnet der jungen Frau, deren Gesicht er in der „blauen Blume" erträumt hat: Mathilde, die er liebt, ist die Tochter eines Dichters mit dem redenden
Namen Klingsohr. Heinrich selbst wird auf diesem Weg in die Welt zum Dichter: Leben und Dichten sind für ihn fortan untrennbar miteinander verbunden. „Die Welt
wird Traum, der Traum wird Welt. Und was man glaubt, es sei geschehn, kann man

Friedrich von
Hardenberg,
genannt Novalis,
1772–1801

Ein Heinrich
von Ofterdingen
ist historisch
nicht nachgewie-
sen.

von weitem erst kommen sehn." Das alles sagt das Bild der „blauen Blume", die Botschaft der „Romantik".

Zweiter Teil:
Die Erfüllung –
ein Fragment

Der zweite Teil des Romans sollte den „Eintritt des Unendlichen ins Endliche" zeigen und *Die Erfüllung* heißen. Er ist nicht vollendet worden, nur im Plan und in wenigen Ansätzen erhalten. Fragmentarisch, bruchstückhaft, ist das Werk des Novalis auch sonst geblieben. Das war nicht persönliches Versagen, sondern ein Wesenszug „romantischer" Dichtung überhaupt.

Romantik in Deutschland

Roman ↑ S. 70

Friedrich Schlegel, 1772–1829

Klassik ↑ S. 107
Pietismus und Empfindsamkeit ↑ S. 73
Sturm und Drang ↑ S. 96

„Als Fragment erscheint das Unvollkommene noch am erträglichsten – und also ist diese Form der Mitteilung dem zu empfehlen, der noch nicht im Ganzen fertig ist – und doch einzelne merkwürdige Ansichten zu geben hat."
Novalis

- Das Adjektiv *romantisch* hat verschiedene Wurzeln: Die altfranzösische Volkssprache (im Gegensatz zur Gelehrtensprache Latein) hieß *roman*; *Romanze* war die Bezeichnung für ein volkstümliches Erzähllied. Mit dem *Roman* verbanden sich Vorstellungen wie abenteuerlich, fantastisch, wunderbar, stimmungsvoll; negativ gesehen: unwirklich, übertrieben, zügellos, düster. „Wilde" Landschaftsmalerei nannte man im 18. Jahrhundert „romantisch".
- In dem Substantiv *Romantik* klingt manches davon nach. Vor allem aber wurde es im ausgehenden 18. Jahrhundert der Name für eine geistige Bewegung, die einen Wandel des Bewusstseins herbeiführen wollte, besonders auf dem Felde der Philosophie und der Künste, aber auch in Gesellschaft und Politik. Die umfassende Formel für ein neues literarisches Programm hat 1798 **Friedrich Schlegel** geprägt: „Die romantische Poesie ist eine progressive Universalpoesie."
- Universal: Dichtung solle alle Lebensbereiche durchdringen. Das heißt, man müsse „die Poesie lebendig und gesellig und das Leben und die Gesellschaft poetisch machen". Novalis, wie Friedrich Schlegel Wegbereiter der Romantik, forderte, die Welt müsse „romantisiert" werden und damit ist gemeint: einerseits „dem Gewöhnlichen ein geheimnisvolles Ansehen […], dem Endlichen einen unendlichen Schein" geben und umgekehrt dem Unendlichen „einen geläufigen Ausdruck". So dass schließlich Leben und Dichtung eins würden.
- Progressiv: Dichtung und Leben sollten immer fortschreiten auf der niemals vollendeten Suche nach einem nie ganz fassbaren Ziel („blaue Blume"). Damit setzen sich die Romantiker ab vom Formideal der Klassik, anknüpfend an frühere Bewegungen, die solche Offenheit gefordert hatten: Pietismus, Empfindsamkeit, Sturm und Drang. Die Sehnsucht nach Überwindung alltäglicher Begrenztheit verlangte nach unbeschränkter dichterischer Freiheit, die alles aufgreifen und darstellen dürfe, auch das Unbewusste und Unheimliche.
- Diesem Programm suchte man mit neuen Formen der Dichtung zu entsprechen, in einer Sprache, die allen Sinnen zugleich Ausdruck zu geben vermochte: In einem „Gesamtkunstwerk" sollten die Gattungen der Literatur zusammengeführt werden: Lyrik und Erzählung vor allem, Stimmung, Gefühl und Gedanken. Bezeichnend, dass viele Dichtungen unabgeschlossen blieben.
- Die offene Form des „Fragments" verstand man geradezu als eine neue Gattung: Der universale Anspruch ist grenzenlos; dem Unendlichen kann man sich nur nähern, es lässt sich nicht fassen. Doch nicht nur Neues galt es zu suchen; auch Vorhandenes ließ sich für die Literatur „entdecken", vor allem die mit der Neuzeit in Vergessenheit geratene Welt des Mittelalters und die literarisch noch kaum erfasste „Volksdichtung": Märchen, Volkslieder, Sagen, Volksbücher.

- **Herder** hatte als erster den Weg dazu gewiesen. Ein weiteres Ziel der deutschen
- Romantik war es Weltliteratur für deutsche Leser zu erschließen, nämlich durch
- dichterisch angemessene Übertragung. Am bekanntesten wurden die Übersetzungen der Shakespeare-Dramen durch **August Wilhelm Schlegel** und **Ludwig Tieck.**
- Aber auch italienische (Dante) und spanische (Calderón, Cervantes) Klassik fanden nun neue Wege nach Deutschland.
- Um den Wandel zu kennzeichnen, den die romantische Bewegung in Deutschland mit der Zeit erfuhr, unterscheidet man zwischen Früh-, Hoch- und Spätromantik. Die Grenzen sind fließend und natürlich wandelten sich auch Personen. Man nennt zur Unterscheidung auch Orte und Regionen. So steht Jena (freilich neben Berlin) für die Anfänge, für eine „moderne", gesellschaftlich aufgeschlossene, weltbürgerliche Romantik, in der auch weibliche Emanzipation nachhaltigen Ausdruck fand. Philosophisches Denken und theoretisch-kritische Literatur bezeugen das in dieser Phase ebenso stark wie dichterisches Schaffen.
- Nur etwa ein Jahrzehnt später steht der Name Heidelberg für die sogenannte Hochromantik, die freilich gleichermaßen in Berlin ihren Ort fand. Man konzentrierte sich nun stärker auf die Literatur, auf die „Poetisierung der Welt". Davon blieb bei den späten Romantikern in der Zeit der Restauration nach dem Wiener Kongress 1815 hauptsächlich zweierlei übrig: eine Dichtung, die sich selbst genügte und die Welt eher verklärte und idyllisierte und Forschung auf dem Gebiete deutscher Sprache und Literatur („Germanistik"), der Geschichte besonders des „christlichen Abendlandes" und der Mythologie.
- Heute verbinden sich mit „romantisch" meist sehr verschwommene Vorstellungen von Situationen und Verhaltensweisen, die gefühlsbetont und stimmungsvoll sind, schwärmerisch und verträumt. Von der Sprengkraft der romantischen Bewegung lässt das nichts mehr ahnen.

Volkslied ↑ S. 90
Volksbücher
↑ S. 52
Herder ↑ S. 89

August Wilhelm
Schlegel,
1767–1845
Ludwig Tieck,
1773–1853

Dante Alighieri:
Die göttliche Komödie, 1307–1321
Calderón,
Cervantes
↑ S. 57

Emanzipation:
Befreiung aus
Vormundschaft

Restauration:
Wiederherstellung früherer
Zustände, Name
für Epoche
1815–1848
↑ S. 177

Mythologie:
Wissenschaft
von der vorgeschichtlichen,
sagenhaften
Überlieferung
der Völker

„Wir sind auf
einer *Mission.*
Zur Bildung der
Erde sind wir
berufen."
Novalis, 1798

Dem Leben und der Dichtung Friedrich von Hardenbergs war nur eine kurze Spanne zugemessen, die er ungemein intensiv nutzte. 1801 starb er an Tuberkulose, noch nicht 28 Jahre alt. Er hat Rechtswissenschaft studiert und schon als sächsischer Beamter auf einer Bergakademie umfangreiche naturwissenschaftliche Kenntnisse erworben. Sein theoretisches und dichterisches Werk erwuchs auf der Grundlage vieler Wissensgebiete. Außer „klassischer" Bildung in Philosophie, Theologie, Sprachen und Literatur waren es Mathematik, Physik, Chemie, Geologie und Medizin. So hat er für sich selbst zu verwirklichen getrachtet, was als Forderung für die romantische Bewegung überhaupt galt: bisher ungenutzte seelische Kräfte und geistige Fähigkeiten zu entdecken und für Person und Gesellschaft fruchtbar werden zu lassen.

Auch andere Eindrücke prägten Leben, Denken und Dichten des Novalis: der pietistische Geist des Elternhauses, die Begegnung und das Zusammenwirken mit bedeutenden Vertretern des Geisteslebens, mit Schiller, Goethe und Jean Paul ebenso wie mit Philosophen und Schriftstellern seiner Generation; die Erschütterung Europas durch die Französische Revolution und Napoleon. Und ganz persönlich das Erlebnis von Krankheit und Tod: Im selben Jahre 1797 starben sein Bruder Erasmus, dem er sich besonders verbunden fühlte und die blutjunge Braut Sophie von Kühn. Sie war zwölf, als er sich in sie verliebte, dreizehn, als sie sich 1795 verlobten: „Sie ist gestorben, so sterb ich auch, die Welt ist öde."

Aber die Forderungen des Tages, seine Arbeit und sein unablässiges Streben nach Weiterbildung verhinderten, dass er sich in Trauer und Trübsal verlor. Die *Hymnen an die Nacht* (1800) und der fragmentarische Roman *Heinrich von Ofterdingen* sind bedeutende Beweise dafür, wie er die Trauer produktiv umzusetzen verstand.

Wissen und Geheimnis

Wenn nicht mehr Zahlen und Figuren
Sind Schlüssel aller Kreaturen,
Wenn die, so singen oder küssen,
Mehr als die Tiefgelehrten wissen,
5 Wenn sich die Welt ins freie Leben
Und in die Welt wird zurückbegeben,
Wenn dann sich wieder Licht und Schatten
Zu echter Klarheit werden gatten
Und man in Märchen und Gedichten
10 Erkennt die ew'gen Weltgeschichten,
Dann fliegt vor *einem* geheimen Wort
Das ganze verkehrte Wesen fort.

In diesem Gedicht, „welches seine Stelle im ,Ofterdingen' finden sollte", habe Novalis „auf die leichteste Weise den innern Geist seiner Bücher ausgedrückt", sagt Ludwig Tieck, der Dichterfreund des Verstorbenen. Novalis, selbst ein „Tiefgelehrter" und kundig in Rechtsregeln und mathematisch-naturwissenschaftlichen Formeln, geht es hier nicht um ein Entweder-oder: „Zahlen und Figuren", Verstand, Wissenschaft und Gelehrsamkeit haben ihren notwendigen Platz im Leben. Aber sie können nicht alles aufschließen: Mensch und Welt sind reicher und tiefer, offen auf das Kommende hin, auf Unendliches, das nie ganz zu begreifen ist. Traum, Liebe, Poesie sind „Schlüssel" zu Bezirken des Wunderbaren, das von Ewigkeit her besteht, auch wenn der Mensch nicht Sprache noch Begriffe hat es zu fassen. So gab es vor aller Philosophie und Wissenschaft schon die Weisheit der Märchen, die sogar ein Kind „verstehen" kann, die aber auch und gerade dem Wissenden viel zu sagen haben. Und immer bleibt ein Rest von Geheimnis, Grund für die Sehnsucht, die nie erlischt. Für diese Botschaft wählt der Romantiker Novalis die Form eines Gedichts: klare Aussage für die Achtung vor dem Unerklärlichen.

Seit dem 15. Jahrhundert gibt es diese Verkleinerungsform von „Mär"; darunter verstand man damals allgemein eine Erzählung oder einen Bericht. Märchen selbst gibt es wohl, seit der Mensch erzählt.

Zum Märchen gehört die Vorstellung von etwas Fantastischem, Wunderbarem, das die Alltagswirklichkeit übersteigt. Es hat seine Wurzeln im menschlichen Unterbewusstsein und in den Mythen der Völker, also den Erzählungen von übernatürlichen Mächten (zum Beispiel den antiken Gottheiten). Mythos und Legende sind dem Märchen verwandt; doch fehlt diesem der ausdrückliche religiöse Bezug. Von der Sage unterscheidet es sich durch das Fehlen von bestimmten geschichtlichen und geographischen Angaben. Märchen bergen „Allgemein-Menschliches". Darum gibt es in den Märchen der Völker viele verwandte Merkmale bei Inhalten und Darstellungsweisen.

Von „Kunst-Märchen" spricht man, wenn es sich um Werke bestimmter Autoren handelt, die sich Märchen-„Muster" zu eigen gemacht haben. Der Spätromantiker **Wilhelm Hauff** und der dänische Dichter **Hans Christian Andersen** sind wohl die bei uns bekanntesten Märchenautoren.

„Volksmärchen" sind anonym und wandelbar, werden mündlich überliefert über Jahrhunderte und Sprachgrenzen hinweg und dabei verändert. Fest bleibt in der Regel der „Kern" der Handlung. Diese Märchen bilden menschliche Grundsituationen und allgemeine Handlungsmuster ab: Lösung oder Vertreibung aus häuslicher Geborgenheit, Gewinn an Lebensreife, Konkurrenz und Partnerschaft, Bewährung in Gefahr, Zwist und Versöhnung, Arme und Reiche, Gute und Böse usw.

Es gibt allgemeine Merkmale, die fast immer und überall im Märchen wiederkehren: Bestimmte räumliche oder zeitliche Zuordnung wird kaum erkennbar, aber es gibt bevorzugte Schauplätze wie Wald, Hütte, Schloss. Naturgesetze werden aufgehoben: Tiere können sprechen, weiteste Entfernungen im Nu überwunden werden. Wesen treten auf, die es im Alltag nicht gibt. Riesen und Zwerge, Zauberer und Hexen, Fabelgestalten aller Art. Die Handelnden und Leidenden sind meist auf bestimmte Typen festgelegt: Bauer, König, Magd, Stiefmutter, Dümmling usw. Auf Namen wird meist verzichtet; oder es sind Allerweltsnamen wie Hans und Grete oder redende Namen wie Dornröschen. Bestimmte Gegenstände (Ring), Farben (rot, gold, schwarz, weiß) und Zahlen (drei, sieben) erscheinen auffallend häufig, ebenso Sprachformeln (besonders an Anfang und Ende). Der Satzbau ist einfach (Neben-, nicht Unterordnung der Sätze, Reihung). Die Handlung konzentriert sich einsträngig auf wenige Hauptpersonen und folgt dem zeitlichen Ablauf. Fast immer stellt sich am Ende eine gerechte Ordnung (wieder) her: Gute werden belohnt, Böse bestraft, oft grausam. Das entspricht persönlichen und gesellschaftlichen Erwartungen und Bedürfnissen: Märchen können Wunschbilder sein zum Ausgleich für alltäglichen Mangel. So waren sie ursprünglich keineswegs Dichtung für Kinder – und sind es recht betrachtet auch heute nicht ausschließlich, wie anspruchsvolle Märchenanalyse und -deutung zeigen. Die ersten – und bekanntesten – deutschen Märchensammler, die **Brüder Grimm**, haben den Begriff „Märchen" sehr weit gefasst und andere Formen mündlich überlieferten Erzählens einbezogen: Sagen, Legenden, Schwänke, Fabeln u. a. Heute versteht man unter Märchen vorwiegend sogenannte Zaubermärchen, Erzählungen von Wunderbarem.

Märchen

Legende ↑ S. 17

Wilhelm Hauff: *Märchen,* 1825–1828 Hans Christian Andersen: *Märchen, für Kinder erzählt,* 1835–1848

„Es war einmal …" – „In den alten Zeiten, wo das Wünschen noch geholfen hat …" – „… und sie lebten vergnügt bis an ihr seliges Ende." – „… und wenn sie nicht gestorben sind, leben sie heute noch." – „Und wer das zuletzt erzählt, dem ist der Mund noch warm."

Schwank ↑ S. 50 Fabel ↑ S. 73

Die *Kinder- und Hausmärchen* der Brüder Grimm

Vorrede, 1819

Es war vielleicht gerade Zeit, diese Märchen festzuhalten, da diejenigen, die sie bewahren sollten, immer seltener wurden. [...]
Wir wollen in gleichem Sinne diese Märchen nicht rühmen oder gar gegen eine entgegengesetzte Meinung verteidigen: Ihr bloßes Dasein reicht hin, sie
5 zu schützen. Was so mannigfach und immer wieder von neuem erfreut, bewegt und belehrt hat, das trägt seine Notwendigkeit in sich und ist gewiss aus jener ewigen Quelle gekommen, die alles Leben betaut und wenn es auch nur ein einziger Tropfen wäre, den ein kleines, zusammenhaltendes Blatt gefasst hat, so schimmert es doch in dem ersten Morgenrot.

Jacob, 1785–1863, und Wilhelm, 1786–1859 (Es gab noch drei weitere Brüder und eine Schwester.)

Novalis: „Das ganze verkehrte Wesen" (↑ S. 158)

Ein Abschnitt aus der *Vorrede,* mit der **Jacob** und **Wilhelm Grimm** 1819 die *Kinder- und Hausmärchen* einleiten, die sie gesammelt und in zwei Bänden erstmals 1812 und 1815 herausgegeben haben. Bekannt sind die beiden, die immer zusammen gearbeitet und – auch nach Wilhelms Heirat – zusammen gelebt haben, als die „Brüder Grimm" und so treten sie auch auf dem Titelblatt ihrer Märchensammlung auf.
Festhalten wollen sie also, was sonst wohl verloren ginge, weil die „Verkehrtheiten des Lebens" die Fantasie mehr und mehr bedrohten: flaches Nützlichkeitsdenken, „leere Prächtigkeit". Für ihre Sammlertätigkeit nennen sie zwei Beweggründe: Sie wollen einen Beitrag leisten zur „Geschichte der Poesie und Mythologie". Vor allem aber wollen sie mit den Märchen Poesie an die Menschen heranbringen und ihnen damit Freude machen: mit einem rechten „Hausbuch", wie man damals sagte. Die Brüder Grimm sprechen sogar von einem „Erziehungsbuch". Darum haben sie „jeden für das Kindesalter nicht passenden Ausdruck gelöscht", die Texte also ihrem Vorhaben an-

Kinder brauchen Märchen (1976) heißt ein Buch des Kinderpsy- chologen Bruno Bettelheim.

gepasst. Aber sie warnen auch vor allzu großer Ängstlichkeit. Die Frage, was man Kin- dern zumuten dürfe – oder solle – , taucht im Zusammenhang mit den Märchen bis heute immer wieder auf.
Durch die Bearbeitung haben die Märchen mit der Zeit eine eigene Form angenom- men: Man kann die „Herausgeber" durchaus auch als „Autoren" bezeichnen. Glät- tung, Ausschmückung und Erweiterung der Texte durch Begründungen und Erklä- rungen stammen vor allem von der Hand Wilhelm Grimms. Was wir heute als „typischen Märchenstil" empfinden, ist zum nicht geringen Teil Ergebnis dieser Arbeit. Als Beispiel diene ein Abschnitt aus einem der bekanntesten Grimmschen Märchen, das die Sammlung eröffnet: *Der Froschkönig oder der eiserne Heinrich.* Wie verändert sich die Darstellung eines bestimmten Handlungselements in drei Text- fassungen aus 45 Jahren?

1. Fassung in einer Hand- schrift vom Jahre 1810

Und als er satt war, sprach er zu ihr: Bring mich in dein Bettlein, ich will bei dir schlafen. Das wollte sie aber durchaus nicht, denn sie fürchtete sich sehr vor dem kalten Frosch. Aber der König befahl es wiederum, da nahm sie den Frosch und trug ihn in ihre Kammer und voller Zorn fasste sie ihn und
5 warf ihn mit aller Gewalt wider die Wand in ihrem Bett. Wie er aber an die Wand kam, so fiel er herunter in das Bett und lag darin als ein junger schöner Prinz, da legte sich die Königstochter zu ihm.

Wie er sich satt gegessen hatte, sagte er: „Nun bin ich müd und will schlafen, bring mich hinauf in dein Kämmerlein, mach dein Bettlein zurecht, da wollen wir uns hineinlegen." Die Königstochter erschrack, wie sie das hörte, sie fürchtete sich vor dem kalten Frosch, sie getraute sich nicht ihn anzurühren und nun sollte er bei ihr in ihrem Bett liegen, sie fing an zu weinen und wollte durchaus nicht. Da ward der König zornig und befahl ihr bei seiner Ungnade zu thun, was sie versprochen habe. Es half nichts, sie musste thun, wie ihr Vater wollte, aber sie war bitterböse in ihrem Herzen.

Sie packte den Frosch mit zwei Fingern und trug ihn hinauf in ihre Kammer, legte sich ins Bett und statt ihn neben sich zu legen, warf sie ihn bratsch! an die Wand; „Da nun wirst du mich in Ruhe lassen, du garstiger Frosch!" Aber der Frosch fiel nicht todt herunter, sondern wie er herab auf das Bett kam, da wars ein schöner Prinz. Der war nun ihr lieber Geselle und sie hielt ihn werth wie sie versprochen hatte und sie schliefen vergnügt zusammen ein.

2. Fassung (fast doppelt so lang) in der Erstausgabe der *Kinder- und Hausmärchen,* 1812

Endlich sprach er: Ich habe mich satt gegessen und bin müde, nun trag mich in dein Kämmerlein und mach dein seiden Bettlein zurecht, da wollen wir uns schlafen legen." Die Königstochter fing an zu weinen und fürchtete sich vor dem kalten Frosch, den sie nicht anzurühren getraute und der nun in ihrem schönen reinen Bettlein schlafen sollte. Der König aber ward zornig und sprach: „Wer dir geholfen hat, als du in der Not warst, den sollst du hernach nicht verachten."

Da packte sie ihn mit zwei Fingern, trug ihn hinauf und setzte ihn in eine Ecke. Als sie aber im Bett lag, kam er gekrochen und sprach: „Ich bin müde, will schlafen so gut wie du: Heb mich herauf oder ich sag's deinem Vater."

Da ward sie erst bitterböse, holte ihn herauf und warf ihn aus allen Kräften wider die Wand. „Nun wirst du Ruhe haben, du garstiger Frosch."

Als er aber herabfiel, war er kein Frosch, sondern ein Königssohn mit schönen und freundlichen Augen. Der war nun nach ihres Vaters Willen ihr lieber Geselle und Gemahl. Da erzählte er ihr, er wäre von einer bösen Hexe verwünscht worden und niemand hätte ihn aus dem Brunnen erlösen können als sie allein und morgen wollten sie zusammen in sein Reich gehen.

Dann schliefen sie ein …

3. Fassung in der *Ausgabe letzter Hand,* 1857

So sah der Maler Ludwig Emil Grimm, der jüngste der Grimm-Brüder, eine Märchenerzählerin: Allerlei Getier im kunstvollen Rankenwerk und zu Füßen und Häupten der Frau und der Kinder, ein von Engeln behütetes Idyll.

Früher dachte man, die Märchensammler Grimm seien, das Ohr am Munde des Volkes, durch die Lande gezogen. Doch das stimmt so nicht. Soweit sie nicht aus literarischen Quellen schöpften, brachte man ihnen in der Regel die Märchen ins Haus. Trotzdem bleibt es das große Verdienst der Brüder Grimm, dass sie mündlich Erzähltes aufgeschrieben haben. Da erscheint es zweitrangig, ob die Gewährsleute Bauern oder Städter waren. Es mindert auch nicht ihre Leistung, dass manche dieser Märchen schon anderweitig schriftlich überliefert waren.

In Wirklichkeit war Dorothea Viehmann, geborene Pierson, die Frau eines Schneidermeisters und hugenottischer Abstammung.

Das Idealbild der Brüder Grimm freilich war „Frau Viehmännin", eine „Bäuerin aus Zwehren", einem Dorf bei Kassel. Der verdankten sie „einen ansehnlichen Teil der hier mitgeteilten, darum echt hessischen Märchen", tun sie kund. Sie erzähle „bedächtig, sicher und mit eigenem Wohlgefallen daran; erst ganz frei, dann, wenn man will, noch einmal langsam, so dass man ihr nachschreiben kann. Manches ist auf diese Weise wörtlich beibehalten."

1778–1842

Kunstvolle Einfachheit: Clemens Brentano

Der Spinnerin Nachtlied

Es sang vor langen Jahren
Wohl auch die Nachtigall,
Das war wohl süßer Schall,
Da wir zusammen waren.

₅ Ich sing und kann nicht weinen
Und spinne so allein
Den Faden klar und rein
So lang der Mond wird scheinen.

Als wir zusammen waren
10 Da sang die Nachtigall
Nun mahnet mich ihr Schall
Dass du von mir gefahren.

So oft der Mond mag scheinen,
Denk ich wohl dein allein,
15 Mein Herz ist klar und rein,
Gott wolle uns vereinen.

Seit du von mir gefahren,
Singt stets die Nachtigall,
Ich denk bei ihrem Schall,
20 Wie wir zusammen waren.

Gott wolle uns vereinen
Hier spinn ich so allein,
Der Mond scheint klar und rein,
Ich sing und möchte weinen.

Ein Versreigen von kunstvoller Einfachheit. Ist das kein Widerspruch? Einfach: kein besonderes, schwieriges Wort; kurze Hauptsätze, nur siebenmal ein untergeordneter Satz; für die 24 Verse aus fünffüßigen Jamben nur zehn Reimwörter, die sich entsprechend oft wiederholen. Ebenso leicht zu erfassen der Strophenbau: Jeweils zwei Außenverse mit weiblichem Reimwort umarmen zwei Binnenverse mit männlichem Reimwort. Doch kunstvoll: Aufmerksame Betrachtung ergibt, wie genau die Verbindung der so eingängig dahinfließenden Verse durchdacht ist. Die Strophen 1, 3 und 5 reimen ausschließlich auf *a*. Sie sind erfüllt vom verlorenen Klang ferner Vergangenheit, an die das singende Ich sich erinnert. „Süßes" Einst und bitteres Jetzt sind verbunden durch den Gesang der Nachtigall. Die jeweils darauf folgenden Strophen 2, 4 und 6 reimen auf *ei*. Der Schein des Mondlichts, der nun auf die einsam Klagende fällt, ist „klar und rein" – wie der Faden, den sie spinnt, wie ihr Herz. Die letzte Zeile jeder Strophe eröffnet wieder (mit geringfügiger Variation an drei Stellen) die folgende Strophe der gleichen Reimgruppe.

So könnte sich das Ganze immerfort im Kreise drehen, ausweglos wie der Schmerz der Verlassenen – und wie das Spinnrad, das sich unablässig dreht und nicht von der Stelle kommt. Keine Hoffnung? „Ich sing und kann nicht weinen", heißt es am Anfang. Am Ende ist aus dem „kann nicht" ein „möchte" geworden. Könnten ausbrechende Tränen den Kreislauf der Klage öffnen?

Gerade in romantischer Dichtung ist solche kunstvolle Einfachheit kein Widerspruch: Schlichtes Gefühl und wacher Verstand schließen einander nicht aus. Novalis zum Beispiel bezeugt das mit Leben und Werk und mit seiner Forderung, man müsse „dem Endlichen einen unendlichen Schein" geben und umgekehrt „dem Unendlichen einen geläufigen Ausdruck".

Der bei aller Konstruiertheit einfache und eingängige Ton des vorgestellten Gedichts erinnert an Volksdichtung, die tiefes Wissen in schlichtem Gewande aufscheinen lässt. Zusammen mit seinem Freund (und späteren Schwager) **Achim von Arnim** hat

Jambus ↑ S. 59

weiblicher Reim: Auf die letzte betonte Silbe folgt noch eine unbetonte.

Achim von Arnim, 1781–1831, Bettine v. A. ↑ S. 171

Volkslied ↑ S. 90

„Dieses Buch kann ich nicht genug rühmen; es enthält die holdseligsten Blüten des deutschen Geistes, und wer das deutsche Volk von einer liebenswürdigen Seite kennen lernen will, der lese diese Volkslieder."
H. Heine, 1835

Joseph von Eichendorff:
Aus dem Leben eines Taugenichts,
1826

Clemens Brentano lyrische Volksdichtung nicht nur gesammelt, sondern vielfach auch verändert und weitergedichtet. Die Sammlung *Des Knaben Wunderhorn* enthält neben Volksliedern auch Texte, deren Autoren bekannt waren (auch einige Gedichte der Herausgeber selbst). Sie sollte helfen die Kluft zwischen „Volk" und „Gebildeten" zu überbrücken und so Dichtung und Leben im Sinne der Romantik miteinander zu verbinden. Drei Bände umfasst die Sammlung; dem dritten ist ein Anhang mit „Kinderliedern" beigefügt.

„Taugenichts" im Glück

> Das Rad an meines Vaters Mühle brauste und rauschte schon wieder recht lustig, der Schnee tröpfelte emsig vom Dache, die Sperlinge zwitscherten und tummelten sich dazwischen; ich saß auf der Türschwelle und wischte mir den Schlaf aus den Augen; mir war so recht wohl in dem warmen Sonnenscheine.
> 5 Da trat der Vater aus dem Hause; er hatte schon seit Tagesanbruch in der Mühle rumort und die Schlafmütze schief auf dem Kopfe, der sagte zu mir: Du Taugenichts! da sonnst du dich schon wieder und dehnst und reckst dir die Knochen müde und lässt mich alle Arbeit allein tun. Ich kann dich hier nicht länger füttern. Der Frühling ist vor der Tür, geh auch einmal hinaus in
> 10 die Welt und erwirb dir selber dein Brot. – Nun, sagte ich, wenn ich ein Taugenichts bin, so ists gut, so will ich in die Welt gehen und mein Glück machen.

Gesagt, getan. Ein paar Groschen bekommt er mit auf den Weg. Viel wichtiger aber ist die Geige, mit der er sich durch die Welt fiedelt, die seine Lieder begleitet. So ist ihm „wie ein ewiger Sonntag im Gemüte". Das erste Lied, das ihm auf die Lippen kommt, beginnt so:

Ein lange Zeit beliebtes Wanderlied

> Wem Gott will rechte Gunst erweisen,
> Den schickt er in die weite Welt,
> Dem will er seine Wunder weisen
> In Berg und Wald und Strom und Feld.

Damit ist schon fast alles gesagt: Soviel Gottvertrauen kann nicht irren. Was wie ein Märchen begonnen hat, geht wunderbar weiter. Das Glück führt Regie auf dem Weg durch mancherlei verwirrende Zufälle und harmlose Abenteuer. Außerdem bestimmen zwei vornehme Damen den Gang der Handlung. Erste Station ist ein Schloss bei Wien. Dort macht man den Taugenichts zum Gärtnerbuben und er hat „leider ziemlich viel zu tun". Dann lässt er sich's als Zolleinnehmer besser ergehen: „…zu tun hatte ich weiter nichts." Doch Reiselust packt ihn wieder. Er gelangt nach Italien, bis nach Rom. Von Land und Leuten tut der Erzähler kaum etwas kund und Natur und Landschaft scheinen überall einander ähnlich zu sein. Mehr und mehr wird deutlich: Stimmungen der Natur sind für den Erzähler nichts anderes als Ausdruck der eigenen Gefühle.

Der Mond schien prächtig, von den Bergen rauschten die Wälder durch die stille Nacht herüber, manchmal schlugen die Hunde im Dorfe an, das weiter im Tale unter Bäumen und Mondschein wie begraben lag. Ich betrachtete das Firmament, wie da einzelne Wolken langsam durch den Mondschein zogen
5 und manchmal ein Stern weit in der Ferne herunterfiel. So, dachte ich, scheint der Mond auch über meines Vaters Mühle und auf das weiße gräfliche Schloss. Dort ist nun auch schon alles lange still, die gnädige Frau schläft und die Wasserkünste und Bäume im Garten rauschen noch immerfort wie damals und allen ists gleich, ob ich noch da bin oder in der Fremde oder gestorben. – Da
10 kam mir die Welt auf einmal so entsetzlich weit und groß vor und ich so ganz allein darin, dass ich aus Herzensgrunde hätte weinen mögen.

Ohne dass er merkt, worum es geht, wird der Taugenichts zum Werkzeug von Liebesintrigen, die mit ihm gar nichts zu tun haben, trotzdem Enttäuschung bereiten. Da verlässt er das „falsche Italien" und landet schließlich wieder im Schloss bei Wien, wo er des Rätsels Lösung erfährt. Er hat zwar noch „keinen Roman gelesen", aber „doch einen mitgespielt [...] Also zum Schluss, wie sichs von selbst versteht und einem wohlerzogenen Roman gebührt: Entdeckung, Reue, Versöhnung, wir sind alle wieder lustig beisammen und übermorgen ist Hochzeit!" Es heiraten der Graf die echte Gräfin und Taugenichts deren Begleiterin. Denn die ist gar nicht von Adel, sondern die Nichte des Portiers und als Waisenkind im Schloss aufgenommen worden. Doch für eine mehr als standesgemäße Zukunft ist gesorgt:

Intrige:
Ränkespiel

Siehst du [...] das weiße Schlösschen, das da drüben im Mondschein glänzt, das hat uns der Graf geschenkt, samt dem Garten und den Weinbergen, da werden wir wohnen [...] – Sie lächelte still und sah mich recht vergnügt und freundlich an und von fern schallte immerfort die Musik herüber und Leucht
5 kugeln flogen vom Schloss durch die stille Nacht über die Gärten und die Donau rauschte dazwischen herauf – und es war alles, alles gut!

Joseph von Eichendorff

Märchenhaft ist diese Geschichte, aber doch kein Märchen. Die Titelgestalt selbst erzählt im Rückblick *Aus dem Leben eines Taugenichts*. Einige Namen von Orten und Landschaften sind der Wirklichkeit entnommen: Wien, Rom, die Donau. Doch nichts nimmt konkrete Gestalt an. Die „Herzworte" dieser Dichtung sind an keinen Ort gebunden: Wald, Nacht, dunkel, still, Schmerz, prächtig ...
Die treuherzige Einfalt des vom Glück Begünstigten freilich, der für ein gewöhnliches Arbeitsleben nicht „taugt", entspricht keineswegs dem Wesen und der Verfassung seines Autors, dessen humorvolles Augenzwinkern gelegentlich auch sein Geschöpf ansteckt.
Joseph Freiherr von Eichendorff, geboren 1788 auf Schloss Lubowitz in Oberschlesien, entstammte dem katholischen schlesischen Landadel. Da die Familie ihre Güter verlor, war er gezwungen die Beamtenlaufbahn einzuschlagen. Im protestantischen Preußen waren seinen Aufstiegschancen allerdings Grenzen gesetzt. Außerdem machte er sich dadurch unbeliebt, dass er den Reformgedanken des Freiherrn vom Stein

Steinsche Reformen (ab 1807): Bauernbefreiung, Selbstverwaltung der Städte u. a.

anhing. So kam es, dass er bei seiner Pensionierung 1844 noch nicht einmal den sonst üblichen Orden erhielt.

Vor allem zwei seiner Prosawerke geben indirekt Auskunft über seine Auseinandersetzung mit Zeit und Gesellschaft und seine Vorstellungen von dichterischer Existenz. Der Romantitel *Ahnung und Gegenwart* (1811) deutet an: Die „Ahnung" von einer besseren Welt und die Sehnsucht danach sind lebensnotwendig um die „Gegenwart" zu bestehen. Der romantische Dichter **Friedrich de la Motte Fouqué** nennt diesen im Vorfeld der Befreiungskämpfe gegen Napoleon entstandenen Roman „ein getreues Bild der gewitterschwülen Zeit der Erwartung, Sehnsucht und Verwirrung".

Die Erzählung *Dichter und ihre Gesellen* (1834) stellt die „verschiedenen Richtungen des Dichterlebens" dar und das Gegenüber von Dichtertum und „Philister"-Wesen. Das Bild, das die Nachwelt von Eichendorff bewahrt hat, ist meist zu eng. Den „Taugenichts" hat man als „Inbegriff deutschen Wesens" verstehen wollen; das zeugt von arg beschränktem Verständnis dessen, was „Romantik" erstrebt und geleistet hat. Kaum einem fällt ein, wenn er den Namen Eichendorff hört, dass dieser romantische Dichter noch sehr bewusst die Anfänge des Eisenbahnwesens in Deutschland erlebt hat, das eine Voraussetzung war für die Umgestaltung der Welt durch die „industrielle Revolution". In seinem Todesjahr 1857 schrieb Eichendorff die folgende Schilderung:

> An einem schönen warmen Herbstmorgen kam ich auf der Eisenbahn vom andern Ende Deutschlands mit einer Vehemenz dahergefahren, als käme es bei Lebensstrafe darauf an, dem Reisen, das doch mein alleiniger Zweck war, auf das allerschleunigste ein Ende zu machen. Diese Dampffahrten rütteln die
> 5 Welt, die eigentlich nur noch aus Bahnhöfen besteht, unermüdlich durcheinander wie ein Kaleidoskop, wo die vorüberjagenden Landschaften, ehe man noch irgendeine Physiognomie erfasst, immer neue Gesichter schneiden, der fliegende Salon immer andere Sozietäten bildet, bevor man noch die alten recht überwunden. [...] In den Bahnhöfen ist eine so große Eilfertigkeit, dass
> 10 man vor lauter Eile mit nichts fertig werden kann. Die Leute wussten genau, in welcher Stunde und Minute ich in Paris oder Triest oder Königsberg, wohin ich nicht wollte, sein könne, über Zugang und Entfernung des geheimnisvollen Waldes aber, wohin ich eben wollte, konnte ich nichts Gewisses erfahren.

Den Beginn des neuen, industriellen Zeitalters hat Eichendorff gerade noch „erfahren". Doch seine Welt blieb die des „geheimnisvollen Waldes", die er in großartigen lyrischen Bildern beschworen hat. In Gedichten, die man nicht selten in die leicht dahinschwebende Handlung seiner Erzählungen eingewoben findet.

> Schweigt der Menschen laute Lust:
> Rauscht die Erde wie in Träumen
> Wunderbar mit allen Bäumen,
> Was dem Herzen kaum bewusst.
> 5 Alte Zeiten, linde Trauer
> Und es schweifen leise Schauer
> Wetterleuchtend durch die Brust.

Sidenotes:

Fouqué war im Befreiungskrieg Offizier bei den berühmten Lützowschen Jägern, einem Freikorps, dem sich auch Eichendorff anschloss.

Philister: So tauften – nach den Feinden Israels im Alten Testament – die Studenten im 17. Jh. ihre Gegner: Polizisten und kleinbürgerliche „Spießer".

Vehemenz: Ungestüm
Kaleidoskop: fernrohrähnliches Spielzeug, das durch Bewegung farbiger Glasstücke immer neue Bildmuster zeigt
Physiognomie: äußere Erscheinung, Gesichtsausdruck
Sozietät: Gruppe, Gesellschaft

Ursprünglich war dieses Gedicht als Lied eingebunden in die Handlung des *Taugenichts.*

Ahnung von einer dunklen Macht: *Der Sandmann*

Gewiss seid Ihr alle voll Unruhe, dass ich so lange – lange nicht geschrieben. Mutter zürnt wohl und Clara mag glauben, ich lebe hier in Saus und Braus und vergesse mein holdes Engelsbild, so tief mir in Herz und Sinn eingeprägt, ganz und gar. – Dem ist aber nicht so; täglich und stündlich gedenke ich Eurer
5 aller und in süßen Träumen geht meines holden Clärchens freundliche Gestalt vorüber und lächelt mich mit ihren hellen Augen so anmutig an, wie sie wohl pflegte, wenn ich zu Euch hineintrat. – Ach, wie vermochte ich denn Euch zu schreiben in der zerrissenen Stimmung des Geistes, die mir bisher alle Gedanken verstörte! – Etwas Entsetzliches ist in mein Leben getreten! –
10 Dunkle Ahnungen eines grässlichen mir drohenden Geschicks breiten sich wie schwarze Wolkenschatten über mich aus undurchdringlich jedem freundlichen Sonnenstrahl. – Nun soll ich Dir sagen, was mir widerfuhr. Ich muss es, das sehe ich ein, aber nur es denkend, lacht es wie toll aus mir heraus. – Ach, mein herzlieber Lothar, wie fange ich es denn an, Dich nur einigermaßen
15 empfinden zu lassen, dass das, was mir vor einigen Tagen geschah, denn wirklich mein Leben so feindlich zerstören konnte! Wärst Du nur hier, so könntest Du selbst schauen; aber jetzt hältst Du mich gewiss für einen aberwitzigen Geisterseher. – Kurz und gut, das Entsetzliche, was mir geschah, dessen tödlichen Eindruck zu vermeiden ich mich vergeblich bemühe, besteht in nichts
20 anderem, als dass vor einigen Tagen, nämlich am 30. Oktober, mittags um 12 Uhr, ein Wetterglashändler in meine Stube trat und mir seine Ware anbot. Ich kaufte nichts und drohte, ihn die Treppe herabzuwerfen, worauf er aber von selbst fortging. –

E.T. A. Hoffmann: Der Sandmann, 1817

Wetterglas: Barometer

Nathanael, Student der Naturwissenschaften und heimlicher Dichter, schreibt an seinen Freund Lothar, der mit seiner Schwester Clara bei Nathanaels Mutter wohnt. Dort ist dessen Zuhause, eine freundliche Welt. Und erträumte Zukunft, bestimmt von den „hellen Augen" der Verlobten. Wie soll da der Besuch eines reisenden Mechanikers und Optikers sein „Leben so feindlich zerstören" können?
Die Erklärung folgt: Dieser Mann erinnert Nathanael an ein düsteres Kindheitserlebnis: an den Advokaten Coppelius, der manchmal abends auftauchte und sich mit dem Vater zurückzog zu geheimnisvoller Tätigkeit. Die Kinder mussten vorher ins Bett: Der Sandmann komme, hieß es, eigentlich ein freundliches Bild. Aber der Junge, der es wörtlich nahm, war von der Erzählung einer alten Kinderfrau beeinflusst: Da war der Sandmann eine finstere Schreckensgestalt, die den Kindern die Augen raubte. Die Angst des Jungen ließ diesen Sandmann und Coppelius eins werden: „ein hässlicher gespenstischer Unhold, der überall, wo er einschreitet, Jammer – Not – zeitliches und ewiges Verderben bringt". Beim Versuch das heimliche Tun zu belauschen wurde der Zehnjährige entdeckt. Coppelius misshandelte ihn und drohte ihm die Augen auszureißen. Das konnte der Vater verhindern; doch der Junge fiel in schwere Krankheit. Ein Jahr später verunglückte der Vater tödlich bei einer solchen nächtlichen Zusammenkunft. Coppelius habe ihn erschlagen, meint Nathanael seitdem. Und nun steht der plötzlich vor der Tür des jungen Mannes, im Gewand eines fremdländischen Hausierers, der mit optischen Geräten handelt. Giuseppe Coppola nennt er sich.

Coppo: italienisch für ‚Augenhöhle'

Clara soll von all dem nichts erfahren. Doch der Brief wird irrtümlich an sie adressiert. Ein glücklicher Zufall, denn sie findet, wie ihr Name verheißt, klärende Worte für den verwirrten Geist ihres Verlobten.

> Geradeheraus will ich es Dir nur gestehen, dass, wie ich meine, alles Entsetzliche und Schreckliche, wovon Du sprichst, nur in Deinem Innern vorging, die wahre wirkliche Außenwelt aber daran wohl wenig teilhatte. [...] Gibt es eine dunkle Macht, die so recht feindlich und verräterisch einen Faden in unser
> 5 Inneres legt, woran sie uns dann festpackt und fortzieht auf einem gefahrvollen, verderblichen Wege, den wir sonst nicht betreten haben würden – gibt es eine solche Macht, so muss sie in uns sich wie wir selbst gestalten, ja unser Selbst werden; denn nur so glauben wir an sie und räumen ihr den Platz ein, dessen sie bedarf, um jenes geheime Werk zu vollbringen. Haben wir festen,
> 10 durch das heitre Leben gestärkten Sinn genug, um fremdes feindliches Einwirken als solches stets zu erkennen und den Weg, in den uns Neigung und Beruf geschoben, ruhigen Schrittes zu verfolgen, so geht wohl jene unheimliche Macht unter in dem vergeblichen Ringen nach der Gestaltung, die unser eignes Spiegelbild sein sollte.

Klarer kann man es kaum sagen, dass solche Gespenster, solche „dunklen Mächte und Gestalten", Ausgeburten unseres eigenen Ichs sind. Das meint auch der Erzähler, der nun „von Nathanaels verhängisvollem Leben" berichtet.

sköne Oke:
schöne Augen

Coppola erscheint wieder bei Nathanael und bietet im „sköne Oke" an: Brillen. Der schämt sich seiner „kindischen Gespensterfurcht" und kauft ein „Perspektiv", ein kleines Fernglas, gleichsam ein verlängertes Auge. Mit diesem „fremden Auge" beobachtet er Olimpia, angeblich die Tochter seines Professors Spalanzani, die ihm wie eine „schöne Bildsäule" erscheint, wenn auch mit starren, toten Augen. Verblendet merkt er nicht, dass er sich in eine Puppe verliebt; Spalanzani sagt: „mein bestes Automat". Sie produziert zwar mechanisch Klavierspiel, Gesang und Tanz, kann aber zu allem nur „Ach" sagen: eine ächzende Maschine, auf die Nathanael mit glühenden Liebesbeteuerungen einredet, deren kalte Lippen er erwärmen will. Claras lebendiges Bild entschwindet mehr und mehr dabei.

La Musicienne ('die Musikerin'),
1774. Solche Automaten konstruierte man
besonders im 18.Jh.: außen Wachs, innen ein
Mechanismus, scheinbar lebendige „künstliche
Menschen", sichtbarer Ausdruck der Frage,
welche „Triebfedern" von wessen Hand wohl
im Innern des Menschen wirkten.

Bei einem Streit mit Spalanzani um den Besitz des Automaten trägt Coppelius die
Puppe davon. Nur die Augen bleiben zurück. Der Professor wirft sie Nathanael entgegen. Der wird darüber wahnsinnig und ins „Tollhaus" gebracht. Erst zu Hause bei
den Seinen bahnt sich Heilung an und er findet zu Clara zurück. Ein gemeinsames
Leben auf dem Land verspricht ein glückliches Ende. Von einem Turm aus wollen die
beiden Abschied nehmen von der Stadt. Doch der Blick durchs Perspektiv löst einen
neuen furchtbaren Anfall aus. In letzter Minute kann Lothar die Schwester vor dem
Wahnsinnigen retten. Nathanael erblickt in der Tiefe Coppelius und stürzt sich hinab – mit dem gellenden Schrei „Sköne Oke".

„Augen werfen"
bedeutete
damals: durch
„bösen Blick"
schaden.

Nach mehreren Jahren will man in einer entfernten Gegend Clara gesehen
haben, wie sie mit einem freundlichen Mann Hand in Hand vor der Türe
eines schönen Landhauses saß und vor ihr zwei muntre Knaben spielten.
Es wäre daraus zu schließen, dass Clara das ruhige häusliche Glück noch fand,
5 das ihrem heitern lebenslustigen Sinn zusagte und das ihr der im Innern
zerrissene Nathanael niemals hätte gewähren können.

„Meister des Unheimlichen": E. T. A. Hoffmann

Der friedliche Schluss nach soviel Entsetzen ist kein Happyend wie beim „Taugenichts", eher Ausdruck von Hoffnung: Man „will" gesehen haben, es „wäre" zu
schließen … Die Frage bleibt: Wie kann der Mensch Frieden finden angesichts des
Unheimlichen, das gerade dem Gewöhnlichsten innewohnen kann? Der Dichter
E. T. A. Hoffmann ist zeit seines Lebens die Angst nicht losgeworden, die aus den Ab-
gründen der Seele aufsteigt. Besonders bedroht erscheinen die Sensiblen, die genial
Begabten. Eine seiner Figuren lässt Hoffmann sagen: „Übrigens meine ich, dass die

Phantasie durch sehr einfache Mittel aufgeregt werden könne und dass das Grauenhafte oft mehr im Gedanken als in der Erscheinung beruhe."

Die *Nachtstücke,* zu denen die Erzählung vom *Sandmann* gehört, sind 1817 erschienen. Etwa hundert Jahre später nennt **Sigmund Freud** Hoffmann einen „Meister des Unheimlichen" und der folgende Satz Freuds liest sich wie eine kurzgefasste Deutung dessen, was mit Nathanael geschieht: „Das Unheimliche des Erlebnisses kommt zustande, wenn *verdrängte* infantile Komplexe durch einen Eindruck wieder belebt werden, oder wenn *überwundene* primitive Überzeugungen wieder bestätigt scheinen."

Die unausgesprochene Warnung, die von Nathanaels Geschichte ausgeht, ist prophetisch: Nicht das Menschenwerk Automat ist die schauerliche Bedrohung, sondern die Weise, wie der Mensch damit umgeht. Dass er den eigenen Augenschein fremder Perspektive opfert, macht möglich, dass er sich bis zum Wahnsinn in ein mechanisches Ding „verliebt". Vielleicht kann ja der Schauder, den ein solches *Nachtstück* hervorruft, heilsam sein: indem er dunkle Ängste ins Licht des Bewusstseins hebt.

Der 1776 in Königsberg geborene **Ernst Theodor Wilhelm Hoffmann** änderte später seinen dritten Vornamen in **Amadeus,** Ausdruck der Verehrung für Mozart. Er studierte Jura und beschäftigte sich intensiv mit Psychologie und Psychopathologie, den Wissenschaften vom bewussten und unbewussten Seelenleben und von seelischer Krankheit. Er arbeitete am Gericht, aber auch – und nicht nur nebenbei – in anderen Berufen, aus Neigung und durch äußere Umstände veranlasst: als Musiklehrer und -kritiker, Kapellmeister, Theaterkomponist, Bühnenbildner, Zeichner und Maler. 1816 kehrte er als Kammergerichtsrat zur Justiz zurück. Von da an bis zu seinem Tode 1822 erschienen seine wichtigsten Werke: „Sonntag blühen bei mir Künste und Wissenschaften […] Die Wochentage bin ich Jurist und höchstens etwas Musiker, sonntags am Tage wird gezeichnet und abends bin ich ein sehr witziger Autor bis in die späte Nacht." Damit spielt er wohl vor allem auf einen Roman an, der satirisch den Zusammenstoß von künstlerischen und bürgerlichen „Lebensansichten" darlegt: *Lebensansichten des Katers Murr nebst fragmentarischer Biographie des Kapellmeisters Johannes Kreisler* […]" (1820/22).

Heinrich Heine bringt in einer Abhandlung über romantische Dichtung in Deutschland einen aufschlussreichen Vergleich:

> Novalis sah überall nur Wunder und liebliche Wunder; er belauschte das
> Gespräch der Pflanzen, er wusste das Geheimnis jeder jungen Rose, er
> identifizierte sich endlich mit der ganzen Natur und als es Herbst wurde und
> die Blätter abfielen, da starb er. Hoffmann hingegen sah überall nur Gespens-
> 5 ter, sie nickten ihm entgegen aus jeder chinesischen Teekanne und jeder
> Berliner Perücke; er war ein Zauberer, der die Menschen in Bestien verwandel-
> te und diese sogar in königlich preußische Hofräte; er konnte die Toten aus
> den Gräbern hervorrufen, aber das Leben selbst stieß ihn von sich als einen
> trüben Spuk. Das fühlte er; er fühlte, dass er selbst ein Gespenst geworden; die
> 10 ganze Natur war ihm jetzt ein missgeschliffener Spiegel, worin er, tausendfältig
> verzerrt, nur seine eigne Totenlarve erblickte; und seine Werke sind nichts
> anders als ein entsetzlicher Angstschrei in zwanzig Bänden.

Zugespitzte Formulierungen, gewiss. Doch sie treffen eher als das spöttische Etikett „Gespenster-Hoffmann", das man diesem bedeutenden Dichter anheften wollte, der

---

Margin notes:

1856–1939, Begründer der Psychoanalyse

infantil: kindlich
Komplex: Bündel stark gefühlshaltiger Vorstellungen

Satire ↑ S. 65

Heinrich Heine ↑ S. 206

Die Romantische Schule, 1835

Larve: Maske, auch Gespenst

zugleich ein bemerkenswerter Komponist und Zeichner war. Im Ausland war Hoffmann der am höchsten geschätzte – und am meisten gelesene – deutsche Romantiker.

Karoline von Günderode und Bettine von Arnim

[…] unser Zusammenleben war schön, es war die erste Epoche, in der ich mich gewahr ward; – sie hatte mich zuerst aufgesucht in Offenbach, sie nahm mich bei der Hand und forderte, ich solle sie in der Stadt besuchen; nachher waren wir alle Tage beisammen, bei ihr lernte ich die ersten Bücher mit
5 Verstand lesen, sie wollte mich Geschichte lehren, sie merkte aber bald, dass ich zu sehr mit der Gegenwart beschäftigt war, dass mich die Vergangenheit hätte lange fesseln können; – wie gern ging ich zu ihr! Ich konnte sie keinen Tag mehr missen, ich lief alle Nachmittage zu ihr; wenn ich an die Tür des Stifts kam, da sah ich durch das Schlüsselloch bis nach ihrer Tür, bis mir
10 aufgetan ward; – ihre kleine Wohnung war ebner Erde nach dem Garten; vor dem Fenster stand eine Silberpappel, auf die ich kletterte während dem Vorlesen; bei jedem Kapitel erstieg ich einen höheren Ast und las von oben herunter; – sie stand am Fenster und hörte zu und sprach zu mir hinaus und dann und wann sagte sie: „Bettine, fall nicht"; jetzt weiß ich erst, wie glücklich
15 ich in der damaligen Zeit war, denn weil alles, auch das Geringste, sich als Erinnerung von Genuss in mich geprägt hat […] – Sie las mir ihre Gedichte vor und freute sich meines Beifalls, als wenn ich ein großes Publikum wär; ich war aber auch voll lebendiger Begierde, es anzuhören; nicht als ob ich mit dem Verstand das Gehörte gefasst habe – es war vielmehr ein mir unbekanntes Ele-
20 ment und die weichen Verse wirkten auf mich wie der Wohllaut einer fremden Sprache, die einem schmeichelt, ohne dass man sie übersetzen kann. –
Wir lasen zusammen den *Werther* und sprachen viel über den Selbstmord; sie sagte: „Recht viel lernen, recht viel fassen mit dem Geist und dann früh sterben; ich mag's nicht erleben, dass mich die Jugend verlässt." […]
25 Wir machten ein Reiseprospekt, wir erdachten unsre Wege und Abenteuer, wir schrieben alles auf, wir malten alles aus, unsre Einbildung war so geschäftig, dass wir's in der Wirklichkeit nicht besser hätten erleben können; oft lasen wir in dem erfundenen Reisejournal und freuten uns der allerliebsten Abenteuer, die wir drin erlebt hatten und die Erfindung wurde gleichsam zur
30 Erinnerung, deren Beziehungen sich noch in der Gegenwart fortsetzten.
Von dem, was sich in der Wirklichkeit ereignete, machten wir uns keine Mitteilungen; das Reich, in dem wir zusammentrafen, senkte sich herab wie eine Wolke, die sich öffnete, um uns in ein verborgenes Paradies aufzunehmen; da war alles neu, überraschend, aber passend für Geist und Herz und
35 so vergingen die Tage.

Dankbar erinnert sich **Bettine von Arnim** an eine glückliche Zeit vor gut dreißig Jahren, an die Freundin, die ihr so viel gegeben hat. Um die fünfzehn war sie damals, die Tochter der reichen Frankfurter Kaufmannsfamilie Brentano. Ihre Eltern hatte sie früh verloren, so wuchs sie an verschiedenen Orten heran. Eine gute Zeit verbrachte sie in Offenbach bei der Großmutter, der berühmten Schriftstellerin **Sophie von La**

Marginalien:

Bettine von Arnim: *Goethes Briefwechsel mit einem Kinde,* 1835

Werther ↑ S. 98

Reiseprospekt, -journal: Plan für eine erfundene Reise und Bericht darüber

Sophie von La Roche ↑ S. 101

Roche. Das war ein geistig aufgeschlossenes Haus: Künstler und Gelehrte verkehrten dort, französische Emigranten und deutsche Jakobiner: Gegner und Anhänger der Revolution. Offenheit, geistige Beweglichkeit, Toleranz und Freiheitssinn – ein gutes Klima für das intelligente, fantasievolle, eigenwillige junge Mädchen.

Karoline von Günderode, 1780–1806

Die andere: **Karoline von Günderode**, fünf Jahre älter. Als Angehörige einer verarmten Adelsfamilie war sie mit siebzehn in ein evangelisches Damenstift in Frankfurt aufgenommen worden, wo Unverheiratete und Witwen aus Adelskreisen standesgemäß versorgt wurden. Bei offiziellen Anlässen trugen die Damen ein „schwarzes Ordenskleid mit langer Schleppe und weißem Kragen" und ein Ordenskreuz. Karoline „war schüchtern-freundlich", sagt Bettine, „und viel zu willenlos, als dass sie in der Gesellschaft sich bemerkbar gemacht hätte." Aber die geistvolle und schöne Frau war gern gesehen bei Gesellschaften. Die Liebe, die Clemens Brentano, Bettines Bruder, ihr entgegenbrachte, wies sie zurück. Der Rechtsgelehrte Carl Friedrich von Savigny, den sie liebte, heiratete eine Schwester Bettines.

Gedichte und Phantasien, 1804; Poetische Fragmente, 1805

Ihre Gedichte veröffentlichte Karoline von Günderode unter männlichem Namen: „Tian". „Schon oft hatte ich den Wunsch, mich in ein wildes Schlachtgetümmel zu werfen, zu sterben. Warum ward ich kein Mann!" Doch es gehörte in jener Zeit für eine Frau mehr Mut dazu ihre innersten Wünsche und Gefühle so preiszugeben, wie sie es getan hat. Nur in ihrer leidenschaftlichen Fantasie konnte sie die Grenzen sprengen, die das Geschlecht ihr setzte. Was, in ihren Augen, das Wesen der Liebe bestimmte, entsprach der Widersprüchlichkeit ihrer Existenz.

Liebe

O reiche Armut! Gebend, seliges Empfangen!
In Zagheit Mut! in Freiheit doch gefangen.
   In Stummheit Sprache,
   Schüchtern bei Tage,
5   Siegend mit zaghaftem Bangen.

Lebendiger Tod, im Einen sel'ges Leben
Schwelgend in Not, im Widerstand ergeben,
   Genießend schmachten,
   Nie satt betrachten
10   Leben im Traum und doppelt Leben.

Im Zwiespalt der Gefühle eine verzweifelte Hoffnung, die sich nicht erfüllt. Nicht „doppelt Leben" bedeutet das „Leben im Traum", sondern, im Zusammenstoß mit der Wirklichkeit, endgültige Enttäuschung: Tod. Die leidenschaftliche Liebe zwischen Karoline und dem Altertumswissenschaftler Creuzer endete traurig. Creuzer war verheiratet und wagte nicht die Scheidung von der dreizehn Jahre älteren Frau. Nach einem Zusammentreffen in Frankfurt, das ein schweres Nervenfieber bei ihm auslöste, ließ er ihr mitteilen, dass er das Verhältnis beende. Die Nachricht erreichte Karoline, als sie bei Freunden in Winkel am Rhein weilte. Am nächsten Morgen fand man sie tot, halb im Wasser. Sie hatte sich mit dem silbernen Dolch, den sie immer mit sich trug, erstochen. „Sie fiel, ein Opfer der Zeit", schrieb eine Freundin. Der Weg der Frauen zu freier Selbstbestimmung war noch weit. Einige bedeutende Frauen der Romantik haben erste wegweisende Schritte gewagt, meist gegen erhebliche Widerstand und zuletzt, wie Karoline von Günderode, als Leidende.

Das geschah im Juli des Jahres 1806. Der erste Band von *Des Knaben Wunderhorn* war nicht lange vorher erschienen, herausgegeben von Clemens Brentano und Achim von Arnim, den Bettine fünf Jahre später heiratete. Sie hat ihre Freundin um mehr als ein halbes Jahrhundert überlebt und ihr 1840 ein besonderes literarisches Denkmal errichtet: *Die Günderode – Ein Briefroman.* Die Briefe von einst erscheinen da, stark verändert und mit Eigenem erweitert. Das Bild, das sie vermitteln, ist oft schwärmerisch-verklärt und doch in vielem zutreffend. Ein ungewöhnliches Erzähltalent verband sich bei Bettine mit der Gabe Personen und Situationen treffend zu charakterisieren. Die eingangs zitierten Sätze über Karoline von Günderode stammen aus einem anderen „Brief-Buch" Bettines, das ebenfalls Bewahrtes und Erfundenes zusammenbindet. Es ist ihr erstes Buch und hat ihr gleich große Anerkennung gebracht: *Goethes Briefwechsel mit einem Kinde* (1835). Das Kind war Bettine.

Briefroman
↑ S. 101

Es kömmt mir bald zu närrisch vor, liebe Bettine, dass du dich so feierlich für meinen Schüler erklärst, ebenso könnte ich mich für den deinen halten wollen.
Karoline

Karoline von Günderode

Bettine von Arnim

Zwei Frauen der Romantik – zwei ganz verschiedene Wege. Nach ihrer Heirat lebte Bettine abwechselnd auf dem Arnimschen Gute Wiepersdorf und in Berlin. Zwanzig Jahre lang widmete sie sich ganz der Familie, vor allem der Erziehung ihrer sieben Kinder. 1831 starb Achim von Arnim. Bettines dritter Lebensabschnitt war erfüllt von schriftstellerischer Arbeit, aber auch von politischem und sozialem Engagement. Das trug ihr bald die Aufmerksamkeit der Zensurbehörde ein. Als „die praktischste Frau, die sich denken lässt", bewährte sie sich bei einer Choleraepidemie 1831 in Berlin.

Bettine von Arnims Salon war offen für Menschen, die gegen die Unterdrückung politischer und geistiger Freiheit eintraten, Studenten und junge Literaten, demokratisch Gesinnte, die man in jener Zeit als „Demagogen" verdächtigte und verfolgte. Im Rückblick nennt man diese Zeit vor der Märzrevolution des Jahres 1848 den „Vormärz". Bettine setzte ihre Hoffnung auf ein „Volkskönigtum", das sich im Dienste sozialer Gerechtigkeit verstehen sollte. Diesem Gedanken gab sie Ausdruck in einem

Vormärz
↑ S. 177

*Dies Buch gehört
dem König,* 1843

Buch, das sie an den preußischen König Friedrich Wilhelm IV. adressierte. Darin geißelt sie Missstände wie Zensur und Unterdrückung von Minderheiten, vor allem der
Juden; sie fordert Maßnahmen gegen die ungeheure Not im Gefolge der Industrialisierung und Reformen, zum Beispiel ein zeitgemäßes Bildungssystem. Den Reichen
und Mächtigen wirft sie vor:

Fron:
dem Herren
geschuldeter
Dienst
Wacht:
Wachestehen

> Ihr wollt den Armen an den Boden fesseln seiner Geburt. Kann er da säen und
> ernten? wo kann er die Hand ausstrecken nach Brot, wo schlafen? – Gefangen
> haltet Ihr ihn unter freiem Himmel, verdammt ihn zu Fronen, Wachten und
> Abgaben, auch ohne Einnahme. Versucht ers zu entfliehen, dann jagt ihn, ein
> 5 humaner Staat wie der andere, wieder zurück an den Ort seines Elendes und
> dann seht Ihr in ihm einen Vagabunden, der sich eingerichtet hat auf Dieb-
> stahl und Raubmord! dann muss das Beil Euren Weisheitsspruch vollziehen an
> diesen verhärteten Bösewichtern – Aber, seid Ihr denn nicht verhärtet? […]
> Jedes Verbrechen fällt auf Euch zurück und Ihr wollt an Gottes statt sitzen
> 10 und richten? Und nie! nie dass ein heller Augenblick Euch warnte: was wag ich
> zu tun an dem, den ich selbst ins Verderben stürzte? –

Armenbuch,
erster Druck
1844 abgebro-
chen

Weberaufstand
↑ G. Haupt-
mann, S. 258

Die gesammel-
ten Texte und
Bettines Nach-
wort sind erst im
Jahre 1969 veröf-
fentlicht worden!

1844 forderte Bettine in einem öffentlichen Aufruf, man möge ihr dokumentarisches
Material zusenden für ein „Armenbuch", Berichte vom Massenelend der Weber, die
zu den ersten Opfern der Industrialisierung gehörten. Die Zensurbehörde interessier-
te sich sehr für dieses Vorhaben. Als im selben Jahr der schlesische Weberaufstand
ausbrach, der blutig niedergeschlagen wurde, stellte Bettine diese Arbeit zurück, aus
berechtigter Furcht vor einer Anklage wegen „Volksverhetzung". Aus dem Umfeld
dieses „Armenbuchs" stammt ein Text, den man Bettines „Bergpredigt" nannte. Sie
selbst hat ihn nicht niedergeschrieben; aber die Mitteilung von anderer Hand verrät
unverkennbar ihre Sprache:

Mammon:
abschätzig für
‚Geld, Reichtum'
(vgl. Lukas 16,9:
„ungerechter
Mammon")

> O, wie seid ihr verstockt, ihr Reichen, […] wie ist eure Seele verschlossen dem
> Lichte und undurchdringlich gleich einem Steine! Aus Gnade, aus Barmher-
> zigkeit habt ihr gegeben, sagt ihr. Ja, ihr meint, einen Platz im Himmel euch
> zu erkaufen mit euern Gaben, aber seine Pforten werden euch verschlossen
> 5 bleiben für nun und immer. – Denn wie gebt ihr? – Ihr werft den Armen eure
> Almosen hin, wie man einem Hunde einen Brocken zuwirft, und kümmert
> euch nicht weiter um sie. Ihr steigt nicht herab zu den Höhlen, wo die Not
> und das Elend ihr Lager aufgeschlagen haben. Wie solltet ihr auch? Der
> Höhlendunst, den ihr einatmen müsstet, würde euren Odem verpesten;
> 10 die hohlen, eingefallenen Gesichter, die ihr sehen würdet, würden euch im
> Traume erscheinen und euren Schlaf und eure Verdauung stören; im eigenen,
> wohlgeheizten Zimmer würde euch frieren, wenn ihr an die Armen dächtet,
> die barfüßig und zerlumpt der Winterkälte preisgegeben sind. – Und wovon
> gebt ihr den Armen? Von eurem Mammon? Ist er nicht gewonnen durch den
> 15 Schweiß der Armen oder hat ihn nicht euch zugebracht und vermehrt euer
> Geld, ohne dass ihr weder Hände noch Füße geregt habt? Wie also hättet ihr
> ein Recht, wie könntet ihr zum Verdienst euch anrechnen, wenn ihr den
> Armen gebt, da ihr zum Teil zurückerstattet, was ganz den Armen gehört! – Ja,
> das ist die neue Wahrheit, die in die Zeit gekommen ist. Aber diese Wahrheit

20 ist noch unerkannt, gehasst, geächtet, vogelfrei. Denn noch ist das Heft der
Gewalt bei den Reichen und die wehren dieser Wahrheit den Zugang zum
Volke. Darum tun sie nichts für den Geist des Volkes und erhalten es in seiner
Dummheit. Denn wenn das Volk einsehen lernte die neue Wahrheit; es stände
schlecht mit der Herrschaft der Reichen. Aber sie wird kommen, diese Zeit,
25 wo, trotz aller List und Aufgebot der Gewalt, die Wahrheit durchdringen und
die Herzen des Volkes erfüllen wird; diese Zeit des Volkes, der Armen und die
Herrschaft der Reichen wird zu Ende gehen. Da wird man erkennen, dass die
Reichen lebendig tot sind, da wird man sie legen in den steinernen Sarg ihrer
Herzen, da wird man sie begraben und all ihren Mammon ihnen mitgeben in
30 den Sarg, da mögen sie wühlen in ihrem Kote.–

„Wir können uns denken", schreibt 1979 die Schriftstellerin **Christa Wolf**, „was die
Günderode in dieser Freundin geliebt hat: das schöne Gegenbild zu dem zurechtge-
stutzten, kleinlichen, leisetreterischen Gesellschaftsmenschen; den Stolz, die Frei-
heitsliebe; die Radikalität des Denkens und der Hoffnungen; die Verkörperung einer
Utopie."

Christa Wolf:
*Der Schatten
eines Traums,*
1979

Im Vormärz:
„Biedermeier" und „Junges Deutschland"

Innerlichkeit und Aufbegehren

Volkslied aus
dem 18. Jh., hier
in einer 1865
aufgezeichneten
Fassung

„Träume und
Gedanken
kennen keine
Schranken."
(Sprichwort)

„Die Gedanken
sind frei. Die
Wörter werden
observiert."
(‚überwacht‘;
Antisprichwort
aus unserer Zeit)

Die Gedanken sind frei,
Wer kann sie erraten?
Sie rauschen vorbei
Wie nächtliche Schatten.
5 Kein Mensch kann sie wissen,
Kein Jäger sie schießen.
Es bleibet dabei:
Die Gedanken sind frei.

Ich denke, was ich will
10 Und was mich beglücket,
Doch alles in der Still
Und wie es sich schicket.
Mein Wunsch und Begehren
Kann niemand verwehren.
15 Es bleibet dabei:
Die Gedanken sind frei.

Und sperrt man mich ein
Im finsteren Kerker,
Das alles sind rein
20 Vergebliche Werke;
Denn meine Gedanken
Zerreißen die Schranken
Und Mauern entzwei:
Die Gedanken sind frei.

25 Nun will ich auf immer
Den Sorgen entsagen
Und will mich auch nimmer
Mit Grillen mehr plagen.
Man kann ja im Herzen
30 Stets lachen und scherzen
Und denken dabei:
Die Gedanken sind frei.

Ich liebe den Wein,
Mein Mädchen vor allen,
35 Die tut mir allein
Am besten gefallen.
Ich sitz nicht alleine
Bei einem Glas Weine,
Mein Mädchen dabei:
40 Die Gedanken sind frei.

Ein Volkslied, das in verschiedenen Fassungen überliefert ist und gelegentlich auch heute noch gesungen wird. Man erfährt, dass es auf „fliegenden Blättern" in den letzten beiden Jahrzehnten des 18. Jahrhunderts aufgetaucht und zwischen 1830 und 1848 mit „allerhand Zusätzen" versehen worden sei. Also in der Zeit des sogenannten „Vormärz".

Flugblatt
↑ S. 44

- So nennt man die Zeit vor der – schließlich gescheiterten – deutschen März-
- revolution des Jahres 1848. Wann dieser „Vormärz" begonnen hat, ist umstrit-
- ten: 1815 oder 1830, vielleicht gar erst 1840?
- 1815: Sieger im Befreiungskrieg gegen die Herrschaft Napoleons blieben zuletzt
- die Fürsten, die dem Volk seine Freiheits- und Menschenrechte weiterhin vor-
- enthielten. Mit dem Wiener Kongress, der eine Neuordnung Europas beschlie-
- ßen sollte, begann eine Zeit der „Restauration". So nannte man, zunächst in
- Frankreich, die Wiederherstellung der alten „Legitimität" (dort durch das Kö-
- nigshaus der Bourbonen). Auch in den 39 Staaten des Deutschen Bundes festig-
- ten die alten gesellschaftlichen und politischen Kräfte wieder ihre Macht. Libe-
- rale Bestrebungen wurden unterdrückt. „Landesväter", die versprochen hatten
- eine Verfassung zu „gewähren" fühlten sich wieder „von Gottes Gnaden". Zen-
- trale Gestalt dieser Restauration war der österreichische Außenminister Fürst
- **Metternich.**
- 1817 verkündeten Vertreter der studentischen Deutschen Burschenschaften auf
- ihrem „Wartburgfest" freiheitliche Parolen. Ein radikaler Burschenschafter, der
- Theologiestudent Karl Ludwig Sand, verübte 1819 ein tödliches Attentat auf den
- Schriftsteller **August von Kotzebue**. Das war für Metternich ein willkommener
- Anlass („der treffliche Sand"), die polizeistaatlichen Maßnahmen zu verschärfen.
- Die „Karlsbader Beschlüsse" verfügten die Überwachung der Universitäten, die
- Vorzensur aller Druckschriften unter zwanzig Bogen, die Einrichtung einer
- Zentraluntersuchungskommission gegen „demagogische Umtriebe".
- 1830: Die Julirevolution in Paris, getragen von Arbeitern, Studenten und Klein-
- bürgern, endete zwar mit einem Sieg des reichen Großbürgertums, gab aber
- revolutionären Bestrebungen in Deutschland neuen Auftrieb. Spätestens von da
- an trifft also – im Rückblick – die Bezeichnung „Vormärz" zu.
- 1840: Friedrich Wilhelm IV. wurde König von Preußen. Mit seiner Person ver-
- banden sich Hoffnungen auf Reformen, obwohl auch er eine Verfassung ablehn-
- te. Wichtige Bücher liberaler Schriftsteller erschienen Anfang der 40er Jahre.
- Solche politisch engagierte Literatur ist gemeint, wenn von „Literatur des Vor-
- märz" die Rede ist: freiheitliche Gedichte und Lieder und journalistische Texte
- vor allem, die oft unter verharmlosenden Titeln erschienen.

Vormärz

1813–1815:
Befreiungskrieg

1815: Wiener
Kongress

Legitimität:
Rechtmäßigkeit

1817:
Wartburgfest

A. v. Kotzebue,
1761–1819,
erfolgreicher
Theaterautor,
z. B. zwischen
1781 und 1808 im
Mannheimer
Nationaltheater
1728-mal aufge-
führt (Schiller
28-mal)

Bogen:
16 Druckseiten

Reformhoffnun-
gen ↑ B. v.
Arnim, S. 173 f.

August Heinrich
Hoffmann von
Fallersleben,
*Unpolitische
Lieder,* 1840

Dass Gedanken frei sind, ist eine sprichwörtliche Redensart schon seit der Antike.
Wenn jedoch Marquis Posa in Schillers *Don Carlos* (↑ S. 112) von König Philipp
„Gedankenfreiheit" fordert, meint er mehr: die Freiheit seine Gedanken auch öffent-
lich mitzuteilen und danach zu leben. Davon aber konnte in Schillers Deutschland
nicht die Rede sein, auch nicht später im Vormärz. Frei waren Gedanken nur, solange
man sie für sich behielt. So blieb vielen Schriftstellern nur der Weg ins Exil oder der
Rückzug ins eigene Innere. Hundert Jahre später, unter der Gewaltherrschaft des
Nationalsozialismus, sprach man von „Innerer Emigration". (↑ S. 293)

Scharfe Augen überwachen,
Schere (statt Kopf) beschneidet,
spitzer Stift streicht aus, Rute
züchtigt: die Zensur, die dem
Krebs-Zeichen des Rückwärts-
gangs folgt. Wer nur Ja sagen
darf, wird zum Schafskopf.

Georg Herwegh,
*Gedichte eines
Lebendigen,*
1841/43;
Ferdinand
Freiligrath,
*Ein Glaubens-
bekenntnis,* 1841

Heinrich Heine,
Reisebilder, 1826
Ludwig Börne,
Briefe aus Paris,
1832

Die Zensurbehörden im Vormärz haben offensichtlich die mögliche Sprengkraft ein-
gesperrter Gedanken als gefährlich erkannt und die Verbreitung des Liedes (der ersten
drei Strophen) verboten. Womöglich waren die Strophen 4 und 5 nur „Zusätze" zur
Tarnung und gar nicht ernst gemeint. Sicher ist, dass die Strophe, die hier als fünfte
das Lied beschließt, oft an den Anfang gestellt wurde: Da konnte doch jeder gleich
hören, wie „harmlos" das Lied war. Das wäre eine Form verdeckten Aufbegehrens.
Aber natürlich konnte man die Strophen auch wörtlich nehmen. Dann wäre das Lied
ein Ausdruck von Resignation: Man findet sich ab mit der Situation, die man nicht
ändern zu können meint. „Ich denke, was ich will" und wahre so meine innere Freiheit, schicke mich aber nach außen hin in die Zwänge des Untertanenstaates: „Doch
alles in der Still und wie es sich schicket." Beide Grundhaltungen haben damals im
Leben wie in der Literatur – mit vielen Zwischentönen natürlich – ihren Ausdruck
gefunden: der Rückzug in die Innerlichkeit und das mehr oder weniger offene Aufbegehren. Für die Literatur der Zeit hat man im Hinblick darauf zwei – freilich umstrit-
tene – Namen geprägt: „Biedermeier" und „Junges Deutschland".

Von 1853 an erschienen in der illustrierten humoristischen Zeitschrift *Fliegende Blätter* „Gedichte des schwäbischen Schulmeisters Gottlieb Biedermaier und seines Freundes Horatius Treuherz". In Wirklichkeit waren das „Lyrische Karikaturen" (eigentlich Parodien), verfasst von dem Juristen Ludwig Eichroth und dem Arzt Adolf Kußmaul. Bei dem Namen „Biedermaier" mag der wackere „Biedermann" Pate gestanden haben, von dem ein Spruch des Barockdichters **Friedrich von Logau** meint:

„Wer gar zu bieder ist, bleibt zwar ein redlich Mann,
Bleibt aber, wo er ist, kommt selten höher an."

Die Karikatur des „Biedermaier" verband biedermännischen Sinn mit treuherziger Einfalt zu philisterhaftem Spießbürgertum, geprägt von Genügsamkeit, Traditionsverhaftung und Heimattümelei. Der Schweizer Schriftsteller **Max Frisch** hat 1953 einen Gottlieb (!) Biedermann zum zweifelhaften Helden eines Hörspiels gemacht: Der meint, sein eigenes Haus könne verschont bleiben, wenn er sich den Brandstiftern anbiedert, welche die Stadt anzünden wollen. 1836 heißt es in einem Roman **Karl Leberecht Immermanns** (*Die Epigonen*) angesichts der anbrandenden Industrialisierung: „[…] wir können ihren Lauf nicht hemmen, sind aber nicht zu schelten, wenn wir für uns und die Unsrigen ein grünes Plätzchen abzäunen und diese Insel so lange als möglich gegen den Sturz der vorbeirauschenden industriellen Wogen befestigen." Also: Kopf einziehen, Ruhe bewahren, so schafft oder erhält man sich seine „heile Welt".
Als man gegen Ende des 19. Jahrhunderts auf die vermeintlich „gute alte Zeit" zurückblickte, wurde der Begriff „Biedermeier" zum Kennzeichen der bürgerlichen Kultur im Vormärz (und darüber hinaus). „Bürger" hier nicht im kämpferisch-politischen Sinne der Französischen Revolution (*citoyen*), sondern für Besitzbürger (*bourgeois*), die nicht für einen Umsturz zu kämpfen bereit waren und sich einfach von der Politik abwandten, die ihnen Mitbestimmung verweigerte. Sie zogen sich zurück auf Häuslichkeit, Freundeskreis, Stammtisch und Verein. So verstand man „Biedermeier" als Bezeichnung für bürgerliche Lebensweise und Wohnkultur. Noch heute spricht man bei Möbeln, Mode, Schmuck von „Biedermeierstil". In der Malerei gilt besonders beschauliche Darstellung als „biedermeierlich".
Das literarische Biedermeier ist kein Programm wie – in ihren Anfängen – die Romantik. Seine Autoren lebten zurückgezogen, arbeiteten in der Stille. Mit Begriffen wie Selbstgenügsamkeit oder Innerlichkeit ist das nur unvollkommen angedeutet. Und aus der Gegenüberstellung gegensätzlicher Begriffe wie „konservativ" – „progressiv" ist kein literarisches Werturteil abzuleiten. Biedermeierliche Bescheidenheit hat nicht nur vergängliche Winkelpoesie hervorgebracht und in zahlreichen Zeitschriften, Kalendern, Almanachen, Taschen- und Stammbüchern ins Haus geliefert, sondern auch bedeutende Dichtung (Eduard Mörike, Annette von Droste-Hülshoff, Franz Grillparzer, Adalbert Stifter u. a.).

Biedermeier

Parodie ↑ S. 204

Herr Biedermann und die Brandstifter, Bühnenfassung 1958

Immermann, 1796–1840

Epigonen: Nachahmer (hier der Klassik) ohne eigene Ideen

Um die vielen Vereinsgründungen des Biedermeier zu verspotten, gründete Immermann 1837 eine „zwecklose Gesellschaft".

Carl Spitzweg: *Der arme Poet*, 1839; Ludwig Richter: *Genoveva in der Waldeinsamkeit*, 1841

Nur „holdes Bescheiden"?: Eduard Mörike

1828

Im Frühling

Hier lieg ich auf dem Frühlingshügel:
Die Wolke wird mein Flügel,
Ein Vogel fliegt mir voraus.
Ach, sag mir, all-einzige Liebe,
5 Wo *du* bleibst, dass ich bei dir bliebe!
Doch du und die Lüfte, ihr habt kein Haus.

Der Sonnenblume gleich steht mein Gemüte offen,
Sehnend,
Sich dehnend
10 In Lieben und Hoffen.
Frühling, was bist du gewillt?
Wann werd ich gestillt?

Die Wolke seh ich wandeln und den Fluss,
Es dringt der Sonne goldner Kuss
15 Mir tief bis ins Geblüt hinein;
Die Augen, wunderbar berauschet,
Tun, als schliefen sie ein,
Nur noch das Ohr dem Ton der Biene lauschet.
Ich denke dies und denke das,
20 Ich sehne mich und weiß nicht recht, nach was:
Halb ist es Lust, halb ist es Klage;
Mein Herz, o sage,
Was webst du für Erinnerung
In golden grüner Zweige Dämmerung?
25 – Alte unnennbare Tage!

Blaue Blume
↑ S. 154

Frühling ist eine Zeit der Verheißung und des Aufbruchs. So auch hier: Das Ich fühlt
sich herausgehoben mit Wolke und Vogel, der ihm vorausfliegt. Wohin? Zu einem
einzigen Ziel, das ihm alles bedeutet: Die „all-einzige Liebe" ist das angeredete Du.
Doch damit scheint der Gedankenflug schon zu Ende zu sein. Keine unfassbare „blaue
Blume" lockt in geheimnisvolle Ferne. Gesucht wird, wo man bleiben kann: ein
„Haus". Statt durch die „Lüfte" in unbekannte Welten aufzubrechen, findet das Ich
sich auf dem Boden und bei sich selbst wieder, in passiver Erwartung, nur sehnsüch-
tig fragend, was ihm wohl zuteil werden wird. Dazu spricht es nun den Frühling an:
Dem wird der Wille zugesprochen die Hoffnung des Menschen zu stillen. Dabei
nimmt das Bild der „Sonnenblume" schon den Sommer vorweg, als ob bis dahin
nichts weiter geschehen werde.

Die Bewegung des Gedichts, die in der ersten Strophe nach oben und in die Ferne zu
weisen schien, kehrt in der zweiten auf die Erde zurück und ins „Gemüt" des Harrenden. Die dritte und die vierte Strophe sind zu einer zusammengezogenen. Gesprächspartner ist jetzt nur noch das eigene „Herz". Vor den sichtbaren Erscheinungen außen

zwischen Wolke und Fluss, die sich bewegen und verändern (beides steckt in „wandeln"), verschließt das Ich die Augen. Nur noch wärmende Sonne und Bienensummen dringen von außen herein. Sie können den schwankenden Gedanken und der ungewissen Sehnsucht keine Richtung weisen.

Was bleibt? In süßem Weltschmerz zu versinken und auf die Antwort zu warten, die das dämmrige Gewebe des Herzens an den Tag bringen mag? Auf (ursprünglich) vier sechszeilige Strophen folgt noch eine einzelne Zeile, die aus dem Frühling ohne Zukunft weit zurückführt in eine namenlose Vergangenheit. Ist Resignation – Entsagung – die endgültige Antwort auf die unerfüllte Sehnsucht dieses Vereinzelten nach liebevoller Geborgenheit?

Das Gedicht von 1828 ist nur eine Momentaufnahme aus einem vielgestaltigen dichterischen Werk, das natürlich nicht nur auf diesen einen Ton abgestimmt ist. Aber Mörikes Werk drückt doch allenthalben die Sehnsucht nach einer Geborgenheit aus, deren man in einer unruhigen Welt nirgends sicher sein kann. Diese Unsicherheit spiegelt sich wider in der Zerrissenheit des Dichters, der in sich eine Welt erträumt, die zur Wirklichkeit seines Lebens werden soll. Ist es möglich, dass die Seele auf solche Weise zur Ruhe kommt? Oder ist der harmonische Wohlklang dieser Verse nur ein Modell, für das es in der Wirklichkeit der Welt keine Entsprechung gibt?

Nach außen hin still verlief Mörikes Leben. Der traditionelle Weg des angehenden Württemberger Theologen führte ihn über Gymnasium, Klosterschule und Seminar ins berühmte Tübinger Stift und nach dem Examen in die „Vikariatsknechtschaft", wie er sagt. Nach zwei Jahren – 1828 – versucht er aus dieser Laufbahn auszubrechen und freier Schriftsteller zu werden, seinen Unterhalt zum Beispiel in der Redaktion einer „Damenzeitung" zu verdienen. Vergeblich. 1834 wird er Pfarrer in Cleversulzbach, einem Dorf mit 600 Einwohnern. Mutter und Schwester bleiben an seiner Seite. Doch Ruhe und Sicherheit findet er nicht. Er muss für Verfehlungen seiner Brüder einstehen und gerät in äußerste Not. Unerträglich erscheint ihm zudem die Verbindung von Pfarramt und Dichtung. Der nicht selten nach außen hin Humor und manchmal sogar Behagen auszustrahlen vermag, wird von Ängsten und Krankheit gequält. 1841 stirbt die Mutter. Zwei Jahre später geht Mörike in Pension, im Alter von 39 Jahren. Als der 47-Jährige eine späte Ehe eingeht, bleibt die Schwester im Hause. Da die knappe Pension nicht ausreicht, zieht man nach Stuttgart, wo Mörike als „Pfleger für weibliche Jugend" an einer höheren Mädchenschule Literatur unterrichtet. Daneben hält er „Damenvorlesungen". Dass ihn die Tübinger Universität zum Ehrendoktor macht und er sich später sogar Professor nennen darf, beweist sein Ansehen in literarischen Kreisen. Von der ersten Ausgabe seiner Gedichte freilich ist kaum ein Drittel verkauft, als zehn Jahre später, 1848, eine zweite, veränderte und erweiterte Ausgabe erscheint. Die Gedichte sind sein Hauptwerk. In Fachkreisen schätzt man auch seine Übertragungen aus antiker Dichtung. Zu seinem Nachruhm haben außerdem vor allem zwei seiner erzählenden Texte beigetragen: das Märchen vom *Stuttgarter Hutzelmännlein* (1853) und die Künstlernovelle *Mozart auf der Reise nach Prag* (1855), ein „Spiegelbild der Mozartschen Musik", wie ein Zeitgenosse des Dichters rühmt.

Ein Lebenslauf ohne äußere Dramatik und doch im Innern voller Spannungen und Krisen. Das Außerordentliche, das bedrohlich mit zerstörerischen Kräften auf dieses Leben einwirkte, erscheint gebändigt und vielfach verschlüsselt im Werk: die leidenschaftliche Liebe zu einer jungen Frau „dunkler" Herkunft, der frühe Tod des

---

„Man übte Entsagung und Bescheidenheit, man beugte sich vor dem Unsichtbaren, haschte nach Schattenküssen und blauen Blumengerüchen, entsagte und flennte."
Heinrich Heine

„Du bist Orplid, mein Land!/Das ferne leuchtet", 1838: hoffnungsloser Traum von einer Geisterinsel, die doch keine Zukunft mehr verheißt

Eduard Mörike, 1804–1875

Stift ↑ S. 142

Vikar: evangelischer Theologe in der Ausbildung

geliebten jüngeren Bruders, eine Verlobung, die bald von der Frau gelöst wird – bittere Erfahrungen in der Wirklichkeit, nach innen verschlagen als erlittenes Schicksal, das ertragen werden musste; Kampf der Zwänge gegen das eigene Wollen; nach außen hin stumm erlittene Realität. Einer Gebetsstrophe von 1832 hat Mörike 14 Jahre später eine andere vorangestellt, die das biedermeierliche „holde Bescheiden" erklärt mit einem aus Gottergebenheit gewonnenen Vergnügen – im Sinne von Genügsamkeit. Eduard Mörike ist 1875 im Alter von 71 Jahren gestorben.

Gebet

Herr! schicke, was du willt,
Ein Liebes oder Leides;
Ich bin vergnügt, dass beides
Aus Deinen Händen quillt.

5 Wollest mit Freuden
Und wollest mit Leiden
Mich nicht überschütten!
Doch in der Mitten
Liegt holdes Bescheiden.

Annette von Droste-Hülshoff: *Die Judenbuche*

Die Judenbuche,
1842

Es war Mitternacht, aber alles im Schloss außer dem Bett. Der Gutsherr stand am Fenster und sah besorgt ins Dunkle, nach seinen Feldern hinüber. An den Scheiben flogen Blätter und Zweige her; mitunter flog ein Ziegel hinab und schmetterte auf das Pflaster des Hofes. „Furchtbares Wetter!" sagte Herr von S.
5 – Seine Frau sah ängstlich aus. „Ist das Feuer auch gewiss gut verwahrt?" sagte sie „Gretchen, sieh noch einmal nach, gieß es lieber ganz aus! Kommt, wir wollen das Evangelium Johannis beten." Alles kniete nieder und die Hausfrau begann: „Im Anfang war das Wort und das Wort war bei Gott und Gott war das Wort." – Ein furchtbarer Donnerschlag. Alle fuhren zusammen; dann
10 furchtbares Geschrei und Getümmel die Treppe heran. – „Um Gottes willen, brennt es?", rief Frau von S. und sank mit dem Gesichte auf den Stuhl. Die Tür ward aufgerissen und herein stürzte die Frau des Juden Aaron, bleich wie der Tod, das Haar wild um den Kopf, von Regen triefend. Sie warf sich vor dem Gutsherrn auf die Knie. „Gerechtigkeit!", rief sie, „Gerechtigkeit! Mein
15 Mann ist erschlagen!", und sank ohnmächtig zusammen. […]

Die Frau und der Knecht, der sie begleitet, berichten Herrn von S., was vorgefallen ist: Aaron sei von einem Viehkauf nicht zurückgekehrt. Besorgt habe man sich auf die Suche begeben. Unter einer großen Buche, die ihnen im Gewitter Schutz bieten sollte, habe die Frau zufällig im Blitzschein den Stab ihres Mannes entdeckt. Bald darauf habe man den Erschlagenen gefunden.

Dies war die Angabe des Knechtes, von der Frau nur im Allgemeinen unterstützt; ihre übergroße Spannung hatte nachgelassen und sie schien jetzt halb verwirrt oder vielmehr stumpfsinnig. „Aug um Auge, Zahn um Zahn!" dies waren die einzigen Worte, die sie zuweilen hervorstieß.

„Leben für Leben" nach dem Gesetz, das der Herr Mose diktiert,
2. Mose 21,24

Wahrlich eine furchtbare Nacht: das gewaltige Unwetter und die Entdeckung der Mordtat. Zu beidem Worte aus der Bibel: zum Schutz, zur Vergeltung. Die Zeit: eine Oktobernacht im Jahre 1760. Der Ort: ein abgelegenes Dorf im Teutoburger Wald. Die sofort einsetzende Suche nach dem Täter bleibt ergebnislos. Verdächtigt wird der 22-jährige Friedrich Mergel.

Der Weg zu dieser Tat macht den größten Teil der Novelle aus. Die Autorin nennt sie „Ein Sittengemälde aus dem gebirgichten Westfalen". Zugrunde liegt ein wirklicher Mordfall des Jahres 1783, dessen Geschichte ein Onkel der Autorin 1818 veröffentlicht hatte. Sie hat die hauptsächlichen Fakten übernommen, bringt aber mit ihrer Darstellung ganz eigene Absichten zum Ausdruck: Um ein „Sittengemälde" geht es ihr, also um die Schilderung der Lebensverhältnisse in einer bestimmten Gegend zu einer bestimmten Zeit; um die Charakterstudie eines Menschen – Friedrich Mergels –, der zum Verbrecher wird; schließlich um Fragen göttlicher und menschlicher Gerechtigkeit.

Den Titel *Die Judenbuche* hat man ihr vorgeschlagen, als die Novelle 1842 in Fortsetzungen erschien: in einem „Morgenblatt für gebildete Leser".

Unter höchst einfachen und häufig unzulänglichen Gesetzen waren die Begriffe der Einwohner von Recht und Unrecht einigermaßen in Verwirrung geraten oder vielmehr es hatte sich neben dem gesetzlichen ein zweites Recht gebildet, ein Recht der öffentlichen Meinung, der Gewohnheit und der durch
5 Vernachlässigung entstandenen Verjährung. [...] Es ist schwer, jene Zeit unparteiisch ins Auge zu fassen; sie ist seit ihrem Verschwinden entweder hochmütig getadelt oder albern gelobt worden, da den, der sie erlebte, zu viel teure Erinnerungen blenden und der Spätergeborene sie nicht begreift. So viel darf man indessen behaupten, dass die Form schwächer, der Kern fester,
10 Vergehen häufiger, Gewissenlosigkeit seltener waren. Denn wer nach seiner Überzeugung handelt und sei sie noch so mangelhaft, kann nie ganz zugrunde gehen, wogegen nichts seelentötender wirkt, als gegen das innere Rechtsgefühl das äußere Recht in Anspruch zu nehmen.
[...] Holz- und Jagdfrevel waren an der Tagesordnung und bei den häufig vor-
15 fallenden Schlägereien hatte sich jeder selbst seines zerschlagenen Kopfes zu trösten. Da jedoch große und ergiebige Waldungen den Hauptreichtum des Landes ausmachten, ward allerdings scharf über die Forsten gewacht, aber weniger auf gesetzlichem Wege, als in stets erneuten Versuchen, Gewalt und List mit gleichen Waffen zu überbieten.

Verwirrung, Vernachlässigung, Verlust von Rechtsgefühl, Zunahme von Gewissenlosigkeit, Gewöhnung an Rechtsbruch, Gewalt, List: In der Welt, in die Friedrich Mergel hineingeboren wird, mehren sich die Anzeichen vom Verfall alter Ordnungen. Hinzu kommen die „kümmerlichen Umstände" in Friedrichs Vaterhaus, das durch „Unordnung und böse Wirtschaft" verwahrlost ist, wie auch der Vater, ein Trinker, „den gänzlich verkommenen Subjekten zugezählt" werden muss. Friedrich entstammt der zweiten Ehe mit einer „braven, anständigen Person", die aber auch keinen

Wandel bewirkt, vielmehr selbst ein Opfer der Verhältnisse wird. Friedrich ist noch nicht neun, als man in einer stürmischen Winternacht den Vater tot ins Haus bringt: Er ist, betrunken, im Wald umgekommen. Die Mutter klammert sich an den Sohn:

> „Fritzchen", sagte sie, „willst du jetzt auch fromm sein, dass ich Freude an dir habe, oder willst du unartig sein und lügen oder saufen und stehlen?" – „Mutter, Hülsmeyer stiehlt." – „Hülsmeyer? Gott bewahre! Soll ich dir auf den Rücken kommen? Wer sagt dir solch schlechtes Zeug?" – „Er hat neulich
> 5 den Aaron geprügelt und ihm sechs Groschen genommen." – „Hat er dem Aaron Geld genommen, so hat ihn der verfluchte Jude gewiss zuvor darum betrogen. Hülsmeyer ist ein ordentlicher, angesessener Mann und die Juden sind alles Schelme." – „Aber, Mutter, Brandes sagt auch, dass er Holz und Rehe stiehlt." – „Kind, Brandes ist ein Förster." – „Mutter, lügen die Förster?"
> 10 Margaret schwieg eine Weile, dann sagte sie: „Höre, Fritz, das Holz lässt unser Herrgott frei wachsen und das Wild wechselt aus eines Herren Lande in das andere; die können niemandem gehören. Doch das verstehst du noch nicht..."

Schelm: Schuft, Schurke

Um so schlimmer: Das Unverstandene prägt sich ein als Vorurteil. Hier gegen Juden und Förster. Den 12-Jährigen nimmt dann ein Oheim ins Haus, ein Bruder der Mutter. Das ist ein „unheimlicher Geselle", der den Jungen in böse Machenschaften hineinzieht. In seinem Hause lernt Friedrich Johannes Niemand kennen, der dort die Schweine hütet. Er ist wohl ein unehelicher Sohn des Oheims, der ihn verleugnet: niemandes Kind. Er ähnelt Friedrich sehr und der sieht in ihm „sein verkümmertes Spiegelbild". In seinem „Hang zum Großtun" erklärt Friedrich diesen Niemand zu seinem „Schützling". Sein „ungebändigter Ehrgeiz" Überlegenheit auszuspielen wird Friedrich schließlich zum Verhängnis. „Seine Natur war nicht unedel, aber er gewöhnte sich, die innere Schande der äußeren vorzuziehen."
Vor aller Augen prahlt Friedrich auf einer Hochzeit mit einer kostbaren silbernen Uhr. Doch Aaron stellt ihn bloß: Sie ist noch nicht bezahlt! Eine „unerträgliche Schmach". Es folgen die Geschehnisse der herbstlichen Gewitternacht: Aaron erschlagen, Friedrich verschwunden, mit ihm Johannes Niemand. Die Juden der Gegend kaufen die Buche, unter der man Aaron gefunden hat: Sie soll als Zeichen stehen bleiben. Der hebräische Text einer Inschrift, die sie an der „Judenbuche" anbringen, wird erst am Ende der Novelle übersetzt.
28 Jahre später, Heiligabend 1788. Ein erbärmlich aussehender alter Mann, in dem man Johannes Niemand erkennt, schleppt sich ins Dorf. Er erzählt von gemeinsamer Flucht mit Friedrich, von Soldatendienst, Gefangenschaft bei den Türken, 26-jähriger Sklaverei. Mitleidig sorgt der Gutsherr für den hinfälligen Greis, der sich mit Botengängen nützlich machen will. Es fällt auf, dass er die „Judenbuche" dabei ängstlich meidet. An einem Herbstabend kommt er nicht zurück: Er hat sich an der Buche erhängt. Bei der Leichenschau entdeckt der Gerichtsherr eine „breite Narbe". Erschüttert wendet er sich zum Förster, der ihn gefunden hat:

Oheim: Onkel

Am Schindanger zog der Abdecker – Schinder – dem toten Vieh die Haut ab. So wurde daraus ein Ort unehrenhafter Bestattung.

> „Es ist nicht recht, dass der Unschuldige für den Schuldigen leide; sage es nur allen Leuten: der da" – er deutete auf den Toten – „war Friedrich Mergel."
> Die Leiche ward auf dem Schindanger verscharrt. [...]

Die hebräische Schrift an dem Baume heißt: „Wenn du dich diesem Orte nahest, so wird es dir ergehen, wie du mir getan hast."

Kirchliches Recht verweigerte „Selbstmördern" ein christliches Begräbnis: Selbsttötung galt als Verstoß gegen das fünfte Gebot.

Religion, Familie, Heimat: Zuflucht und Schranken

Die ebenso sachliche wie schwerwiegende Feststellung am Ende der Novelle besiegelt die moralische Beispielhaftigkeit des Falles: Dem früh auf schiefe Bahn geratenen, zum Mörder und schließlich zum Selbstmörder gewordenen Friedrich Mergel widerfährt, was unerbittliche Ordnung vorschreibt. Aber das ist für die Dichterin nur die Konsequenz der „Kriminalgeschichte". Über den Menschen ist damit nicht das letzte Wort gesagt. Dieser Täter war auch ein Opfer. Sein persönliches Schicksal ist aus gesellschaftlichen Missständen erwachsen, die einen Menschen zum Außenseiter gemacht haben. Das schildert die Autorin bei aller Sachlichkeit der Sprache mit menschlichem Mitgefühl. Ehe sie mit der Geschichte des Friedrich Mergel beginnt, wendet sie sich mit einleitenden Versen direkt an die Leser:

> Wo ist die Hand, so zart, dass ohne Irren
> Sie sondern mag beschränkten Hirnes Wirren,
> So fest, dass ohne Zittern sie den Stein
> Mag schleudern auf ein arm verkümmert Sein?
> 5 Wer wagt es, eitlen Blutes Drang zu messen,
> Zu wägen jedes Wort, das unvergessen
> In junge Brust die zähen Wurzeln trieb,
> Des Vorurteils geheimen Seelendieb?
> Du Glücklicher, geboren und gehegt
> 10 Im lichten Raum, vom frommer Hand gepflegt,
> Leg hin die Waagschal – nimmer dir erlaubt!
> Lass ruhn den Stein – er trifft dein eignes Haupt! –

sondern: ordnend (unter)scheiden

Stein: „Wer unter euch ohne Sünde ist, der werfe den ersten Stein auf sie." Joh. 8,7

Waagschale: Symbol der Gerechtigkeit

Die christliche Botschaft der Liebe, die jedem Menschen zukommt, ist das eine. Das andere ist die mit der *Judenbuche* ausgedrückte Erkenntnis, dass die göttliche Seinsordnung nicht ungesühnt verletzt wird. Und das meint mehr als die Tat des schuldigen Einzelnen. Dessen persönliches Versagen ist Teil einer größeren Schuld: der Bedrohung, Störung, Verletzung gottgewollter Ordnung überhaupt. Das verkünden auch die Unheilzeichen der Natur: die nächtlichen Unwetter, die Buche an dem Ort, der durch das Verbrechen entweiht ist. Immer wieder bricht in den wirklichkeitsnahen, sachlich-nüchternen Bericht Dunkles, Unheilvolles ein. Selbst der Kriminalfall endet nicht mit letzter Klarheit einer schlüssigen Beweisführung.

Die Judenbuche, das einzige abgeschlossene Prosawerk der Dichterin, kündet von der engen Beziehung Annette von Droste-Hülshoffs zu den Menschen und Landschaften ihrer westfälischen Heimat, von ihrer Prägung durch Tradition und Religion und, wenn auch weniger als ihre Gedichte, von tiefer Verbundenheit mit der Natur. Aber auch davon, dass sie gesellschaftliche Veränderungen als bedrohlich empfand, nicht nur im Blick auf Vergangenheit, sondern vor allem auch im Erlebnis der eigenen Zeit: den trotz Restauration unaufhaltsamen Verfall der alten Mächte, die sozialen Umwälzungen im Zuge der Industrialisierung, die Verdrängung der religiösen durch wissen-

schaftliche Weltsicht, die Aushöhlung innerer Werte durch materialistische Veräuße-
rung. So erfuhr sie die Welt außerhalb der umhegten Bezirke, in denen sie lebte. Das
waren nach dem Stammhaus der Familie, dem Wasserschloss Hülshoff, wo sie 1797
geboren wurde und neben anderen Orten in Westfalen und im Rheinland, wo Fami-
lienangehörige wohnten, vor allem der Witwensitz, den die Mutter mit Annette und
ihrer Schwester bezog und Schloss Meersburg am Bodensee.

Anna Elisabetha Franziska Adolfine
Wilhelmine Luise Marie Freiin von Droste-
Hülshoff (1797–1848); für die Familie „Tante
Nette", für die Nachwelt „Deutschlands
größte Dichterin".

„Diese wie ganz durchgeistigte, leicht dahinschwebende, bis zur Unkörperlichkeit zarte
Gestalt hatte etwas Fremdartiges, Elfenhaftes;
sie war fast wie ein Gebilde aus einem
Märchen." L. Schücking, 1862

„Ihre Formen
sind streng, herb,
ihr Gang ist
straff, ihre Miene
leicht verdüstert:
wie ein halb
heller Tag auf
der westfälischen
Heide, wenn
Erde und Him-
mel die Plätze
vertauscht
haben und die
roten Heide-
krautblüten wie
Sterne, die
Wolken wie
braune Acker-
schollen sind.
Auf ihr müdes
Haupt gaukelte
selten ein süßes
Lachen."
Klabund, 1921

Phantom:
Gespenst

Annette wurde streng katholisch erzogen, erhielt durch die Hauslehrer der Brüder
eine vielseitige und gründliche Ausbildung und konnte musische Talente entwickeln.
Religion, Familie, Heimat – das waren die Kräfte, die sie vor den Wogen der Welt
schützten, die ihr aber auch Grenzen setzten. So entsprach zum Beispiel die Beziehung
zu einem bürgerlichen Studenten keineswegs den Erwartungen ihrer Familie, denen
sie sich ihr ganzes Leben hindurch demütig unterwarf – bis hin zu Eingriffen in ihre
literarische Arbeit. Als Reisebegleiterin oder Pflegerin von Familienangehörigen stellte sie persönliche Ansprüche zurück. Die zeitlebens von Krankheit Bedrohte und Ge-
schwächte hat wohl immer mehr von sich geben müssen, als sie von anderen empfing.
Das galt auch für die letzte wichtige Begegnung, auch wenn sie dadurch Kontakte zu
fortschrittlichen Schriftstellern knüpfen konnte und einen neuen Aufschwung ihres
Schaffens erlebte: die Freundschaft mit dem sechzehn Jahre jüngeren Schriftsteller
Levin Schücking, die sie schließlich durch eine Art von Mutter-Sohn-Beziehung zu
retten suchte. In diesen letzten Jahren, es war nicht einmal ein Jahrzehnt, entstanden
ihre bedeutendsten Werke. Darunter großartige Balladen wie *Der Knabe im Moor:*

> O schaurig ist's übers Moor zu gehn,
> wenn es wimmelt vom Heiderauche,
> Sich wie Phantome die Dünste drehn
> Und die Ranke häkelt am Strauche,
> 5 Unter jedem Tritte ein Quellchen springt,
> Wenn aus der Spalte es zischt und singt,
> O schaurig ist's übers Moor zu gehn,
> Wenn das Röhricht knistert im Hauche!

Dem Jungen, der von der Schule heimkehrt, erscheinen die Moorgeister: Gräberknecht, Geigenmann, Verdammte Margret und wie sonst noch kreatürliche Angst vor dem Unheimlichen das nicht Begreifbare zu nennen sucht. Aber ein Schutzengel wacht über das zitternde Kind:

> Da mählich gründet der Boden sich
> Und drüben, neben der Weide,
> Die Lampe flimmert so heimatlich,
> Der Knabe steht an der Scheide.
> 5 Tief atmet er auf, zum Moor zurück
> Noch immer wirft er den scheuen Blick:
> Ja, im Geröhre war's fürchterlich,
> O schaurig war's in der Heide!

Annette von Droste-Hülshoff starb 1848, als in Deutschland die Wogen der Revolution aufbrandeten, in ihrer stillen Zuflucht am Bodensee. Als sie sich 1841 zum ersten Mal dort aufhielt, gab einer der Türme von Schloss Meersburg einem Gedicht den Titel: *Am Turme*. Da erwächst aus dem Leiden an den engen Schranken der Konvention ein Wunschbild:

> Ich steh auf hohem Balkone am Turm,
> Umstrichen vom schreienden Stare,
> Und lass gleich einer Mänade den Sturm
> Mir wühlen im flatternden Haare;
> 5 O wilder Geselle, o toller Fant,
> Ich möchte dich kräftig umschlingen
> Und, Sehne an Sehne, zwei Schritte vom Rand
> Auf Tod und Leben dann ringen!

Mänaden: in der griechischen Mythologie wilde weibliche Gestalten im Gefolge des Gottes Dionysos, Schlangen und Dolche mit sich führend

Fant: (unreifer) junger Bursche

Ein kühnes Verlangen – unerfüllbar jedoch damals für eine Frau. So mündet der verzweifelte Wunsch in Resignation:

> Wär ich ein Jäger auf freier Flur,
> 10 Ein Stück nur von einem Soldaten,
> Wär ich ein Mann doch mindestens nur,
> So würde der Himmel mir raten;
> Nun muss ich sitzen so fein und klar,
> Gleich einem artigen Kinde,
> 15 Und darf nur heimlich lösen mein Haar
> Und lassen es flattern im Winde!

raten: helfen

Das „sanfte Gesetz": Adalbert Stifter

Bergkristall, 1845

In der ungeheuren Stille, die herrschte, in der Stille, in der sich kein Schnee-
spitzchen zu rühren schien, hörten die Kinder dreimal das Krachen des Eises.
Was das Starrste erscheint und doch das Regsamste und Lebendigste ist, der
Gletscher, hatte die Töne hervorgebracht. Dreimal hörten sie hinter sich den
5 Schall, der entsetzlich war, als ob die Erde entzwei gesprungen wäre, der sich
nach allen Richtungen im Eise verbreitete und gleichsam durch alle Äderchen
des Eises lief. Die Kinder blieben mit offenen Augen sitzen und schauten in
die Sterne hinaus.
Auch für die Augen begann sich etwas zu entwickeln. Wie die Kinder so
10 saßen, erblühte am Himmel vor ihnen ein bleiches Licht mitten unter den
Sternen und spannte einen schwachen Bogen durch dieselben. Es hatte einen
grünlichen Schimmer, der sich sachte nach unten zog. Aber der Bogen wurde
immer heller und heller, bis sich die Sterne vor ihm zurückzogen und erblass-
ten. Auch in andere Gegenden des Himmels sandte er einen Schein, der
15 schimmergrün sachte und lebendig unter die Sterne floss. Dann standen Garben verschiedenen Lichtes auf der Höhe des Bogens wie Zacken einer Krone
und brannten. Es floss helle durch die benachbarten Himmelsgegenden, es
sprühte leise und ging in sanftem Zucken durch lange Räume. Hatte sich nun
der Gewitterstoff des Himmels durch den unerhörten Schneefall so gespannt,
20 dass er in diesen stummen herrlichen Strömen des Lichts ausfloss, oder war es
eine andere Ursache der unergründlichen Natur. Nach und nach wurde es
schwächer und immer schwächer, die Garben erloschen zuerst, bis es allmählich und unmerklich immer geringer wurde und wieder nichts am Himmel
war als die tausend und tausend einfachen Sterne.
25 Die Kinder sagten keins zu dem andern ein Wort, sie blieben fort und fort
sitzen und schauten mit offenen Augen in den Himmel.

In einer Weihnachtsnacht verirren sich zwei Kinder bei dichtem Schneefall im Gebirge. Sie finden Zuflucht in einer Felshöhle und werden am nächsten Tag gerettet. Das
ist die „Handlung" von Adalbert Stifters Erzählung *Bergkristall,* aber nur ein kleiner
Teil des „Inhalts". Zunächst einmal wird berichtet, wie man in jener Gebirgsgegend
alljährlich das Weihnachtsfest feiert. Dann werden sehr ausführlich das Tal und die
Berge beschrieben, wo das Dorf liegt, in dem die Kinder wohnen: eine abgelegene, in
sich geschlossene Welt. Der Weg nach draußen führt über einen Pass ins nächste Tal.
Dort liegt das Dorf, wo die Großeltern der Kinder wohnen. Über die Menschen in
dieser majestätischen Bergwelt erfahren wir:

> Sie sind sehr stetig und es bleibt immer beim Alten. Wenn ein Stein aus einer
> Mauer fällt, wird derselbe wieder hineingesetzt, die neuen Häuser werden wie
> die alten gebaut, die schadhaften Dächer werden mit gleichen Schindeln aus-
> gebessert, und wenn in einem Haus scheckige Kühe sind, so werden immer
> solche Kälber aufgezogen und die Farbe bleibt bei dem Hause.

Dass die Leute meinen, alles „sei immer so gewesen", entspricht dem gleichmäßigen
Kreislauf der Jahreszeiten und der Unverrückbarkeit der Berge. So weit geht das Fest-

halten am Gewohnten, dass die Mutter der beiden Kinder, die aus dem Nachbardorf stammt, bei aller Beliebtheit doch als „Fremde" angesehen wird, der man mit einer gewissen Scheu begegnet. Den ungefährlichen, dreistündigen Weg über den Pass kennen die Kinder gut. Es spricht also nichts gegen einen Besuch bei den Großeltern am Tag vor Weihnachten, zumal auf Konrad, den Älteren, Verlass ist. Und die kleine Sanna vertraut ihm in allem: „Ja, Konrad", heißt die ständig wiederholte Bestätigung. Den ungewöhnlich dichten Schneefall, in den die Kinder auf dem Rückweg geraten, hat niemand voraussehen können: „Hundert Jahre werden wieder vergehen", heißt es später, „dass ein so wunderbarer Schneefall niederfällt und dass er gerade niederfällt, wie nasse Schnüre von einer Stange hängen. Wäre ein Wind gegangen, so wären die Kinder verloren gewesen." Ein „unerhörtes" Ereignis also, eine außerordentliche Bedrohung, freilich von wunderbarer Sanftheit. Die Kinder begegnen dieser Gefahr mit „dem Starkmute der Unwissenheit".

Unerhörtes
Ereignis
↑ Novelle, S. 152

> Aber es war rings um sie nichts als das blendende Weiß, überall das Weiß, das aber selber nur einen immer kleineren Kreis um sie zog und dann in einen lichten streifenweise niederfallenden Nebel überging, der jedes Weitere verzehrte und verhüllte und zuletzt nichts anderes war als der unersättlich
> 5 niederfallende Schnee.
> [...] Wenn sie stehenblieben, war alles still, unermesslich still; wenn sie gingen, hörten sie das Rascheln ihrer Füße, sonst nichts; denn die Hüllen des Himmels sanken ohne Laut hernieder und so reich, dass man den Schnee hätte wachsen sehen können. Sie selber waren so bedeckt, dass sie sich von dem
> 10 allgemeinen Weiß nicht hervorhoben und sich, wenn sie um ein paar Schritte getrennt worden wären, nicht mehr gesehen hätten.

„Es war große Ruhe eingetreten. Von den Vögeln [...] war nichts zu vernehmen, sie sahen auch keine auf irgendeinem Zweig sitzen oder fliegen und der ganze Wald war gleichsam ausgestorben."
Illustration von J. M. Kaiser zu *Bergkristall*

Konrad weiß: Einschlafen in Schnee und Eis wäre tödlich. Trotzdem „würden sie den Schlaf nicht überwinden können, dessen verführende Süßigkeit alle Gründe überwiegt, wenn nicht die Natur in ihrer Größe ihnen beigestanden wäre und in ihrem Innern die Kraft ausgerufen hätte, welche imstande war, dem Schlafen zu widerstehen." Das dreimalige Krachen des Gletschereises, unheimlicher Laut verborgener Bedrohung und das wunderbare Himmelslicht helfen ihnen die Augen offen zu halten: Natur ist Gefahr und Schutz zugleich, Schrecknis und Rettung. Weil der Schall „entsetzlich" ist, hält er wach. Der Rest ist Aufgabe der Menschen, welche die Kinder suchen – und finden: „Das sind Weihnachten!", sagt einer der Retter und der Vater:

Schründe:
Gletscherspalten

„Sie sind über das Gletschereis und über die Schründe gegangen, ohne es zu wissen." Wo solche Kräfte walten, die „Natur in ihrer Größe" und die Liebe des „Heiligen Christ", von dem Sanna sagt, sie habe ihn „auf dem Berge" gesehen, da müssen schließlich auch die Menschen in solche Harmonie einstimmen:

> Die Kinder waren von dem Tage an erst das Eigentum des Dorfes geworden, sie wurden von nun an nicht mehr als Auswärtige, sondern als Eingeborene betrachtet, die man sich von dem Berge herabgeholt hatte.
> Auch ihre Mutter Sanna war nun ebenfalls eine Eingeborene von Gschaid.
> 5 Die Kinder aber werden den Berg nicht vergessen und werden ihn jetzt noch ernster betrachten, wenn sie in dem Garten sind, wenn wie in der Vergangenheit die Sonne sehr schön scheint, der Lindenbaum duftet, die Bienen summen und er so schön und so blau wie das sanfte Firmament auf sie herniederschaut.

Bunte Steine,
1853, als Kinderbuch geplant. Kinder stehen im Mittelpunkt der sechs Erzählungen, deren Titel dem Ganzen zugeordnet sind: wie Steine, zufällig gefunden und gesammelt.

Der Heilige Abend hieß die Erzählung, als sie 1845 erstmals erschien. Acht Jahre später wurde sie unter dem Titel *Bergkristall* in die Sammlung *Bunte Steine – Ein Festgeschenk* aufgenommen. Das Titelwort kommt im Text nirgends vor; doch es erscheint in der – nur scheinbar starren – Kristallstruktur des Eises und im kristallenen Leuchten am Himmel.

In der „Vorrede" zu der Sammlung *Bunte Steine* gibt Stifter Auskunft über die Gedankenwelt, die seine Dichtung prägt:

> Das Wehen der Luft, das Rieseln des Wassers, das Wachsen der Getreide,
> das Wogen des Meeres, das Grünen der Erde, das Glänzen des Himmels,
> das Schimmern der Gestirne halte ich für groß: das prächtig einherziehende
> Gewitter, den Blitz, welcher Häuser spaltet, den Sturm, der die Brandung
> 5 treibt, den feuerspeienden Berg, das Erdbeben, welches Länder verschüttet,
> halte ich nicht für größer als obige Erscheinungen, ja, ich halte sie für kleiner.
> […] Nur augenfälliger sind diese Erscheinungen und reißen den Blick des
> Unkundigen und Unaufmerksamen mehr an sich, während der Geisteszug des
> Forschers vorzüglich auf das Ganze und Allgemeine geht und nur in ihm
> 10 allein Großartigkeit zu erkennen vermag, weil es allein das Welterhaltende ist.
> Die Einzelheiten gehen vorüber und ihre Wirkungen sind nach kurzem kaum
> noch erkennbar.
> So wie es in der äußeren Natur ist, so ist es auch in der inneren, in der des
> menschlichen Geschlechtes. Ein ganzes Leben voll Gerechtigkeit, Einfachheit,
> 15 Bezwingung seiner selbst, Verstandesgemäßheit, Wirksamkeit in seinem

Kreise, Bewunderung des Schönen, verbunden mit einem heiteren, gelassenen Streben, halte ich für groß: mächtige Bewegungen des Gemütes, furchtbar einherrollenden Zorn, die Begier nach Rache, den entzündeten Geist, der nach Tätigkeit strebt, umreißt, ändert, zerstört und in der Erregung oft das eigene Leben hinwirft, halte ich nicht für größer, sondern für kleiner, da diese Dinge so gut nur Hervorbringungen einzelner und einseitiger Kräfte sind wie Stürme, feuerspeiende Berge, Erdbeben. Wir wollen das sanfte Gesetz zu erblicken suchen, wodurch das menschliche Geschlecht geleitet wird. [...]
Es ist das Gesetz [...] der Gerechtigkeit, das Gesetz der Sitte, das Gesetz, das will, dass jeder geachtet, geehrt, ungefährdet neben dem andern bestehe, dass er seine höhere menschliche Laufbahn gehen könne, sich Liebe und Bewunderung seiner Mitmenschen erwerbe, dass er als Kleinod gehütet werde, wie jeder Mensch ein Kleinod für alle andern Menschen ist. Dieses Gesetz liegt überall, wo Menschen neben Menschen wohnen und es zeigt sich, wenn Menschen gegen Menschen wirken. Es liegt in der Liebe der Ehegatten zueinander, in der Liebe der Eltern zu den Kindern, der Kinder zu den Eltern, in der Liebe der Geschwister, der Freunde zueinander, in der süßen Neigung beider Geschlechter, in der Arbeitsamkeit, wodurch wir erhalten werden, in der Tätigkeit, wodurch man für seinen Kreis, für die Ferne, für die Menschheit wirkt und endlich in der Ordnung und Gestalt, womit ganze Gesellschaften und Staaten ihr Dasein umgeben und zum Abschlusse bringen.

(Zeilennummern am Rand: 20, 25, 30, 35)

Das „sanfte Gesetz". Stifter weiß, dass es andere Kräfte gibt: dunkle, chaotische, ungebändigte, bedrohliche, zerstörerische. Von „unergründlicher Natur" war die Rede, von „unersättlich niederfallendem Schnee". Stille kann „ungeheuer" sein, aber auch Ausdruck ruhiger Geborgenheit. Damit die Macht des Abgründigen nicht stärker wird als der Blick „mit offenen Augen in den Himmel", soll der Mensch seine Wahrnehmung, sein Sinnen und Trachten auf das richten, worin sich göttliche Ordnung offenbart: auf die „allgemeinen Gesetze" der Natur und der Sittlichkeit.
Die Erzählung *Bergkristall* ist nur ein Beispiel aus einem umfangreichen Werk. Beispiel für die andächtige Beobachtung menschlichen Wesens und Handelns und der Naturerscheinungen; für die anrührende Darstellung in einer Sprache, deren Intensität aus Schlichtheit erwächst; für eine Abgeklärtheit des Denkens und Fühlens, die Zeugnis gibt von einem tiefen Glauben: dass auch das scheinbar Geringe seinen unvergleichlichen Wert hat in Gottes Schöpfungsordnung.
Auch der Österreicher **Adalbert Stifter** (1805–1868), gleichermaßen begabt als Maler wie als Dichter und zu seiner Zeit ein vielgelesener Autor, ragt mit seinem Werk weit über die enge Biedermeierwelt hinaus. Er war auch in verschiedenen Berufen tätig: Hauslehrer (unter anderem im Fürstenhaus der Metternichs), Redakteur, Schulinspektor und Schulrat, schließlich Konservator für Oberösterreich, zuständig für die Erhaltung von Kunstdenkmälern.

Randspalten:

Stifter antwortet hier auf Verse Friedrich Hebbels von 1849 über *Naturdichter:* „Wisst ihr, warum euch die Käfer, die Butterblumen so glücken?/Weil ihr die Menschen nicht kennt, weil ihr die Sterne nicht seht! [...] / Aber das musste so sein; damit ihr das Kleine so trefflich/ liefertet, hat die Natur klug euch das Große entrückt."

„Ich bin zwar kein Goethe, aber einer aus seiner Verwandtschaft, und der Same des Reinen, Hochgesinnten, Einfachen geht auch aus meinen Schriften in die Herzen." Stifter, 1854

Der Schulrat Stifter hat 1854 ein *Lesebuch zur Förderung humaner Bildung* mit herausgegeben: „Eine beklemmende Monumentalität freilich für junge Leser, eine Art Zwang zur Wohlerzogenheit". R. Minder, 1968

Franz Grillparzer: *Der Traum ein Leben*

Der Traum ein Leben. Dramatisches Märchen, 1834

> Alles ruht, nur er allein
> Streift noch durch den stillen Hain,
> Um in Berges dunklen Schlünden,
> Was er hier vermisst, zu finden.
> 5 Und mich martert hier die Sorge
> Und mich tötet hier die Angst. –

Mirza, Tochter des „reichen Landmannes" Massud, sitzt an einem Sommerabend auf einer Bank vor der väterlichen „Hütte" und sorgt sich um die Rückkehr ihres Vetters Rustan, den sie liebt. Den zieht es hinaus aus der „ländlichen Gegend", wo ihm das Leben „schal und jämmerlich" vorkommt in seinem ewigen Einerlei. Ihn treibt das Verlangen nach Macht und Ruhm; eine andere Welt steht ihm vor Augen:

> O es mag wohl herrlich sein,
> So zu stehen in der Welt
> Voll erhellter lichter Hügel,
> Voll umgrünter Lorbeerhaine,
> 5 Schaurig schön, aus deren Zweigen,
> Wie Gesang von Wundervögeln,
> Alte Heldenlieder tönen
> Und vor sich die weite Ebne,
> Lichtbestrahlt und reich geschmückt,
> 10 Die zu winken scheint, zu rufen:
> Starker, nimm dich an der Schwachen!
> Kühner, wage! Wagen siegt!
> Was du nimmst, ist dir gegeben!
> Sich hinabzustürzen dann
> 15 In das rege, wirre Leben,
> An die volle Brust es drücken,
> An sich und doch unter sich:
> Wie ein Gott an leisen Fäden
> Trotzende Gewalten lenken,
> 20 Rings zu sammeln alle Quellen,
> Die, vergessen, einsam murmeln
> Und in stolzer Einigung,
> Bald beglückend, bald zerstörend,
> Brausend durch die Fluten wälzen.
> 25 Neidenswertes Glück der Größe!

Sein Oheim Massud sieht ein, dass es zwecklos wäre den Verblendeten halten zu wollen. Ein letzter Rat:

> Schlaf noch einmal hier im Hause,
> Denk noch einmal, was du willst:
> Trifft der Tag dich gleichen Sinnes,
> Nun, wohlan, so ziehe hin!

Also verbringt Rustan noch eine Nacht im „dumpfen Raum der Hütte" um Kräfte zu sammeln für künftige Taten und dann für immer befreit zu sein. Diese Taten erscheinen ihm nun im Traum – als eine schlimme Geschichte der Verstrickung in Lüge und Mord. Ungezügelter Tatendrang lässt ihn über Leichen gehn. Nur als Gewaltherrscher meint er verhindern zu können, dass seine Schuld an den Tag kommt. Aber das Lügengebäude bricht trotzdem zusammen und er muss fliehen. Die Flucht endet dort, wo des „Unheils Pfad" begonnen hat: am Ort der ersten Mordtat. Er stürzt sich in den Abgrund – und erwacht in Massuds Hütte. Noch begreift er nichts.

> RUSTAN Und das alles,
>   Was gesehen ich, erlebt,
>   All die Größe, all die Greuel,
>   Blut und Tod und Sieg und Schlacht –?
> 5 MASSUD War vielleicht die dunkle Warnung
>   Einer unbekannten Macht,
>   Der die Stunden sind wie Jahre
>   Und das Jahr wie eine Nacht,
>   Wollend, dass sich offenbare,
> 10   Drohend sei, was du gedacht,
>   Und die nun, enthüllt das Wahre,
>   Nimmt die Drohung samt der Nacht.
>   Brauch den Rat, den Götter geben;
>   Zweimal hilfreich sind sie kaum.
> 15 RUSTAN Eine Nacht! Und war ein Leben.
>   MASSUD Eine Nacht! Es war ein Traum.

Ein Traum, der ein ganzes – mögliches – Leben vorweggenommen hat. Möglich dann, wenn Rustan die Warnung in den Wind schlägt und dem verderblichen Drang nach Macht und Ruhm folgt. Rustan dankt dem neuen Tag.

> Dank dir, Dank! dass jene Schrecken,
> Die die Hand mit Blut besäumt,
> Dass sie Warnung nur, nicht Wahrheit,
> Nicht geschehen, nur geträumt.
> 5 Dass dein Strahl in seiner Klarheit,
> Du Erleuchterin der Welt,
> Nicht auf mich, den blut'gen Frevler,
> Nein, auf mich, den Reinen, fällt.

> Breit es aus mit deinen Strahlen,
> ₁₀ Senk es tief in jede Brust:
> Eines nur ist Glück hienieden,
> Eins: des Innern stiller Frieden
> Und die schuldbefreite Brust!
> Und die Größe ist gefährlich
> ₁₅ Und der Ruhm ein leeres Spiel;
> Was er gibt, sind nicht'ge Schatten,
> Was er nimmt, es ist so viel!

Massud steht nun der Verbindung mit Mirza nicht mehr im Wege. Unüberhörbar aber bleibt seine Warnung:

> Doch vergiss es nicht: Die Träume
> Sie erschaffen nicht die Wünsche,
> ₂₀ Die vorhandnen wecken sie;
> Und was jetzt verscheucht der Morgen,
> Lag als Keim in dir verborgen […]

Zwischen den Zeiten

Dass ein gefährlich mutiger Geist zur Besinnung gebracht wird, hochfahrende Wünsche im bescheidenen Leben einer behaglichen Idylle enden – das hörten die Mächtigen der Restauration wohl gerne. Massuds „Lektionen" jedenfalls wurden zu den meistzitierten Sätzen aus diesem Stück: „Bleibt im Land und nährt Euch redlich!" Und zum Trost dazu: „Auch die Ruhe hat ihr Schönes."

Im Lande geblieben ist **Franz Grillparzer**, dieser seit langer Zeit erste bedeutende Dichter Österreichs, nämlich zeitlebens in Wien. Und die Sicherheit äußerer Ruhe hat er, nach Jurastudium und Tätigkeiten als Hauslehrer und Bibliothekar, in einem langen Beamtenleben wohl auch gefunden, vor allem von 1832 bis zur Pensionierung 1856 als Direktor des Hofkammerarchivs: Zeit für vielseitige Bildung. Doch das ist kein Indiz für „biedermeierliche" Selbstgenügsamkeit.

Auch nicht das märchenhaft erscheinende Happyend, zu dem Rustans wüstes Traumerleben führt. Das wäre ein vordergründiges Missverstehen. Der Titel des Stückes weist zurück auf ein Schauspiel des spanischen Klassikers Calderón: *Das Leben ein Traum*. Das bedeutet: Nur Ewiges ist wirklich, alles Irdische aber nichtig. Was der Mensch als „Wirklichkeit" erlebt, ist nur ein Traum. Solche Erkenntnis sollte den Weg bereiten zum einzig wahren Leben in Gott. Gedanken, die auch die Barockdichtung in Deutschland bestimmt haben. An die spanische Bühne erinnert übrigens auch das Versmaß, das Grillparzer hier verwendet: der – wenn auch vielfach abgewandelte – vierfüßige Trochäus, der eine eigenartige Sprachmelodie hervorbringt.

Grillparzer stellt nicht nur Calderóns Titel auf den Kopf. Rustan erfährt im Traum eine Steigerung seiner Worte und Wünsche zu Taten. Der Traum hilft die verborgenen Möglichkeiten seiner Seele offen zu legen, die Zwiespältigkeit seines Charakters zu erkennen und innere Gefährdung zu überwinden. Traumerfahrung als Weg zur Wahrheit im Diesseits. So beschwört der Dichter in eindrucksvollen Bildern, was spä-

Restauration
↑ S. 177

Franz
Grillparzer,
1791–1872

Calderón: *Das Leben ein Traum*,
1635

Barock ↑ S. 57

Trochäus ↑
Versmaß, S. 59

ter **Sigmund Freud**, Begründer der modernen Psychoanalyse, zu erforschen begann. Das Drama um Rustan zeigt den seelischen Prozess eines Menschen, der zu sich selbst findet. Die Märchen-Kulisse freilich, in der sich das abspielt – Hütte in ländlicher Gegend und Königsschloss, dazwischen der Wald – bildet eine äußerlich eng beschränkte Welt ab.

Grillparzer, geboren 1791, zwei Jahre nach Ausbruch der Französischen Revolution, gestorben 1872, ein Jahr nach der Gründung eines Deutschen Reiches unter Ausschluss Österreichs, hat seine Zeit als eine Epoche des Übergangs angesehen. Wien zehrte noch vom einstigen Glanz der habsburgischen Weltmonarchie und Grillparzer hat sich intensiv mit geschichtlichen Themen befasst. Das bezeugen vor allem einige historische Trauerspiele, von denen gleich das erste die Zensurbehörde auf den Dichter aufmerksam werden ließ. Zwei Jahre lag das Stück dort, bis es 1825 aufgeführt werden durfte: *König Ottokars Glück und Ende*, ein historisch-politisches Trauerspiel nach Geschehnissen des 13. Jahrhunderts. Doch mit dem selbstherrlich-anmaßenden Böhmenkönig wurde auf Napoleon angespielt. Siegreicher Gegenspieler Ottokars ist der verantwortungsvoll handelnde Rudolf von Habsburg, der für Recht und Ordnung eintritt. Ein späteres Stück zur Habsburger-Geschichte hat Grillparzer zwar vollendet, aber nicht veröffentlicht.

Der Traum ein Leben war Grillparzers letzter Bühnenerfolg. Vier Jahre später wurde sein Lustspiel *Weh dem, der lügt!* wohl aus Mangel an Verständnis so unfreundlich aufgenommen, dass er seine letzten großen Stücke gar nicht mehr erscheinen ließ. Empfindlichkeit, die sich zur Gereiztheit steigern konnte, war schon früh als Folge belastender Familienverhältnisse aufgetreten: Verschlossenes Wesen des Vaters, Übersensibilität der Mutter, die sich selbst tötete. Zuletzt verfiel der in der Sache doch streitbare Dichter mehr und mehr in Bitterkeit und Resignation. Bezeichnend dafür erscheint das Lied eines Derwischs, das Rustan vernimmt – und verwirft, bevor der Traum „andre Bilder" in seinem Innern wach werden lässt:

> Schatten sind des Lebens Güter,
> Schatten seiner Freuden Schar,
> Schatten Worte, Wünsche, Taten,
> Die Gedanken nur sind wahr
> 5 Und die Liebe, die du fühlest,
> Und das Gute, das du tust;
> Und kein Wachen als im Schlafe,
> Wenn du einst im Grabe ruhst.

Zaubermärchen und Zensur

> Da streiten sich die Leut herum
> Oft um den Wert des Glücks,
> Der eine heißt den andern dumm,
> Am End weiß keiner nix.
> 5 Da ist der allerärmste Mann
> Dem andern viel zu reich.
> Das Schicksal setzt den Hobel an
> Und hobelt S' beide gleich. […]

Randspalte:

S. Freud: *Die Traumdeutung*, 1900

„Ich komme aus anderen Zeiten / Und hoffe, in andre zu gehn."

König Ottokars Glück und Ende, 1823

Weh dem, der lügt, 1838

Derwisch: wandernder islamischer Bettelmönch

Ferdinand Raimund: *Hobellied*, 1834

> Zeigt sich der Tod einst mit Verlaub
> 10 Und zupft mich: Brüderl, kumm!
> Da stell ich mich im Anfang taub
> Und schau mich gar nicht um.
> Doch sagt er: Lieber Valentin!
> Mach keine Umständ! Geh!
> 15 Da leg ich meinen Hobel hin
> Und sag der Welt adje.

Der Verschwender, 1834

Dieses Lied singt der Tischler Valentin auf dem Alt-Wiener Volkstheater in einem *Original-Zaubermärchen mit Gesang* von **Ferdinand Raimund**: *Der Verschwender.* Titelgestalt ist Julius von Flottwell, in Liebe verbunden mit der Fee Cheristane, die als Bauernmädchen Minna für begrenzte Zeit auf Erden leben darf. Auch nach ihrer Rückkehr in das Feenreich beschützt sie den Leichtsinnigen: durch einen dienstbaren Geist, der als aufdringlicher Bettler bei Flottwell erscheint, die reichlich empfangenen Gaben aber aufbewahrt und dem schließlich in Not geratenen Verschwender an dessen fünfzigstem Geburtstag zurückgibt.

Hellsichtig drückt Rosa hier aus, was Philosophen wie Karl Marx erst ein gutes Jahrzehnt später formulieren: dass Zeitumstände die Menschen formten, „Sein" das „Bewusstsein" bestimme.

Der eigentliche „Held" des Stückes aber ist Flottwells treuer Diener Valentin, ein Vorbild biedermeierlicher Bescheidenheit, wie das berühmt gewordene *Hobellied* ausweist und von erstaunlichem Edelmut. Er hat seinerzeit Flottwells Haus verlassen müssen, weil er für die Dienerin Rosa eingetreten ist, die man zu Unrecht des Diebstahls verdächtigte. Valentin hat dann seinen früheren Beruf wieder aufgenommen und Rosa geheiratet. Die beiden haben ein bescheidenes Auskommen. Als Valentin viele Jahre später seinem verlassenen und verarmten Herrn begegnet, nimmt er ihn in sein Haus auf – gegen die Meinung seiner Frau. Die sieht schärfer, wie es in der Welt zugeht: „Verhältnisse bestimmen die Äußerungen der Menschen [...] Können Sie von uns fordern, dass wir in unserer eingeschränkten Lage noch einen Mann erhalten, dem wir nichts zu danken haben als unseren richtigen Lohn?" Solche soziale Einsicht stellt märchenhaftes Glück in Frage; das Zauberspiel zeigt Brüche. Einerseits verheißt die gute Fee dem Menschen, dem sie liebevoll zugetan ist, ein Wiedersehn „in der Liebe grenzenlosem Reich". Andererseits verweist dieselbe Fee, als sie die Erde verlässt, den Schützling auf seine eigene Verantwortung für sein Geschick:

Fatum: Schicksal

> Kein Fatum herrsch auf seinen Lebenswegen,
> Er selber bring sich Unheil oder Segen. [...]
> Und da er frei von allen Schicksalsketten,
> Kann ihn sein Ich auch nur von Schmach erretten.

Die Figur des Valentin war Raimunds eigene Lieblingsrolle auf der Bühne.

Damit stellt Raimund die fromme Schicksalsergebenheit des biederen Valentin selbst in Frage.

Ferdinand Raimund (1790–1836), Sohn eines Drechslermeisters namens Raimann, war mit Leib und Seele ein Mann des Volkstheaters. Rund 170 Rollen hat er selbst gespielt, viele Stücke als Regisseur auf die Bühne gebracht, acht selbst geschrieben; mindestens drei davon haben seinen Nachruhm begründet. Wichtigster Schauplatz seines Wirkens war die bekannteste Wiener Volksbühne, das Theater in der Leopoldstadt, das er kurze Zeit auch als Direktor leitete. Seine Stücke stehen in der Tradition des Zaubermärchens, wo mit Hilfe außer- oder überirdischer Mächte das Gute am

Ende über das Böse siegt, Gegensätze versöhnt werden, Ordnung und Zufriedenheit ein ruhiges Glück sichern. Wo die Gewissheit herrscht, dass es „oben" eine Welt unbedrohter Freiheit und ungetrübter, ewiger Liebe geben muss; und das müsse die Welt „unten" erträglicher erscheinen lassen. Im Alter von 46 Jahren hat Ferdinand Raimund seinem Leben selbst ein Ende gesetzt; er erschoss sich nach einem Hundebiss, aus Angst vor Tollwut.

Ferdinand Raimund und Constanze Dahn in *Das Mädchen aus der Feenwelt oder Der Bauer als Millionär. Romantisches Original-Zaubermärchen mit Gesang in drei Aufzügen.* 1826 (Bild von der Hamburger Aufführung 1831)

- Ganz allgemein versteht man unter „Volkstheater" ein bühnenwirksames, volks-
- tümliches Theater, das sich nicht an ein literarisch vorgebildetes Publikum wen-
- det; was keineswegs bedeutet, es sei anspruchslos. Der Begriff ist mehrdeutig,
- meint ebenso ein Theater „für das Volk" (nicht nur für bestimmte Schichten)
- wie Theaterstücke, in denen Angehörige des „Volkes" Hauptpersonen sind,
- nicht bloß Randfiguren wie in der klassischen Tragödie. Sogenannte „Volks-
- stücke" greifen vorwiegend Motive aus der kleinbürgerlichen und bäuerlichen
- Welt auf, meist mit komischem Einschlag. Gespielt werden sie – im Gegensatz
- etwa zum „Bauerntheater" – von Berufsschauspielern, seit den Anfängen im 18.
- Jh. und auch im 19. Jh. meist auf Vorstadt- und Wanderbühnen, zunächst vor
- allem in Österreich und Süddeutschland, bald auch in Frankfurt, Hamburg,
- Berlin u. a. Orten.
- Entscheidend für die Qualität der Darbietungen war – und ist – nicht die Insti-
- tution Volkstheater, sondern die Absicht, die sich damit verbindet: Zwischen
- Charakter- und Gesellschaftskritik und seichter Unterhaltung gibt es viele Spiel-
- arten. Es gibt Volksstücke von literarischem Rang, zum Beispiel einige Stücke
- Ferdinand **Raimunds** und Johann Nepomuk **Nestroys** im Alt-Wiener Volks-
- theater; und auch später haben namhafte Autoren die Tradition des Volksthea-
- ters aufgegriffen: Carl **Zuckmayer**, Bertolt **Brecht**, Franz Xaver **Kroetz** u. a.

Volkstheater

Tragödie
↑ Drama, S. 75

C. Zuckmayer
↑ S. 310
B. Brecht ↑ S.281
F. X. Kroetz
↑ S. 313

Satire ↑ S. 65
Parodie ↑ S. 204

Johann
Nepomuk
Nestroy,
1801–1862

Couplet: meist
kurzes, pointier-
tes Lied, z. B.
Teil einer Posse,
eines Kabarett-
programms

Der zweite über die Zeit hinaus bedeutende Vertreter des Alt-Wiener Volkstheaters ist **Johann Nepomuk Nestroy**, der, ursprünglich Opernsänger, als Schauspieler in weit über 900 Rollen und als Verfasser von 83 Stücken mit dem Theater in der Leopoldstadt verbunden war, das er später auch leitete. Die große Zahl seiner Stücke erklärt sich zum Teil aus vertraglicher Verpflichtung: Er hatte in bestimmter Zeit eine festgelegte Anzahl von Stücken zu liefern. Je mehr er sich von den Zauberstücken abwandte und – mehr oder weniger offen – soziale und politische Themen kritisch aufgriff, um so häufiger bekam er es mit den Wächtern der Zensur zu tun, mit denen er sein einfallsreiches Spiel trieb: mit scheinbar harmlos-lustigen Couplets, Wortwitz, Satire und Parodie. Nestroy wurde zum Meister der Posse, in der er ernsthafte Themen im unterhaltsamen Gewand des Volksstücks aufwarf.

Posse

Karikatur:
Zerrbild durch
Übertreibung
bestimmter
Charakterzüge,
in kritischer
Absicht und mit
satirischer
Wirkung

„Wir werden
seiner Botschaft
den Glauben
nicht deshalb
versagen, weil sie
ein Couplet war.
[…] Oder weil er
sein Dynamit in
Watte wickelte
[…]" Karl Kraus
über Nestroy,
1912

- „Possen" ist seit dem 16. Jh. eine Bezeichnung für Unfug, derben Streich. Im
- 17. Jh. benannte man mit der weiblichen Form „Posse" ein derb-komisches
- Nachspiel, das Wanderbühnen auf ein ernstes Stück folgen ließen, auflockern-
- de Unterhaltung, verwandt dem Fastnachtsspiel oder dem Schwank. Kenn-
- zeichen der Posse sind einfache Handlung, übertreibende (karikierende) Dar-
- stellung von Personen und Situationen, Improvisation, also Offenheit für spon-
- tane Einfälle. Komischer Inhalt war wichtiger als vorgegebene Formen und
- künstlerisch gestaltete Sprache. Lehrhaftigkeit war der Posse fremd. Aber je nach
- gesellschaftlichem oder lokalem Bezug konnten Schauspieler die Illusion der
- Handlung durchbrechen und sich direkt ans Publikum wenden um „lachend die
- Wahrheit zu sagen".
- Offen war die Posse auch für andere Künste: Tanz und vor allem Musik. Lied-
- einlagen (Couplets) waren beliebt. Die Nähe zur Operette (und zum späteren
- Musical) ist offensichtlich. Losgelöst von den Stücken konnten solche Theater-
- lieder zu Schlagern werden. Zentrale Gestalt dieser Stücke war oft eine komi-
- sche Figur aus dem Volke. Dafür gab es wechselnde und regional unterschied-
- liche Namen: lustige Person, Harlekin, Hanswurst, Kasperl u. a.
- Natürlich konnte Anpassung an Publikumserwartungen um jeden Preis Possen
- zu seichter Unterhaltung werden lassen; die gibt es zu jeder Zeit. Wichtiger ist
- der Weg in die andere Richtung: die Ausgestaltung der Posse zum mehraktigen
- komischen Drama. Es gab „Lokalpossen", die bestimmte Ereignisse aufspieß-
- ten, also an anderem Ort, zu anderer Zeit kaum „ankommen" konnten; oder
- „Zauberpossen", in denen gute und böse Geister – beliebt waren Feen – das
- Handeln der Menschen beeinflussen. Dass wenigstens auf der Bühne das Gute
- am Ende siegt, kann subjektiv ein Trost sein, objektiv Kritik an einer verkehr-
- ten Welt.

*Die schlimmen
Buben in der
Schule,* 1847

Auch ein Stück mit dem unverdächtig klingenden Titel *Die schlimmen Buben in der Schule,* das wenige Wochen vor dem Ausbruch der Revolution aufgeführt wurde, konnte politischen Zündstoff bergen; wenn zum Beispiel in einem Lied Schulfächer kritisch attackiert wurden. Daraus zwei Beispiele:

In der Sprachlehr blamiern s' mit d'vielen Hauptwörter sich,
Der Mensch kennt ein Hauptwort nur und das heißt: Ich –
Ja und nein sind als Nebnwörter nur angegebn
Und für'n Ehr'nmann sind's Bindewörter fürs ganze Lebn, –
5 Mit Empfindungswört'r erst, da will's durchaus nicht fort,
Für viele Empfindungen habn s' gar kein Wort. –
Selbst im ABC findt ka Anleitung statt,
Wie m'r am g'scheitesten B sagt, wenn m'r A gesagt hat –
Und die Hauptlehre in jeder Sprach wär es wohl,
10 Genau anzugebn, wenn man's Maul halten soll. […]

Unter Schreibkunst tun s' Schönschreibkunst nur verstehn,
Und vergessen den Grundsatz dabei: „G'scheit is schön."
Drum schreibn als wie g'stochen so schön viele Leut,
Und im Grund schreibn s' doch nicht schön, denn sie schreibn nicht g'scheit.
15 Auch poetisch zu schreibn versucht jetzt Alt und Jung,
Und trotz Stahlfedern kriegt das Geschriebne kein' Schwung.
Da werdn s' schiech, werfen's Tintenfass weg, Knall und Fall,   *schiech:* wütend
Und tauchen von nun an die Feder in Gall;
Werdn satirisch und bös, doch 's misslingt jeder Trumpf,
20 Keine Feder schreibt spitzig, wenn der Schreiber ist stumpf.

Im Freiheitskampf des Jahres 1848 stürzte das Metternich-Regime. Doch die Revolutionäre waren nicht fähig ihre Ideale in die Wirklichkeit zu übertragen und ihren Sieg in festen politischen Strukturen zu sichern. So ging sehr bald schon das Gespenst der „Reaktion" wieder um: des Rückfalls in alte Machtverhältnisse. Schon Ende Oktober war es wieder so weit. Nestroy nutzte die kurze Spanne, in der die Zensur ruhte, zu aktueller und unverblümter Kritik. Seine satirische Komödie *Freiheit in Krähwinkel* gliedert sich prophetisch in zwei Teile: 1. Die Revolution, 2. Die Reaktion. Sprachrohr des Autors ist vor allem ein Journalist mit dem sprechenden Namen Ultra, Mitarbeiter der Krähwinkler Zeitung. Der blickt in einem Couplet zurück auf das „Zopfensystem". Der steife Zopf an der Perücke war ein Symbol des absolutistischen Regiments.

Reaktion: Festhalten an alten Zuständen gegen Fortschritt und neue Ordnung

Freiheit in Krähwinkel, 1849

Ultra: politischer Extremist
Zopf: Beim Wartburgfest 1817 verbrannten die Studenten u. a. einen Korporalstock und einen Zopf.
↑ S. 177

Unumschränkt habn s' regiert,
Kein Mensch hat sich g'rührt,
Denn hätt's einer g'wagt
Und a freies Wort g'sagt,
5 Den hätt d'Festung belohnt,
Das war man schon g'wohnt.
Ausspioniert habn s' alls glei,
Für das war d'Polizei.
Der G'scheite ist verstummt;
10 Kurz, 's war alles verdummt;
Diese Zeit war bequem
Für das Zopfensystem.

Festung: Gefängnis

Aber dann kamen die Julirevolution in Paris, die Aufstände in Deutschland und Österreich. Für eine kurze Zeit regierten Freiheit und Recht. Nur in Krähwinkel findet Ultra noch alles beim Alten: Da trägt man noch sichtbar Zöpfe. Ultra blickt zurück auf die früheren Zustände im jetzt „freiheitsstrahlenden Österreich": Da habe es wohl „Freiheiten" gegeben, zum Beispiel „zu gewissen Zeiten Marktfreiheit" oder bei bestimmten Bällen „Maskenfreiheit". Sogar „Gedankenfreiheit", nämlich „insofern wir die Gedanken bei uns behalten haben". Freiheiten schon – „aber von Freiheit keine Spur"! Doch das sei ja jetzt anders geworden – und werde auch in Krähwinkel anders werden. Oder etwa nicht?

> Wahrscheinlich werden dann von die Krähwinkler viele so engherzig sein und nach der Zersprengung ihrer Ketten, ohne gerade Reaktionär zu sein, dennoch kleinmütig zu raunzen anfangen: „O mein Gott, früher ist es halt doch besser gewesen – und schon das ganze Leben jetzt – und diese Sachen alle –", aber
> ₅ das macht nichts, man hat ja selbst in Wien ähnliche Räsonnements gehört. Und sonderbar, gerade die, die es am schwersten betrifft, verhalten sich am ruhigsten dabei.

raunzen:
dauernd unzufrieden nörgeln
Räsonnement:
Äußerung der
Unzufriedenheit

Zu denen, die durch die errungene Freiheit verloren haben, zählt Ultra auch gewisse „Dichter", die nun ihre beliebteste Ausrede eingebüßt hätten:

> Es war halt eine schöne Sach, wenn einem nichts eing'fallen is und man hat zu die Leut sagen können: „Ach Gott! Es is schrecklich, sie verbieten einem ja alles." Das fallt jetzt weg […]

Traurige Bilanz in lustigem Gewand: Manchen braucht man Gedanken gar nicht zu verbieten, weil sie sich keine machen. Aus Dummheit, Furcht, Bequemlichkeit? Ganz gewiss ist es bequem vom sicheren Parkett aus mit der Karikatur des „Biedermeier" die gefährliche Freiheit zu beklatschen, die da unter der Maske der Krähwinkelei auftritt. Das Volk, das sich die Freiheit der Revolution so schnell wieder entreißen ließ, hat sich im Theater köstlich amüsiert.

Das Junge
Deutschland

- Eine Gruppe waren sie nicht; dazu wurden sie erst in den Augen ihrer Verfolger.
- Das waren die Bevollmächtigten der im Deutschen Bund vereinten deutschen
- Staaten, versammelt im Bundestag in Frankfurt am Main. Der fasste im Dezem-
- ber 1835 einen Beschluss „gegen die Verfasser, Verleger, Drucker und Verbreiter
- der Schriften aus der unter der Bezeichnung ‚das junge Deutschland' oder ‚die
- junge Literatur' bekannten literarischen Schule, zu welcher namentlich Heinr.
- Heine, Karl Gutzkow, Heinr.Laube, Ludolf Wienbarg und Theodor Mundt ge-
- hören". Verboten wurden Druck und Verbreitung ihrer „für alle Klassen von Le-
- sern zugänglichen Schriften". Begründung: frechste Angriffe auf die christliche
- Religion, Herabwürdigung der bestehenden sozialen Verhältnisse, Zerstörung
- aller Zucht und Sittlichkeit – was immer die Mächte der Restauration darunter
- verstehen wollten.
- Den Begriff „Junges Deutschland" hat der Privatdozent Ludolf Wienbarg ge-
- prägt, als er 1834 seine Kieler Literaturvorlesungen vom Vorjahr unter dem

Titel „Ästhetische Feldzüge" veröffentlichte und mit dem Satz begann: „Dir, junges Deutschland, widme ich diese Reden, nicht dem alten." Für ihn war Literatur nicht zu trennen von den sozialen und politischen Verhältnissen und damit stand er nicht allein. Es gab zwar keine Gruppe, aber Gleichgesinnte, die mit literarischen Mitteln für gleiche Ziele kämpften: gegen die alten Mächte, die der geistigen und politischen Freiheit im Wege standen. „Freiheit des Geistes, der Meinung, der Religion" hießen die Ziele.

Man kämpfte für kritische Aufklärung, gegen geistige Bevormundung und Knebelung; für weltbürgerliche Weite, gegen deutschtümelndes Philistertum und engstirnigen „Patriotismus", der zum Beispiel Franzosenhass predigte um von Not und Unfreiheit im eigenen Lande abzulenken; für die Solidarität der vielen („Sozialismus"), gegen egoistische Vereinzelung. Für die Literatur sollte das heißen: sich nicht mit der Erfahrung und Erforschung der „Innerlichkeit" zu begnügen, sondern sich vor allem für die Verbesserung der äußeren Verhältnisse einzusetzen; nicht im Erlebnis der „Schönheit" seine eigene Erfüllung zu suchen, sondern den Lesern die hässliche Wirklichkeit vor Augen zu stellen. **Heinrich Heine** sprach vom „Ende der Kunstperiode" und forderte in einem Gedicht mit dem programmatischen Titel *Die Tendenz* den „deutschen Sänger" auf:

H. Heine
↑ S. 206

Girre nicht mehr wie ein Werther,
welcher nur für Lotten glüht –
Was die Glocke hat geschlagen
sollst du deinem Volke sagen,
rede Dolche, rede Schwerter!

Werther ↑ S. 98

Die Möglichkeiten ein Leserpublikum zu erreichen waren so gut wie nie vorher. Das hatte der Bundestag richtig erkannt. Durch Ausbreitung der Schulpflicht machte die Alphabetisierung der Bevölkerung Fortschritte. Maschinelle Papierherstellung und schnell arbeitende Druckpressen sorgten für rasche Ausweitung des Buchmarkts und des Pressewesens.

Alphabetisierung: das Lehren von Lesen und Schreiben

Leihbibliotheken machten Literatur auch für breitere Kreise zugänglich. Um so mehr musste die Zensur darauf aus sein die Quellen in den Griff zu kriegen. Ein Katz-und-Maus-Spiel: Durch Großdruck suchten Verleger die Schranke der Vorzensur (20 Bogen) zu überspringen. Man wählte irreführend-harmlose Titel und erfundene Verlagsorte, stiftete Verwirrung durch ständige Neugründung von Zeitschriften. Kein lustiges Spiel: Einige Autoren zogen es vor „freiwillig" ins Exil zu gehen. Anderen blieb keine andere Wahl, zumal nach dem Bundestagsbeschluss von 1835.

Bogen ↑ S. 177

Das Junge Deutschland kämpfte als literarische Bewegung für Emanzipation, Befreiung aus unwürdiger Vormundschaft und konnte sich dabei auf berühmte Vorläufer wie Lessing oder Schiller berufen. Doch eine konkret sozial und politisch orientierte Literatur, die sich aktuellen Anlässen zuwendet und „für den Tag" schreibt, hat weniger Chancen als „zeitlose" Dichtung über den Tag hinaus zu bestehen. Journalistische Prosa und politische Lyrik bestimmten vor allem das Bild des literarischen Jungen Deutschland, Zeitungen und Zeitschriften stärker als Buch oder Bühne. Trotzdem gibt es auch „Tendenzliteratur" aus dem Vormärz, die ihre Zeit überdauert hat, etwa politische Lyrik von **Georg**

journalistisch: von „Journal", Tageszeitung (französisch *jour* ‚Tag')

↑ S. 178

- **Herwegh** oder **Ferdinand Freiligrath**. Und das „Lied der Deutschen" von
- August Heinrich **Hoffmann von Fallersleben** steht als Text der deutschen
- Nationalhymne auch heute noch im Streit der Meinungen. Zwei Schriftsteller
- vor allem, die dem Jungen Deutschland geistig nahe standen, überdauern mit
↑ S. 206, 216
- bedeutenden Werken ihre Epoche: **Heinrich Heine** und **Georg Büchner**.

„Poesie der Hütte": Georg Herwegh

1843

Wiegenlied
„Schlafe, was willst du mehr?" Goethe

Deutschland – auf weichem Pfühle
Mach dir den Kopf nicht schwer!
Im irdischen Gewühle
Schlafe, was willst du mehr?

5 Lass jede Freiheit dir rauben,
Setze dich nicht zur Wehr,
Du behältst ja den christlichen Glauben:
Schlafe, was willst du mehr?

Und ob man dir alles verböte,
10 Doch gräme dich nicht zu sehr,
Du hast ja Schiller und Goethe:
Schlafe, was willst du mehr?

Dein König beschützt die Kamele
Und macht sie pensionär,
15 Dreihundert Taler die Seele:
Schlafe, was willst du mehr?

Es fechten dreihundert *Blätter*
Im Schatten, ein Sparterheer;
Und täglich erfährst du das Wetter:
20 Schlafe, was willst du mehr?

Kein Kind läuft ohne Höschen
Am Rhein, dem freien, umher:
Mein Deutschland, mein Dornröschen,
Schlafe, was willst du mehr?

Sparterheer:
480 v. Chr.
kämpften 300
Spartaner gegen
persische Über-
macht: „im
Schatten" der
feindlichen
Geschosse, wie
es hieß.

Deutschland im Dornröschenschlaf. Kein Prinz wird es wecken, wachküssen. Georg Herwegh hat das gerade deutlich erfahren müssen: König Friedrich Wilhelm IV. befahl den Dichter gnädig zur Audienz und ließ ihn kaum zu Wort kommen. Ein Beschwerdebrief nach dieser Enttäuschung gelangte an die Öffentlichkeit und Herwegh wurde 1842 polizeilich aus Preußen ausgewiesen.

Von den Fürsten nichts zu erwarten: Also muss man das Volk wachrütteln. Das ist nicht leicht, die Beruhigungsmittel sind zu stark. Da gibt es erstens die Kirchen, die weitgehend die alten Mächte unterstützen. Zweitens die klassischen Dichter, sofern man sie als zeitenthoben liest und auslegt. Drittens die Staatsbeamten. Denen kann nichts passieren, solange sie parieren; dann ist ihnen ihre Pension garantiert.

„Ich liebe Goethe, ich weiß, dass er der größte Künstler ist, den Deutschland geboren; ich weiß, dass seine Gedanken das lautere Gold des Herzens und der Vernunft […]; aber Goethe war kalt, indifferent, er sympathisierte nur mit der Ewigkeit, nicht auch mit der Zeit. […] Und diese Zeit fordert Sympathien."
G. Herwegh, 1840

Der Michel und seine Kappe im Jahr 1848 (in der Zeitschrift *Eulenspiegel*, 24. März 1849): revolutionärer Frühling – bürgerlich-konservativer Sommer – Herbst der Reaktion („Rückwärtserei" sagte Hoffmann von Fallersleben). Der Bart ist ab, Schlafmütze her!

Bei solchen Beruhigungsmitteln braucht man die Wirkung der Unruhe stiftenden republikanischen Presse kaum zu fürchten. Diese Blätter hatten ebenso wenig Überlebenschancen wie einst die 300 Spartaner. Schließlich gibt es am Rhein keine „Sansculotten" mehr. So nannte man die französischen Revolutionäre: „Ohnehosen". Aber da von Kindern die Rede ist, spielt dieses Bild noch auf etwas anderes an: Was soll das Jammern über soziales Elend, meinen zufriedene Besitzbürger, ein Höschen hat schließlich noch jedes Kind. Sorgt lieber dafür, dass der Rhein frei bleibt, strecken doch die Franzosen gerade wieder ihre Hand nach dem linken Rheinufer aus. „Sie sollen ihn nicht haben, den freien deutschen Rhein", singen dagegen mit Nikolaus Becker die Patrioten. Herwegh nimmt ein beliebtes Ablenkungsmanöver aufs Korn: Feindes-, vor allem Franzosenhass schüren um Not und Unfreiheit im Lande vergessen zu machen.

Französisch *sans culotte:* ohne die Kniehose der Adeligen (stattdessen mit langen Hosen, *pantalons*)

Das alles sagt Herweghs *Wiegenlied* – und noch mehr. Das vorangestellte Goethe-Zitat verrät es. Die Refrain-Zeile „Schlafe, was willst du mehr?" hat nämlich eine lange Geschichte. Goethe hat sie und die Form der Strophe einem italienischen Volkslied nachgebildet: zu einem *Nachtgesang* (1804), in dem von „ewigen Gefühlen" gesungen wird, die „aus irdischem Gewühle" emporheben und „auf dem weichen Pfühle" Ruhe finden lassen sollen. Elf Jahre später greift Eichendorff (↑ S. 164) in einer Parodie Goethes Gedicht auf, behält Strophenform und Reime bei, verändert den Inhalt aber so, dass die Sache komisch wirkt:

Aus demselben Jahr 1840 stammt das Lied *Die Wacht am Rhein* von Max Schneckenburger, das lange Zeit eine deutsche Reichshymne ersetzte, vor allem mit dem deutsch-französischen Krieg 1870/71 gewaltigen Aufschwung nahm.

Die ewigen Gefühle,
Schnupfen und Husten schwer,
Ziehn durch die nächt'ge Kühle;
Schlafe, was willst du mehr?

Herweghs Goethe-Parodie ist schärfer als solch harmloses Spiel: ein gefährlicher Angriff auf politische Zustände.

Parodie

- Die Nachahmung eines ernsten (zumindest ernstgemeinten) Werkes, bei der die
- Vorlage durch Übertreibung oder Verzerrung verändert wird, nennt man Par-
- odie (nach dem griechischen Wort für „Gegengesang"). Auch eine bestimmte
- Stilart oder Gattung, zum Beispiel das Volkslied, kann durch Parodie kritisch
- beleuchtet oder verspottet werden. Dabei wird die Form der Vorlage beibehal-
- ten, der Inhalt verändert. Der Parodist kriecht sozusagen in die vorhandene Hül-
- le, die er dann von innen sprengt. Die komische Wirkung ergibt sich aus dem
- Auseinanderklaffen von Inhalt und Form.
- Das gilt auch für die „Travestie" (von italienisch *travestire* ‚verkleiden'), die den
- umgekehrten Weg geht: Sie übernimmt bekannte Inhalte, zum Beispiel eines

„Der Mann ist tot, die Witwe kichert, hoffentlich ... versichert."

- Märchens und hängt ihnen ein neues, „unpassendes" Gewand um, mit verblüf-
- fender, oft lächerlicher Wirkung.
- Wer eine Parodie verstehen will, muss die Vorlage kennen. Das ist bei weithin
- bekannten Texten, etwa einem Volkslied oder einem Werbeslogan, kein Pro-
- blem. Sonst ist Parodie ein Angebot nur für Kenner, etwa eine Literatur-Parodie,

Bürgers Ballade *Lenore* (↑ S. 92), von 256 Versen auf zwei verkürzt:„Lenore fuhr ums Morgenrot / und als sie rum war, war sie tot."

- die Besonderheiten und vor allem Schwächen eines Autors oder Werkes auf-
- spießt. Beliebt waren Schülerparodien auf bekannte Texte der Dichtung, allen
- voran Balladen. Parodien gab es schon in der Antike. Sie haben vor allem in
- Epochen eine Rolle gespielt, die besonders kritische Literatur hervorbrachten:
- Humanismus, Reformation, Aufklärung, Romantik, Vormärz u. a. Wenn
- August Wilhelm Schlegel (1767–1845) Schillers Gedicht *Würde der Frauen*
- (1796) parodiert, dann war daran bestimmt seine Frau Caroline nicht unbetei-
- ligt, eine frühe Kämpferin für weibliche Emanzipation:

- Ehret die Frauen! Sie flechten und weben
- Himmlische Rosen ins irdische Leben,
- Flechten der Liebe beglückendes Band.
-     F. Schiller

- Ehret die Frauen! Sie stricken die Strümpfe,
- Wollig und warm, zu durchwaten die Sümpfe,

Pantalons: lange Männerhose

- Flicken zerrissene Pantalons aus [...]
-     A. W. Schlegel

- Erhabener Anspruch von Heldenverehrung oder „klassischer" Entrücktheit
- waren und sind ebenso Angriffsziele von Parodie wie Rührseligkeit. Seit dem
- literarischen Vormärz ist Parodie mehr und mehr zu einem Mittel der Zeit-
- kritik geworden.

Wie einst Hölderlin oder Mörike hat auch der 1817 in Stuttgart geborene **Georg Herwegh**, Sohn eines Gastwirts, zunächst den von der protestantischen Kirche geförderten theologischen Bildungsweg betreten, das Theologiestudium aber abgebrochen: Poesie und Politik, für ihn untrennbar miteinander verbunden, wurden seine Lebensziele. Dem Militärdienst entzog er sich durch Flucht in die Schweiz. Er hatte einen Offizier beleidigt und wollte dem sogenannten „Ehrenhandel", dem Duell, ausweichen. Später schrieb er:

Georg Herwegh, 1817–1875

Vom Seminar in Maulbronn zum Tübinger Stift

> Deserteur? – „Mit Stolz. Ich habe des Königs Fahne,
>   Die mich gepresst, mit des Volks soldlosem Banner vertauscht."

In den kritischen Beiträgen, die er als Redakteur der Zeitschrift *Deutsche Volkshalle* verfasste, beschäftigte er sich unter anderem mit dem Verhältnis des Dichters zum Staat und zum Volk. In der Literatur sah er „die zweite Macht im Staate", nämlich die Opposition; die es als politische Einrichtung nicht geben konnte: Sie ist Ausdruck einer demokratischen Verfassung. Herwegh verstand freiheitliche Literatur als „Vorläuferin der Tat"; darum müsse sie demokratisch auch im Sinne von Verständlichkeit sein, allen zugänglich. „Poesie der Hütte" hieß Herweghs Parole und damit war nicht geringerer literarischer Anspruch gemeint. Vielmehr: Das Leben in den „Hütten" müsse Thema dieser Literatur sein und sie müsse dort auch verstanden werden können.

Wenn man die Presse gelegentlich als „Vierte Gewalt" bezeichnete, dann bezog sich das auf die demokratische „Gewaltenteilung" in gesetzgebende, ausführende und richterliche Gewalt.

1841 erschien in Zürich Herweghs erste Gedichtsammlung. Sie war ganz ungemein erfolgreich. Feurige Verse und Parolen wie „Der Freiheit eine Gasse" weckten Begeisterung und rissen auch andere Literaten mit. Dass der verständliche kämpferische Zorn auch bedenkliche Blüten trieb, darf dabei nicht überhört werden. *Das Lied vom Hasse* endet mit dem Refrain: „Wir haben lang genug geliebt / Und wollen endlich hassen!" In Paris, wo Herwegh hauptsächlich naturwissenschaftliche Studien betrieb, traf er Karl Marx, der dort im Exil lebte. Während in Deutschland Bettine von Arnim noch Hoffnung auf ein „Volkskönigtum" in Preußen setzte, schrieb Herwegh eine scharfe Abrechnung mit Friedrich Wilhelm IV., ein langes Gedicht mit dem Titel *Auch dies gehört dem König:*

Gedichte eines Lebendigen, 1841

Dies Buch gehört dem König
↑ S. 174

> Ich wußt, ein König ist ein irrer Stern
> Und nur der Zufall regelt ihm die Bahnen –
> Doch warnt ich vor dem Schweif, nicht vor dem Kern,
>
> Dem Schweif von Sklaven und von Scharlatanen,
> ₅ Ich dachte mir: dein eigen Fürstenherz
> Sei mehr als ein Register seiner Ahnen […]

So etwas war in den Augen der preußischen Behörden ein „Majestätsverbrechen" und dem Autor drohte Verhaftung.
Auch handfest politisch hat Herwegh zu handeln versucht. Im Revolutionsjahr 1848 wollte er als Anführer einer „Deutschen demokratischen Legion" mit einem Freikorps von 700 Mann den Aufständischen in Baden zu Hilfe kommen. Doch der Aufstand wurde niedergeschlagen. Herwegh entkam wie schon 1839 in die Schweiz. Erst nach einer Generalamnestie 1866 konnte er wieder nach Deutschland zurückkehren, mehr

Generalamnestie: allgemeiner Straferlass

Die Gründung eines Deutschen Reiches mit der Vormacht Preußen war zwar ein Schritt zur ersehnten Einheit, aber nicht zur Freiheit. Herwegh sah darin ein „Trauerspiel": „Die Wacht am Rhein wird nicht genügen. / Der schlimmste Feind steht an der Spree."

und mehr unter Depressionen leidend, weil sich die Bürger wieder mit den alten Mächten abfanden.

Herweghs Engagement in seinen letzten Jahren galt besonders der sozialen Not der untersten Schichten des Volkes – nicht nur in Deutschland und, wie wir heute wissen, nicht nur in jener Zeit. So schrieb er 1866:

> Allüberall Geschrei nach Brot,
> Vom Atlas bis Archangel!
> In halb Europa Hungersnot,
> Im halben bittrer Mangel!
> 5 Die Ernten schlecht geraten –
> Doch immer mehr und immer mehr
> Und immer mehr Soldaten!

Atlas: Gebirge in Nordwestafrika
Archangel: Archangelsk, russische Hafenstadt

Dem sei nur durch politischen Zusammenschluss wirksam zu begegnen, hatten **Karl Marx** und **Friedrich Engels** 1848 im *Manifest der Kommunistischen Partei* gefordert: „Proletarier aller Länder, vereinigt euch!" Herwegh trat dem „Allgemeinen Deutschen Arbeiterverein" bei und schrieb 1863 auf Bitten von dessen Gründer und erstem Präsidenten Ferdinand Lassalle das *Bundeslied* für diese Vereinigung, eine Vorstufe zur „Sozialdemokratischen Arbeiterpartei". Die letzte Strophe lautet:

> Mann der Arbeit, aufgewacht!
> Und erkenne deine Macht!
> Alle Räder stehen still,
> Wenn dein starker Arm es will.

Georg Herwegh starb 1875 in Armut.

„Feuerwerksspiele" und „schweigende Glut": Heinrich Heine

Heinrich Heine, 1834

Hammonia: Schutzgöttin Hamburgs
Jungfernsteg: heute Jungfernstieg

Für Leser, denen die Stadt Hamburg nicht bekannt ist – und es gibt deren vielleicht in China und Oberbayern –, für diese muss ich bemerken, dass der schönste Spaziergang der Söhne und Töchter Hammonias den rechtmäßigen Namen Jungfernsteg führt [...] [Dort] lässt sich gut sitzen, wenn es Sommer 5 ist und die Nachmittagssonne nicht zu wild glüht, sondern nur heiter lächelt und mit ihrem Glanz die Linden, die Häuser, die Menschen, die Alster und die Schwäne, die sich darauf wiegen, fast märchenhaft lieblich übergießt. Da lässt sich gut sitzen und da saß ich gar manchen Sommernachmittag und dachte, was ein junger Mensch zu denken pflegt, nämlich gar nichts und 10 betrachtete, was ein junger Mensch zu betrachten pflegt, nämlich die jungen Mädchen, die vorübergingen – und da flatterten sie vorüber, jene holden Wesen mit ihren geflügelten Häubchen und ihren verdeckten Körbchen, worin nichts enthalten ist. [...] Die Schwäne! Stundenlang konnte ich sie betrachten, diese holden Geschöpfe 15 mit ihren sanften langen Hälsen, wie sie sich üppig auf den weichen Fluten wiegten, wie sie zuweilen selig untertauchten und wieder auftauchten und

übermütig plätscherten, bis der Himmel dunkelte und die goldnen Sterne
hervortraten, verlangend, verheißend, wunderbar zärtlich verklärt. […]
Ach! Das ist nun lange her. Ich war damals jung und töricht. Jetzt bin ich alt
20 und töricht. Manche Blume ist indes verwelkt und manche sogar zertreten
worden. […]
Und die Stadt selbst, wie war sie verändert! Und der Jungfernsteg! Der Schnee
lag auf den Dächern und es schien, als hätten sogar die Häuser gealtert und
weiße Haare bekommen. Die Linden des Jungfernstegs waren nur tote Bäume
25 mit dürren Ästen, die sich gespenstisch im kalten Winde bewegten. Der Himmel war schneidend blau und dunkelte hastig. Es war Sonntag, fünf Uhr, die
allgemeine Fütterungsstunde und die Wagen rollten, Herren und Damen stiegen aus mit einem gefrorenen Lächeln auf den hungrigen Lippen –
Entsetzlich! in diesem Augenblick durchschauerte mich die schreckliche
30 Bemerkung, dass ein unergründlicher Blödsinn auf allen diesen Gesichtern lag
und dass alle Menschen, die eben vorübergingen, in einem wunderbaren
Wahnwitz befangen schienen. Ich hatte sie schon vor zwölf Jahren, um
dieselbe Stunde, mit denselben Mienen, wie die Puppen einer Rathausuhr, in
derselben Bewegung gesehen und sie hatten seitdem ununterbrochen in der-
35 selben Weise gerechnet, die Börse besucht, die Kinnbacken bewegt, ihre
Trinkgelder bezahlt und wieder gerechnet: Zwei mal zwei ist vier – „Entsetzlich!", rief ich, „wenn einem von diesen Leuten, wenn er auf dem Kontorbock
säße, plötzlich einfiele, dass zwei mal zwei eigentlich fünf sei und dass er also
sein ganzes Leben verrechnet und sein ganzes Leben in einem schauderhaften
40 Irrtum vergeudet habe!" Auf einmal aber ergriff mich selbst ein närrischer
Wahnsinn und als ich die vorüberwandelnden Menschen genauer betrachtete,
kam es mir vor, als seien sie selber nichts anderes als Zahlen, als arabische
Chiffren […] Unter den vorüberrollenden Nullen erkannte ich noch manchen
alten Bekannten. Diese und die anderen Zahlenmenschen rollten vorüber,
45 hastig und hungrig, während unfern, längs den Häusern des Jungfernstegs,
noch grauenhafter drollig, ein Leichenzug sich hinbewegte. Ein trübsinniger
Mummenschanz! […]
Aber noch unheimlicher und verwirrender als diese Bilder […] waren die
Töne, die von einer anderen Seite in mein Ohr drangen. Es waren heisere,
50 schnarrende, metallose Töne, ein unsinniges Kreischen, ein ängstliches Plät-
schern und verzweifelndes Schlürfen, ein Keuchen und Schollern, ein Stöhnen
und Ächzen, ein unbeschreibbar eiskalter Schmerzlaut. Das Bassin der Alster
war zugefroren, nur nahe am Ufer war ein großes, breites Viereck in der
Eisdecke ausgehauen und die entsetzlichen Töne, die ich eben vernommen,
55 kamen aus den Kehlen der armen weißen Geschöpfe, die darin herum-
schwammen und in entsetzlicher Todesangst schrien und ach! es waren
dieselben Schwäne, die einst so weich und heiter meine Seele bewegten. Ach!
die schönen weißen Schwäne, man hatte ihnen die Flügel gebrochen, damit
sie im Herbst nicht auswandern konnten nach dem warmen Süden und jetzt
60 hielt der Norden sie festgebannt in seinen dunklen Eisgruben. […] Ach! auch
mir erging es einst nicht viel besser und ich verstand die Qual dieser armen
Schwäne und als es gar immer dunkler wurde und die Sterne oben hell hervortraten, dieselben Sterne, die einst in schönen Sommernächten so liebeheiß mit

Kontorbock:
hochbeiniger
Büroschemel

Dieser Text sollte in Heines *Reisebilder* aufgenommen werden, erschien aber 1834 in den *Memoiren des Herren von Schnabelewopski.*

den Schwänen gebuhlt, jetzt aber so winterkalt, so frostig klar und fast verhöh-
65 nend auf sie herabblicken – wohl begriff ich jetzt, dass die Sterne keine lieben-
de, mitfühlende Wesen sind, sondern nur glänzende Täuschungen der Nacht,
ewige Trugbilder in einem erträumten Himmel, goldne Lügen im
dunkelblauen Nichts – – –

Ich, ein tolles Kind, ich singe
Jetzo in der Dunkelheit;
Klingt das Lied auch nicht ergötzlich,
Hats mich doch von Angst befreit.
H. Heine, 1823

Heinrich Heine, Gemälde von G. Gassen, 1828

Heinrich Heine, 1797–1856

Lyceum: höhere Schule

Entreebillet: Eintrittskarte

Wenn nicht als Kaufleute oder Bankiers, hatten Juden nur als Juristen oder Ärzte eine Chance, in höheren Gesellschaftsschichten Fuß zu fassen.

Bilder der Erinnerung an Hamburg. Nach Lyceum, Handelsschule und kaufmänni-
scher Lehre war **Harry Heine**, geboren 1797 in Düsseldorf als Sohn einer angesehenen jüdischen Kaufmannsfamilie, 1816 in diese Stadt gekommen um im Bankhaus seines reichen Onkels Salomon zum Kaufmann heranzuwachsen. Auch mit einer
eigenen Firma hatte er es versucht, doch die hielt sich nur zehn Monate. Harry hatte
daraufhin Jura studiert. 1825 schloss er sein Studium mit der Promotion ab. Im selben
Jahr trat er in Hamburg zur protestantischen Konfession über. Mit der Taufe, die er
später ein „Entreebillet in die europäische Kultur" nannte, nahm er den Vornamen
Heinrich an. Doch in den Staatsdienst nahm man ihn nicht auf.
Aus jener Zeit stammen die Hamburger Aufzeichnungen, Eindrücke vom „Jungfernsteg" im Sommer der Jugend und im Winter eines späteren Jahres. Auf beiden Bildern
die Schwäne, „holde Geschöpfe" zuerst, dann „arme weiße Geschöpfe", schreiend „in
entsetzlicher Todesangst". Der Dichter kennt Qualen wie diese. Der im Eis erstarren-
den Alster entspricht das schaurige Bild einer von Zahlen geprägten Gesellschaft, deren „Puppen" mit mechanischen Bewegungen und „gefrorenem Lächeln" vorbeizie-
hen, fast wie ein Totentanz, kaum zu unterscheiden vom Leichenzug, der wie ein
„Mummenschanz" erscheint, ein Maskenzug. Eine meisterhafte Schilderung, deren
es viele gibt im umfangreichen Werk dieses vielseitigen Autors, zumal in den *Reise-
bildern* (erschienen 1826–1831). Schon die kurzen Textausschnitte geben einen Eindruck vom eigenartigen Reiz Heinescher Dichtung: Wehmütige Erinnerung verbindet sich mit sachlicher Analyse, schwebende Stimmung mit sprachlicher Genauigkeit,
tiefes Gefühl mit kritischer Ironie.

- Das Wort kommt aus dem Griechischen und bedeutete ursprünglich ‚Verstel-
- lung'. Man bezeichnet damit eine „uneigentliche" Rede: Jemand sagt etwas,
- meint damit aber eigentlich etwas anderes. Das ist auch in alltäglicher Rede ein
- – mehr oder weniger verdeckendes – Mittel des Spotts, der Kritik, des Tadels.
- Je nach den Absichten, die damit verbunden sind, gibt es unterschiedliche For-
- men der Ironie. Die „sokratische Ironie" hat ihren Namen von dem griechischen
- Philosophen Sokrates, der sich unwissend stellte um durch ständiges Weiterfra-
- gen seine Gesprächspartner zu genauem Denken zu erziehen.
- Es ist „tragische Ironie", wenn Wallenstein in Schillers Tragödie (↑ S. 122) kurz
- vor seiner Ermordung sagt: „Ich denke einen langen Schlaf zu tun." Die Spra-
- che verrät und der Zuschauer weiß es: Damit kündigt er seinen Tod an, unbe-
- wusst, während er sich noch Herr der Lage wähnt.
- Die Frühromantik prägte den Begriff „romantische Ironie" und meinte damit
- ein Mittel gegen Erstarrung der Dichtung, also für eine „progressive" Poesie.
- „Das Gefühl von dem unauslöslichen Widerstreit des Unbedingten und des Be-
- dingten, der Unmöglichkeit und Notwendigkeit der vollständigen Mitteilung"
- (F. Schlegel) gibt Anstoss auch das eigene Werk aus kritischem Abstand zu be-
- trachten: Vollkommenheit bleibt notwendiges Ideal (das Unbedingte), ist aber
- nie ganz erreichbar (das Bedingte). Heine treibt das ironische Wechselspiel von
- Aufbau und Brechung der Illusion zum Äußersten, indem er mehr und mehr
- Illusion als bloßen Schein entlarvt.

Ironie

„Schöne Besche-
rung!" kann
„Böse Sache!
meinen.

H. Campe wollte
1801 für Ironie
das Wort *Schalk-
ernst* einführen.

Sokrates, 399 v.
Chr. gestorben

Etwas davon hat
sich erhalten im
sogenannten
Understatement:
Man „unter-
treibt" um
Widerspruch
hervorzurufen.

„Progressive"
Poesie ↑ S. 156

Zwei große Werke haben schon zu Lebzeiten das Urteil über Heine in Deutschland bestimmt: die *Reisebilder* und das *Buch der Lieder*. Heines *Reisebilder* sind keine Reisebücher wie man sie gewohnt war, sondern ironisch zugespitzte Gedanken auf Grund scharfer Beobachtung, Gesellschaftskritik, die an den herrschenden Zuständen kein gutes Haar ließ. Solche Literatur war „revolutionär" in ihren Inhalten und in ihrem besonderen Stil, nicht Kunst um ihrer selbst willen, sondern scharfe Analyse von Lebenswirklichkeit. Der Titel *Reisebilder* ist also irreführend; er hat aber die Zensur nicht täuschen können, die schon bei der *Harzreise* eingriff. In einem späteren Buch der *Reisebilder* macht sich Heine über die Streichungen durch die Zensur lustig: Ein Kapitel beginnt mit den Worten: „Die deutschen Zensoren" und besteht im Übrigen nur aus Strichen, dazwischen ein einziges Wort: „Dummköpfe".

Reisebilder,
1826–1831

Harzreise,
geschrieben 1824

Die erste umfangreiche Sammlung von Heines Gedichten, das *Buch der Lieder*, wurde zu einem der größten Bucherfolge auf dem Felde der Lyrik, nur Goethes Aufnahme beim Publikum vergleichbar. Lediglich der Start war etwas zögernd; dann aber erlebte das Buch noch zu Heines Lebzeiten 13 Auflagen. Diese Gedichte, die vor allem das Thema Liebe umkreisen, sind so eingängig in Sprachmelodie und Strophenbau, dass sie zur Vertonung geradezu aufforderten und berühmte Komponisten auf den Plan riefen, vor allem **Schumann**, **Schubert** und **Brahms**. War das nicht „Romantik" in Höchstform?

So wurde das *Buch der Lieder* zum lyrischen Hausbuch des deutschen Bildungsbürgertums, vieltausendfach rezitiert und manches Heine-Lied wurde in den „zeitlosen" Schatz des deutschen Volkslieds aufgenommen. Lieder wie *Ich weiß nicht, was soll es bedeuten* (weltweit bekannt als Lied von der *Lorelei*) konnte man also nicht einfach verschwinden lassen, als das Werk Heines in den Strudel wachsender Judenfeindlichkeit geriet. Bei der berüchtigten Bücherverbrennung im Mai 1933 haben die National-

Buch der Lieder,
1827

Bücherverbrennung ↑ S. 291

sozialisten neben Büchern zeitgenössischer Autoren auch Werke des „Literaturjuden" Heine in Flammen aufgehen lassen. Doch das volkstümliche Lied von der *Lorelei* gab es weiterhin: nun mit der Angabe „Dichter unbekannt". Das war nur insofern richtig, als in unserem Jahrhundert in Deutschland tatsächlich wenig getan wurde diesen Dichter bekannt zu machen.

Die begeisterte Aufnahme seiner Gedichte hat wohl nur die wenigsten wahrnehmen lassen, dass in diesen Texten nicht nur das alte Lied von Lust und Leid der Liebe in spätromantischem Ton erklang, sondern auch bittere Klagen laut wurden über die Wirklichkeit der Welt:

1821

Wahrhaftig

Wenn der Frühling kommt mit dem Sonnenschein,
Dann knospen und blühen die Blümelein auf;
Wenn der Mond beginnt seinen Strahlenlauf,
Dann schwimmen die Sternlein hinterdrein;
5 Wenn der Sänger zwei süße Äugelein sieht,
Dann quellen ihm Lieder aus tiefem Gemüt; –
Doch Lieder und Sterne und Blümelein
Und Äuglein und Mondglanz und Sonnenschein,
Wie sehr das Zeug auch gefällt,
10 So machts doch noch lang keine Welt.

Diminutiv: Verkleinerungsform (*-lein* u. a.)

Acht Verse scheinbar trunkener „Romantik", in denen freilich die Häufung der Diminutive schon Ironie signalisiert – dann ein Schlag vor den Kopf: Die volle Wirklichkeit ist das nicht. Der Dichter nimmt also verschiedene Rollen ein, die einander widersprechen. Das ist nicht nur ein Spiel, sondern auch Folge bitterer Erfahrungen:

Und als ich euch meine Schmerzen geklagt,
Da habt ihr gegähnt und nichts gesagt;
Doch als ich sie zierlich in Verse gebracht,
Da habt ihr mir große Elogen gemacht.

Eloge: überschwängliche Lobesbekundung

In einem Gedicht mit dem Titel *Gespräch auf der Paderborner Heide* werden die unterschiedlichen Rollen deutlich einander gegenübergestellt, Strophe gegen Strophe:

Hörst du nicht das Waldhorn blasen?
Jäger sich des Weidwerks freuen,
Fromme Lämmer seh ich grasen,
Schäfer spielen auf Schalmeien.

Schalmei: Blasinstrument

5 „Ei, mein Freund, was du vernommen,
Ist kein Waldhorn, noch Schalmeie;
Nur den Sauhirt seh ich kommen,
Heimwärts treibt er seine Säue."

Viermal die Frage „Hörst du nicht ...?" und jedes Mal folgt ernüchternd die Entlarvung. Aber entlarvt werden nur die „romantischen" Äußerungen, nicht das, was Herz und Verstand des Dichters erfüllt. Immer gilt es zu unterscheiden: Was ist echtes Gefühl, was absichtsvoll vorgetragene Sentimentalität? Die elfte und letzte Strophe ist an den Leser gerichtet:

> Nun, mein Freund, so magst du lachen
> Über des Phantasten Frage!
> Wirst du auch zur Täuschung machen,
> Was ich fest im Busen trage?

Wer bis dahin Rollenspiel und Ironie-Signale in Heines Werk nicht wahrgenommen hatte, musste doch hellhörig werden, als der Dichter 1839 die Vorrede zur dritten Auflage des *Buchs der Lieder* mit Versen einleitete und das so begründete: Es habe ihn „unversehens die klingelnde Gewohnheit des Reims und Silbenfalls" überschlichen. Und dann wandte er sich an „Phoebus Apollo".

Phoebus Apollo: der griechische Gott der Künste

> Denn du bist ein allwissender Gott und du weißt sehr gut, warum ich mich
> seit so vielen Jahren nicht mehr vorzugsweise mit Maß und Gleichklang der
> Wörter beschäftigen konnte. [...] Du weißt, warum die Flamme, die einst in
> brillanten Feuerwerksspielen die Welt ergötzte, plötzlich zu weit ernsteren
> 5 Bränden verwendet werden musste. [...] Du weißt, warum sie jetzt in schwei-
> gender Glut mein Herz verzehrt. [...] Du verstehst mich, großer schöner
> Gott, der du ebenfalls die goldene Leier zuweilen vertauschtest mit dem
> starken Bogen und den tödlichen Pfeilen.

Das schrieb Heine in Paris, wo er seit 1831 im „freiwilligen" Exil lebte, fern von deutscher Kleinstaaterei und Zensur, offen für die Begegnung mit französischer Kultur und Gesellschaft. Er war Korrespondent der „Augsburger Allgemeinen Zeitung", im übrigen freier Autor, abhängig freilich von wirtschaftlichen Bedingungen, vom Markt – und darum wiederum doch von der Zensur in Deutschland. 1835 erreichte ihn der Verbotsbeschluss des Bundestags. Letzte Steigerung dann: ein deutscher Dichter, steckbrieflich verfolgt.

Deutschland. Ein Wintermärchen

1844

> Im traurigen Monat November wars,
> Die Tage wurden trüber,
> Der Wind riss von den Bäumen das Laub,
> Da reist ich nach Deutschland hinüber.
>
> 5 Und als ich an die Grenze kam,
> Da fühlt ich ein stärkeres Klopfen
> In meiner Brust, ich glaube sogar
> Die Augen begunnen zu tropfen.

begunnen: mittelhochdeutsche Vergangenheitsform, ironische Altertümelei

Und als ich die deutsche Sprache vernahm,
10 Da ward mir seltsam zu Mute;
Ich meinte nicht anders, als ob das Herz
Recht angenehm verblute.

Ein kleines Harfenmädchen sang.
Sie sang mit wahrem Gefühle
15 Und falscher Stimme, doch ward ich sehr
Gerühret von ihrem Spiele.

Sie sang von Liebe und Liebesgram,
Aufopfrung und Wiederfinden
Dort oben, in jener besseren Welt,
20 wo alle Leiden schwinden.

Jammertal: Sie sang vom irdischen Jammertal,
gebräuchliches Von Freuden, die bald zerronnen,
Bild nach Psalm Vom Jenseits, wo die Seele schwelgt
84,7 Verklärt in ewgen Wonnen.

25 Sie sang das alte Entsagungslied,
Das Eiapopeia vom Himmel,
Womit man einlullt, wenn es greint,
Das Volk, den großen Lümmel.

Ich kenne die Weise, ich kenne den Text,
30 Ich kenn auch die Herren Verfasser;
Ich weiß, sie tranken heimlich Wein
Und predigten öffentlich Wasser.

Ein neues Lied, ein besseres Lied,
O Freunde, will ich euch dichten!
35 Wir wollen hier auf Erden schon
Das Himmelreich errichten.

Wir wollen auf Erden glücklich sein
Und wollen nicht mehr darben;
Verschlemmen soll nicht der faule Bauch,
40 Was fleißige Hände erwarben.

Rosen und Es wächst hienieden Brot genug
Myrten: Hoch- Für alle Menschenkinder,
zeitsstrauß Auch Rosen und Myrten, Schönheit und Lust
Zuckererbsen: Und Zuckererbsen nicht minder.
wohlschmecken-
de Erbsenart, die
mit der Schote
gegessen wird

45 Ja, Zuckererbsen für jedermann,
  Solang die Schoten platzen!
  Den Himmel überlassen wir
  Den Engeln und den Spatzen.

So beginnt Heines literarische Reise durch das „eingefrorene" Deutschland im Vormärz. Er gibt darin Eindrücke einer tatsächlichen Reise vom Oktober 1843 wieder,
greift also dem jahreszeitlichen Winter ein wenig vor. Die Reihenfolge der Stationen
mag er verändert haben. Vor allem aber bezieht er träumend Figuren und Ereignisse
aus Sage und Geschichte ein, betrachtet sie im trüben Licht der Gegenwart. Erster
Eindruck: preußische Zollbeamte, die das Gepäck nach literarischem Schmuggelgut
durchwühlen – vergeblich, denn dieser Reisende hat alles „im Kopfe". Zweitens: Das
„neue Kostüm" des preußischen Militärs in Aachen wirkt „rittertümlich", erinnert an
„der Vorzeit holde Romantik". Mittelalterlich auch der Kölner Dom, der unvollendet geblieben ist, jetzt aber zu Ende gebaut werden soll.
Die bittere Ironie des *Wintermärchens* macht auch vor dem Dichter selbst nicht Halt,
zwingt ihn zur Selbsterkenntnis:

> Der Schafspelz, den ich umgehängt
> Zuweilen, um mich zu wärmen,
> Glaubt mir's, er brachte mich nie dahin,
> Für das Glück der Schafe zu schwärmen.

Zuweilen also ist er ein Wolf im Schafspelz, dieser Heine, das gibt er zu. Und nicht
nur zur Tarnung: Er hat auch gerne gut gelebt, wenn er konnte. Die Reise endet in
Hamburg. Nach dreizehn Jahren im Exil sieht er seine Mutter wieder. Die Schutzgöttin Hammonia fordert ihn auf zu bleiben, meint auf manchen Fortschritt hinweisen
zu können und hofft, der „älter und milder" Gewordene werde inzwischen wohl auch
„die Vergangenheit in besserem Lichte erblicken." Schließlich lässt sie ihn einen Blick
in die Zukunft tun. Darüber muss er schweigen. Kaum, dass er sagen darf, welcher
Gestank ihm dabei in die Nase gestiegen ist. Nur so viel: Er ist in Ohnmacht gefallen.
Alles Übrige will er später erzählen: „in warmen Sommertagen". Voraussetzung allerdings:

> Es wächst heran ein neues Geschlecht,
> Ganz ohne Schminke und Sünden,
> Mit freien Gedanken und freier Lust –
> Dann werde ich Alles verkünden.

Das ist – im 27. und letzten Kapitel des *Wintermärchens* – wieder der Gedanke vom
Anfang: Wer das „alte Entsagungslied" singt, kann die Welt nicht verändern. „Ein
neues Lied, ein besseres Lied" muss angestimmt werden gegen die Not in der Welt.
Mittel sind genug da, aber die Verteilung ist ungerecht. Den „Himmel auf Erden"
haben lange vor Heine auch andere gefordert. 1843 begann die Freundschaft Heines
mit **Karl Marx** (1818–1883), von dem sich der „Marxismus" herleitet. Kommunist ist
Heine nicht geworden, aber er hat die sozialrevolutionären Forderungen der Französischen Revolution und den Kampf für die „materiellen Interessen der Gegenwart"

So verfehle man Deutschlands „protestantische Sendung" klagt Heine, gehe über Luther zurück ins Mittelalter.

H. Heine bezieht sich hier wohl auf einen Zeitgenossen, den französischen Gesellschaftstheoretiker Saint-Simon: „Das wahre Christentum muss die Menschen nicht nur im Himmel glücklich machen, sondern auf Erden."

bejaht, der ebenso wichtig war wie der Kampf um Freiheits- und Menschenrechte – und untrennbar damit verbunden: die „Magenfrage", sagt Heine.

Das *Wintermärchen* erschien 1844 zusammen mit den *Neuen Gedichten,* einer Sammlung, die zahlreiche Zeitgedichte enthält. Eine Einzelausgabe unterlag der Vorzensur. „Um den Einzeldruck veranstalten zu können", schreibt Heine im Vorwort, „musste mein Verleger das Gedicht den überwachenden Behörden zur besonderen Sorgfalt überliefern und neue Varianten und Ausmerzungen sind das Ergebnis dieser höheren Kritik." Gleichzeitig wehrt sich der Dichter gegen den Vorwurf „jener Pharisäer der Nationalität", er beschmutze das eigene Nest: „Beruhigt Euch, ich liebe das Vaterland ebenso sehr wie Ihr. Wegen dieser Liebe habe ich dreizehn Lebensjahre im Exile verlebt.[…] Ich bin der Freund der Franzosen, wie ich der Freund aller Menschen bin, wenn sie vernünftig und gut sind […]" Die schmerzliche Liebe zu einem ersehnten besseren Deutschland schärft die Kritik am bestehenden.

Die schonungslose Offenheit auch gegenüber der eigenen Person hat Heine immer mehr in die Isolation gedrängt. Nur allzu verständlich ist der Hass der Reaktionäre, der sich nach dem deutsch-französischen Krieg noch verstärkte. Einen „vaterlandslosen Deutschjuden" nannte ihn der namhafte Historiker und Politiker Heinrich von Treitschke. Von solch dumpfem Antisemitismus abgesehen: Dieser Dichter machte es seinem Publikum nicht leicht. Nur wenige verstanden das Wechselspiel von Ernst und Ironie, von künstlerischer Vollendung und absichtlicher „Schluderei", zum Beispiel in den volksliedhaft daherkommenden Strophen des „Wintermärchens" mit den vielen „Unreinheiten" in Versmaß und Reim – die natürlich dem Inhalt entsprechen.

Auch das „Junge Deutschland" tat sich schwer mit seinem vermeintlichen „Chorführer". Der verspottete die „Tendenzpoeten", die allzu eindeutige Parolen in Form von „gereimten Zeitungsartikeln" von sich gäben. Mit keinem der vielen Etikette ließ er sich fassen: Später Romantiker, abtrünnig geworden? Bürgerlicher Revolutionär mit einer Schwäche fürs Proletariat? Dem Wohlleben nicht abhold, aber Antikapitalist, der das Besitzbürgertum verabscheut, von dem er lebt? Und so weiter. Sicher ist, dass Heine bei aller Schärfe der Kritik an der Gesellschaft nie verleugnet hat, dass er selbst dieser Gesellschaft verhaftet war: ein vielleicht räudiger Wolf, zuweilen im Schafspelz Wärme suchend. Einer, der Rollen spielt um Wahrheit an den Tag zu bringen. Wenn sie bitter schmeckt, liegt es an ihm?

Heines letzte Jahre, von 1848 an, waren umdüstert von schwerer Krankheit. Selbst seine Gegner empfanden Mitleid mit dem Leidenden, der seine „Matratzengruft" nicht mehr verlassen konnte. Seine Frau Mathilde pflegte ihn. Erstaunlich die Energie, mit der er weiterschrieb: aus dem Bewusstsein heraus, dass er seinen „Posten" auszufüllen habe, solange dem „verlorenen Kind" der Zeit noch letzte Kraft gegeben war:

Pharisäer: (hier) selbstgerechter, heuchlerischer Mensch

Eigentlich hieß sie Créscence Eugénie.

Enfant perdu

1851

Verlorner Posten in dem Freiheitskriege,
Hielt ich seit dreißig Jahren treulich aus.
Ich kämpfte ohne Hoffnung, dass ich siege,
Ich wusste, nie komm ich gesund nach Haus.

5 Ich wachte Tag und Nacht – Ich konnt nicht schlafen,
Wie in dem Lagerzelt der Freunde Schar –
(Auch hielt das laute Schnarchen dieser Braven
Mich wach, wenn ich ein bisschen schlummrig war).

In jenen Nächten hat Langweil ergriffen
10 Mich oft, auch Furcht – (nur Narren fürchten nichts) –
Sie zu verscheuchen, hab ich dann gepfiffen
Die frechen Reime eines Spottgedichts.

Ja, wachsam stand ich, das Gewehr im Arme,
Und nahte irgend ein verdächt'ger Gauch,
15 So schoss ich gut und jagt ihm eine warme,
Brühwarme Kugel in den schnöden Bauch.

Mitunter freilich mocht es sich ereignen,
Dass solch ein schlechter Gauch gleichfalls sehr gut
Zu schießen wusste – ach, ich kann's nicht leugnen –
20 Die Wunden klaffen – es verströmt mein Blut.

Ein Posten ist vacant! – Die Wunden klaffen –
Der Eine fällt, die andern rücken nach –
Doch fall ich unbesiegt und meine Waffen
Sind nicht gebrochen – Nur mein Herze brach.

enfant perdu:
‚verlorenes Kind'
(französisch)

Gauch: Narr, Tor

Gestorben ist Heine 1856 in Paris.

Den „vacant", also frei gewordenen Posten haben andere auf ihre Art einzunehmen versucht. Ein später Geistesverwandter Heines ist der Liedermacher **Wolf Biermann**, geboren 1936, dessen jüdischen Vater die Nationalsozialisten ermordet haben. 1953 siedelte Biermann von Hamburg in die DDR über, in der er ein „vergleichsweise fortschrittliches Land" zu sehen meinte. Doch den Machthabern dort gefielen seine kritischen Lieder nicht und 1976 wurde er wegen „Staatsfeindlichkeit" ausgebürgert. Im Dezember 1964 hatte der schon Verfemte seine Mutter in Hamburg besuchen dürfen. Das erinnerte ihn an „den frechen Heinrich Heine", seinen „Cousin" und er machte seine eigenen Reime auf *Deutschland. Ein Wintermärchen:*

Wolf Biermann
↑ S. 318

Im deutschen Dezember floss die Spree
Von Ost- nach Westberlin
Da schwamm ich mit der Eisenbahn
Hoch über die Mauer hin

5 Da schwamm ich leicht übern Drahtverhau
Und über die Bluthunde hin
Das ging mir so seltsam ins Gemüt
Und bitter auch durch den Sinn

Das ging mir so bitter in das Herz
10 – Da unten die treuen Genossen –
So mancher, der diesen gleichen Weg
Zu Fuß ging, wurde erschossen.

Georg Büchner, Dichter und Revolutionär

Friede den Hütten! Krieg den Palästen!

Der Hessische Landbote, 1834 Der Kampfruf über dem Text ist eine Parole der Französischen Revolution.

Im Jahre 1834 siehet es aus, als würde die Bibel Lügen gestraft. Es sieht aus, als hätte Gott die Bauern und Handwerker am 5ten Tage und die Fürsten und Vornehmen am 6ten gemacht und als hätte der Herr zu diesen gesagt: Herrschet über alles Getier, das auf Erden kriecht und hätte die Bauern und Bürger 5 zum Gewürm gezählt. Das Leben der Vornehmen ist ein langer Sonntag, sie wohnen in schönen Häusern, sie tragen zierliche Kleider, sie haben feiste Gesichter und reden eine eigne Sprache; das Volk aber liegt vor ihnen wie Dünger auf dem Acker. Der Bauer geht hinter dem Pflug, der Vornehme aber geht hinter ihm und dem Pflug und treibt ihn mit dem Ochsen am Pflug, 10 er nimmt das Korn und lässt ihm die Stoppeln. Das Leben des Bauern ist ein langer Werktag; Fremde verzehren seine Äcker vor seinen Augen, sein Leib ist eine Schwiele, sein Schweiß ist das Salz auf dem Tische des Vornehmen. [...] Der Fürst ist der Kopf des Blutigels, der über euch hinkriecht, die Minister sind seine Zähne und die Beamten sein Schwanz. Die hungrigen Mägen aller

Schröpfkopf: Saugglocke zur Blutentnahme

15 vornehmen Herren, denen er die hohen Stellen verteilt, sind Schröpfköpfe, die er dem Lande setzt.[...] Die Töchter des Volks sind ihre Mägde und Huren, die Söhne des Volks ihre Lakaien und Soldaten. Geht einmal nach Darmstadt und seht, wie die Herren sich für euer Geld dort lustig machen und erzählt dann euern hungrigen Weibern und Kindern, dass ihr Brot an fremden 20 Bäuchen herrlich angeschlagen sei, erzählt ihnen von den schönen Kleidern, die in ihrem Schweiß gefärbt und von den zierlichen Bändern, die aus den Schwielen ihrer Hände geschnitten sind, erzählt von den stattlichen Häusern, die aus den Knochen des Volks gebaut sind; und dann kriecht in eure rauchigen Hütten und bückt euch auf euren steinichten Äckern, damit eure Kinder

illuminieren: festlich erleuchten

25 auch einmal hingehen können und durch die geöffneten Glastüren das Tischtuch sehen, wovon die Herren speisen und die Lampen riechen, aus denen man mit dem Fett der Bauern illuminiert. Das alles duldet ihr, weil euch

Schurken sagen: „Diese Regierung sei von Gott." Diese Regierung ist nicht von Gott, sondern vom Vater der Lügen.

Georg Büchner (1813–1837) war zwanzig, als sein erstes Werk herauskam, in kleinster Auflage von rund 300 Exemplaren – und lebensgefährlich für Verfasser und Empfänger: Die achtseitige Flugschrift mit dem Titel *Der Hessische Landbote. Erste Botschaft*, datiert „Darmstadt, im Juli 1834", war heimlich in Offenbach gedruckt worden. Georg Büchner kam 1813 in Goddelau bei Darmstadt zur Welt. Der Vater wurde dann Amts-Stadtchirurg in der Landeshauptstadt des Großherzogtums Hessen, das 1815 mit 627 000 Einwohnern der achtgrößte Staat im Deutschen Bund war. Das Großherzogtum hatte eine relativ gut funktionierende Verwaltung und sogar eine Verfassung, war aber noch weit entfernt von demokratischen Rechten. Das Wahlrecht bevorzugte die Besitzenden und eine zentrale politische Polizei behinderte und verfolgte liberale Bestrebungen.

Büchners politischer Kampf galt aber nicht so sehr dem herrschenden Absolutismus. Viel stärker bewegte ihn das wachsende Elend im Lande, die Not der kleinen Bauern und Handwerker: „Die politischen Verhältnisse können mich rasend machen", schreibt er im Dezember 1833. „Das arme Volk schleppt geduldig den Karren, worauf die Fürsten und Liberalen ihre Affenkomödie spielen." Sofern nämlich die Liberalen über ihrem Kampf um bürgerliche Rechte das Elend der Massen übersahen. Darum betonte Büchner auch seine Distanz zum Jungen Deutschland und dessen Vorstellung, man könne die Gesellschaft „mittelst der Idee, von der gebildeten Klasse aus reformieren.[...] Unsere Zeit ist rein materiell [...]" Und noch deutlicher: „Es ist in meinen Augen bei weitem nicht so betrübend, dass dieser oder jener Liberale seine Gedanken nicht drucken lassen darf, als dass viele tausend Familien nicht imstande sind, ihre Kartoffeln zu schmelzen." Nicht der Druck des Staates auf die Untertanen steht bei Büchner im Vordergrund, sondern die Ausbeutung der Armen durch die Reichen. Dies aber macht der *Hessische Landbote* nicht so recht deutlich. Der Grund: Ein Mitverschworener, der Butzbacher Theologe und Rektor **Friedrich Ludwig Weidig**, hat Büchners Text verändert und zum Beispiel durch Bibelzitate erweitert, mit denen er die Bauern und Handwerker ansprechen wollte. Vor allem hat er die Angriffe, die den Reichen galten, auf den herrschenden Adel umgemünzt: An die Stelle der „Reichen" setzte Weidig die „Vornehmen". Das hat nicht nur den Inhalt verändert, sondern auch den sprachlichen Biss.

1831 ging Büchner nach dem Abitur in Darmstadt zum Studium der Medizin und der Naturwissenschaften nach Straßburg. Dort fand er Gesinnungsgenossen in der „Gesellschaft für Menschen- und Bürgerrechte", die gegen die Einschränkung der in der Revolution gewonnenen Freiheiten kämpfte. Als Büchner zwei Jahre später sein Studium, wie die Vorschrift gebot, an der Landesuniversität in Gießen fortsetzte, gründete er dort und in Darmstadt nach Straßburger Vorbild eine „Gesellschaft für Menschenrechte". Der Verzicht auf den zweiten Teil des Namens ist wohl bezeichnend, sah er doch den tieferen Grund der politischen Unfreiheit in den sozialen Verhältnissen, den materiellen Bedingungen: „[...] das Verhältnis zwischen Armen und Reichen ist das einzige revolutionäre Element in der Welt, der Hunger allein kann die Freiheitsgöttin [...] werden." Nämlich dann, wenn das Elend der „Proletarier" unerträglich, der Hunger Anlass zum Aufstand wird. Weitblickend erkannte Büchner, dass die ungeheuer wachsende Kluft zwischen Arm und Reich, die „soziale Frage", zum

Vater der Lügen: Teufel

Dichtung als Flugschrift

Landbote: Titel volkstümlicher Kalenderschriften

Das als Bundeshauptstadt selbstständige Frankfurt zählte 40 000 Einwohner.

Junges Deutschland ↑ S. 200

schmelzen: in Fett (Schmalz) braten

„[...] sein Schweiß ist das Salz auf dem Tische des *Reichen.*" So Büchner.

„Proletarier" nannte man die Ärmsten der Armen, die nichts besaßen, nur Nachkommen hatten: lateinisch *proles* heißt ‚Nachkommenschaft'.

Woyzeck ↑ S. 220

politischen Hauptthema wurde. Sie ist auch im 20. Jahrhundert allenfalls für einen kleinen Teil der Menschheit zufriedenstellend beantwortet. Einen dieser Ärmsten zeigt Büchner in seinem Drama *Woyzeck*.

Die Bauern und kleinen Handwerker, die der *Hessische Landbote* erreichen wollte, litten zwar bittere Not, konnten aber kaum die politischen Zusammenhänge durchschauen. Vor allem aber hatten sie Furcht und die war begründet. So lieferten die meisten die Flugschrift bei der Polizei ab. Büchner gelang die Flucht nach Straßburg. Weidig wurde durch einen endlosen Prozess gequält und nahm sich 1837 im Gefängnis das Leben.

2493.   **Steckbrief.**
Der hierunter signalisirte Georg Büchner, Student der Medizin aus Darmstadt, hat sich der gerichtlichen Untersuchung seiner indicirten Theilnahme an staatsverrätherischen Handlungen durch die Entfernung aus dem Vaterlande entzogen. Man ersucht deshalb die öffentlichen Behörden des In- und Auslandes, denselben im Betretungsfalle festnehmen und wohlverwahrt an die unterzeichnete Stelle abliefern zu lassen.
Darmstadt, den 13. Juni 1835.
Der von Großh. Hess. Hofgericht der Provinz Oberhessen bestellte Untersuchungs-Richter, Hofgerichtsrath
Georgi.

Personal-Beschreibung.
Alter: 21 Jahre,
Größe: 6 Schuh, 9 Zoll neuen Hessischen Maases,
Haare: blond,
Stirne: sehr gewölbt,
Augenbraunen: blond,
Augen: grau,
Nase: stark,
Mund: klein,
Bart: blond,
Kinn: rund,
Angesicht: oval,
Gesichtsfarbe: frisch,
Statur: kräftig, schlank,
Besondere Kennzeichen: Kurzsichtigkeit.

Steckbrief, veröffentlich am 18. Juni 1835 in der *Großherzoglich Hessischen Zeitung* und im *Frankfurter Journal*. – Die (aus einem Brief ausgeschnittene) Federzeichnung stammt von Büchners Freund Alexis Muston: „Ich bezweifle, dass man einen schöneren Kopf als den seinen finden könnte […]. Sein schöner Mund, […] zärtlich und leidenschaftlich, war geschaffen für die Kunst der Rede wie für den Witz und die Küsse."

Im September 1836 verlieh die Universität Zürich Georg Büchner den Doktortitel für eine Abhandlung über das Nervensystem der Barben, einer Fischart. Nach einer Probevorlesung wurde er Privatdozent für Vergleichende Anatomie. Eine glänzende wissenschaftliche Laufbahn schien vor ihm zu liegen. Doch eine plötzliche Typhusinfektion raffte ihn dahin: Georg Büchner starb am 19. Februar 1837 im Alter von 23 Jahren und vier Monaten.

Sein nicht umfangreiches, aber im dichterischen Rang gewaltiges Werk entstand in den letzten beiden Jahren seines Lebens. Wie „modern" es ist, hat erst unser Jahrhundert richtig entdeckt. Das zeigen schon die Daten der Uraufführungen von Büchners drei dramatischen Werken. Eins davon, *Dantons Tod,* ist abgesehen vom *Hessischen Landboten* das einzige zu Lebzeiten des Dichters gedruckte Werk. 1850 erschienen *Nachgelassene Schriften*, 1879 erstmals *Sämtliche Werke.*

Dantons Tod zeigt einen Ausschnitt aus dem gewaltigen Geschichtsdrama der Französischen Revolution, Ereignisse aus wenigen Tagen des Jahres 1794 und stellt Fragen, die auch heute noch heiß diskutiert werden. Zum Beispiel: Können gute Zwecke wie die Befreiung der Menschen aus Knechtschaft böse Mittel wie den blutigen Terror rechtfertigen? Auch der Aufbau des Stückes weist moderne Züge auf: Den Wunschbildern einer erträumten besseren Zukunft stellt der Autor harte Fakten in Form von Dokumenten entgegen, die er einbezieht: Zitate aus Reden, Briefen, Augenzeugenberichten. Deutlich wird: Zwar geht es um die Sache des kämpfenden Volkes, aber die Ernte wird zuletzt die besitzende Klasse einfahren, die Bourgeoisie. Das Volk wird zum Objekt der Revolution, aber auch die Anführer handeln wie Marionetten der Geschichte. Resignation eines Revolutionärs? Eine bürgerliche Geschichtsschreibung konnte in Gestalten wie Robespierre und Napoleon „Werkzeuge" der Geschichte sehen, die den Weg bereiten über die Restauration zur Herrschaft der liberalen Bourgeoisie. Solche vermeintliche Geschichtsbestimmtheit stürzte den Dichter und Revolutionär Büchner in tiefe Verzweiflung: Er litt unter dem „grässlichen Fatalismus der Geschichte".

Der Schriftsteller **Karl Gutzkow**, der *Dantons Tod* 1835 in einer Zeitschrift und als Buch herausbrachte, hat an mehr als hundert Stellen in den Text eingegriffen, Büchners drastische Sprache abgemildert um den Druck möglich zu machen. Auch ein verharmlosender Untertitel stammt von ihm: *Dramatische Bilder aus Frankreichs Schreckenstagen.* Gutzkow selbst nennt die gereinigte Fassung eine „Ruine der Verwüstung". In einem Brief an seine Familie klagt Büchner über die Entstellung und verteidigt die „sogenannte Unsittlichkeit" seines Textes.

> „[...] der dramatische Dichter ist in meinen Augen nichts als ein Geschichtsschreiber, steht aber *über* Letzterem dadurch, dass er uns die Geschichte zum zweiten Mal erschafft und uns gleich unmittelbar, statt eine trockene Erzählung zu geben, in das Leben einer Zeit hinein versetzt, uns statt Charakteristiken Charaktere und statt Beschreibungen Gestalten gib. Seine höchste Aufgabe ist, der Geschichte, wie sie sich wirklich begeben, so nahe als möglich zu kommen. Sein Buch darf weder *sittlicher* noch *unsittlicher* sein, als die *Geschichte selbst;* aber die Geschichte ist vom lieben Herrgott nicht zu einer Lektüre für junge Frauenzimmer geschaffen worden und da ist es mir auch nicht übel zu nehmen, wenn mein Drama ebenso wenig dazu geeignet ist. [...] Der Dichter ist kein Lehrer der Moral, er erfindet und schafft Gestalten,

Randnotizen:

1895: *Leonce und Lena,* Lustspiel
1902: *Dantons Tod*
1913: *Woyzeck,* Fragment

Entstanden und erschienen 1835

Bourgeois: Besitzbürger (*Citoyen:* kämpferisch politischer Bürger)

Restauration ↑ S. 177

Fatum heißt Schicksal, *Fatalismus* der ohnmächtige Glaube an dessen Unabwendbarkeit.

er macht vergangene Zeiten wieder aufleben und die Leute mögen dann daraus lernen, so gut, wie aus dem Studium der Geschichte und der Beobachtung dessen, was im menschlichen Leben um sie herum vorgeht.[…] Wenn man
15 mir übrigens noch sagen wollte, der Dichter müsse die Welt nicht zeigen, wie sie ist, sondern wie sie sein sollte, so antworte ich, dass ich es nicht besser machen will, als der liebe Gott, der die Welt gewiss gemacht hat, wie sie sein soll.

„Wir arme Leut": *Woyzeck*

Georg Büchner:
Woyzeck,
erschienen 1877

(Hauptmann auf einem Stuhl. Woyzeck rasiert ihn.)
HAUPTMANN   Langsam, Woyzeck, langsam; eins nach dem andern; Er macht mir ganz schwindlig. Was soll ich denn mit den zehn Minuten anfangen, die Er heut zu früh fertig wird? Woyzeck, bedenk Er, Er hat noch seine
5 schöne dreißig Jahr zu leben, dreißig Jahr! macht 360 Monate und Tage, Stunden, Minuten! Was will er denn mit der ungeheuren Zeit all anfangen? Teil Er sich ein, Woyzeck.
WOYZECK   Jawohl, Herr Hauptmann.
HAUPTMANN   Es wird mir ganz angst um die Welt, wenn ich an die Ewigkeit
10 denke. Beschäftigung, Woyzeck, Beschäftigung! Ewig das ist ewig, das ist ewig, das siehst du ein; nun ist es aber wieder nicht ewig und das ist ein Augenblick, ja, ein Augenblick. – Woyzeck, es schaudert mich, wenn ich denk, dass sich die Welt in einem Tag herumdreht, was'n Zeitverschwendung, wo soll das hinaus? Woyzeck, ich kann kein Mühlrad mehr sehn,
15 oder ich werd melancholisch.
WOYZECK   Jawohl, Herr Hauptmann.
HAUPTMANN   Woyzeck, Er sieht immer so verhetzt aus. Ein guter Mensch tut das nicht, ein guter Mensch, der sein gutes Gewissen hat. – Red Er doch was, Woyzeck. Was ist heut für Wetter?
20 WOYZECK   Schlimm, Herr Hauptmann, schlimm; Wind.
HAUPTMANN   Ich spür's schon, 's ist so was Geschwindes draußen; so ein Wind macht mir den Effekt wie eine Maus. *(Pfiffig.)* Ich glaub wir haben so was aus Süd-Nord.
WOYZECK   Jawohl, Herr Hauptmann.
25 HAUPTMANN   Ha! Ha! Ha! Süd-Nord! Ha! Ha! Ha! O Er ist dumm, ganz abscheulich dumm. *(Gerührt.)* Woyzeck, Er ist ein guter Mensch, ein guter Mensch – aber *(mit Würde)* Woyzeck, Er hat keine Moral! Moral, das ist wenn man moralisch ist, versteht Er. Es ist ein gutes Wort. Er hat ein Kind ohne den Segen der Kirche, wie unser hochehrwürdiger Herr Garnisons-
30 prediger sagt, ohne den Segen der Kirche, es ist nicht von mir.
WOYZECK   Herr Hauptmann, der liebe Gott wird den armen Wurm nicht drum ansehn, ob das Amen darüber gesagt ist, eh er gemacht wurde. Der Herr sprach: Lasset die Kindlein zu mir kommen.
HAUPTMANN   Was sagt Er da! Was ist das für 'ne kuriose Antwort? Er macht
35 mich ganz konfus mit seiner Antwort. Wenn ich sag: Er, so mein ich Ihn, Ihn.
WOYZECK   Wir arme Leut. Sehn Sie, Herr Hauptmann, Geld, Geld. Wer kein

Geld hat. Da setz einmal einer seinesgleichen auf die Moral in die Welt.
Man hat auch sein Fleisch und Blut. Unseins ist doch einmal unselig in der
40 und der andren Welt, ich glaub, wenn wir in Himmel kämen, so müssten
wir donnern helfen.

HAUPTMANN Woyzeck, Er hat keine Tugend, Er ist kein tugendhafter
Mensch. Fleisch und Blut? Wenn ich am Fenster lieg, wenn es geregnet hat
und den weißen Strümpfen so nachsehe, wie sie über die Gassen springen,
45 – verdammt Woyzeck, – da kommt mir die Liebe! Ich hab auch Fleisch und
Blut. Aber Woyzeck, Die Tugend, die Tugend!
Wie sollte ich dann die Zeit herumbringen? Ich sag mir immer, du bist ein
tugendhafter Mensch, *(gerührt)* ein guter Mensch, ein guter Mensch.

WOYZECK Ja, Herr Hauptmann, die Tugend! ich hab's noch nicht so aus.
50 Sehn Sie, wir gemeinen Leut, das hat keine Tugend, es kommt einem nur
so die Natur, aber wenn ich ein Herr wär und hätt ein Hut und eine Uhr
und eine Anglaise und könnt vornehm reden, ich wollt schon tugendhaft
sein. Es muss was Schönes sein um die Tugend, Herr Hauptmann. Aber ich
bin ein armer Kerl.
55 HAUPTMANN Gut, Woyzeck. Du bist ein guter Mensch, ein guter Mensch.
Aber Du denkst zuviel, das zehrt, du siehst immer so verhetzt aus. Der
Diskurs hat mich ganz angegriffen. Geh jetzt und renn nicht so; langsam,
hübsch langsam die Straße hinunter.

Anglaise:
eine Art Gehrock

Diskurs:
Gespräch

Ungleich verteilte Rollen: Der Hauptmann kann sagen, was er will, auch Widersin-
niges – der gemeine Soldat antwortet befehlsgemäß: „Jawohl, Herr Hauptmann." Erst
als ihn ein Vorwurf im Innersten trifft, wagt er zu widersprechen: indem er schlicht
sagt, was ist. Dass der Hauptmann die Welt nicht begreift, liegt auf der Hand. Er
widerspricht sich mehrfach selbst: „Er ist ein guter Mensch – aber, Woyzeck, Er hat
keine Moral." Was „Moral" ist, weiß er selber nicht: „Moral, das ist, wenn man moralisch ist [...]" Und doch steckt in der Verkehrtheit Wahrheit – weil nämlich die Welt
selbst verkehrt ist: Die „Moral" der Gesellschaft, die der Hauptmann vertritt, ist wahrlich alles andere als gut. Menschen von Besitz und Rang beuten Untergebene aus, die
„Untersten" am schlimmsten. Wie diesen Woyzeck, der von einer Arbeit zur nächsten
hetzt und doch kaum genug zum Leben hat. Wenn er „frei" hat, rasiert er den Hauptmann; oder er schneidet Stöcke, man erfährt nicht, wozu. Am schlimmsten aber: Er
verkauft sich als Versuchsobjekt für wissenschaftliche Zwecke, vergiftet seinen Körper
dadurch, dass er drei Monate hindurch nichts als Erbsen isst. Schließlich diagnosti-
ziert der „Doktor", der im Woyzeck-Drama die Wissenschaft vertritt, begeistert die
„schönste aberratio mentalis": Irresein. Dagegen erscheint der Hauptmann fast noch
human, zumal er sogar eigene menschliche Schwäche zugibt: Hilflosigkeit angesichts
der „ungeheuren Zeit", mit der er nichts anfangen kann, die ihn „schwindlig" macht.
Ob man freilich dem Rätsel von Zeit und Ewigkeit mit „Beschäftigung" ausweichen
kann? Dann wäre Woyzeck auf dem rechten Weg mit seiner Hetze von einer Arbeit
zur anderen. Aber gerade das wirft ihm der Hauptmann ja vor: „verhetzt" sehe er aus.
Und unbewusst ahnungsvoll: „Er läuft ja wie ein offenes Rasiermesser durch die Welt,
man schneidet sich an Ihm." Dieser Vorgesetzte begreift nicht, was er in den Menschen anrichtet. Er kann einfach nicht verstehen, was Woyzeck mit klaren Worten
sagt: Was diese Gesellschaft unter „Tugend" versteht, können arme Leute wie er sich

Das hat Büchner
nicht zu erfinden
brauchen: Der
berühmte
Chemiker Justus
Liebig hat in
Gießen, wo
Büchner 1833/34
studierte, Versu-
che mit der
Ernährung von
Soldaten durch-
geführt.

nicht leisten. Aber es gibt Gott sei Dank eine höhere Instanz, die nach anderen Maßstäben urteilt. Woyzeck kennt die Bibel und weiß, dass Jesus seine frohe Botschaft gerade den Kleinen, den „Geringsten" verkündet hat. Denen, die sonst fürchten, sie müssten auch im Himmel noch die niedrigsten Arbeiten verrichten. Und Woyzeck denkt nach – was der Hauptmann ihm wiederum vorwirft. Denken „zehrt" tatsächlich: wenn es nämlich nur zur Erkenntnis der Ohnmacht führen kann. Diese Ohnmacht erkennt Woyzeck in der Brüchigkeit der Welt – „Alles hohl da unten" – wie in der Unergründlichkeit der Seele: „Jeder Mensch ist ein Abgrund; es schwindelt einem, wenn man hinabblickt."

Sogar Marie, die Mutter seines Kindes, sein Ein und Alles, wird ihm genommen: „[…] ich bin ein armer Teufel – und hab sonst nichts – auf der Welt." Sie kann einem Tambourmajor nicht widerstehen, der ihr goldene Ohrringe schenkt und sie im Tanz herumwirbelt. „Immer zu – immer zu!" Wahnsinnige Verzweiflung treibt Woyzeck zum Mord: nicht an einem der Starken und Mächtigen, die ihn quälen, sondern an Marie, die doch selbst ein Opfer der Verhältnisse ist. „Ein guter Mord, ein echter Mord, ein schöner Mord", stellt ein Gerichtsdiener fest. Grausamer kann man das bürgerlich-klassische Wort vom „Wahren, Schönen, Guten" kaum vom Himmel der Ideale auf den Boden unmenschlicher Tatsachen holen.

Verkehrt wird im Woyzeck-Drama sogar das Märchen, das doch sonst den Schwachen wunderbar hilft und Kleine groß werden läßt: Das „Gegenmärchen", das die Großmutter den Kindern erzählt, ist ein erschütterndes Zeugnis der Hoffnungslosigkeit:

> Es war einmal ein arm Kind und hat kein Vater und kei Mutter, war Alles tot und war Niemand mehr auf der Welt. Alles tot und es ist hingangen und hat gerrt Tag und Nacht. Und wie auf der Erd Niemand mehr war, wollt's in Himmel gehn und der Mond guckt es so freundlich an und wie's endlich zum
> 5 Mond kam, war's ein Stück faul Holz und da ist es zur Sonn gangen und wie's zur Sonn kam, war's ein verwelkt Sonneblum und wie's zu den Sterne kam, warn's klei golde Mücke, die warn angesteckt wie der Neuntöter sie auf die Schlehe steckt und wie's wieder auf die Erd wollt, war die Erd ein umgestürzter Hafen und war ganz allein und da hat sich's hingesetzt und gerrt und da
> 10 sitzt es noch und ist ganz allein.

Einen „der Geringsten unter den Menschen" hat Büchner zur Hauptperson eines sozialen Dramas gemacht, das große Wirkung erzielte. Eine „fertige" Bühnenfassung gibt es nicht, nur eine Reihe von Entwürfen – eine besondere Herausforderung für das Theater. 1879 erschien das Stück gedruckt, 1913 kam es zum ersten Mal auf die Bühne. Inzwischen ist es eines der meistgespielten Dramen aus dem 19. Jahrhundert. In einem Brief vom Februar 1834 schreibt Büchner:

> […] Ich verachte *Niemanden,* am wenigsten wegen seines Verstandes oder seiner Bildung, weil es in Niemands Gewalt liegt, kein Dummkopf oder kein Verbrecher zu werden, – weil wir durch gleiche Umstände wohl Alle gleich würden und weil die Umstände außer uns liegen. […] Man nennt mich einen
> 5 *Spötter.* Es ist wahr, ich lache oft, aber ich lache nicht darüber, *wie* Jemand ein Mensch, sondern nur darüber, *dass* er ein Mensch ist, wofür er ohnehin nichts kann und lache dabei über mich selbst, der ich sein Schicksal teile […]

Tambourmajor: ein Unteroffizier, der eine Militärmusik anführt

Gegenmärchen: etwa zum Märchen von den *Sterntalern*

gerren: laut weinen

Neuntöter: Vogel, der seine Beute als Vorrat auf Dornen spießt
Hafen: Topf

Wozzeck, Oper von Alban Berg, 1921

Büchner hat Materialien von einem Leipziger Mordfall des Jahres 1821 verwendet.

Realismus

Gottfried Keller: *Kleider machen Leute* 1874

An einem unfreundlichen Novembertage wanderte ein armes Schneiderlein
auf der Landstraße nach Goldach, einer kleinen reichen Stadt, die nur wenige
Stunden von Seldwyla entfernt ist. Der Schneider trug in seiner Tasche nichts
als einen Fingerhut, welchen er, in Ermangelung irgendeiner Münze, unabläs-
5 sig zwischen den Fingern drehte, wenn er der Kälte wegen die Hände in die
Hosen steckte und die Finger schmerzten ihn ordentlich von diesem Drehen
und Reiben. Denn er hatte wegen des Falliments irgendeines Seldwyler   *Falliment:*
Schneidermeisters seinen Arbeitslohn mit der Arbeit zugleich verlieren und   Bankrott
auswandern müssen. Er hatte noch nichts gefrühstückt als einige Schnee-
10 flocken, die ihm in den Mund geflogen und er sah noch weniger ab, wo das
geringste Mittagsbrot herwachsen sollte. Das Fechten fiel ihm äußerst schwer, *fechten:* betteln
ja schien ihm gänzlich unmöglich, weil er über seinem schwarzen Sonntags-
kleide, welches sein einziges war, einen weiten dunkelgrauen Radmantel trug,
mit schwarzem Samt ausgeschlagen, der seinem Träger ein edles und romanti-
15 sches Aussehen verlieh, zumal dessen lange schwarze Haare und Schnurrbärt-
chen sorgfältig gepflegt waren und er sich blasser, aber regelmäßiger Gesichts-
züge erfreute.
Solcher Habitus war ihm zum Bedürfnis geworden, ohne dass er etwas   *Habitus:*
Schlimmes oder Betrügerisches dabei im Schilde führte; vielmehr war er zu- Haltung,
20 frieden, wenn man ihn nur gewähren und im Stillen seine Arbeit verrichten   Aussehen
ließ; aber lieber wäre er verhungert als dass er sich von seinem Radmantel und
von seiner polnischen Pelzmütze getrennt hätte, die er ebenfalls mit großem
Anstand zu tragen wusste.

Vielsagende Namen: „Seldwyla" verspricht eine glückliche Zeit und „Goldach" birgt   *Seldwyla:* aus den
Reichtum. Zwischen beiden entscheidet sich das Schicksal des Schneiders Wenzel   mittelhochdeut-
Strapinski in Gottfried Kellers Novelle *Kleider machen Leute*. Dem widerfährt freilich   schen Wörtern
in Seldwyla das Gegenteil von Glück. Die Not treibt ihn auf die Landstraße. Da holt   *sælde* ‚Glück' und
ihn ein vornehmer Reisewagen ein, den ein herrschaftlicher Kutscher seinem Herrn   *wîle* ‚Zeit'
überbringen soll. Der nimmt Wenzel mit nach Goldach, erlaubt sich dort aber einen
„schlechten Spaß": Er gibt den Schneider als polnischen Grafen aus. In das Spiel, das
nun beginnt, lässt sich Wenzel „willenlos" hineintreiben: Bequemlichkeit und Luxus
drängt man ihm auf; denn die Leute in Goldach versprechen sich davon Abwechslung
und Gewinn. So trügt der Schein selbst „umsichtige Geschäftsmänner":

Der vierspännige Wagen, das Aussteigen des Fremden, sein Mittagessen,
die Aussage des Kutschers waren so einfache und natürliche Dinge, dass die
Goldacher, welche keinem müßigen Argwohn nachzuhängen pflegten, ein
Ereignis darauf aufbauten wie auf einem Felsen.

Wenzel will niemanden betrügen, lässt sich aber treiben:

Sein angeborenes Bedürfnis, etwas Zierliches und Außergewöhnliches vorzustellen, wenn auch nur in der Wahl der Kleider, hatte ihn in diesen Konflikt geführt und brachte jetzt auch jene Furcht hervor und sein Gewissen war nur insoweit mächtig, dass es beständig den Versuch nährte, bei guter Gelegenheit einen Grund zur Abreise zu finden.

Doch alle Versuche misslingen – und in Goldach wird er seine Grafenrolle nicht los. Schon gar nicht, als er sich in Nettchen verliebt, die Tochter des Amtmanns und die seine Liebe erwidert: Strapinski „verlor in diesem Abenteuer seinen Verstand und gewann das Glück, das öfter den Unverständigen hold ist."

Ein Märchen-
glück für das
„arme Schnei-
derlein"?

Das Verlobungsfest zur Fastnachtszeit in einem Gasthaus in der Mitte zwischen Goldach und Seldwyla hebt Wenzel scheinbar auf den Gipfel des Glücks – und lässt ihn um so tiefer abstürzen. Die im selben Haus feiernden Seldwyler entlarven durch einen sinnkräftigen Schautanz den falschen Grafen. Der flieht in Nacht und Schnee, weint bitterlich vor Reue und fällt in gefährlichen Schlaf. Doch jetzt nimmt die Frau die Sache in die Hand: Sie überwindet ihr Weinen, rettet Wenzel, der um Verzeihung bittet und stellt ihn zur Rede: „Ich wünsche zu wissen, wer Sie eigentlich seien und woher Sie kommen und wohin Sie wollen?" Die Wahrheit, die nun an den Tag kommt, führt zum guten Ende. Vor allem die Kindheitsgeschichte Wenzels beweist Nettchen dessen guten Kern: „So feierte sie erst jetzt ihre rechte Verlobung, indem sie in süßer Leidenschaft ein Schicksal auf sich nahm und Treue hielt." Sie ist die Stärkere, weil sie die Welt sieht, wie sie ist und danach handelt:

> Denn sie sagte zu dem guten Wenzel, der in dem abermaligen Glückswechsel verloren träumte: „Nun wollen wir gerade nach Seldwyl gehen und den Dortigen, die uns zu zerstören gedachten, zeigen, dass sie uns erst vereinigt und glücklich gemacht haben!"
> ₅ Dem wackeren Wenzel wollte das nicht einleuchten. Er wünschte vielmehr, in unbekannte Weiten zu ziehen und geheimnisvoll romantisch dort zu leben in stillem Glücke, wie er sagte.
> Allein Nettchen rief: „Keine Romane mehr! Wie du bist, ein armer Wandersmann, will ich mich zu dir bekennen und in meiner Heimat allen diesen
> ₁₀ Stolzen und Spöttern zum Trotze dein Weib sein. Wir wollen nach Seldwyla gehen und dort durch Tätigkeit und Klugheit die Menschen, die uns verhöhnt haben, von uns abhängig machen!"

Und so geschieht es denn auch. Entschlossen ziehen die beiden sofort in die Höhle des Löwen, nach Seldwyla. Und die soeben volljährig Gewordene verhandelt „mit Ruhe und sanfter Festigkeit" mit dem Vater um ihr mütterliches Erbe, damit sie ihrem Mann in Seldwyla „ein tüchtiges Geschäft gründen helfen kann". Gegen den Zuzug eines solchen Vermögens haben die Seldwyler natürlich nichts einzuwenden. Und Wenzel wird ein „Tuchherr", wie Nettchen es vorgesehen hat:

> Dabei wurde er rund und stattlich und sah beinah gar nicht mehr träumerisch aus; er wurde von Jahr zu Jahr geschäftserfahrener und gewandter und wusste in Verbindung mit seinem bald versöhnten Schwiegervater, dem Amtsrat, so

gute Spekulationen zu machen, dass sich sein Vermögen verdoppelte und er nach zehn oder zwölf Jahren mit ebenso vielen Kindern, die inzwischen Nettchen, die Strapinska, geboren hatte und mit letzterer nach Goldach übersiedelte und daselbst ein angesehener Mann ward.

gute Spekulationen: gewinnbringende Geschäfte

Aber in Seldwyla ließ er nicht einen Stüber zurück, sei es aus Undank oder Rache.

Stüber: Münze von geringem Wert

Allerwelts-Seldwyla

Was wie ein „ romantisches" Märchen begonnen hat, endet in handfester Realität. Der Übergang ist kein harmonisches Hinübergleiten von einer Welt in die andere: Ein Trugbild wird zerstört, daraus entsteht tödliche Gefahr für den Verirrten, der seine Lage nicht begreift. Doch der Wirklichkeitssinn einer liebenden, klugen, tatkräftigen Frau bringt Rettung. Der Dichter erzählt den Wandel vom „armen Schneiderlein" zum „Tuchherrn" mit versöhnlichem Humor, der überall aufblitzt, aber nichts verklärt. Das sprichwörtliche Gegenüber von „Leute machen Kleider" und „Kleider machen Leute" lenkt zudem den Blick auf die wirtschaftlichen, gesellschaftlichen, politischen Bedingungen der zweiten Hälfte des 19. Jahrhunderts: „Keine Romane mehr!" fordert das liebenswerte Nettchen und das heißt: Schluss mit den Träumereien, „geheimnisvoll romantisch" leben zu wollen „in stillem Glücke" des Biedermeiers. Uns ruft harte Wirklichkeit: „Wir wollen [...] die Menschen [...] von uns abhängig machen!"

Die Geschichte um Wenzel und Nettchen eröffnet den zweiten Teil einer Novellensammlung mit dem Titel *Die Leute von Seldwyla.* Jeder der beiden Teile enthält fünf Seldwyler Geschichten. In der Einleitung zum ersten Teil schildert Keller die Zustände in jener erfundenen, doch keineswegs wirklichkeitsfremden Stadt. In diesem „wonnigen und sonnigen Ort" lebt man im Ring der alten Mauern und Türme noch vom Glanz handwerklich-bürgerlicher Verhältnisse, wie es scheint. Doch durch „Betreibung eines trefflichen Schuldenverkehrs" entwickelt sich die Stadt mehr und mehr zu einem „Paradies des Kredites": Man lässt das Geld für sich arbeiten. An diesem Seldwyla lassen sich schon vielfältige Bewegungen ablesen, die das Gesicht des Jahrhunderts verändern. Gerade in solchen Zeiten, sagt Keller, könne es „an allerhand seltsamen Geschichten und Lebensläufen nicht fehlen". Indem er einige davon herausstellt, wirft der Erzähler Schlaglichter auf den Wandel der Zeit: Die scheinbaren Ausnahmen – „sonderbare Abfällsel" – zeigen umso deutlicher den wahren Gang der Ereignisse. Zum Beispiel den Weg vom „romantischen" Schneider zum frühkapitalistischen „Tuchherrn". Der Ausgang der Geschichte macht deutlich, was sich in recht kurzer Zeit in Seldwyla verändert hat; und Keller sagt es im Vorwort zum zweiten Teil der Sammlung:

Die Leute von Seldwyla
1. Teil: 1856
2. Teil: 1874

Die Kanzleisprache spricht Bände.

> Es ist insonderlich die überall verbreitete Spekulationsbetätigung in bekannten und unbekannten Werten, welche den Seldwylern ein Feld eröffnet hat, das für sie wie seit Urbeginn geschaffen schien und sie mit *einem* Schlage Tausenden von ernsthaften Geschäftsleuten gleichstellte. [...]
> 5 Dabei sind sie jedoch bereits einsilbiger und trockener geworden; sie lachen weniger als früher und finden fast keine Zeit mehr, auf Schwänke und Lustbarkeiten zu sinnen. [...]

Von der Politik sind sie beinahe ganz abgekommen, da sie glauben, sie
führe immer zum Kriegswesen; als angehende Besitzlustige fürchten und
10 hassen sie aber alle Kriegsmöglichkeiten wie den baren Teufel [...].
So sind sie [...] dahin gelangt, sich ängstlich vor jedem Urteil in politischen
Dingen zu hüten, um ja kein Geschäft, bewusst oder unbewusst, auf ein solches zu stützen, da sie das blinde Vertrauen auf den Zufall für solider halten.

Solche Leute gab es nicht nur in der Schweiz. In Deutschland schritt die Industrialisierung rasch voran. Die wirtschaftliche Macht des Besitzbürgertums wuchs, so dass
auch die staatliche und militärische Macht des Adels nicht mehr unbestritten blieb.
Zum wirtschaftlichen Aufschwung trugen Maschinen ebenso bei wie bessere Ver-
kehrsverbindungen durch Eisenbahn und Kanäle. Der Sieg im deutsch-französischen
Krieg und die hohe französische Kriegsentschädigung begünstigten die Gründung
von Unternehmen, die nicht alle auf soliden Beinen standen. So endeten die sogenannten „Gründerjahre" für manche schon bald im „Gründerkrach". Insgesamt aber
entwickelte sich unter dem Schirm von Bismarcks „Realpolitik" eine blühende kapi-
talistische Wirtschaft, nach außen geschützt durch Zölle. Die sozialistische Arbeiterbewegung, die gegen die Ausbeutung der Besitzlosen, des „4. Standes", kämpfte, wurde durch das „Sozialistengesetz" von 1879 in Schranken gehalten: Es verbot alle
sozialistischen, sozialdemokratischen und kommunistischen Vereinigungen und Aktivitäten. Andererseits begann der Staat von sich aus durch eine Sozialgesetzgebung
der Verelendung der Massen entgegenzuwirken. Dieser Wandel der gesellschaftlichen,
wirtschaftlichen und politischen Verhältnisse bestimmte mehr und mehr auch die
Themen der Literatur in der zweiten Hälfte des 19. Jahrhunderts.
Ein Nachfahre Kellers, der Schweizer Dramatiker **Friedrich Dürrenmatt**, hat 1956
eine „tragische Komödie" mit dem Titel *Der Besuch der alten Dame* auf die Bühne
gebracht. (↑ S. 312) Der Ort der Handlung, die Kleinstadt Güllen, erscheint da als ein
„modernes, entwürdigtes Seldwyla", meint der Schweizer Literaturwissenschaftler
Hans Bänziger: „Ein solches Drecknest kann allerdings sowohl in der Schweiz wie in
Deutschland, Frankreich oder Amerika liegen; es wird zum Drecknest, sobald es nicht
mehr von den Herrlichkeiten des Wirtschaftswunders profitieren kann." Das heißt:
Gewinnstreben hat alle inneren Werte verdrängt. So wäre Güllen in der Zeit der
Hochkonjunktur der 50er Jahre unseres Jahrhunderts, was Seldwyla in der beginnen-
den Gründerzeit war.

Marginalien:

1870 / 71
Gründerjahre –
Gründerkrach

Realpolitik:
eine „Politik des
Möglichen", die
sich der jeweili-
gen politischen
Wirklichkeit
anpasst und kei-
ne Ziele verfolgt,
die darüber
hinausgehen.

Sozialgesetze
1883–1889: Kran-
ken-, Unfall-,
Invaliden- und
Altersversiche-
rung

Gülle: flüssiger
Stalldünger

**Poetischer
Realismus**

- Abgeleitet von dem lateinischen Wort *res* ‚Sache' meint „Realität" die sachlich
- nachweisbare Wirklichkeit, „Realismus" die sachbezogene Einstellung auf diese
- Wirklichkeit und entsprechende Darstellungsweisen. Im 19. Jh. verbindet sich
- mit dem Begriff Realismus die Abwendung von „idealistischer" Weltsicht: Idea-
- lismus gibt den Ideen Vorrang vor den tatsächlichen Verhältnissen. Realistisches
- Denken, das sich an der Wirklichkeit orientiert, wendet sich gegen solche „Ver-
- klärung" in bildender Kunst und Literatur: gegen „klassische" Vorbildhaftigkeit
- ebenso wie gegen „romantische" Fantasiebilder.
- Viele Gründe gab es gerade im 19. Jh. für eine stärkere Beschäftigung mit den
- Problemen der eigenen Zeit: Fortschritte in Naturwissenschaften, Technik,
- Verkehr, Industrialisierung; damit verbunden neue Ansätze philosophischer

Welterklärung. Schon deren Namen sind aufschlussreich. Zum Beispiel „Positivismus": Nur tatsächlich – positiv – Vorhandenes gilt. Oder „Materialismus": Materielle Bedingungen bestimmen Denken und Handeln. Nach der „Milieutheorie" seien das: Abstammung, geschichtlicher Ort und gesellschaftliches Umfeld (Milieu). Begriffe der Biologie wurden auf wirtschaftliche, gesellschaftliche, politische Prozesse übertragen: „Kampf ums Dasein", Überleben der Stärksten oder der am besten Angepassten.

Mehr und mehr wandte sich die Literatur den Bedingungen zu, die das Leben der Menschen prägten: der im Diesseits erfahrbaren Wirklichkeit, dem Alltag. Die Welt sollte so dargestellt werden, wie sie tatsächlich war. Dazu eignete sich in erster Linie die erzählende Prosa, Novelle, Erzählung, Roman; in zweiter Linie das Drama. Die Lyrik blieb bei eher zeitlosen Themen wie Liebe und Erlebnis der Natur.

Die spätere Epochen-Bezeichnung „Realismus" entspricht also dem Selbstverständnis der wegweisenden Schriftsteller in der zweiten Jahrhunderthälfte: in Deutschland wie in Frankreich, England, Russland und Nordamerika. Vorläufer des literarischen Realismus hatte es hierzulande schon im Umfeld des „Jungen Deutschland" gegeben; vor allem **Büchner** und **Heine** sind da zu nennen. Nach 1848 wurde Realismus zwar zur herrschenden Stilrichtung; doch gab sich die realistische Literatur in Deutschland – vor allem im Vergleich zu Frankreich – weniger gesellschaftskritisch: Distanz schaffender Humor milderte die Darstellung der Realität ab (G. Keller) und die biedermeierliche Neigung zur Idylle oder zur Resignation – beides nicht selten miteinander verbunden – blieb wirksam. Hässliche Erscheinungen und extrem schlimme Zustände (wie in Büchners *Woyzeck*) blieben ausgespart; auf harte Wirklichkeit fiel ein verklärendes Licht. Darum spricht man mit dem Blick auf die deutsche Literatur der Epoche von einem „poetischen Realismus". Diesen Begriff hat der Schriftsteller **Otto Ludwig** geprägt: „Es handelt sich hier von einer Welt, die von der schaffenden Poesie vermittelt ist, nicht von der gemeinen […]" Die Poesie schaffe „die Welt noch einmal", nämlich eine solche, „in der der Zusammenhang sichtbarer ist als in der wirklichen, nicht ein Stück Welt, sondern eine ganze, geschlossene, die alle ihre Bedingungen, alle ihre Folgen in sich selbst hat." Also eine durch Poesie zurechtgerückte „Wirklichkeit": eine Welt „aus dem, was wir von der wirklichen Welt erkennen, durch das in uns wohnende Gesetz wiedergeboren."

Der „poetische Realismus" bestimmt sich also aus dem, was er auslässt und was er aufnimmt. Ausgeschlossen bleibt die harte soziale Realität: Armut und Elend des „4. Standes" der Besitzlosen, die allenfalls als Objekt sozialen Handelns in Erscheinung treten. Konkrete politische Fragen spielen im poetischen Realismus kaum eine Rolle, auch nicht bei Autoren, die in ihrem Leben politisch Stellung bezogen (wie G. Keller oder Th. Storm). Parteinahme wie bei den Schriftstellern des Jungen Deutschland war nicht Sache dieser Literatur.

Dem poetischen Realismus ging es vorwiegend um Allgemein-Gültiges: die Stellung des bürgerlichen Menschen in der Gesellschaft; Probleme im Verhältnis zum Adel; zwischenmenschliche Beziehungen; Gefährdung bürgerlicher Tugenden wie Tüchtigkeit, Zuverlässigkeit, Bescheidenheit durch materialistische Tendenzen. Wichtigste Themenbereiche waren oder wurden: Familie, Heimat,

Charles Darwin: *Die Entstehung der Arten durch natürliche Zuchtwahl*, 1859

Junges Deutschland ↑ S. 200
H. Heine ↑ S. 206
G. Büchner ↑ S. 216

Woyzeck ↑ S. 220

Otto Ludwig, 1813–1865

„4. Stand" ↑ Proletarier, S. 217

Jeremias Gotthelf: *Uli der Knecht – Uli der Pächter*, 1841/49
Peter Rosegger: *Die Schriften des Waldschulmeisters*, 1875

Gustav Freytag:
Die Ahnen,
1872–1880

Die 1834 gegründete Zeitschrift *Die Gartenlaube* erreichte schon 1860 eine Auflage von 100 000 Exemplaren und 1875 mit einer wöchentlichen Maximalauflage von 382 000 Exemplaren rund fünf Millionen Leser.

- Volkstum, Geschichte. Dem entsprachen neu auftauchende Ausprägungen der
- Literatur: „Dorfgeschichten" gaben wirklichkeitsgetreu Auskunft über das Le-
- ben auf dem Lande, oft freilich als Gegenbild zum sittlichen „Zerfall" in der
- Stadt, also in verklärender Absicht. Sogenannte „Professorenromane" wollten
- auf populäre Weise Wissen vermitteln, besonders auf dem Felde der Geschich-
- te. Da ging es weniger um historische Erkenntnis zum besseren Verständnis auch
- der eigenen Zeit, sondern mehr um Flucht in die Welt der Vergangenheit oder
- um mahnende oder abschreckende Beispiele in Gestalt herausragender Persön-
- lichkeiten. Ein berühmtes Beispiel für verklärende Geschichtserzählung ist ein
- Roman des Historikers und Rechtsgelehrten **Felix Dahn** (↑ S. 11): *Ein Kampf um*
- *Rom* (1876). Er erzählt vom Untergang der Ostgoten in der Zeit nach Theode-
- rich dem Großen. Der Roman steht in zeitlichem Zusammenhang mit der
- Reichsgründung von 1871.
- Ein besonderes Merkmal der literarischen Szene jener Zeit war das Aufkommen
- sogenannter „Familienblätter" mit Titeln wie *Daheim* oder *Über Land und*
- *Meer,* die Belehrendes mit leichter Unterhaltung mischten und durchaus volks-
- bildnerisch wirken konnten.

1819–1890

Staatsdiener und Poet: Gottfried Keller

G. Herwegh
↑ S. 202

Gottfried Keller, geboren 1819 in Zürich, Sohn eines Drechslermeisters, verlor im Alter von fünf Jahren den Vater. Abhängigkeit von der Mutter prägte seine Jugend und hielt lange an. Er besuchte die Armenschule, dann die Industrieschule, die er mit fünfzehn verlassen musste. Man machte ihn für einen gemeinsam begangenen Schülerstreich verantwortlich. Er nahm Malunterricht und ging mit 21 nach München zum Kunststudium. Doch die Landschaftsmalerei brachte keinen Erfolg. Weil er fürchtete in einem freien Künstlerleben ein „untätiges und verdorbenes Subjekt" zu werden und weil er Not litt, kehrte er nach zwei Jahren wieder zurück. Politisch schloss er sich der liberalen Partei an. Das verband ihn mit deutschen Emigranten wie **Herwegh** oder **Freiligrath**. Politische Motive brachten ihn auch zur Schriftstellerei. Nach dem

Künstlerische und bürgerliche Existenz

Sieg der Liberalen 1848 gewährte die Zürcher Regierung dem jungen Schriftsteller, der schon einen Band Gedichte veröffentlicht hatte, ein Auslandsstipendium. Keller nutzte es zum Studium in Heidelberg und vor allem in Berlin. Doch die bedrückende finanzielle Abhängigkeit von der Mutter hielt an. So kehrte er 1856 nach Zürich zurück. Seine Jugendjahre haben in dem Roman *Der grüne Heinrich* (1854/55, Neufassung 1879) literarischen Niederschlag gefunden. Künstlertum und bürgerliches Auskommen miteinander zu verbinden blieb zeitlebens ein Problem, nicht nur für Keller. Er fand eine Lösung dadurch, dass er ein hohes Staatsamt antrat: Erster Staatsschreiber des Kantons Zürich.

Gottfried Keller 1840 in München (Zeichnung von Johann Salomon Hegi). „[…] da es ihm in der Tat bei seiner Sorglosigkeit und seinem sicheren Gefühl, dass er schon etwas werden müsse und würde, ganz gut erging, so berichtete er der Mutter mit jedem Briefe, es ginge ihm gut […].“
Der grüne Heinrich, erste Fassung

Nun konnte er zum ersten Mal etwas von der „Schuld" abtragen, die er Mutter und Schwester gegenüber empfand. Mit der Schwester führte er bis zu deren Tod 1888 einen gemeinsamen Haushalt. Die Suche nach einer Lebensgefährtin trug ihm nur traurige und demütigende Erfahrungen ein. In seinem öffentlichen Amt konnte Keller auch etwas von seinen politischen Ideen in die Tat umsetzen, besonders in seinem Bemühen um Volksbildung. Die Auswirkungen der Industriellen Revolution griffen mehr und mehr auch auf die Schweiz über. Die Macht des Kapitals brachte Aufschwung (Eisenbahnbau, Textilindustrie), hatte aber auch negative Folgen, wie zum Beispiel ein Zeitungsartikel zeigt, in dem sich Keller erbittert über Kinderarbeit äußert. Nur Eingriffe des Staates, meinte er, könnten die Gefahren verhindern oder wenigstens mildern, vor allem der Ausbau des Bildungswesens.

Nach 15 Jahren allgemein anerkannter Arbeit schied Keller 1876 aus dem Staatsdienst. Es blieben ihm noch fast ebenso viele Jahre für ein umfangreiches poetisches Werk. Unfertig liegen gebliebene Arbeiten griff er auf um sie zu vollenden, Neues kam hinzu. Körperliches Leiden und Vereinsamung trübten seine letzten Lebensjahre. 1888 endete mit dem Tod des Dichterfreundes **Theodor Storm** ein Briefwechsel, der nicht nur den Briefpartnern viel bedeutet hatte. Die Nachwelt erfährt daraus Wichtiges über Probleme der Schriftsteller des poetischen Realismus und über die Welt, in der und für die sie schrieben. Gottfried Keller starb 1890 in seiner Stadt Zürich.

Theodor Storm: *Hans und Heinz Kirch*   1882

In einem Balkengestelle auf dem Markte hing noch vor kurzem, wie seit
Jahrhunderten, die sogenannte Bürgerglocke; um zehn Uhr abends, sobald es
vom Kirchturme geschlagen hatte, wurde auch dort geläutet und wehe dem
Gesinde oder auch dem Haussohn, der diesem Ruf nicht Folge leistete; denn
5 gleich danach konnte man straßab und -auf sich alle Schlüssel in den Haustüren drehen hören.

Aber in der kleinen Stadt leben tüchtige Menschen, alte Bürgergeschlechter, unabhängig von dem Gelde und dem Einfluss der umwohnenden großen Grundbesitzer; ein kleines Patriziat ist aus ihnen erwachsen, dessen stattlichere
10 Wohnungen, mit breiten Beischlägen hinter mächtig schattenden Linden, mitunter die niedrigen Häuserreihen unterbrechen. Aber auch aus diesen Familien mussten bis vor dem letzten Jahrzehnt die Söhne den Weg gehen, auf welchem Eltern und Vorfahren zur Wohlhabenheit und bürgerlichen Geltung gelangt waren. […] Schiffsjunge, Kapitän auf einem Familien-, auf
15 einem eigenen Schiffe, dann mit etwa vierzig Jahren Reeder und bald Senator in der Vaterstadt, so lautete der Stufengang der bürgerlichen Ehren.

Patriziat: herrschende Oberschicht, „Stadtadel"
Beischläge: Begrenzungen aus Stein auf beiden Seiten der Eingangstreppe

Den Schiffseignern war auch der „Schifferstuhl" auf dem Chor der Kirche vorbehalten: Ziel aller „strebsamen Leute" in der kleinen Stadt an der Ostsee. Zu denen gehört Hans Adam Kirch. Er entstammt nicht dem Kreis der „größeren Familien", hat aber durch strenge Sparsamkeit und rastlose Arbeit schon einen Platz unter den „Honoratioren" errungen. Nun setzt er alles daran seinen Besitz zu mehren und zu „höheren Würden" zu gelangen. „Denn auch die Sitze im Magistratskollegium […] waren mitunter von dem kleinen Bürgerstande aus besetzt worden". Wenn nicht er selbst, sollte sein Sohn Heinz das erreichen. Dem galt seine zärtliche Liebe – und sein ganzer Ehrgeiz.

Honoratioren: angesehene Bürger

Zielstrebig betreibt Hans Kirch den Aufstieg, kauft ein größeres Schiff, weitet den Handel aus. Heinz wird Schiffsjunge, mit siebzehn Matrose. Am Abend vor seiner ersten großen Reise – für ein Jahr und bis ins chinesische Meer – nimmt er Abschied von der kleinen Wieb, die er seit Kindertagen liebt. Ein „feines Mädchen", leider hat die Mutter einen schlechten Ruf. Wieb gibt ihm den Ring mit auf den Weg, den er ihr einmal auf dem Jahrmarkt geschenkt und den sie seitdem immer getragen hat. An diesem Abend hören die beiden die „Bürgerglocke" nicht. Für Wieb bedeutet das „nur" Schläge der Mutter, Hans Kirch jedoch droht jähzornig seinem Sohn: „Klopf nicht noch einmal so an deines Vaters Tür! Sie könnte dir verschlossen bleiben!"

Theodor Storm, *Hans und Heinz Kirch* (Zeichnung von Max Schwimmer). Im schwankenden Boot, das steuerlos treibt, hängt Wieb Heinz die Schnur mit dem Ring um den Hals: sein Geschenk aus Kindertagen, nun Wegbegleiter in die Fremde, zuletzt Zeichen unrettbaren Verlusts.

Erst später erfährt der Vater von der Liebschaft, die seine Pläne gefährdet und er schreibt einen zornigen Brief. Dass Heinz nicht antwortet, empfindet der Vater als Trotz: „Sehen wir, wer's am längsten aushält von uns beiden!" Das zeigt sich bald, als der alte Postbote endlich einen Brief von Heinz bringt: unfrankiert!

> Nicht mal das Porto hatte er gehabt! Und der, der sollte im Magistrat den Sitz erobern, der für ihn, den Vater, sich zu hoch erwiesen hatte!
> Hans Kirch saß stumm und starr an seinem Pulte, nur im Gehirn tobten ihm die Gedanken. Sein Schiff, sein Speicher, alles, was er in so vielen Jahren
> 5 schwer erworben hatte, stieg vor ihm auf und addierte wie von selber die stattlichen Summen seiner Arbeit. Und das, das alles sollte er diesem…
> Er dachte den Satz nicht mehr zu Ende; sein Kopf brannte, es brauste ihm vor den Ohren. „Lump!", schrie er plötzlich, „so kommst du nicht in deines Vaters Haus!"
> 10 Der Brief war dem erschrockenen Boten vor die Füße geschleudert. „Nimm", schrie er, „ich kauf ihn nicht; der ist für mich zu teuer!" Und Hans Kirch griff zur Feder und blätterte in seinen Kontobüchern.

Fünfzehn Jahre vergehen. Heinz bleibt verschollen. Der Mutter hat „endlich das stumme Leid die Brust zernagt", sie stirbt. Heinz' Schwester heiratet einen wohlhabenden Mann, der nun, „wenn auch in anderer Form", den ganzen „Ehrgeiz des Hauses" zu vertreten scheint. Da taucht das Gerücht auf, Heinz Kirch sei in Hamburg gesehen worden. Hans holt ihn heim: einen fremden, verwilderten Mann, von dem nicht zu erwarten ist, dass er jemals in der Welt von „Bürgerglocke" und „Schifferstuhl" Fuß fasst. Zweifel melden sich: Ist das überhaupt Heinz Kirch? Der Vater weiß bald nicht mehr, was er hoffen oder fürchten soll. Heinz fragt: „Warum damals, da ich noch jung war, habt Ihr das mit dem Brief mir angetan? Warum? Denn ich hätte Euch sonst mein altes Gesicht wohl wieder heimgebracht." Des Vaters Schuld: Er hat den Sohn verstoßen. Seitdem ist es immer nur abwärts gegangen mit Heinz. Am nächsten Abend, als von der Stadt her gerade die Bürgerglocke ertönt, betritt Heinz eine üble Hafenschenke. Dort dient als Schenkmagd Wieb: „Du bist zu spät gekommen, Heinz!" Der Ring, den er als „das letzte Stück von Hause" all die Jahre bewahrt hat, fällt auf den schmutzigen Boden.
In seinem Kontor rechnet Hans Kirch aus, „was ihn dieser Sohn, den er sich so unbedacht zurückgeholt hatte, oder – wenn es nicht sein Sohn war – dieser Mensch noch kosten dürfe". Als ob er sich damit für immer freikaufen wollte, gibt er Heinz ein Kuvert mit „widerwillig abgezählten" Geldscheinen. Doch der entnimmt nur eine kleine Summe, notiert sie unter der größeren, die da verzeichnet steht und schreibt dazu: „Thanks for the alms and farewell for ever." Die letzte Antwort an den Vater – in fremder Sprache.
Der überwindet den „jahrelang angesammelten Groll" auch dann nicht, als Wieb den Beweis bringt, dass es tatsächlich Heinz gewesen ist: „[…] mag er geheißen haben, wie er will, der diesmal unter meinem Dach geschlafen hat; *mein* Heinz hat schon vor 17 Jahren mich verlassen." Es sind die Worte eines gebrochenen Mannes, der sich nun aus allem zurückzieht. In einer Sturmnacht bringt ein Traumgesicht ihm die Gewissheit: „Er ist tot." Jetzt erst nimmt er den Sohn wieder auf, der verlorene Vater: Er räumt dem Toten wieder alle Rechte ein, „die er noch eben dem Lebenden nicht mehr

hatte zugestehen wollen". Der Greis, dessen Lebensträume zerschlagen sind, klammert sich nur noch an die Hoffnung auf die „Ewigkeit": „[…] da will ich meinen Heinz schon wiederkennen". Wieb wird ihm Stütze und Begleiterin in den letzten Jahren.

> […] aus den blauen Augen des armen Weibes leuchtete ein milder Strahl; nicht jener mehr, der einst in einer Frühlingsnacht ein wildes Knabenhaupt an ihre junge Brust gerissen hatte, aber ein Strahl jener allbarmherzigen Frauenliebe, die allen Trost des Lebens in sich schließt.

Doch rührselige Resignation ist nicht das letzte Wort der Novelle: Die Realität kommt zu ihrem Recht. Die Schuld des Vaters endet mit dessen Tode; die Frage nach dem Sohn bleibt ohne Antwort. Doch Hans Kirchs Erbe überdauert und mehrt sich, unter anderem Namen in einer veränderten Welt:

Rektor(ats)schule:
Vorstufe zur „Gelehrtenschule", entspricht etwa der „Unterstufe" heutiger Gymnasien

> Das von ihm begründete Geschäft liegt in den besten Händen; man spricht schon von dem „reichen" Christian Martens und Hans Adams Tochtermanne wird der Stadtrat nicht entgehen; auch ein Erbe ist längst geboren und läuft schon mit dem Ranzen in die Rektorschule; – wo aber ist Heinz Kirch geblieben?

„… innerlich ins Weite": Theodor Storm

↑ Hildebrandslied, S. 9

Konflikte zwischen Vater und Sohn sind ein uraltes Thema der Dichtung. Autorität und Zukunftsplanung des Vaters und wachsendes Selbstbewusstsein des Sohnes stoßen aufeinander. Wenn der Konflikt sich verhärtet, droht Unheil. So auch hier. Doch geht es Storm nicht nur um einen psychologischen Fall, ein bloß persönliches Zerwürfnis. In allen seinen erzählenden Texten beschäftigt ihn der gesellschaftliche Wandel, der in seiner Zeit rascher als je zuvor voranschreitet. Die „Bürgerglocke", Zeichen fester Tradition, habe „noch vor kurzem, wie seit Jahrhunderten" dem Leben in der kleinen Stadt ein Maß gesetzt, schreibt Storm hier, am Beginn der 80er Jahre. Und „bis vor dem letzten Jahrzehnt" sei der Weg „zur Wohlhabenheit und bürgerlichen Geltung" sicher vorgegeben gewesen.

Storm nannte seine frühen Novellen und Erzählungen „Situationen."

Immensee, 1850

Storms großes Thema: Warum wird die alte Ordnung auf einmal brüchig? Und was tritt an ihre Stelle? Sichtbar werden nur die Zeichen der Auflösung, des Vergehens. Vergangenheitsschwermut durchzieht die frühen Novellen, die neben die Gedichte treten. *Immensee* mit der wehmütigen Erinnerung an eine verlorene Jugendliebe ist am erfolgreichsten geworden. Immer wieder tritt vergangenem Gefühlsreichtum die Kargheit einer nüchterner werdenden Gegenwart gegenüber, vor deren Anspruch die handelnden – und mehr noch leidenden Menschen resignieren. Erst in den großen Novellen des späteren Werks stellt sich der Dichter mehr und mehr den Realitäten seiner Zeit, auch dann, wenn er in die Vergangenheit blickt. So in seiner letzten Novelle: *Der Schimmelreiter.* Durch eine doppelte Rahmenerzählung wird der Leser an die Geschichte herangeführt: Storm habe sie bei seiner Urgroßmutter in einer Zeitschrift gefunden. Der damalige Verfasser habe von einem Ereignis der 20er Jahre des Jahrhunderts berichtet: In einer Sturmnacht sei ihm die gespenstische Gestalt eines

Der Schimmelreiter, 1888

Lesefrüchte vom Felde der neuesten Literatur, 1838

Schimmelreiters begegnet. Die kündige einen Deichbruch an, hieß es im Glauben der Leute. Ein Schulmeister habe ihn dann über die Geschichte dieser „Erscheinung" aufgeklärt. Dies erst ist die eigentliche Novelle: die Geschichte vom Deichgrafen Hauke Haien. Der baut nach modernen technischen Erkenntnissen einen neuen Deich um Land zu gewinnen und lehnt es ab einen lebendigen Hund mit eingraben zu lassen: „Was Lebiges" müsse hinein, damit das Werk halte, sagen die Leute. Vernünftiges Denken steht gegen hergebrachten Aberglauben. Hauke Haien setzt sich durch. Doch in einer Anwandlung von Schwäche lässt er am alten Deich Flickwerk zu und das rächt sich. In einer Sturmnacht des Jahres 1756 bricht der alte Deich. Weib und Kind kommen in den Fluten um, auf seinem Schimmel stürzt sich Hauke Haien ihnen nach. „Aber der ‚Hauke-Haien-Deich' steht noch jetzt nach hundert Jahren." Doch die Warnung vor menschlichem Hochmut ist unüberhörbar: Der kühne Deichbauer erkennt seine Grenzen, ehe er Opfer seines eigenen Fehlers wird. Den Reiter „wollte es überfallen, als sei hier alle Menschenmacht zu Ende; als müsse jetzt die Nacht, der Tod, das Nichts hereinbrechen."

Im Widerstreit von Tradition und neuem Denken hat Storm selbst sich als Vertreter einer Übergangszeit erfahren: Fest im Herkommen stand er in seiner Gebundenheit an Heimat und Beruf. Für beides galt ihm: „Ich bedarf äusserlich der Enge, um innerlich ins Weite zu gehen." Vielfach gefährdet sah er sich in seiner Haltung als Ehemann und Familienvater. Als bewusster Gegner des Überlieferten trat er auf gegen engstirnige „Rechtgläubigkeit" und gegen Überheblichkeit des Adels – „das verrottetste Junkertum". Den Ewigkeitsglauben, der Hans Kirch zuletzt Trost gibt, lehnt er für sich ab. In einem testamentarisch klingenden Gedicht mit dem Titel *Ein Sterbender* heißt es:

> „Sie träumen", spricht er – leise spricht er es –
> „Und diese bunten Bilder sind ihr Glück.
> Ich aber weiß es, dass die Todesangst
> Sie im Gehirn des Menschen ausgebrütet."
> ⁵ Abwehrend streckt er seine Hände aus:
> „Was ich gefehlt, des einen bin ich frei;
> Gefangen gab ich niemals die Vernunft,
> Auch um die lockendste Verheißung nicht;
> Was übrig ist, – ich harre in Geduld.[…]
> ¹⁰ Auch bleib der Priester meinem Grabe fern;
> Zwar sind es Worte, die der Wind verweht,
> Doch will es sich nicht schicken, dass Protest
> Gepredigt werde dem, was ich gewesen,
> Indes ich ruh im Bann des ew'gen Schweigens."

Theodor Storm, geboren 1817 als Sohn eines Justizrats, hat selbst Jura studiert als das Einzige, „das man ohne besondere Neigung studieren kann". Die Neigung blieb der Dichtung vorbehalten, die er nicht zum „Beruf" machte. Er hat dann als Rechtsanwalt in seiner Heimatstadt Husum gearbeitet. Da er gegen die dänische Herrschaft über Schleswig-Holstein auftrat, verbot man ihm 1853 die Ausübung seines Berufs. Storm verließ seine Heimat und trat in den Dienst der preußischen Justiz. 1864 besiegten die vereinigten Österreicher und Preußen Dänemark und übernahmen die Herrschaft in Schleswig-Holstein. Storm konnte nach Husum zurückkehren, wurde

Theodor Storm, 1817–1888

Landvogt, dann Amtsrichter bis zur vorzeitigen Pensionierung 1880. Nun wandte er sich gegen neue fremde Vorherrschaft im Lande: Schleswig-Holstein sollte unabhängig werden.

Tiefe Krisen, die Storms Existenz erschütterten, erwuchsen aus familiären Problemen. 1846 heiratete er seine Cousine Constanze Esmarch. Doch schon bald wandte er sich leidenschaftlich der 19-jährigen Dorothea Jensen zu, die 1866 seine zweite Frau wurde. Aus der Ehe mit Constanze, die 1865 starb, gingen sieben Kinder hervor. Sein „Sorgenkind" wurde Hans, der Älteste. Der Kummer um ihn zerstöre sein Leben, klagte er. Hans brauchte elf Jahre um das Medizinstudium abzuschließen, eine arge finanzielle Belastung. Schlimmer: Hans war seelisch labil, dem Alkohol verfallen. Er starb zwei Jahre vor dem Vater im Alter von 38 Jahren. Verlorene Hoffnungen: „Aus allem ist nichts geworden, als ein wirres Leben, das er nun in fremden Landen ausschläft. Das ist für einen Vater schwer zu verwinden; ein unerbittliches Mitleid mit dem Toten fasst mich oft."

„Meine Novellistik ist aus meiner Lyrik erwachsen", schreibt Storm 1882. Vor allem der Kampf um die Heimat und für die Befreiung des Menschen aus der Vormundschaft des Adels und der Kirche hat ihn dazu bewegt. Doch ist er immer – und mit Vorliebe – Lyriker geblieben. Ergreifende Liebesgedichte und großartige lyrische Landschaftsbilder zeugen davon.

Meeresstrand

Haff: das Meer
über dem Watt

Ans Haff nun fliegt die Möwe
Und Dämmrung bricht herein;
Über die seichten Watten
Spiegelt der Abendschein.

5 Graues Geflügel huschet
Neben dem Wasser her;
Wie Träume liegen die Inseln
Im Nebel auf dem Meer.

Ich höre des gärenden Schlammes
10 Geheimnisvollen Ton,
Einsames Vogelrufen –
So war es immer schon.

Noch einmal schauert leise
Und schweiget dann der Wind;
15 Vernehmlich werden die Stimmen,
Die über der Tiefe sind.

Ein wichtiges Verdienst, das Storm nicht nur nebenbei zukommt, ist sein Eintreten für eine angemessene „Jugendschriftstellerei", eine Literatur für junge Leser also, die ihr Publikum ernst nimmt. So wendet er sich im Nachwort zu seiner Novelle *Pole Poppenspäler*, die ein Gegenüber von Künstlerschicksal und bürgerlichem Liebesglück

Pole Poppenspäler,
1874

schildert, gegen kunstwidrige pädagogische Zubereitung von Texten: „Wenn du für die Jugend schreiben willst, dann darfst du *nicht* für die Jugend schreiben! – Denn es ist unkünstlerisch, die Behandlung eines Stoffes so oder anders zu wenden, je nachdem du dir den großen Peter oder den kleinen Hans als Publikum denkst." Es gelte also, „einen Stoff zu finden, der, unbekümmert um das künftige Publikum und nur seinen inneren Erfordernissen gemäß behandelt, gleichwohl wie für den reifen Menschen, so auch für das Verständnis und die Teilnahme der Jugend geeignet ist."

Nicht „für die Jugend schreiben!"

Conrad Ferdinand Meyer: *Das Amulett*

1873

> Alte vergilbte Blätter liegen vor mir mit Aufzeichnungen aus den Anfängen des siebzehnten Jahrhunderts. Ich übersetze sie in die Sprache unserer Zeit.

Der – erfundene – Verfasser der „Aufzeichnungen", Hans Schadau, beginnt seinen Bericht im Jahre 1611. Er blickt zurück auf Erlebnisse des Jahres 1572, die er als erzählendes Ich wiedergibt. Frankreich zur Zeit der Hugenottenkriege. Die Anhänger des französischen Reformators Calvin, der seine Lehre hauptsächlich von der Schweiz aus verkündete, die „Reformierten", nannte man in Frankreich „Hugenotten". Diese sehr aktive religiöse Minderheit wurde in Frankreich grausam verfolgt und leistete verzweifelten Widerstand.

Das Wort leitet sich wohl von „Eidgenossen" ab. So nennt man die Schweizer noch heute.

Der 19-jährige Schweizer Schadau ist auf dem Weg nach Paris. Er will in den Dienst des Hugenottenführers Coligny treten, unter dessen Kommando sein Vater im Krieg gefallen ist. Kurz vor Paris begegnet der gläubige Calvinist seinem Landsmann Boccard, der „unter den Schweizern seiner allerchristlichsten Majestät" dient, also auf katholischer Seite und vom Urlaub zurückkehrt. Es kommt zu einem Streitgespräch über die Konfessionen, an dem auch zwei französische Calvinisten teilnehmen: der Parlamentsrat Chatillon, ein hoher Richter und die schöne Gasparde, seine vermeintliche Nichte. Chatillon kehrt aus der Verbannung zurück im Vertrauen auf einen Friedenserlass des Königs, der den Hugenotten wieder den Zugang zu ihren Ämtern erlaubt. Boccard erzählt, wie man ihn zu Hause „einen Götzendiener und Christenverfolger" gescholten habe, weil er gegen Hugenotten kämpfe.

Schweizer haben in jener Zeit unter vielen Fahnen gekämft, also auch gegeneinander.

> „Religionsgespräche", begütigte der Rat, „liegen jetzt eben in der Luft; aber warum sollte man sie nicht mit gegenseitiger Achtung führen und in versöhnlichem Geiste sich verständigen können? So bin ich versichert, Herr Boccard, dass Ihr mich wegen meines evangelischen Glaubens nicht zum Scheiterhau-
> 5 fen verdammt und dass Ihr nicht der Letzte seid, die Grausamkeit zu verwerfen, mit der die Calvinisten in meinem armen Vaterlande lange Zeit behandelt worden sind."
> „Seid davon überzeugt", erwiderte Boccard. „Nur dürft Ihr nicht vergessen, dass man das Alte und Hergebrachte in Staat und Kirche nicht grausam
> 10 nennen darf, wenn es sein Dasein mit allen Mitteln verteidigt. Was übrigens die Grausamkeit betrifft, so weiß ich keine grausamere Religion als den Calvinismus."

Der „finstere neue Glaube", meint Boccard, verunstalte „die göttliche Gerechtigkeit".

> […] ich verstehe nichts von der Theologie, aber mein Ohm, der Chorherr
> in Fryburg, ein glaubwürdiger und gelehrter Mann, hat mich versichert,
> es sei ein calvinistischer Satz, dass eh es Gutes oder Böses getan hat, das Kind
> schon in der Wiege zur ewigen Seligkeit bestimmt, oder der Hölle verfallen
> 5 sei. Das ist zu schrecklich, um wahr zu sein!"
> „Und doch ist es wahr", sagte ich, des Unterrichts meines Pfarrers mich erin-
> nernd, „schrecklich oder nicht, es ist logisch! […] Die Gottheit ist allwissend
> und allmächtig, […] was sie voraussieht und nicht hindert, ist ihr Wille,
> demnach ist allerdings unser Schicksal schon in der Wiege entschieden."

Boccard führt Gegenargumente ins Feld:

> 10 Angenommen […], Ihr wäret von Eurer calvinistischen Vorsehung seit der
> Wiege zur Hölle verdammt – doch bewahre mich Gott vor solcher Unhöflich-
> keit – gesetzt denn, ich wäre im Voraus verdammt; aber ich bin ja, Gott sei
> Dank, kein Calvinist…" Hierauf nahm er einige Krumen des vortrefflichen
> Weizenbrotes, formte sie mit den Fingern zu einem Männchen, das er auf
> 15 seinen Teller setzte mit den Worten: „Hier steht ein von Geburt an zur Hölle
> verdammter Calvinist. Nun gebt acht, Schadau! – Glaubt Ihr an die zehn
> Gebote?"
> „Wie, Herr?", fuhr ich auf.
> „Nun, nun, man darf doch fragen. Ihr Protestanten habt so manches Alte
> 20 abgeschafft! Also Gott befiehlt diesem Calvinisten: Tue das! Unterlasse jenes!
> Ist solches Gebot nun nicht eitel böses Blendwerk, wenn der Mann zum Vor-
> aus bestimmt ist, das Gute nicht tun zu können und das Böse tun zu müssen?
> Und einen solchen Unsinn mutet Ihr der höchsten Weisheit zu? Nichtig ist
> das wie dies Gebilde meiner Finger!", und er schnellte das Brotmännchen in
> 25 die Höhe.
> „Nicht übel!", meinte der Rat.

Da es Schadau an Gegenargumenten fehlt, verlegt er sich auf gängige Vorwürfe gegen die alte Kirche, nennt „Missbräuche", „Unsitten", „blinden Autoritätsglauben", „wundertätige Reliquien". Das bringt Boccard, „der gelassen über religiöse Dinge denkt", nicht aus der Ruhe. Es liege in der Tat manches im Argen. Erst als Schadau von „albernem Mariendienst" spricht, wird er zornig. Denn das kränkt seinen tiefen Glauben an ein „Gnadenwunder", das er der Gottesmutter Maria verdanke: Heilung aus schwerer Lähmung in früher Kindheit. Zum Dank und zur Erinnerung trägt er „ein großes rundes Medaillon von Silber mit dem Bilde der Muttergottes von Einsie-deln" wie ein Amulett, das vor Unheil bewahren soll. Und es schützt – den „Ungläu-bigen"! Schadau wird Sekretär bei Coligny und gewinnt die Liebe Gaspardes, die, wie sich herausstellt, Colignys Nichte ist. Um ihretwillen wird er in ein Duell verwickelt. Das Amulett, das Boccard ihm heimlich ins Wams schiebt, fängt einen Stich des Geg-ners auf, rettet ihm das Leben: ein erklärbares „Wunder".

Die Lage der Hugenotten verschärft sich. Paris ist wie ein „Vulkan" vor dem Aus-bruch: der König ein „unklarer Mensch", seine Mutter „zweideutig". Sie betreibt

Einsiedeln:
Schweizer
Wallfahrtsort
mit dem Reichs-
kloster „Maria
Einsiedeln"

schließlich die Vernichtung der „Ketzer". In den Greueln der „Bartholomäusnacht" werden etwa zweitausend Hugenotten in Paris ermordet, weitere bis zu zehntausend im übrigen Frankreich. Auch Coligny gehört zu den Opfern. Vorher schon durch ein Attentat verwundet hat er noch Gasparde Schadau antrauen lassen. Am Tag vor dem nächtlichen Gemetzel lockt Boccard Schadau in eine Falle: Er setzt ihn gefangen um ihn zu retten. Verzweifelt dringt Schadau auf die Rettung seiner Frau. Aussichtslos, meint Boccard. Doch er gibt nach, als Schadau ihn „im Namen der Muttergottes von Einsiedeln" anfleht. Als „königlicher Schweizer" verkleidet stürmt der mit ihm los. In letzter Minute gelingt Gaspardes Rettung; für Chatillon kommt die Hilfe zu spät. Boccard, der den Rückzug deckt, wird von einer Kugel getroffen. Hat das Amulett den Gläubigen im Stich gelassen? „Fort aus dieser Hölle!" ist der einzige Gedanke der beiden Geretteten. Durch einen glücklichen Zufall gelingt die Flucht. Zwei Wochen später erreichen sie die Grenze. Von der letzten Höhe schauen sie auf die „friedliche Landschaft" der Schweiz, auf „evangelisches Land" in unmittelbarer Nachbarschaft zu katholischem: Boccards Heimat.

> *Das Heiligenfest des Apostels und Märtyrers Bartholomäus wird am 24. August begangen.*

> *Die Schweiz als Modell friedlichen Zusammenlebens?*

Fanatismus und Versöhnung

„Am liebsten vertiefe ich mich in vergangene Zeiten", schreibt Meyer, „die mir erlauben, das Ewig-Menschliche künstlerischer zu behandeln, als die brutale Aktualität zeitgenössischer Stoffe mir nicht gestatten würde." Von solch intensiver Beschäftigung mit Themen der Vergangenheit zur Erhellung der Gegenwart zeugt Meyers gesamtes Werk. Die Novelle *Das Amulett* zeigt, wie religiöses Bekenntnis seinen Sinn verkehrt, wenn es über Leichen geht. Im Fieberwahn der „Bartholomäusnacht" hört Schadau eine „Flussgöttin" zu einer „Steinfrau" am königlichen Balkon sagen:

> „Schwester […], weißt vielleicht du, warum sie sich morden? Sie werfen
> mir Leichnam auf Leichnam in mein strömendes Bett und ich bin schmierig
> von Blut. […] Machen vielleicht die Bettler, die ich abends ihre Lumpen in
> meinem Wasser waschen sehe, den Reichen den Garaus?"
> ₅ „Nein", raunte das steinerne Weib, „sie morden sich, weil sie sich nicht einig
> sind über den richtigen Weg zur Seligkeit." – Und ihr kaltes Antlitz verzog
> sich zum Hohn, als belache sie eine ungeheure Dummheit […]

Religionskritik ist eins der großen Themen des 19. Jahrhunderts. Meyer zeigt beispielhaft, wohin religiöser Fanatismus führt. Der Calvinist Schadau lernt, dass seine Rettung mit der Lehre von der „Prädestination" ebenso wenig zu tun hat wie mit Wunderglauben: Beides ist Ausdruck von Unfreiheit. Ein Landsmann und Christ hat ihn gerettet, hat konfessionelle Grenzen überwunden und Nächstenliebe geübt, Menschlichkeit in ihrer höchsten Ausprägung. Wer Gottes Gebot so begreift, braucht weder Zaubermittel noch Wunderzeichen. Konfessioneller Hass verkehrt die christliche Botschaft: „Ketzer" gibt es nur, wenn „Rechtgläubige" das behaupten – durch Verteufelung auf Gegenseitigkeit. Wahrer christlicher Glaube kann nicht auf Höllenangst gründen, sondern nur auf Liebe: in dieser Welt.
Das ist nicht nur ein Thema der Epoche, sondern ganz besonders auch dieses Dichters. Für Meyer ist solche Kritik an religiöser Verfehlung auch ein Weg zu Selbst-

> *Prädestination: Vorherbestimmung*

Conrad
Ferdinand
Meyer,
1825–1898
Den väterlichen
Vornamen Ferdi-
nand nahm er
erst 1869 an.

erkenntnis und vielleicht Heilung in eigener Bedrängnis: Dichtung als Möglichkeit persönliche Probleme ins Allgemeine zu heben und sich selbst in seiner Zeit zu begreifen. Der 1825 geborene **Conrad Meyer**, Sohn einer angesehenen Züricher Familie, hat früh seinen Vater verloren. Die strenge Erziehung durch die Mutter, eine von fanatischer Frömmigkeit getriebene Frau, war eine ungeheure Belastung für den Sohn. Sie hat sich wohl selbst das Leben genommen.

Mit einem Jugendbildnis

Hier – doch keinem darfst du's zeigen,
Solche Sanftmut war mir eigen,
Durfte sie nicht lang behalten,
Sie verschwand in harten Falten,
Sichtbar ist sie nur geblieben
Dir und denen, die mich lieben.

Conrad Ferdinand Meyer,
gezeichnet von Paul Beschander, 1842

Seelische Störungen und Krisen beeinträchtigten Conrad sein Leben lang. Mehrfach kam er in klinische Behandlung. Die Angst zu versagen, das ständige Verlangen anerkannt zu werden: Daraus wohl erklärt sich das Bedürfnis alles zu äußerster Vollendung zu bringen im dichterischen Werk, wenn schon das Leben soviel Versagen brachte. Das Gymnasium musste er verlassen, das Studium brach er ab. Finanziell unabhängig wurde er nicht durch eigenes Verdienst, sondern durch eine Erbschaft. Abgesehen von einer sehr engen Bindung an die fünf Jahre jüngere Schwester, die ihn auf seinen Bildungsreisen begleitete und sogar an seiner literarischen Arbeit beteiligt war, lebte Meyer isoliert, immer von Depressionen bedroht. Eine späte Ehe mit einer Frau aus reichem Patrizierhause (1875) brachte manche Erleichterung, auch neue Konflikte. Aber es gelangen in einer fruchtbaren Schaffensperiode durch zwei Jahrzehnte (1871–1891) bedeutende Werke, die auch Erfolg brachten. Das gebildete Bürgertum im neu entstandenen Deutschen Reich schätzte besonders Meyers historische Novellen. Sein Roman *Jürg Jenatsch,* der im Dreißigjährigen Krieg spielt und den Konflikt zwischen Politik und Moral behandelt, wurde sein größter Erfolg: dreißig Auflagen zu Lebzeiten des Autors.

Jürg Jenatsch,
1874

„Ein Lyriker ist er nicht", meinte Storm, der das Erlebnisgedicht bei Meyer vermisste, „die unmittelbare Empfindung". Doch Meyer ging es in seinen Gedichten, die der Literatur des Realismus weit enthoben waren, um anderes: um hochkünstlerisch verdichteten symbolischen Ausdruck, mit dem er gelegentlich schon über seine Zeit hinauswies. Sein vielleicht berühmtestes Gedicht, an dem er besonders lange gearbeitet

Symbolismus
↑ S. 266

hat – *Der römische Brunnen* –, lässt in vollendeter Form ein Bild idealen Ausgleichs entstehen, wie er dem Leben des Dichters wohl nur in seltenen Momenten zuteil wurde. Schon längst von tiefer Schwermut bedrückt starb Conrad Ferdinand Meyer 1898 in Kilchberg bei Zürich.

Der römische Brunnen

Letzte Fassung
1882

Aufsteigt der Strahl und fallend gießt
Er voll der Marmorschale Rund,
Die, sich verschleiernd, überfließt
In einer zweiten Schale Grund;
5 Die zweite gibt, sie wird zu reich,
Der dritten wallend ihre Flut
Und jede nimmt und gibt zugleich
    Und strömt und ruht.

↑ R. M. Rilke:
*Römische
Fontäne*, S. 267

Friedrich Hebbel: *Agnes Bernauer. Ein deutsches Trauerspiel*

1852

1432 – nach einem Turnier, einem ritterlichen Kampfspiel, feiern Adelige, Patrizier und Zünfte im Tanzhause der Stadt Augsburg. Albrecht, einziger Sohn des regierenden Herzogs von München-Bayern, ist begeistert von der Baderstochter Agnes Bernauer, die man wegen ihrer außerordentlichen Schönheit den „Engel von Augsburg" nennt.

Bader: Inhaber
einer Badestube,
auch Haar-
schneider, der
medizinische
Behandlungen
vornahm

ALBRECHT Mädchen, ich täuschte mich nicht, du hast heut Morgen nach mir
    gesehen. Galt der Blick mir oder meinem venezianischen Helmbusch?
AGNES Ich zitterte für Euch, gnädiger Herr, Ihr schautet zu mir herüber und
    rittet gegen den Feind, ich dachte, Ihr müsstet Schaden nehmen!
5 ALBRECHT Und das war dir nicht gleichgültig? [...]
AGNES Mir ist, als hört ich eine Geige mehr, süß klingt's, auch träumt sich's
    schön dabei.
ALBRECHT Ich frage dich, ob du mich lieben kannst!
AGNES Das fragt eine Fürstentochter, doch nicht mich!
10 ALBRECHT O sprich!
AGNES Schont mich oder fragt mich, wie man ein armes Menschenkind fragt,
    von dem man glaubt, dass ein ungeheures Unglück es treffen könne!
ALBRECHT Dies Wort –
AGNES Legt's nicht aus, ich bitt Euch, zieht niemandem die Hand weg, wenn
15   er sie über die Brust hält. [...]
ALBRECHT Agnes, du verkennst mich! Ich liebe dich!
KASPAR BERNAUER *(tritt zwischen beide)* Komm, mein Kind. Auch du hast
    Ehre zu verlieren! *(Er will sie abführen.)*
ALBRECHT *(vertritt ihm den Weg)* Ich liebe sie, aber ich würd's ihr nimmer
20   gesagt haben, wenn ich nicht hinzufügen wollte: Ich werb um sie!
NOTHHAFFT VON WERNBERG Gnädiger Herr!

Wittelsbach(er):
bayrisches Herr-
schergeschlecht

stäupen: mit
Ruten schlagen
unehrlich: ohne
bürgerliche Ehre,
keinem Stand
der Gesellschaft
zugehörig

FRAUENHOVEN Albrecht! Kennst du deinen Vater?

TÖRRING Denkt an Kaiser und Reich! Ihr seid ein Wittelsbach! Es ist nur zur Erinnerung.

25 ALBRECHT Nun, Alter, fürchtest du noch für ihre Ehre?

KASPAR BERNAUER Nein, gnädiger Herr, aber – – Vor funfzig Jahren hätte sie bei einem Turnier nicht einmal erscheinen dürfen, ohne gestäupt zu werden, denn damals wurde die Tochter des Mannes, der dem Ritter die Knochen wieder einrenkt und die Wunden heilt, noch zu den Unehrlichen 30 gezählt.

Es ist nur zur Erinnerung!

ALBRECHT Und nach funfzig Jahren soll jeder Engel, der ihr gleicht, auf Erden einen Thron finden, und hätte ihn einer ins Leben gerufen, der dir noch die Hand küssen muss. Dafür soll mein Beispiel sorgen!

35 FRAUENHOVEN Er ist verrückt! *(Zu Albrecht)* Nur hier nicht weiter, nur heute nicht! Alles wird aufmerksam und auf jeden Fall muss die Sache geheim bleiben!

ALBRECHT *(zu Kaspar Bernauer)* Darf ich morgen kommen?

KASPAR BERNAUER Wenn ich auch Nein sagte, was hülfe es mir?

40 ALBRECHT Agnes?

AGNES Wer rief mir doch heute Morgen zu: Geh ins Kloster? Mir deucht, ich sehe jetzt einen Finger, der mich hineinweist!

ALBRECHT Dir schwindelt! Halt dich an mich! Und ob die Welt sich dreht, du wirst feststehen!

Dass ein Fürst ein Mädchen aus dem Volke liebt, gefährdet noch nicht die „Ordnung" – solange es „nur" ein Liebesverhältnis ist. Doch dafür gibt Agnes sich nicht her; eher geht sie ins Kloster. Dass Albrecht sie heiraten will, ist ein Bruch der Tradition. Seine drei Gefolgsleute bekunden Entsetzen: Auf Albrecht ruht das Erbe seiner Familie und Kinder aus nicht standesgemäßer Ehe kämen für die Erbfolge nicht in Frage. Nur die – schon verabredete – Ehe mit einer Frau aus fürstlichem Hause kann Bayerns Zukunft sichern. Aber Albert macht Ernst. Sein Vater, Herzog Ernst, wirft ihm vor, er habe „sein Nest beschmutzt". Hans von Preising, des Herzogs Kanzler, mahnt Albrecht vergeblich zur Pflicht.

ALBRECHT Ich bin ein Mensch, ich soll dem Weibe, mit dem ich vor den Altar trete, so gut wie ein andrer Liebe und Treue zuschwören, darum muss ich's so gut wie ein andrer selbst wählen dürfen!

PREISING Ihr seid ein Fürst, Ihr sollt über Millionen herrschen, die für Euch 5 heute ihren Schweiß vergießen, morgen ihr Blut verspritzen und übermorgen ihr Leben aushauchen müssen: Wollt ihr das alles ganz umsonst? So hat Gott die Welt nicht eingerichtet, dann wäre sie nimmer rund geworden; einmal müsst Ihr auch ihnen ein Opfer bringen und Ihr werdet nicht der Erste Eures ruhmwürdigen Geschlechtes sein wollen, der es verweigert!

Der menschliche Anspruch auf Liebe und Treue soll der höheren Verantwortung des Herrschers weichen? Das Reich stehe hinter ihm, macht der Herzog geltend:

„[…] wehe dem, der seine Ordnung stört!" Also macht er seinen Neffen, ein kränkliches Kind, zum Nachfolger. „Es lebe Adolf, das Kind!" stimmen die Gefolgsleute zu. Trotzig begehrt Albrecht dagegen auf: „Die Ritterschaft verlässt mich! Bürger und Bauern heran!"

Doch Volkes Stimme ist wandelbar. Als der Kronprinz stirbt, schlägt die Stimmung um. Sie wendet sich gegen die, die die Erbfolge – und damit die Sicherheit im Lande – gefährdet. Die einst als „Engel von Augsburg" Verklärte gilt nun als „Augsburger Hexe", die Albrecht verzaubert habe; ein „Blendwerk von Mädchen", sagt der Herzog. Und er hat das Recht auf seiner Seite: ein Urteil hochangesehener Richter „geschöpft aus den Ordnungen des Reichs". Das besagt, dass Agnes „wegen verbrecherischer Verleitung des jungen Herzogs Albrecht zu unrechtmäßiger Ehe, ja sogar, falls sich nichts Weiteres erhärten ließe, wegen bloßer Eingehung einer solchen im äußersten Falle gar wohl, zur Abwendung schweren Unheils, auf welche Weise es immer sei, vom Leben zum Tode gebracht werden dürfe!" Vorerst steht das nur auf dem Papier. Ehe er unterschreibt, ringt der Herzog um innere Rechtfertigung:

> ERNST Ich bin kein Tyrann und denke keiner zu werden. Aber man soll von
> mir auch nicht sagen: Er trug das Schwert umsonst! Wer's unnütz zieht,
> dem wird's aus der Hand genommen; aber wer's nicht braucht, wenn's Zeit
> ist, der ruft alle zehn Plagen Ägyptens auf sein Volk herab und die treffen
> 5 dann Gerechte und Ungerechte zugleich, denn unser Herrgott jätet nicht,
> wenn er selbst strafen muss, er mäht nur!
> Das erwägt nun und sprecht!
> PREISING Ich kann das Blatt nicht widerlegen! Es ist wahr: Wenn die Erbfolge
> gestört wird oder auch nur zweifelhaft bleibt, so bricht früher oder später
> 10 der Bürgerkrieg mit allen seinen Schrecken herein und niemand weiß,
> wann er endet! […] Aber es ist doch auch entsetzlich, dass sie sterben soll,
> bloß weil sie schön und sittsam war!

zehn Plagen: Strafe Gottes für die Ägypter, die den Auszug der Israeliten verhindern wollen

Da sich kein Ausweg findet, unterschreibt Herzog Ernst das Todesurteil.

> […] ich tu, was ich muss, der Ausgang ist Gottes.[…] Es ist ein Unglück für
> sie und kein Glück für mich, aber im Namen der Witwen und Waisen, die der
> 15 Krieg machen würde, im Namen der Städte, die er in Asche legte, der Dörfer,
> die er zerstörte: Agnes Bernauer, fahr hin!

Preising sucht Agnes im Kerker auf, will sie zum freiwilligen Verzicht überreden. Das kann sie nicht – und wird in der Donau ertränkt. „Das große Rad ging über sie weg", sagt der Herzog, „nun ist sie bei dem, der's dreht." Albrecht entfacht einen Bürgerkrieg. Doch dem Vater gelingt es die Empörung „gegen göttliche und menschliche Ordnung" aufzuhalten. Es sei Unrecht in Agnes' Namen Blut zu vergießen. Albrecht „hält inne und senkt sein Schwert". Ein Herold des Kaisers und ein Gesandter des Papstes drohen mit Acht und Bann. „Soll ich mich vor der Gewalt demütigen?", fragt er. Die Antwort des Vaters:

Acht und Bann: Verstoßung aus der weltlichen und der kirchlichen Gemeinschaft

> Wenn das Gewalt ist, was du erleidest, so ist es eine Gewalt, die alle deine
> Väter dir antun, eine Gewalt, die sie selbst sich aufgeladen und ein halbes

20   Jahrtausend lang ohne Murren ertragen haben, und das ist die Gewalt des
Rechts! Weh dem, der einen Stein wider sie schleudert, er zerschmettert
nicht sie, sondern sich selbst, denn der prallt ab und auf ihn zurück. […]
Dies Schlachtfeld wird einst furchtbar wider dich zeugen, sie alle, die hier
blutig und zerfetzt herumliegen, werden dich verklagen und sprechen:
„Wir fielen, weil Herzog Albrecht raste!" […]

Letztes Aufbegehren Albrechts: Eine Unschuldige habe sterben müssen – und er
solle leben? Antwort:

25   Du bist nicht wie ein anderer, der die Gerechtigkeit dadurch versöhnen
kann, dass er ihrem Schwert reuig den Hals darbietet, von dir verlangt sie
das Gegenteil! […] So greife denn endlich auch in deine Brust, sprich:
„Vater, ich habe gesündigt im Himmel und vor dir, aber ich will's büßen,
ich will leben!"
30   ALBRECHT Hängt das von mir ab?
ERNST Dies Wort ist mir genug! Gott wird dich stärken und deine Witwe
selbst wird für dich beten!

Witwe – das entscheidende Wort: die Anerkennung als rechtmäßige Schwiegertochter. Was der Lebenden versagt bleiben musste, steht der Toten zu, weil von ihr keine
Gefahr mehr ausgeht. Ihr gebührt Verehrung, „damit das reinste Opfer, das der Notwendigkeit im Laufe der Jahrhunderte gefallen ist, nie im Andenken der Menschen
erlösche!" Ernst übergibt den Herzogstab seinem Sohne und geht ins Kloster. Dort
will er das Urteil des neuen Herrschers erwarten.

Die Welt als Tragödie

Hebbels „deutsches Trauerspiel" beruht auf tatsächlichen Ereignissen der Jahre
1432–1435. Er selbst empfahl sein Stück dem Theaterleiter, der es dann mit einem Gutachten dem bayrischen König vorlegte als „politisch und sozial durchaus unverfänglich". Es kam nur zu einer Aufführung. Die Kritik war gespalten. Dass Albrecht das
Volk gegen den Herrscher aufruft, erschien den Konservativen unerträglich. Die
Liberalen dagegen fanden die Einschätzung der Staatsgewalt überhöht. Beide Urteile
verfehlen den Sinn des Stücks.

Michael Kohlhaas
↑ S. 150

Michael Kohlhaas in Kleists Novelle begeht aus verletztem Rechtsgefühl schweres Unrecht. Zur Einsicht gelangt kann er seine persönliche Schuld sühnen: „die Gerechtigkeit dadurch versöhnen, dass er ihrem Schwert reuig den Hals darbietet". Für Albrecht gilt – in sonst vergleichbarer Situation – das „Gegenteil": Er sühnt durch sein
Weiterleben, weil er für das Ganze verantwortlich ist, das Gemeinwesen. Schuld lädt
auch der Herzog auf sich, der um den Erhalt des Staates willen ein Menschenleben
vernichtet: eine tragische Entscheidung.
Nur Agnes Bernauer, die der Tragödie den Namen gegeben hat, trifft keine Schuld.
Sie kann nichts dafür, dass ihre außerordentliche Schönheit zur Gefahr für den Staat
wird. Es ist in der Tat „entsetzlich", dass sie sterben musste, „bloß weil sie schön und

sittsam war". Fragwürdig also ist die „Notwendigkeit", der sie zum Opfer fällt: das zwiespältige Gesicht der staatlichen Gewalt. Wenn die Staatsgewalt den Menschen um ihrer selbst willen, aus Egoismus und nacktem Machtstreben, vergewaltigt, gibt es keine Rechtfertigung. Sie bezieht ihr Recht nur aus dem Dienst für Versöhnung und Frieden. Welche Opfer sind dafür erlaubt? Die Tragödie stellt die Frage, auf die es keine allgemeingültige Antwort gibt. „Bald weiß ich, ob's mit Recht geschah!" lauten Agnes' letzte, gläubige Worte.

Solche Glaubensgewissheit wird dem 19. Jahrhundert mehr und mehr fremd und die rasch anwachsenden Erkenntnisse der Wissenschaften können und wollen sie nicht ersetzen. Die gesellschaftliche und wirtschaftliche Realität bietet keinen Anhalt für ein Vertrauen auf gottgegebene Ordnung. Umso größer das Verlangen neue Sinnzusammenhänge auszumachen, eines Ganzen ansichtig zu werden, in dem der Einzelne seinen Ort findet. Nicht ohne Grund gibt Hebbel dem Drama um Agnes Bernauer, das als das einzige politisch bedeutende Theaterstück der Zeit nach 1848 gilt, noch einmal den strengen Aufbau einer klassischen Tragödie. Unter der Überschrift *Unsere Zeit* gibt er einer Hoffnung Ausdruck:

> Die Form der Welt bricht in sich selbst zusammen
> und dämmernd tritt die neue aus dem Nichts.

Friedrich Hebbel, geboren 1813 in Wesselburen in Dithmarschen, ist in tiefster Armut aufgewachsen. Die Not im Hause war so bitter, dass der Vater den Kindern sogar das Lachen verboten haben soll. Mit vierzehn wurde Friedrich Schreiber und Laufbursche beim Kirchspielsvogt. Die sieben Jahre dort nutzte er um sich Kenntnisse anzulesen, vor allem literarische und historische. Erste Veröffentlichungen ließen eine Hamburger Schriftstellerin auf ihn aufmerksam werden, die ihn förderte. Entscheidend für sein weiteres Fortkommen aber wurde die Näherin Elise Lensing, eine gebildete Frau, die ebenfalls aus kümmerlichen Verhältnissen stammte und sich für den angehenden Schriftsteller aufopferte, ein schwieriges und für sie schließlich trauriges Verhältnis. Hebbel ging für drei schwere Jahre nach München, kehrte aber im März 1839 verzweifelt nach Hamburg zurück, fast drei Wochen zu Fuß im tiefen Schnee.

1840 brachte ihm sein erstes Drama – *Judith* – zwar kaum Geld, aber erste Anerkennung und ein Reisestipendium des dänischen Königs. Paris, Rom und Neapel waren die Ziele. In jener Zeit versuchte er mit *Maria Magdalene* das „bürgerliche Trauerspiel" wiederzubeleben, auf seine Weise: Tragik erwächst hier aus bürgerlicher Enge. Das Stück, das auch heutige Bühnen spielen, sollte zeigen, „dass der Untergang unvermeidlich, dass er, wie der Tod, mit der Geburt selbst gesetzt ist". Die Welt von Grund auf tragisch, die Schöpfung eine „Wunde Gottes".

Hebbel selbst erfuhr die Befreiung aus allgegenwärtiger Not erst, als er 1846 die Wiener Hofschauspielerin Christine Enghaus heiratete. Materielle Sorgen bedrückten ihn nun nicht mehr. Seine Frau spielte tragende Rollen seiner Stücke, in denen die Selbstbehauptung der Frauen in dem „zwischen den Geschlechtern anhängenden großen Prozess" ein wichtiges Thema ist. Seit 1835, als er Elise Lensing begegnete, führte Hebbel regelmäßig Tagebuch. Daraus entstand im Laufe der Zeit ein herausragendes literarisches Dokument des Jahrhunderts. Friedrich Hebbel starb nach schwerer Krankheit 1863 in Wien.

Marginalien:

Aufbau eines klassischen Dramas ↑ S. 126

Friedrich Hebbel, 1813–1863

„Es war das Verhältnis eines Menschen zu seinem Schutzgeist." Hebbel 1840

Maria Magdalene, 1844

Tagebücher, entstanden 1835–1863, erschienen 1885–1887

„Man" und „wir" – *Horacker* von Wilhelm Raabe

Häusler:
Dorfbewohner,
der zwar ein
kleines Haus
besitzt, aber kein
oder kaum Land

Der 19-jährige Cord Horacker, Sohn einer armen Witwe, hat aus Hunger einen Topf Schmalz gestohlen. Dafür bringt man ihn in eine „Besserungsanstalt". Lottchen Achterhang, „letztes Überbleibsel der ärmsten Häuslerfamilie des Dorfes" Gansewinckel, droht zu verwahrlosen. Da nehmen sich die Pfarrersleute ihrer an und verschaffen ihr eine Stelle als Dienstmädchen in einem Pfarrhaus irgendwo „hinter Berlin". So trennen die Verhältnisse zwei junge Menschen, die einander lieben. Als ein böswilliger Mitzögling Cord erzählt, sein Lottchen sei ihm untreu geworden, bricht der aus und treibt sich in den Wäldern um Gansewinckel herum. Die Leute dort im abgelegenen Solling machen ihn mit ihrem Gerede zum Räuber, ja zum „Mörder und Jungfrauenschänder". In Wirklichkeit ist „alles, was er sich selbst mit Gewalt von der Menschheit genommen hat", besagter „Topf mit Schmalz". Von den Greuelgerüchten erfährt Lottchen durch die Zeitung. Nun reißt sie aus um Cord zu suchen.

Soweit die Vorgeschichte. Die Geschichte selbst dauert nur höchstens zehn Stunden an einem einzigen Tag, dem 25. Juli 1867. Ort der Ereignisse ist ein eng begrenzter Bezirk: Gansewinckel, ein Dorf, das sich mit seinem Namen treffend vorstellt, die Wälder drumherum und ein benachbartes Städtchen. Im Dorf greift man Lottchen auf und bringt sie – zum Glück – ins Pfarrhaus: „[...] diese Landläuferin hier schafft uns den Vagabunden", hoffen die Aufgehetzten voll Jagdlust. Aus dem Städtchen brechen zwei Lehrer der Lateinschule zu einem Ferienausflug auf – und stoßen im Wald auf die alte Mutter des angeblichen Unholds, der sich dann aber als harmloser, hilfsbedürftiger Mensch entpuppt: Verbrecher nur in den Köpfen der von Angstlust beherrschten Leute. Während die total erschöpften Ausreißer in heilsamen Schlaf sinken, feiern die Retter im Pfarrhaus an einem wunderschönen Sommerabend den Sieg über die Unvernunft: dass es gelungen ist zwei jungen Menschen, die Opfer einer dummen und gefährlichen Hetzjagd zu werden drohten, eine neue Lebenschance zu geben.

Das klingt wie ein bürgerlich-selbstgerechtes und biedermeierlich-rührseliges Happyend. Doch dieser Ablauf der äußeren Ereignisse ist nur das karge Gerüst einer ausführlichen und in mancher Hinsicht „modern" anmutenden Geschichte. Zum Beispiel dort, wo der Erzähler sinnfällig darlegt, Fürsorge für Zurückgesetzte, Hilfsbedürftige dürfe diese Menschen nicht in ihrer Würde verletzen, zu bloßen Objekten machen:

> Wer weiß uns das Rechte zu sagen über diesen furchtbaren Ernst im Auge der Tiere, der Kinder und des Volkes, diesen schrecklichen Ernst, der uns Gebildete gewöhnlich nur dann wirklich überrascht und für längere Zeit bedenklich stimmt, wenn wir ihm in dem Auge eines Unglücklichen oder einer Unglücklichen unseres eigenen Standes begegnen?

Der „Gebildete" hat keinen Grund sich zu überschätzen, heißt die Botschaft. Als Cord entdeckt ist, äußern sich Erleichterung und aufgeregter Triumph in dem Satz: „Jetzt bringen sie ihn!" Aber Cord will nicht „gebracht" werden: „Er hat es sich ausgebeten, dass der Herr Pastor allein kommt, um ihn zu holen." Und der achtet die menschliche Würde und bekundet Nächstenliebe:

Wer soll verflucht sein, Cord Horacker? Die ganze Welt? Zu der gehöre ich
auch als ein alter Mann, der gekommen ist, um mit dir zu reden wie ein guter
Kamerad zu dem andern – wie ein Vater zu seinem Sohne – […] Komm, mein
Kind, wir wollen dir wo möglich ohne überflüssige Worte aus der Not und
5 dem Elend, aus dem Walde auf den gebahnten Weg helfen.[…] lass uns wieder zu den Menschen gehen, wie sie sind; es ist am besten so. Das Dorf kocht
seine Abendsuppe und lauert dir nicht auf.

Lässt die Abendsuppe die Gerüchteküche vergessen, in der es so gewaltig gebrodelt
hat?

Horacker hat wieder gemordet! […] Horacker hat einen alten Schulmeister
totgeschlagen! […] Horacker hat zwei Schulmeister totgeschlagen! […] Einer
10 soll noch eine Viertelstunde gelebt haben […] und der Bürgermeister und die
Herren vom Gerichte wissen auch schon davon, ich aber möchte wohl wissen,
was sie jetzt sagen und ob dieses noch der Menschheit angehört?! Ist das
Zivilisation? Ist dieses überhaupt nur menschenmöglich bei den Steuern, die
wir zahlen? Und der Bildung in den Schulen? Bitt ich Sie, wozu hilft mir denn
15 der Staat und die Polizei, wenn es ihnen vielleicht gar noch Spaß macht, dass
Ihnen so was mitten in unserm Jahrhundert immer noch passieren kann?

Und das alles um einen Topf mit Schmalz. Raabe kommentiert:

Es ist immer etwas für einen Esel, durch das Weitergeben eines Gerüchtes
auch einmal interessant zu werden und sich selber so vorzukommen.

Und wie erklärt sich solche gefährliche Dummheit? Die Frau des älteren Lehrers denkt
über die neuen Schulmeister nach: welches „Siegergeschlecht" sie wohl „heraufziehen
mit ihrem ‚Stramm, stramm, stramm; / Alles über einen Kamm'". Und sie beklagt die
„armen Jungen", die „nun den Exerziermeister in irgendeiner Form ihr ganzes Leben
lang nicht loswerden, von der Wiege über die Schule hinaus bis in ihr numeriertes
kühles Grab". Sie denkt an die Forderungen der freiheitlich denkenden Studenten damals auf der Wartburg: Dazu habe „vielleicht mehr heller Sinn, Nachdenken und
Freudigkeit" gehört, „als heute mit hunderttausend andern in Reih und Glied in gleichem Schritt und Tritt zu marschieren". Das schreibt Raabe 1876, fünf Jahre nach dem
deutsch-französischen Krieg, zehn Jahre nach dem „deutschen Krieg" Preußens gegen
Österreich, zwölf Jahre nach dem deutsch-dänischen Krieg. Die langen Reihen der
numerierten Gräber auf Soldatenfriedhöfen gab es schon.

Aber Raabe denkt nicht nur an die „Exerziermeister", die unsere Menschlichkeit von
außen her zerstören. Wir selbst, sagt er, schaffen in uns die Voraussetzung dazu, indem wir uns als Person zurücknehmen, verleugnen. In der Erzählung *Horacker* gibt
es einen Abschnitt, den er später seinen *Exkurs über das Wörtlein „man"* nennt:

Und dann ist da das kleine, so leicht gesprochene, so schnell geschriebene,
20 so flüchtig ins Ohr klingende, gedruckt kaum ins Auge fallende Wörtchen:
man! Wer ist *man*? Man sieht nicht gern eine Spinne die andere verspeisen; –
man isst gern Austern; – man gründet ein Geschäft, durch welches man gern

Wartburgfest
↑ S. 177

„Er ging an mei-
ner Seite / In
gleichem Schritt
und Tritt" heißt
es in dem dazu-
gehörenden
Trauerlied von
Ludwig Uhland:
*Der gute Kame-
rad,* 1809

Exkurs: Streifzug,
eingeschobener
Gedankengang

jedermann Konkurrenz macht bis zum Äußersten. Man hat gegründete Aussicht, demnächst im Amt vorzurücken, […] man möchte dies; man möchte
25 das und – man ist dazu berechtigt; denn wozu, fragt man, ist man sonst da in der Welt? […]
O über das schreckliche, das wundervolle, erhabene kleine Wort:
man!
Es ist der fliegende lichtbeschienene Schaum der Oberfläche; es ist die
30 unbewegte schwarze Tiefe. Fahren *wir* fort, die wir schaudernd und schämig, den Königen dieser Erde gleich, es nicht wagen, das Wort „Ich!" zu schreiben. – – – Man rechnet einem oft als greuliche Unverschämtheit an, was nur die zarteste Scheu vor Überhebung ist.

Das unpersönliche „man" durch „ich" ersetzen heißt für eigenes Handeln einstehen, auch für eigene Schuld, sich nicht auf Befehl oder auf das berufen, was alle tun. Verantwortung ist Ausdruck von Freiheit. Das gilt auch für „wir", die Mehrzahl der ersten Person. Es bewahrt davor andere auszuschließen, wie es die Leute im Dorf mit Cord und Lottchen noch immer tun wollen. Das macht der jüngere der beiden Lehrer dem Ortsvorsteher klar.

Die Hervorhebungen im Text hat Raabe selbst vorgenommen.

Nun bin ich aber mit dem grausamen Räuberhauptmann Horacker aus der
35 Schule und aus dem Holze gekommen und *wir* (die Witwe Horacker eingeschlossen) haben uns zusammen ausgesprochen und *wir* sind zu dem Resultat gelangt, dass es für *uns* und alle am besten sein würde, wenn man weiter kein unnötiges Aufsehen errege, vor allen Dingen keinen Lärm im Dorf schlage, den Gemeinderat und die liebe, mutwillige Jugend *unsertwegen*
40 nicht nach dem Walde hinauf bemühe – kurz, wenn man uns nehme, wie *wir* uns jetzt in aller Freiwilligkeit gegeben haben, nämlich ganz in der Stille.

Wenn das gewährleistet ist, kann das gute Ende für die beiden jungen Menschen stimmen. Der Pastor sagt zu Cord Horacker:

Ich […] hoffe, dass du als ein braver Mann sterben wirst, nachdem du ein langes gutes Leben durch Zeit gehabt hast, dem närrischen Mädchen das Leben leicht und die Wege eben und sanft zu machen.

Was ihn und seinesgleichen betrifft, die in der Gesellschaft den Ton angeben, sieht der Pastor die Lage kritisch:

45 […] der Herr redet heute noch auf den Straßen der Welt! Er setzt sich immer noch zu den Sündern und Geistesarmen; – und wir, wir studieren auf den Universitäten und machen unsere Examina und kriegen unsere Anstellung, wenn wir nicht durchfallen […]

Und dann ärgern wir uns, fährt er fort, über Dinge, die unsere Bequemlichkeit stören. Wie läppisch erscheint das angesichts der Frage nach der Zukunft:

Was wollen wir tun in diesem Jahrhundert, um uns wieder zurechtzufinden
50 diesen Kindern gegenüber?

Der „Fall" Horacker macht das größere Elend erst deutlich – und die Schwachheit
derer, von denen ein Wandel der Verhältnisse auszugehen hätte.

Hier gehen wir, um diesen bejammernswerten Cord Horacker in die
Zivilisation zurückzuholen; das ganze Herz ist mir voll von diesem so
eigenartigen Menschenelend und doch – doch werde ich die Frage nicht los:
auf welche Weise werden wir mit dieser Dummheit fertig werden, wie werden
55 wir uns aus diesem neuen, lächerlich erbärmlichen Dorngestrüpp loswickeln?
Hier gehen wir, eine der vielen gewaltigen Erdentragödien nach besten
schwachen Kräften abzuwickeln […].

Wilhelm Raabe, geboren 1831 in Eschershausen im Weserbergland, hat auch beim
zweiten Anlauf das Abitur nicht geschafft und eine Buchhändlerlehre begonnen. Als
Gasthörer studierte er in Berlin, wo er sein erstes und gleich erfolgreiches Buch zu
schreiben begann: *Die Chronik der Sperlingsgasse.*

Wilhelm Raabe,
1831–1910

Die Chronik der
Sperlingsgasse,
1856

Titelblatt von 1857 (Raymond de Beaux).
Der Autor nennt sich „Corvinus"
(lat. *corvus* ‚Rabe', weissagender Vogel').
Die Gestalt des Chronisten Johannes
Wachholder, der die Ereignisse eines
Winters und eines Frühlings in der
Sperlingsgasse in Berlin schildert,
umringen Menschenschicksale eines
halben Jahrhunderts; in erinnerter
Gleichzeitigkeit, nicht im üblichen
epischen Nacheinander.

Der Erfolg blieb ihm nur in der ersten Schaffensperiode treu, vor allem bei seinem
Roman *Der Hungerpastor*, einem realistischen Zeitbild. Doch was ihm ein Leben lang
Geld einbrachte, hat er später als „abgestandenen Jugendquark" abgetan. Dreißig Romane und ebenso viele Erzählungen oder Novellen entstanden in einer Schaffenszeit
von mehr als fünfzig Jahren. Vier Jahre vor seinem Tod nannte Raabe sich dann einen

Der Hunger-
pastor, 1864

Horacker war
eine erstaunliche
Ausnahme,
brachte es zu
Raabes Lebzeiten
auf vierzehn
Auflagen.
Wunnigel,
1877/78
Der Schüdder-
ump, 1870
Stopfkuchen, 1891

Christoph
Pechlin, 1872

„Schriftsteller a. D.". Was vorangegangen war, sah er als ein Leben „von der Hand in den Mund". Seine bedeutenden Werke der späteren Zeit fanden nur wenig Echo. Erst in unserer Zeit hat man Raabes spätes Werk richtig entdeckt, seinen literarischen Kampf gegen unmenschliche Zustände, den man wohl unter Titeln wie *Wunnigel, Der Schüdderump* oder gar *Stopfkuchen* nicht vermutet hat. Raabes Vorliebe für Käuze und Außenseiter war seine Weise der Kritik an der Gesellschaft und dem, was sie unter Bildung verstand. Was er gegen geschäftstüchtiges „germanisches Spießertum" im wilhelminischen Deutschland nach der Reichsgründung vorbrachte, ist damals von wenigen erkannt und kaum geschätzt worden. Darum stellt er einem Roman von 1872 bei der zweiten Auflage 1890 ein erklärendes Vorwort voran, in dem es heißt:

> Die Wunden der Helden waren noch nicht verharscht, die Tränen der Kinder, der Mütter, der Gattinnen, der Bräute und Schwestern noch nicht getrocknet, die Gräber der Gefallenen noch nicht übergrünt; aber in Deutschland ging's schon – so früh nach dem furchtbaren Kriege und schweren Siege – recht
> 5 wunderlich her. Wie während oder nach einer großen Feuersbrunst in der Gasse ein Sirupfass platzt und der Pöbel und die Buben anfangen zu lecken, so war im deutschen Volke der Geldsack aufgegangen und die Taler rollten auch in den Gossen und nur zu viele Hände griffen auch dort danach. Es hatte fast den Anschein, als sollte dieses der größte Gewinn sein, den
> 10 das geeinigte Vaterland aus seinem großen Erfolge in der Weltgeschichte hervorholen könnte!
> Was blieb da dem einsamen Poeten in seiner Angst und seinem Ekel, in seinem unbeachteten Winkel übrig, als in den trockenen Scherz, in den ganz unpathetischen Spaß auszuweichen, die Schellenkappe über die Ohren zu
> 15 ziehen und die Pritsche zu nehmen?

Dieser politischen Einstellung entspricht Raabes Umgang mit den Lesern, die er in das Nachdenken über das Erzählte einbezieht: „Die Kunst und die Phantasie wurzelt in der Wirklichkeit", sagt er. Darum wendet er sich, ehe er mit der *Horacker*-Geschichte beginnt, gegen die übliche Erwartung des Publikums, das Bekanntes wiederfinden, eigene Meinung bestätigt sehen will:

> Nun bilden sich die Leser ganz andere Dinge ein, als in dieser Geschichte, die der Geschichtsschreiber geistig sehr miterlebte, vorkommen werden.
> Da wird den Fenstern von tausend Leuten gegenüber ein neues Haus gebaut. Alle tausend Leute werden den Bau vom Ausheben der Kellerräume bis zum
> 5 Einsetzen der letzten Glasscheibe mit Interesse verfolgen; aber neunhundertneunundneunzig von den tausend werden nur sagen „Das Haus gefällt mir!" – oder „Das Haus hat meinen Beifall nicht!" – jedenfalls aber „Das gäbe eine Wohnung für mich – da könnte ich mein Sofa – meine Bibliothek – meine Schränke aufstellen und die Aussicht ist auch ganz hübsch!" – und – – unter
> 10 den tausend ist einer, der wird sich und das Schicksal in ruhigem und etwas melancholischem Nachdenken fragen:
> „Was alles kann in diesem neuen Haus passieren?"

Theodor Fontane: *Irrungen, Wirrungen* 1887

Die Liebe zwischen dem Baron und der jungen Frau aus dem Kleinbürgertum hat keine Chance zu einem festen Band zu werden: nicht im Jahre 1875 in der preußischen Hauptstadt Berlin. Lene Nimptsch, die als angenommene Tochter einer alten „Wasch- und Plättfrau" selbst ihr Brot als Plätterin verdient, sieht das sehr klar. *plätten:* bügeln

„Glaube mir, dass ich dich habe, diese Stunde habe, das ist mein Glück. Was daraus wird, das kümmert mich nicht. Eines Tages bist du weggeflogen …"
Er schüttelte den Kopf.
„Schüttle nicht den Kopf; es ist so, wie ich sage. Du liebst mich und bist mir
5 treu, wenigstens bin ich in meiner Liebe kindisch und eitel genug, es mir einzubilden. Aber wegfliegen wirst du, das seh' ich klar und gewiss. Du wirst es müssen. Es heißt immer, die Liebe mache blind, aber sie macht auch hell und fernsichtig."
„Ach, Lene, du weißt gar nicht, wie lieb ich dich habe."
10 „Doch, ich weiß es. Und weiß auch, dass du deine Lene für was Besonderes hältst und jeden Tag denkst, ‚wenn sie doch eine Gräfin wäre'. Damit ist es nun aber zu spät, das bring ich nicht mehr zuwege. Du liebst mich und bist schwach. Daran ist nichts zu ändern. Alle schönen Männer sind schwach und der Stärkre beherrscht sie… Und der Stärkre… ja, wer ist dieser Stärkre? Nun,
15 entweder ist's deine Mutter oder das Gerede der Menschen oder die Verhältnisse. Oder vielleicht alles drei."

Der Kürassier-Leutnant Botho von Rienäcker, nach eigenem Urteil ein „Durchschnittsmensch aus der sogenannten Obersphäre der Gesellschaft", könnte wohl mit dem Gerede fertig werden, aber nicht mit den „Verhältnissen", nämlich mit den Finanznöten seiner Familie. 9000 Mark hat er jährlich zur Verfügung; 12 000 gibt er aus für ein standesgemäßes Auftreten. Diese Tatsachen sind schließlich stärker als Bothos Wunschdenken, er könne in einer festen Verbindung, die vielleicht sogar mit der Zeit von der Gesellschaft anerkannt würde, mit Lene ein „verschwiegenes Glück" finden. Es gab ja durchaus Ehen zwischen Adeligen und Bürgerlichen. Botho liebt Lene aufrichtig. Darum fällt es ihm schwer sich den „Notwendigkeiten" zu beugen.

Kürassier: mit einem Brustpanzer (Kürass) ausgerüsteter Reiter
Sphäre: Kreis

Eine Plätterin verdiente damals, wenn es hoch kam, 500 Mark im Jahr.

Das Gefühl ist souverän und die Tatsache, dass man liebt, ist auch das Recht dazu, möge die Welt noch so sehr den Kopf darüber schütteln oder von Rätsel sprechen. Übrigens ist es kein Rätsel und wenn doch, so kann ich es lösen.
20 Jeder Mensch ist seiner Natur nach auf bestimmte, mitunter sehr, sehr kleine Dinge gestellt, Dinge, die, trotzdem sie klein sind, für ihn das Leben oder doch des Lebens Bestes bedeuten. Und dies Beste heißt mir Einfachheit, Wahrheit, Natürlichkeit. Das alles hat Lene; damit hat sie mir's angetan, da liegt der Zauber, aus dem mich zu lösen mir jetzt so schwer fällt.

souverän: anderem überlegen, nicht beschränkt

Das Treiben in den Salons, das er glänzend beherrscht, ist ihm gleichgültig und Widerwillen erfüllt ihn „gegen alles Unwahre, Geschraubte, Zurechtgemachte". Lene in ihrer Welt ist ganz das Gegenteil davon. Das zeigt sich besonders in einer Eigenschaft, für die Fontane ein eigenes und einmaliges Wort geprägt hat: „Unredensartlichkeit".

Die Art, wie Menschen reden, droht leicht zu erstarren. So werden „Redensarten" zu feststehenden Wendungen, die durch ständigen Gebrauch abgenutzt werden, schließlich hohl klingen. Fontane zeigt, dass dies nicht Sache nur einer Gesellschaftsschicht ist. Es kommt in Lenes Milieu auch bei schlichten, gutherzigen Menschen ebenso vor wie in der „sogenannten Obersphäre" der Offizierskasinos und Salons. Dort freilich macht es den „guten Ton" aus. „Es ist alles ganz gleich. Über jedes kann man ja was sagen und ob's einem gefällt oder nicht. Und ‚ja' ist geradesoviel wie ‚nein'", erklärt Botho. Lene, die selbst nur sagt, was ihr wichtig ist, fragt verwundert, warum man solche Gesellschaften mitmache, „wenn es alles so redensartlich ist". Kein Wunder, dass Lene im Dunstkreis solchen Auftretens, bei den Begleiterinnen von Bothos Offizierskameraden, als „dumm" angesehen wird: „Sie spricht ja kein Wort"!
Als Bothos Mutter ihm die Situation vor Augen führt und ihn vor die Entscheidung stellt: Heirat oder Bankrott reitet er aus um Klarheit in seine Gedanken zu bringen. Da trifft er auf Arbeiter bei der Mittagspause. Die Frauen haben das Essen gebracht, Kinder sind dabei, eine „Gruppe glücklicher Menschen":

> „Arbeit und täglich Brot und Ordnung. Wenn unsre märkischen Leute sich verheiraten, so reden sie nicht von Leidenschaft und Liebe, sie sagen nur: ‚Ich muss doch meine Ordnung haben.' Und das ist ein schöner Zug im Leben unsres Volks und nicht einmal prosaisch. Denn Ordnung ist viel und mit-
> 5 unter alles. Und nun frag ich mich: War *mein* Leben in der ‚Ordnung'? Nein. Ordnung ist Ehe."

Botho begreift, was Lene von Anfang an gewusst hat: Sie muss das Glück dieses einen kurzen Sommers am Ende mit Verzicht erkaufen. Verlieren kann sie es nicht. Darum erscheint ihr der Abschied nicht untröstlich:

> „Erinnerung ist viel, ist alles. Und die hab ich nun und bleibt mir und kann mir nicht mehr genommen werden. Und ich fühle ordentlich, wie mir dabei leicht zumute wird."
> 10 Er umarmte sie: „Du bist so gut."
> Lene aber fuhr in ihrem ruhigen Tone fort: „[...] Ich hab es so kommen sehn von Anfang an und es geschieht nur, was muss. Wenn man schön geträumt hat, so muss man Gott dafür danken und darf nicht klagen, dass der Traum aufhört und die Wirklichkeit wieder anfängt. Jetzt ist es schwer, aber es ver-
> 15 gisst sich alles oder gewinnt wieder ein freundliches Gesicht. Und eines Tages bist du wieder glücklich und vielleicht ich auch."
> „Glaubst du's? Und wenn nicht? was dann?"
> „Dann lebt man ohne Glück."
> „Ach, Lene, du sagst das so hin, als ob Glück nichts wäre. Aber es ist was und
> 20 das quält mich eben und ist mir doch, als ob ich dir ein Unrecht getan hätte."
> „Davon sprech ich dich frei. Du hast mir kein Unrecht getan, hast mich nicht auf Irrwege geführt und hast mir nichts versprochen. Alles war mein freier Entschluss. Ich habe dich von Herzen lieb gehabt, das war mein Schicksal und wenn es eine Schuld war, so war es *meine* Schuld. Und noch dazu eine Schuld,
> 25 deren ich mich, ich muss es dir immer wieder sagen, von ganzer Seele freue, denn sie war mein Glück. Und wenn ich nun dafür zahlen muss, so zahle ich

gern. Du hast nicht gekränkt, nicht verletzt, nicht beleidigt, oder doch höchstens das, was die Menschen Anstand nennen und gute Sitte. Soll ich mich darum grämen? Nein. Es rückt sich alles wieder zurecht, auch das."

Gut drei Jahre später heiratet Lene einen älteren „Mann von Freimut und untadeliger Gesinnung", den Fabrikmeister Gideon Franke, der als Laienprediger eine religiöse Gemeinschaft außerhalb der offiziellen Kirche gegründet hat. Botho heiratet – die Verhältnisse drängen – gleich nach der Trennung von Lene seine hübsche und reiche Kusine Käthe von Sellenthin. Die beherrscht den „Ton der Welt", die „Kunst des gefälligen Nichtssagens", ist attraktiv und „unterhaltlich", findet alles „komisch" und ist wohl imstande „ein leidlich vernünftiges, aber durchaus kein ernstes Wort zu wechseln". Doch unglücklich ist Botho keineswegs; er beglückwünscht sich „zu dem Besitze seiner jungen Frau". Ein unbewusst verräterischer Ausdruck, der darauf hinweist, dass auch Käthe ein Opfer von „Verhältnissen" ist, die nicht zuerst, wenn überhaupt, nach dem Menschen fragen.

Das Letzte, was wir von Botho erfahren, ist seine Einsicht in die eigene Begrenztheit. In der Zeitung stößt seine Frau auf eine Heiratsanzeige. Ohne zu ahnen um wen es sich da handelt, findet sie die Namen „Nimptsch" und „Gideon" komisch. Da sagt er „mit so viel Leichtigkeit im Ton, als er aufbringen" kann: „Was hast du nur gegen Gideon, Käthe? Gideon ist besser als Botho."

Holzstich von 1887 (R. Caton Woodville): *Drei Generationen* – und keine Aussicht auf Befreiung aus starrer Konvention? „Ich habe eine Gleichgiltigkeit gegen den Salon und einen Widerwillen gegen alles Unwahre, Geschraubte, Zurechtgemachte" (*Irrungen, Wirrungen*).

„Für das Neue leben"

Der Roman *Irrungen, Wirrungen* erschien 1887 in Fortsetzungen in der *Vossischen Zeitung.* Der Untertitel versprach eine „Berliner Alltagsgeschichte" und Realistisch-Alltägliches wird in der Tat in vielen Einzelheiten lebendig. Zwar kaum Berufstätigkeit, aber genau geschilderte Örtlichkeiten und vor allem Handlungsweisen und das Miteinander der Menschen.

Mit dem Blick auf erhoffte Veröffentlichung in Familienzeitschriften nahmen Berufsschriftsteller seinerzeit Rücksicht auf „Moral" und Geschmack der Herausgeber und der Leser: Zeitschriftenveröffentlichung und Buchausgabe versprachen doppelte Einnahmen.

↑ F. Hebbel: *Agnes Bernauer,* S. 239

wirren ist ein altes Verb, zu Fontanes Zeit kaum noch gebräuchlich. „Oheim, was wirret dir?" heißt Parzifals erlösende Frage; ↑ S. 24

Theodor Fontane, 1819–1898

Dabei offenbart die Sprache bis in Dialektanklänge hinein mehr Gemeinsames zwischen den Gesellschaftsschichten als Unterschiedliches. Nüchtern-Sachliches steht im Vordergrund, Gefühlsregungen halten sich zurück; trotzdem erscheint Realität in poetisch mildem Licht. An der unbefangenen Bejahung der freien Liebesbeziehung als einfach, wahr und natürlich nahmen nicht wenige Anstoß, obwohl Fontane bei den Liebesszenen über den Austausch von Zärtlichkeiten nicht hinausgeht. Andere Leser wiederum störten sich an der scheinbar fraglosen Anerkennung der bestehenden Standesordnung mit der Gleichsetzung von Ordnung und Ehe.

Solche – jeweils einäugige – Kritik übersieht das sehr feine, differenzierte Geflecht der inneren Vorgänge. Die Ehe erscheint hier – wie häufig bei Fontane – als Institution, an der ein zentrales menschliches Problem besonders deutlich wird, ein ewiger Widerstreit: Auf der einen Seite das Glücksverlangen des Menschen und sein Recht auf freie Entscheidung; auf der anderen die Forderung nach einer Ordnung, die den Bestand des Ganzen gewährleistet. Diese Forderung wird unglaubwürdig, wenn an die Stelle des Gemeinwohls Konkurrenzkampf um materiellen Eigennutz tritt. Gerade dadurch, dass er die herrschende „Ordnung" scheinbar anerkennt, übt Fontane scharfe Kritik: Warum müssen Menschen leiden oder resignieren – meist beides miteinander –, wenn sie in aufrichtiger Liebe starre Konventionen, gesellschaftliche Spielregeln verletzen? Augenzwinkernd duldet „man" ein bloßes „Verhältnis" auf Zeit. Wenn aber das Herz mitspricht, wenn es Liebe wird – *„denn* is es schlimm, denn gibt es 'nen Kladderadatsch", sagt eine, die aus Erfahrung spricht und „Ordnung und Anständigkeit" einklagt: hinterher, wenn das „Verhältnis" wieder gelöst ist. Gesellschaftliche Heuchelei: aus Schwachheit, Dummheit, Berechnung? Meist doch aus Not. Das sind die „Irrungen" in den Menschen selbst.

Auf der anderen Seite die „Wirrungen", die ungerechten, oft unmenschlichen Verhältnisse, die auf die Menschen einwirken. „Wirren" im Sinne von Schaden zufügen, Kummer bereiten, das klingt in „Wirrungen" nach. Irrung und Wirrung – beides entfremdet von Menschlichkeit, verhindert, vernichtet Glück. Einen ratsuchenden Kameraden warnt Botho davor eine Bindung außerhalb der Konvention einzugehen. Nicht etwa, weil er diese „Ordnung" anerkennt, sondern weil er schon weiß: Der unausweichliche Verzicht bringt Schmerz und Bitternis.

Theodor Fontane, geboren 1819 in Neuruppin in der Mark Brandenburg, Sohn eines Apothekers hugenottischer Herkunft und selbst bis zum dreißigsten Lebensjahr als Apotheker tätig, hat von 1833 an hauptsächlich in Berlin gelebt, wo er 1898 starb. Von seinem zwanzigsten Jahr an schriftstellerisch tätig veröffentlichte er Balladen, Gedichte, Novellen und politische Aufsätze in Zeitungen und Zeitschriften.

Dass er – Barrikadenkämpfer von 1848 – in einer „Zentralstelle für Pressangelegenheiten", also im Dienst der konservativen preußischen Politik tätig war, verglich er selbst mit dem Verrat des Judas für „30 Silberlinge". Als Korrespondent in London konnte Fontane sein Weltbild erweitern, schrieb Kritiken und Reisefeuilletons. Als Redakteur der konservativen *Neuen Preußischen (Kreuz-) Zeitung* (1860–1870) besuchte er die Kriegsschauplätze von 1864, 1866 und 1870/71, wovon jeweils Bücher Zeugnis geben, die sich wohltuend vom Hurra-Patriotismus jener Zeit abheben. Danach arbeitete er fast zwanzig Jahre lang als Theaterkritiker der liberalen „Vossischen Zeitung". Der kritische Geist Fontanes, zeigt sich, ließ sich keinen Platz zuweisen im Parteienstreit der Zeit. „Alles Alte", sagt er, „soweit es Anspruch darauf hat, sollen wir lieben, aber für das Neue sollen wir recht eigentlich leben."

Das ist der Geist, der den 60-Jährigen sagen lässt: „Ich fange an…" Schriftstellerischen Ruhm hatten ihm schon früh seine Balladen eingebracht, die bald in Schullesebücher aufgenommen wurden, im 19. Jahrhundert vor allem historische wie *Archibald Douglas* oder *Seydlitz*. Von 1862 an erschienen die *Wanderungen durch die Mark Brandenburg*, Berichte und Schilderungen aus Vergangenheit und Gegenwart, die Fontane bis heute zum „märkischen Chronisten" machen. Bezeichnend der erste Satz: „Erst die Fremde lehrt uns, was wir an der Heimat besitzen."

In den letzten zwanzig Jahren, nach dem neuen Anfang, entstanden außer den beiden abschließenden Bänden der *Wanderungen*, einem Band Erzählungen, drei autobiografischen Werken und zahlreichen Aufsätzen und Kritiken vor allem siebzehn große Erzählungen und Romane (einer erschien erst aus dem Nachlass), die sich anfangs noch historischen Stoffen zuwandten, dann der eigenen Epoche, die Fontane eine „Zeit des Scheins und der Phrase" nannte, einer Gesellschaft im Wandel. Diese Zeit- und Gesellschaftsromane sind in der Schilderung der Milieus, in der Darstellung der Charaktere und in der kritischen Auseinandersetzung mit Fragen von Geschichte und Gegenwart Meisterwerke des poetischen Realismus.

Fontanes meistgelesener Roman, einziger überragender Bucherfolg zu seinen Lebzeiten, ist *Effie Briest*: Eine Frau bricht die Ehe, die ihr die Erfüllung versagt und wird ein Opfer starrer Konvention. Ihn beschäftigten, sagt Fontane kurz vor Erscheinen dieses Romans, „nicht Liebesgeschichten in ihrer schauderösen Ähnlichkeit, sondern der gesellschaftliche Zustand, das Sittenbildliche, das versteckt und gefährlich Politische, das diese Dinge haben."

In heutigen Lesebüchern findet man eher Balladen der späteren Zeit: Die Brück am Tay, 1880 oder Herr von Ribbeck auf Ribbeck im Havelland, 1889.

Wanderungen durch die Mark Brandenburg, 1862–1882

Effie Briest, 1895 Konvention: Verhaltensregel

Der erfolgreichste deutsche Schriftsteller (73 Bände mit einer deutschsprachigen Gesamtauflage von weit über 50 Millionen): **Karl May** (1842–1912), hier im Fantasiekostüm des Old Shatterhand. Gegen persönliches und soziales Ungenügen schuf er Wunschbilder einer erträumten Abenteuerwelt, in der die Guten siegen und – im Zeitalter kolonialer Eroberungen – als Überlegene nicht unterwerfen, sondern zu guter Gesinnung erziehen.

Naturalismus

„Die armen Leute!"

Arno Holz/
Johannes Schlaf:
*Die Familie
Selicke,* 1890

Wendt: der
Untermieter

Wilhelm von
Kaulbach: Hof-
maler König
Ludwigs I. von
Bayern

Lotte ↑ *Werther,*
S. 98

*Stahlstich,
Lithographie*
(Steindruck):
Drucktechniken

Regulator:
Wanduhr mit
regulierbarem
Pendel

Das Wohnzimmer der Familie Selicke

Es ist mäßig groß und sehr bescheiden eingerichtet. Im Vordergrunde rechts führt eine Tür in den Korridor, im Vordergrunde links eine in das Zimmer Wendts. Etwas weiter hinter dieser eine Küchentür mit Glasfenstern und Zwirngardinen. Die Rückwand nimmt ein altes, schwerfälliges, großgeblumtes Sofa ein, über welchem zwischen zwei kleinen, vergilbten Gipsstatuetten „Schiller und Goethe" der bekannte Kaulbach'sche Stahlstich „Lotte, Brot schneidend" hängt. Darunter, im Halbkranze, symmetrisch angeordnet, eine Anzahl photographischer Familienporträts. Vor dem Sofa ein ovaler Tisch, auf welchem zwischen allerhand Kaffeegeschirr eine brennende weiße Glaslampe mit grünem Schirm steht. Rechts von ihm ein Fenster, links von ihm eine kleine Tapetentür, die in eine Kammer führt. Außerdem noch, zwischen den beiden Türen an der linken Seitenwand, ein Tischchen mit einem Kanarienvogel, über welchem ein Regulator tickt und, hinten an der rechten Seitenwand, ein Bett, dessen Kopfende, dem Zuschauerraum zunächst, durch einen Wandschirm verdeckt wird. Über ihm zwei große alte Lithographien in fingerdünnem Goldrahmen, der alte Kaiser und Bismarck. Am Fußende des Bettes, neben dem Fenster, schließlich noch ein kleines Nachttischchen mit Medizinflaschen. Zwischen Kammer- und Küchentür ein Ofen; Stühle.

Das ist der Schauplatz aller drei Aufzüge des Dramas *Die Familie Selicke* von Arno Holz und Johannes Schlaf. Die Autoren geben ganz genaue Anweisungen für die Ausstattung der Bühne: ein kleinbürgerliches Milieu im Berliner Norden. Damit entsprechen sie ihrer Vorstellung von Theater: Man müsse „in ein Stück Leben wie durch ein Fenster" sehen. Ebenso sorgfältig ist die Personenbeschreibung, die unmittelbar darauf folgt:

Seelenwärmer:
wollene
Strickjacke

Frau Selicke etwas ältlich, vergrämt, sitzt vor dem Bett und strickt. Abgetragene Kleidung, lila Seelenwärmer, Hornbrille auf der Nase, ab und zu ein wenig fröstelnd. Pause.

Die Pause zu Beginn ist wichtig: Es gibt zunächst einmal viel zu sehen. Dann die ersten Worte, die ersten Bewegungen. Auch dafür genaue Anweisungen:

FRAU SELICKE *(seufzend)* Ach Gott ja!
WALTER *(noch hinter der Szene, in der Kammer)* Mamchen?!
(Frau Selicke hat in Gedanken ihren Strickstrumpf fallen lassen, zieht ihr Taschentuch halb aus der Tasche, bückt sich drüber und schneuzt sich.)
WALTER *(steckt den Kopf durch die Kammertür, Pausbacken, Pudelmütze, rote, gestrickte Fausthandschuhe)* Mamchen? Darf ich mir noch schnell 'ne Stulle schneiden?
FRAU SELICKE *(ist zusammengefahren)* Ach geh, du ungezogner Junge!

Erschrick einen doch nich immer so! *(Ist aufgestanden und an den Tisch*
10 *getreten)*
Kannst du denn auch gar nich'n bisschen Rücksicht nehmen?! Siehst du
denn nich, dass das *Kind* krank ist?
WALTER *(ist unterdessen aufs Sofa geklettert und trinkt nun nacheinander die*
verschiedenen Kaffeereste aus. Den Zucker holt er sich mit dem Löffel extra
15 *raus.)* Aber ich hab doch noch solchen Hunger, Mamchen!

Noch ist kaum etwas geschehen und doch wissen wir schon viel über die Familienverhältnisse. Die weitere Handlung ergibt sich fast nur aus Dialogen. Ein Drama, sagen
die Autoren, habe „vor allem Charaktere zu zeichnen", wozu „die Handlung nur Mittel" sei.

Die Handlung: Am Heiligabend wartet die Familie auf den Vater, hoffend und ban-
gend. Denn der Buchhalter Selicke trinkt und schlägt dann seine Frau. Die Jüngste,
das achtjährige Linchen, liegt sterbenskrank: Schwindsucht. Die beiden Söhne sind
zwölf und achtzehn. Toni, die Älteste, ist mit zweiundzwanzig volljährig und trägt mit
Näharbeiten zum Unterhalt bei. Um sie wirbt Gustav Wendt, der Untermieter, der
als Theologe gerade seine erste Pfarrstelle auf dem Lande antreten will: Toni, die ihn
liebt, soll ihn als seine Frau begleiten: „Wir leben dann still für uns in ruhigen, schönen Verhältnissen! Wir werden ganz andre Menschen sein!" Hoffnung auf ein bieder-
meierlich-bürgerliches Glück?

Erst spät in der Nacht erscheint der Vater, betrunken, aber gut gelaunt, mit Weih-
nachtsbaum und Geschenken. Er spürt die Angst, versucht stammelnd zu beschwich-
tigen – „B-bin ich denn – der reine – Tyrann?!" – und sinkt in Schlaf. Als Linchen
stirbt, rüttelt Toni den Vater wach. Der schreckt auf, geht zum Bett, steht eine Weile
stumm davor, „dann bricht er schwer, mit einem dumpfen Stöhnen, auf dem Stuhl
zusammen".

Am Weihnachtsmorgen nimmt Toni ihre Heiratszusage zurück: ein Opfer aus Pflicht-
gefühl für die Familie. Die letzten Worte des Stückes lassen einen Hoffnungsschim-
mer weiterglimmen: Vielleicht gelingt doch einmal der Ausbruch aus dem Gefängnis
des Milieus, das von Anfang bis Ende des Stückes bedrückend vor Augen steht. „Ich
komme wieder!…", verspricht Wendt.

„Die armen Leite!", klagt der alte Kopelke, der, auch aus eigener Not, als „Heilprak-
tiker" wirkt. Und er gibt dem angehenden Pastor Worte mit auf den Weg, die zugleich
das ganze Drama kommentieren: Die Geschehnisse, meint er, seien lehrreich für
Wendts Beruf: „[…] in die zwee Jahre haben Se hier wat kennen jelernt, wat mennch
eener sein janzet Leben nich kennen lernt, un wat Bessres, verstehn Se, hätt Ihn'n
janich passiern können!"

Leben hautnah – das will diese Literatur zeigen, wirklich realistisch, nicht in bürger-
lich-poetisch mildem Licht. Auch das Abstoßende, Hässliche, die Gefangenschaft in
krankem Milieu. Um sich vom poetischen Realismus deutlich abzugrenzen nennen
die Autoren dieser neuen Generation ihre Literatur „naturalistisch".

„Natur" hier in umfassendem Sinne verstanden; als Beschaffenheit der äußeren und
inneren Welt: soziale Wirklichkeit und Bewusstsein und Gefühle der Menschen.
„Hier haben wir eigentlichstes Neuland", schreibt der Theaterkritiker Fontane über
dieses Stück, das dem naturalistischen Drama die Bahn bereitet hat:

Schwindsucht:
damals häufigste
Todesursache in
Mitteleuropa
(1901: in
Deutschland 212
Fälle auf 100 000
Einwohner)

Poetischer
Realismus
↑ S. 226

Th. Fontane
↑ S. 252

„Das Stück beobachtet das Berliner Leben und trifft den Berliner Ton in einer Weise, dass auch das Beste, was wir auf diesem Gebiete haben, daneben verschwindet." Fontane lobt die ausnahmslos „glänzende Charakterzeichnung" und vermutet, dass solchen Stücken, die nach herkömmlichen Maßstäben „keine Stücke sind", die Zukunft gehöre.

Naturalismus

E. Zola:
Germinal, 1885
H. Ibsen:
Gespenster, 1884
A. Strindberg:
Fräulein Julie,
1888

Sturm und
Drang ↑ S. 96
Vormärz ↑ S. 177

mechanistisch:
zwanghaft

- Naturalismus heißt eine Strömung der europäischen Literatur im letzten Drittel des 19. Jh., die von Frankreich ausging und unterschiedliche Ausprägung erfahren hat. Wichtige Beispiele: Romane des Franzosen **Emile Zola**, Dramen des Norwegers **Henrik Ibsen**, des Schweden **August Strindberg**. Die Autoren des Naturalismus wollten mit dem Realismus endlich Ernst machen, die Verhältnisse in ihrer ganzen Härte darstellen, das Elend des Industrieproletariats, die dunkelsten Seiten der menschlichen Seele. In Deutschland konnte man auf Vorläufer im „Sturm und Drang" (J. M. R. Lenz) oder im „Vormärz" (G. Büchner) hinweisen.
- Wichtige Anstöße kamen von den Methoden und Ergebnissen der modernen Naturwissenschaften, die mit Beobachtung und Experiment immer neue Erkenntnisse an den Tag brachten. Gilt eine mechanistische Abfolge von Ursachen und Wirkungen auch für Natur und Handlungen der Menschen? Inwieweit ist der Mensch ein Produkt aus Abstammung, Milieu und geschichtlicher Situation? Solchen Fragen ging auch die Literatur nach.
- „Natur" meint hier nicht Schöpfung Gottes oder Gesetze eines Wachstums, an denen der Mensch mitschöpferisch teilhat, sondern die „Beschaffenheit" der Dinge, Zustände, Vorgänge, kurz: die Verhältnisse. Kunst habe die Aufgabe sich diesen tatsächlichen Gegebenheiten so weit wie möglich darstellend anzunähern: „Die Kunst hat die Tendenz, wieder Natur zu sein", sagt Arno Holz 1891. Dass völlige Übereinstimmung nicht erreichbar sei, liege an den vorhandenen Mitteln und an der jeweiligen Person des Künstlers. Es gelte die Formel: „Kunst = Natur − x". Zur Erklärung führt Holz das Kritzelbild eines kleinen Jungen auf einer Schiefertafel an, das einen Soldaten darstellen soll: Die „Lücke" zwischen Absicht und Ergebnis ist natürlich groß. Die Gründe dafür: unzulängliches Material, mangelnde Kunstfertigkeit, kindliche Vorstellungswelt, geprägt von der Lebensumwelt. Das alles gelte für Kunstwerke allgemein.

„Tierlautkomödie", schimpften konservative Bürger über *Die Familie Selicke*.

Moderne
↑ S. 267

- Eine Revolution der Kunst müsse also eine Revolution der Mittel sein: im Drama durch wirklichkeitsgetreues Bühnenbild und durch „natürliche" Dialoge (Dialekt, Satzbrüche, Interjektionen, unartikulierte Laute); in der Lyrik z. B. durch Verzicht auf Endreim.
- Der Aufbruch in die literarische „Moderne" war eine Herausforderung des bürgerlichen Publikums. Das feierte die „Gründerzeit" nach den militärischen Erfolgen – Reichsgründung und wirtschaftliche Konjunktur – als großen Aufschwung und suchte in der Literatur eher die Verehrung von „Helden" und Eroberern als die Schattenseiten der Industrialisierung. Diese Erwartung enttäuschte die neue Schriftstellergeneration der „Jüngstdeutschen", wie man sie spöttisch nannte. Die kündigten schon mit den Namen ihrer Zeitschriften Opposition an: *Kritische Waffengänge* (1852–1854) zum Beispiel oder *Die Gesellschaft*. Hauptorte der Aktivitäten waren München und Berlin.

- Angriffspunkte der literarischen Kritik waren vor allem der deutsch-nationale
- Überschwang nach 1870/71, die Militarisierung der Gesellschaft im wilhelmini-
- schen Obrigkeitsstaat, kirchliche Bevormundung, wachsender Antisemitismus,
- bloßes Nützlichkeitsdenken angesichts technischer Errungenschaften und wirt-
- schaftlicher Erfolge. Die Aufgeschlossenheit für soziale Probleme brachte viele
- Literaten in die Nähe zur Arbeiterbewegung; soziale oder sozialistische Gesin-
- nung führte jedoch selten zu parteipolitischer Bindung.
- Als fruchtbar erwies sich die Tendenz Kunst, Literatur, Bildung dem „Volke"
- näher zu bringen. Das bezeugen „Volksbibliotheken" und „Volksbühnenverei-
- ne". Mit der Gründung von Bühnenvereinen durch fortschrittlich denkende
- Bürger und „nichtöffentliche" Aufführungen konnte zeitweise die Zensur um-
- gangen werden.

Nach Kaiser Wilhelms Parole „Unsere Zukunft liegt auf dem Meere" trugen schon Kinder „Matrosenanzüge".

Karikatur (E. Retemeyer, 1890) in der politisch-satirischen Zeitschrift *Kladderadatsch* auf die Uraufführung von G. Hauptmanns Erstling *Vor Sonnenaufgang.* Naturalistischer Unrat zwischen Destille, Gosse und Misthaufen, ein „Repertoire" aus der Mülltonne. Emanzipation („Das Freie Weib") und „Vererbung" auf der Bühne – pfui! Von wegen: „Gähnen" und „Nanu rufen verboten"!

Im Spiegel des Gedichts

Im Thiergarten, auf einer Bank, sitz ich und rauche;
und freue mich über die schöne Vormittagssonne.

Vor mir, glitzernd, der Kanal:
den Himmel spiegelnd, beide Ufer leise schaukelnd.

5 Über die Brücke, langsam Schritt, reitet ein Leutnant.

Unter ihm,
zwischen den dunklen, schwimmenden Kastanienkronen,
propfenzieherartig ins Wasser gedreht,
– den Kragen siegellackroth –
10 sein Spiegelbild.

Ein Kukuk
ruft.

Arno Holz, 1898

Gemessen am Herkömmlichen war das ein sehr ungewöhnliches Gedicht: kein Reim, kein festes Versmaß, kein Strophenbau, nur fünf unterschiedliche Abschnitte. Kein Wort von besonderer Bedeutung, das noch etwas anderes meint, als es direkt sagt: Sichtbare Erscheinungen werden benannt, Hörbares, einfacher Gefühlsausdruck. Trotzdem ein Kunstwerk, gebaut: Am Anfang der ersten vier Abschnitte stehen zweimal zwei Ortsbestimmungen. Das Verb rückt gegen das Satzende. Pausen entstehen, ein eigenartiger Rhythmus ergibt sich, der aber nicht „unnatürlich" wirkt. Merkwürdig erscheint die Anordnung der Zeilen, die unterschiedlich lang sind: Sie sind auf eine gemeinsame, unsichtbare Mittelachse hin ausgerichtet.

Dass der preußische Leutnant dabei auf den Kopf gestellt wird, ist auch eine Aussage.

Symmetrie bestimmt auch den Inhalt des Gedichts: Im Wasser spiegeln sich die Dinge. In das Bild hinein schiebt sich die Gestalt des Reiters, dessen Spiegelbild sich mit dem der anderen Gegenstände mischt. Um die Verzerrungen des „wirklichen" Bildes im Wasserspiegel auszudrücken gebraucht der Dichter einen ganz alltäglichen Vergleich: „pfropfenzieherartig". Dem optischen Eindruck der Spiegelung entspricht am Schluss der einzige akustische Eindruck: der Doppelklang des Vogelrufs.

Das Spiegelbild im Wasser entspricht nicht genau der Beschaffenheit dessen, was es wiedergibt: Das ist wie eine Illustration der Formel „Kunst = Natur – x". Das vorherrschende Kunstmittel ist hier der Rhythmus. Holz nennt ihn „notwendig" und „natürlich": Er sei mit den Dingen gegeben. „Drücke aus, was du empfindest, unmittelbar wie du es empfindest und du hast ihn. Du greifst ihn, wenn du die Dinge greifst."

Phantasus, 1898

Dem Gedichtband „*Phantasus*", der diesen Text enthält, hat Arno Holz eine „Selbstanzeige" mitgegeben, in der er darlegt, was für eine Art von Lyrik der modernen Zeit angemessen sei: „eine Lyrik, die auf jede Musik durch Worte als Selbstzweck verzichtet und die, rein formal, lediglich durch einen Rhythmus getragen wird, der nur noch durch das lebt, was durch ihn zum Ausdruck ringt." Es sei wohl nicht übertrieben zu behaupten, drei Viertel der deutschen Wörter seien für den Reim nicht zu verwenden: „Kann es uns also wundern, dass uns heute der gesamte Horizont unserer Lyrik um folgegerecht fünfundsiebzig Prozent enger erscheint als der unserer Wirklichkeit? Die alte Form nagelt die Welt an einer bestimmten Stelle mit Brettern zu, die neue reißt den Zaun nieder und zeigt, dass die Welt auch noch hinter diese Bretter reicht."

Pathos: übertriebene Leidenschaft, Ergriffenheit

bronzieren: mit (goldähnlicher) Bronzefarbe überziehen

Überholt sei auch der Strophenbau: „Durch jede Strophe, auch die schönste, klingt, sobald sie wiederholt wird, ein geheimer Leierkasten." Schließlich wendet sich Holz gegen jedes „falsche Pathos". Das bringe „die Welt um ihre ursprünglichen Werte. […] Diese ursprünglichen Werte den Worten aber gerade zu lassen und die Worte weder aufzupusten noch zu bronzieren oder mit Watte zu umwickeln, ist das ganze Geheimnis."

„Hier hilft kein Bitten und kein Flehn": *Die Weber*

Gerhart Hauptmann: *Die Weber*, 1892

Die meisten der harrenden Webersleute gleichen Menschen, die vor die Schranken des Gerichts gestellt sind, wo sie in peinigender Gespanntheit eine Entscheidung über Tod und Leben zu erwarten haben. Hinwiederum haftet allen etwas Gedrücktes, dem Almosenempfänger Eigentümliches an, der, von Demütigung zu Demütigung schreitend, im Bewusstsein, nur geduldet zu sein, sich so klein als möglich zu machen gewohnt ist.

Einige Sätze aus der ausführlichen Szenenbeschreibung zum ersten Akt des fünfaktigen Dramas *Die Weber. Schauspiel aus den vierziger Jahren* von Gerhart Hauptmann. Die schlesischen Leinenweber im Eulengebirge, ausgezehrte Gestalten, „ärmliche Menschen mit schmutzigblasser Gesichtsfarbe", warten im Hause des Fabrikanten Dreißiger, bis sie an der Reihe sind das Ergebnis ihrer mühseligen Heimarbeit abzuliefern: gegen kümmerlichen Lohn. Es geht wirklich um Leben oder Tod, ums Verhungern. Darum müssen sie sich jede Demütigung gefallen lassen. Ein erschütterndes Bild nackten Elends durch brutale Ausbeutung. „Da leben ja in a Städten die Hunde noch besser wie ihr." Einer, der sein Schicksal ergeben annimmt, der alte Hilse, sagt:

> Habn mer kee Fett, ess mirsch Brot trocken – hab'n mer kee Brot, ess mer Kartoffeln – hab'n mer keene Kartoffeln, da ess mer trockne Kleie.

Im Weberland gibt es kaum Hunde: Die hat man vor Hunger geschlachtet.

Diese Darstellung des Weberelends ist wahrhaft „naturalistisch": Hauptmann hat sich an die Tatsachen gehalten, die er aus Berichten und familiärer Überlieferung kannte. Und er hat das Webergebiet bereist, hat Augenzeugen von damals befragt und die noch herrschende Not der Weber erlebt. Damals: Das war der Weberaufstand im Jahre 1844.

Im ersten Akt von Hauptmanns Weber-Drama widerspricht nur einer dem Fabrikanten, der „rote Bäcker" und wirft den Bettel hin: „[…] ob ich am Webstuhl d'rhungre oder im Straßengrab'n, das ist mir egal." Im zweiten Akt, der in einer armseligen Weberstube spielt, versucht Moritz Jäger die Weber aufzuwiegeln. Er kommt vom Militärdienst zurück, fühlt sich stark und will die andern aus ihrer dumpfen Ergebenheit reißen. Dazu liest er ihnen den Text des (historischen) Liedes vom „Blutgericht" vor, das eine deutliche Sprache spricht:

Das Blutgericht, 1844

> Hier wird der Mensch langsam gequält,
> hier ist die Folterkammer,
> hier werden Seufzer viel gezählt
> als Zeugen von dem Jammer.

Das Lied nennt die „Henker" und „Schergen" beim Namen, die Herren Fabrikanten und ihre Diener und geißelt ihr Verhalten:

> Hier hilft kein Bitten und kein Flehn,
> umsonst ist alles Klagen.
> „Gefällt's euch nicht, so könnt ihr gehn
> am Hungertuche nagen."

nagen: ursprünglich nähen, nämlich die Tücher, mit denen man in der Fastenzeit die Altäre verhängte

Wer sich der Willkür dieser Arbeitssklaverei nicht unterwirft, liegt auf der Straße. Es gibt genügend andere, die seinen Platz einnehmen. Das Lied löst die Zungen der im Leid Verstummten: „Und das muss anderscher wern […] Mir leidens nimmer, mag kommen, was will."

In der Schenkstube im dritten Akt stoßen allerhand unterschiedliche Ansichten und Haltungen aufeinander: Furcht, Ergebenheit, Auflehnung, wenig Hoffnung. Doch als der Gendarm verkündet, die Polizeiverwaltung verbiete das Weber-Lied zu singen, wird das zum Zeichen des Aufbruchs. Vor allem die jungen Weber stimmen das Lied an und ziehen auf die Straße. Ziel der Demonstration ist das Haus des Fabrikanten Dreißiger.

Weberzug, Radierung von Käthe Kollwitz (1867–1945) aus dem sechsteiligen Zyklus *Ein Weberaufstand* (1879) zu Gerhart Hauptmanns Drama. Für die Künstlerin, die von Jugend an mit dem fünf Jahre Älteren befreundet war, bedeutete dieses Werk den Durchbruch: Die Jury der Großen Berliner Kunstaustellung 1898 schlug vor, ihr die Kleine Goldene Medaille (für künstlerische Verdienste) zu verleihen. Kaiser Wilhelm II. lehnte ab: das sei „Rinnsteinkunst".

Kaiser Wilhelm II. ließ aus Unmut über die erste öffentliche Aufführung der *Weber* 1894 sein Logenabonnement im Deutschen Theater kündigen. Später verhinderte er zweimal die Verleihung des Schiller-Preises an Hauptmann.

Das Innere dieses Hauses ist Schauplatz des vierten Aktes. „Luxuriös" ausgestattete Räume, mit „ungemütlichem Prunk überladen". Zu Besuch der Pastor mit Frau. Lärm dringt von draußen herein. Der Pastor entrüstet sich über diesen „unerhörten Unfug": „Sie treten Gottes Gesetz mit Füßen." Der Hauslehrer der Familie, ein Kandidat der Theologie, wagt behutsamen Einwand: „Es sind aber hungrige, unwissende Menschen. Sie geben halt ihre Unzufriedenheit kund, wie sie's verstehen." Dreißiger verbittet sich solche „Vorlesungen über Humanität" – der Hauslehrer versteht und kündigt. Als der Fabrikant „einen der Hauptsänger" draußen, Moritz Jäger, durch seine Arbeiter festnehmen lässt, wird die Demonstration zum Aufruhr. Die Menge stürmt das Haus, zerstört und plündert.

Vom weiteren Lauf der Dinge erfährt man im fünften Akt nur durch Berichte von draußen: im Nachbarort, im „Weberstübchen des alten Hilse". Der ist ein frommer Mann, ergeben in sein Schicksal, erfüllt vom Glauben an eine ausgleichende Gerechtigkeit im Jenseits. Für diese Hoffnung – das Einzige, „was mir armen Menschen haben" – will er den „alten Marterkasten" hienieden gern verlassen, das „Häufele Himmelangst und Schinderei da, das ma Leben nennt".

Fer was hätt ich denn hier gesessen – und Schemel getreten uf Mord vierzig und mehr Jahr? und hätte ruhig zugesehen, wie der dort drieben in Hoffart und Schwelgerei lebt und Gold macht aus mein'n Hunger und Kummer.

Draußen krachen Gewehrsalven der herbeigerufenen Soldaten, er fängt an zu weben. Da trifft ihn eine verirrte Kugel, tödlich. Die Aufständischen treiben die Soldaten aus dem Dorf. Doch die werden wiederkommen und am Ende siegen. Das letzte Wort spricht die blinde Frau Hilse, die nicht begreifen kann, warum ihr Mann nichts sagt:

> Nu mach ock, Mann und sprich a Wort, 's kann een'n ja orntlich angst werd'n.

Ein Dichter der Deutschen: Gerhart Hauptmann

Tragische Ironie am Ende und ein Tragödienschluss von „klassischer" Wucht – aber trotz der fünf Akte kein klassischer Tragödienaufbau, vielmehr eine Aufeinanderfolge erschütternder Bilder. Vor allem: Das Stück hat keine zentrale Gestalt, nicht „Held" oder „Heldin". Handelnde und mehr noch leidende „Person" ist das Volk der Weber mit seinem Lied vom „Blutgericht", das an allen fünf Schauplätzen gegenwärtig ist. „[…] d'r Mensch muss doch a eenziges Mal an Augenblick Luft kriegen", sagt der alte Baumert, die einzige Person, die in allen fünf Akten auftritt. Eine fast verborgene Botschaft: Der Aufstand ist nur ein Ventil für kurze Zeit. Wütender Ausbruch aus unerträglicher Unterdrückung ist kein Umsturz auf Dauer, keine Revolution. Dazu gehört auch Planung, kühle Berechnung.

Neben eine erste Dialektfassung des Stücks (*De Waber*) stellte Hauptmann gleich eine dem Hochdeutschen angenäherte Fassung, die für Nichtschlesier immer noch schwer zu lesen ist. Doch mitreißende Aufführungen können solche Schranken überspielen; das Weber-Drama wurde ein riesiger Erfolg.

Zäh war der Kampf um öffentliche Aufführung – und aufsehenerregend. Die Behörden witterten Gefahr: Dies sei „ein höchst aufreizendes Bühnenwerk, dessen öffentliche Aufführung unter gewissen Verhältnissen sehr wohl geeignet ist, den Klassenhass zu erregen und die öffentliche Ordnung zu gefährden." Aufreizend vor allem deshalb, „weil neben den in der Sache selbst liegenden und den örtlichen, noch vielfach persönliche Anknüpfungspunkte zwischen den geschilderten Ereignissen von 1844 und der Gegenwart vorhanden und besonders hervorgehoben sind". Also ein – unfreiwilliges? – Eingeständnis, dass die Verhältnisse immer noch explosiv seien? Jedenfalls Verbot. Das angerufene Preußische Oberverwaltungsgericht sah jedoch bei einer Aufführung im Deutschen Theater in Berlin keine Gefahr für die öffentliche Ordnung: Die Eintrittspreise seien so hoch, „dass dieses Theater vorwiegend nur von Mitgliedern derjenigen Gesellschaftskreise besucht wird, die nicht zu Gewaltthätigkeiten oder anderweiter Störung der öffentlichen Ordnung geneigt sind".

Gerhart Hauptmann, geboren 1862 in Ober-Salzbrunn in Schlesien, Sohn eines Gastwirts, wollte Bildhauer werden und begann ein Kunststudium. Doch durch die Begegnung mit Vertretern des Naturalismus in Berlin entschied er sich für den Schriftstellerberuf. Er wurde zum erfolgreichsten Dramatiker seiner Zeit und galt lange als führender Repräsentant der deutschen Dichtung. Der Durchbruch auf dem Theater gelang ihm 1889 mit dem Drama *Vor Sonnenaufgang*, das zu einem riesigen Theaterskandal wurde. Rund ein Dutzend seiner Meisterdramen gehörte lange zum Repertoire der Bühnen; für einige Stücke gilt das noch heute.

Randspalte:

Aufbau eines klassischen Dramas ↑ S. 126

1892 erschien die Buchausgabe, die in fünfzig Jahren 253 Auflagen erlebte, einer der größten Bucherfolge, die einem Autor zu Lebzeiten beschieden waren und dies mit einem nur schwer „lesbaren" Buch. Im Februar 1893 wurde das Stück in einer geschlossenen Veranstaltung der Berliner „Freien Bühne" erstmals aufgeführt.

1862–1946

Repräsentant: (offizieller) Vertreter

Repertoire: Verzeichnis, Vorrat einstudierter Theaterstücke

Bahnwärter
Thiel, 1888

1912 wurde der
50-Jährige mit
dem Nobelpreis
für Literatur
geehrt.

Bald darauf ver-
lieh der Kaiser
zwölf deutschen
Schriftstellern,
deren Kriegs-
dichtungen er
„besonderen
Wert" beimaß,
den Roten Adler-
orden: darunter
Hauptmann, der
einst Verfemte.

30. I. 1933:
Hitler wird
Reichskanzler
27. 2.: Reichs-
tagsbrand

Seit 1901 lebte
Hauptmann in
Agnetendorf in
Schlesien.

Requiem:
(katholische)
Totenmesse

Insgesamt hat Hauptmann über vierzig Dramen vollendet. Sein umfangreiches Werk umfasst zudem Romane, Erzählungen und Novellen, autobiografische Bücher, Gedichte, Aufsätze, Reden. Von internationaler Anerkennung zeugen zahlreiche Übersetzungen in andere Sprachen.

Gerhart Hauptmanns Haltung der Politik gegenüber war zwiespältig. Sein Bestreben sich herauszuhalten, hat nicht verhindert, dass ihn sehr unterschiedliche Mächte zu ihrem Herold machten. Anfangs zählte man ihn zu den oppositionellen Geistern. Der nationalistische Taumel zu Beginn des Ersten Weltkriegs riss ihn aus seiner Reserviert-heit – wie manch anderen sonst humanen und friedliebenden Schriftsteller. Im Au-gust 1914 beschwor ihn der französische Schriftsteller **Romain Rolland** „im Namen Europas, zu dessen berühmtesten Wortführern" Hauptmann bisher gehört habe und „im Namen der Zivilisation" die Stimme zu erheben gegen das Verbrechen des Krie-ges, der „die Frucht der Schwäche und der Dummheit der Völker" sei. Hauptmann schwärmte in seiner Antwort von den „heldenmütigen Armeen" eines „gesunden und kerntüchtigen Volkes", vom „Ruhm einer Kraft, die durch die Gerechtigkeit ihrer Sache unüberwindlich ist". Und schrieb nationalistische Gedichte und Artikel.

1918 jedoch bekannte sich Hauptmann ausdrücklich zum neuen, demokratischen Staat und er wurde zu einer Leitfigur der Weimarer Republik. Reichspräsident Ebert ehrte ihn zum 60. Geburtstag und Thomas Mann nannte ihn „König der Republik". Die Ehrungen zum 70. Geburtstag Hauptmanns waren eine Demonstration der Demokratie – ehe sie zerschlagen wurde.

Am 1. März 1933 schrieb Hauptmann in sein Tagebuch: „Mit dem Brande des Reichs-tagsgebäudes […] schließt das Deutschland ab, in dem ich […] geistig bewusst gelebt habe seit 1870, wo mein nationales deutsches Bewusstsein geweckt wurde." Aber er bezog nicht Stellung gegen Ungeist und Verbrechen der Nationalsozialisten, blieb abseits in seiner schlesischen Heimat oder auf der Insel Hiddensee bei Rügen, wo er an seinem Haus sogar die Hakenkreuzfahne hisste. Aus seinem unkritischen Natio-nalgefühl heraus unterstützte er die Machthaber mit öffentlichen Äußerungen. Die blieben trotzdem misstrauisch und hielten sein Wirken in Grenzen. An seinem 80. Geburtstag aber ehrten sie ihn öffentlich: ein Mittel der Propaganda für die eigenen Zwecke. 1937 schrieb Hauptmann heimlich zum Gedächtnis eines jüdischen Freun-des ein „Requiem" mit dem Titel *Die Finsternisse,* das erst zehn Jahre später veröffent-licht wurde.

Die polnischen Behörden hatten die Ausweisung schon angeordnet, als Hauptmann starb: am 6. Juni 1946. Sein Grab fand er auf Hiddensee.

Jahrhundertwende

Schreiben gegen die Angst

Malte Laurids Brigge, letzter Spross einer dänischen Adelsfamilie, geht im Alter von 28 Jahren nach Paris um dort zum Dichter zu werden. Was er bisher geschrieben hat, genügt ihm nicht. Die fremde, riesige Stadt erscheint ihm bedrohlich. Dagegen schreibt er an. In Prosa. Denn Verse, meint er, setzen Erfahrungen voraus. Er aber muss zunächst einmal sehen lernen, wie die Welt um ihn ist. So sieht er die Mauer eines abgerissenen Hauses:

Rainer Maria Rilke: *Die Aufzeichnungen des Malte Laurids Brigge*, 1904/10

Man sah ihre Innenseite. Man sah in den verschiedenen Stockwerken Zimmerwände, an denen noch die Tapeten klebten, da und dort den Ansatz des Fußbodens oder der Decke. Neben den Zimmerwänden blieb die ganze Mauer entlang noch ein schmutzigweißer Raum und durch diesen kroch in
5 unsäglich widerlichen, wurmweichen, gleichsam verdauenden Bewegungen die offene, rostfleckige Rinne der Abortröhre. […] Am unvergesslichsten aber waren die Wände selbst. Das zähe Leben dieser Zimmer hatte sich nicht zertreten lassen. Es war noch da, es hielt sich an den Nägeln, die geblieben waren, es stand auf dem handbreiten Rest der Fußböden, es war unter den Ansätzen
10 der Ecken, wo es noch ein klein wenig Innenraum gab, zusammengekrochen. Man konnte sehen, dass es in der Farbe war, die es langsam, Jahr um Jahr, verwandelt hatte: Blau in schimmliches Grün, Grün in Grau und Gelb in ein altes, abgestandenes Weiß, das fault. Aber es war auch in den frischeren Stellen, die sich hinter Spiegeln, Bildern und Schränken erhalten hatten: Denn es
15 hatte ihre Umrisse gezogen und nachgezogen und war mit Spinnen und Staub auch auf diesen versteckten Plätzen gewesen, die jetzt bloßlagen. […] Und aus diesen blau, grün und gelb gewesenen Wänden, die eingerahmt waren von den Bruchbahnen der zerstörten Zwischenmauern, stand die Luft dieser Leben heraus, die zähe, träge, stockige Luft, die kein Wind noch zerstreut hat-
20 te. Da standen die Mittage und die Krankheiten und das Ausgeatmete und der jahrealte Rauch und der Schweiß, der unter den Schultern ausbricht und die Kleider schwer macht und das Fade aus den Munden und der Fuselgeruch gärender Füße. Da stand das Scharfe vom Urin und das Brennen vom Ruß und grauer Kartoffeldunst und der schwere, glatte Gestank vom alternden
25 Schmalze. […] Und vieles hatte sich dazugesellt, was von unten gekommen war, aus dem Abgrund der Gasse, die verdunstete und anderes war von oben herabgesickert mit dem Regen, der über den Städten nicht rein ist. Und manches hatten die schwachen, zahm gewordenen Hauswinde, die immer in derselben Straße bleiben, zugetragen und es war noch vieles da, wovon man den
30 Ursprung nicht wusste. Ich habe doch gesagt, dass man alle Mauern abgebrochen hatte bis auf die letzte –? Nun von dieser Mauer spreche ich fortwährend. Man wird sagen, ich hätte lange davorgestanden; aber ich will einen Eid geben dafür, dass ich zu laufen begann, sobald ich die Mauer erkannt hatte. Denn das ist das Schreckliche, dass ich sie erkannt habe. Ich erkenne das alles hier
35 und darum geht es so ohne weiteres in mich ein: Es ist zu Hause in mir.

Munde: seltene, altertümliche Pluralform (statt *Münder*)

Eindrücke – im wahren Sinne des Wortes. Sie lassen Malte nicht nur die Innenseite der Dinge erfahren, sie erschließen auch das eigene Innere, holen die Kindheit herauf, machen Gegenwart begreifbar.

> Ich lerne sehen. Ich weiß nicht, woran es liegt, es geht alles tiefer in mich ein und bleibt nicht an der Stelle stehen, wo es sonst immer zu Ende war. Ich habe ein Inneres, von dem ich nicht wusste. Alles geht jetzt dorthin. Ich weiß nicht, was dort geschieht.

Eindrücke, die also auch in die Zukunft weisen: auf bisher unbekannte, unerhörte Möglichkeiten.

> Bei aller Furcht bin ich schließlich doch wie einer, der vor etwas Großem steht und ich erinnere mich, dass es früher oft ähnlich in mir war, eh ich zu schreiben begann. Aber diesmal werde ich geschrieben werden. Ich bin der Eindruck, der sich verwandeln wird.

Rainer Maria Rilke, 1875–1926 1902/03 war er, 28-jährig, erstmals in Paris.

krisenhaft ↑ Moderne, S. 267

Die Aufzeichnungen des Malte Laurids Brigge heißt dieser Tagebuchroman, den **Rainer Maria Rilke** 1904 begonnen hat. Das erfundene Ich des Tagebuchs offenbart auch viel über diesen Dichter und seine Zeit. Die Lebensangst, die hier vor der unheimlichen Realität der fremden Großstadt zutage tritt, war eine Grundstimmung jener als krisenhaft empfundenen Zeit. Der junge Dichter sucht neue Ausdrucksformen um dieser bedrohlichen Wirklichkeit zu begegnen. Die überlieferten Formen scheinen nicht mehr imstande zu sein die Welt auszudrücken: „Dass man erzählt", schreibt Malte, „wirklich erzählt, das muss vor meiner Zeit gewesen sein." Erzählen heißt: einen Weg beschreiben oder entwerfen, einen Zusammenhang annehmen. Doch welcher Daseinsentwurf bleibt einem jungen Menschen am Beginn dieses neuen Jahrhunderts? Welche Mittel hat er der wachsenden Entfremdung zu begegnen, Welt und Ich aufeinander zu beziehen?

Rainer Maria Rilke, ganz Auge und Mund. Das Gemälde von Paula Modersohn-Becker (Paris, 1906) blieb unvollendet, weil der Dichter sich erschrocken entzog. Es zeige „mönchische Weltabgeschiedenheit und scheinbare Weichheit, hinter der sich eine fanatische geistige Kraft" verberge, meinte der Maler Heinrich Vogeler, Weggefährte der beiden: „Der eigentümlich sprechende Mund über dem schütteren Bart, der glanzlose, wie nach innen gekehrte Blick, das alles wirkt traumhaft faszinierend."

- „Ich bin der Eindruck, der sich verwandeln wird", heißt es bei Rilke. Von dem
- französischen Wort für „Eindruck" – *impression* – leitet sich die Bezeichnung
- „Impressionismus" her, der Name für eine Stilepoche zunächst der bildenden
- Kunst, dann auch der Literatur und der Musik. An die Stelle naturalistischer Be-
- schreibung der harten sozialen Wirklichkeit traten sensible Wahrnehmung und
- Wiedergabe subjektiver Stimmungen. Nicht Handlungsabläufe wurden darge-
- stellt, sondern ein Gewebe von Augenblicken feinsten seelischen Empfindens
- ausgebreitet im Innern des dichterischen Ich. Hauptvertreter impressionisti-
- scher Dichtung in Deutschland war neben R. M. Rilke und H. v. Hofmanns-
- thal **Stefan George**.

Impressionismus

„Wir wollen keine erfindung von geschichten sondern wiedergabe von stimmungen keine betrachtung sondern darstellung keine unterhaltung sondern eindruck."
S. George

Hugo von Hofmannsthal, 1874–1929

Ein Brief, 1902

Schreiben gegen das Verstummen

Lord Chandos, ein junger Dichter, schreibt im Alter von 26 Jahren an einen älteren Freund, den Schriftsteller, Philosophen und Politiker Francis Bacon(1561–1626). In entschuldigendem Ton erklärt er, warum er seit zwei Jahren nichts mehr geschrieben habe. Der wirkliche Autor dieses „Briefes" ist **Hugo von Hofmannsthal** und der mit 1603 datierte Text stammt aus dem Jahre 1902, als der Dichter etwa gleichaltrig war mit der erfundenen Figur des Lord Chandos. Das Thema war aktuell: Ausdruck der eigenen Situation Hofmannsthals und manch anderer Schriftsteller seiner Zeit.

> Mein Fall ist in Kürze dieser: Es ist mir völlig die Fähigkeit abhanden gekom-
> men, über irgend etwas zusammenhängend zu denken oder zu sprechen.
> Zuerst wurde es mir allmählich unmöglich, ein höheres oder allgemeineres
> Thema zu besprechen und dabei jene Worte in den Mund zu nehmen, deren
> 5 sich doch alle Menschen ohne Bedenken geläufig zu bedienen pflegen. Ich
> empfand ein unerklärliches Unbehagen, die Worte „Geist", „Seele" oder
> „Körper" auch nur auszusprechen. […] die abstrakten Worte, deren sich doch
> die Zunge naturgemäß bedienen muss, um irgendwelches Urteil an den Tag
> zu geben, zerfielen mir im Munde wie modrige Pilze. […]
> 10 Allmählich aber breitete sich diese Anfechtung aus wie ein um sich fressender
> Rost. Es wurden mir auch im familiären und hausbackenen Gespräch alle die
> Urteile, die leichthin und mit schlafwandelnder Sicherheit abgegeben zu wer-
> den pflegen, so bedenklich, dass ich aufhören musste, an solchen Gesprächen
> irgend teilzunehmen. […] Es zerfiel mir alles in Teile und nichts mehr ließ
> 15 sich mit einem Begriff umspannen. Die einzelnen Worte schwammen um
> mich; sie gerannen zu Augen, die mich anstarrten und in die ich wieder hin-
> einstarren muss: Wirbel sind sie, in die hinabzusehen mich schwindelt, die
> sich unaufhaltsam drehen und durch die hindurch man ins Leere kommt.

Was ihm bleibt, sind Erscheinungen der „alltäglichen Umwelt", die sich in „guten Augenblicken" mit Bedeutung anfüllen. Doch es fällt ihm schwer dies in Worte zu fassen.

Es ist mir dann, als bestünde mein Körper aus lauter Chiffern, die mir alles aufschließen. Oder als könnten wir in ein neues, ahnungsvolles Verhältnis zum ganzen Dasein treten, wenn wir anfingen, mit dem Herzen zu denken.

„Chiffern" (Chiffren) sind Kennzeichen, die verschlüsselt sind, so dass man sie erst aufschließen, dechiffrieren muss, „entziffern". Für den Schriftsteller heißt das, er muss sie zur Sprache bringen, eine Sprache dafür finden. Wie aber, wenn er die bisher geläufige Sprache verloren, neue Worte aber noch nicht gefunden hat?

Die Erleuchtung durch den Heiligen Geist (Taube) und der Schrei nach Gottes Erbarmen bewahren Jedermann, der Geld und Lust verfallen war, in den Händen des Todes vor ewiger Verdammnis (Holzschnitt von Erwin Lange). Hofmannsthal hat 1903/11 ein spätmittelalterliches Spiel für seine Zeit bearbeitet.

Symbolismus

„[…] ein Hund in der Sonne, ein ärmlicher Kirchhof, ein Krüppel, ein kleines Bauernhaus, alles dies kann das Gefäß meiner Offenbarung werden."
Rilkes Malte: „Diesmal werde ich geschrieben werden."

L'art pour l'art: Kunst nur um ihrer selbst willen
poésie pure: nichts als Poesie

- Symbole sind Erkennungszeichen: Ein Gegenstand nimmt einen besonderen Sinn an (der ihm nicht von Natur aus eigen ist); z. B. die „blaue Blume" (↑ S. 154), die zum Zeichen der romantischen Poesie wurde. Es gibt Symbole, in denen sehr viele Menschen ihr gemeinsames Zeichen finden (z. B. die Christen im Kreuz) und solche, die nur für wenige Eingeweihte gelten (z. B. Mitglieder eines geheimen Bundes). In äußerster subjektiver Zuspitzung kann auch ein einzelner Mensch Symbole entdecken, die nur für ihn erkennbar sind. So Lord Chandos bei Hofmannsthal: Erscheinungen der „alltäglichen Umwelt", über die sonst ein Auge „mit selbstverständlicher Gleichgültigkeit hinweggleitet", weisen da in besonderen Augenblicken über sich hinaus, werden dem Dichter zum Zeichen einer Erkenntnis. „Der Dichter überlässt die Initiative den Wörtern", sagt der französische „Symbolist" **Stéphane Mallarmé**. Kann solche persönliche Offenbarung anderen vermittelt werden? Wenn es nicht gelingt – oder gar nicht angestrebt wird –, ist solche Dichtung nur um ihrer selbst willen da: „l'art pour l'art" oder „poésie pure". Sie bleibt im „Elfenbeinturm", kostbar und unzugänglich. Das ist die Kehrseite des „Symbolismus", einer von Frankreich ausgehenden europäischen Stilepoche, deren Verdienst es ist die literarisch-künstlerischen Mittel ungemein verfeinert und die Musikalität der Sprache zu ungeahnten Höhen gebracht zu haben.

Übergänge

Römische Fontäne
Borghese

Rainer Maria
Rilke, 1906

Zwei Becken, eins das andre übersteigend
aus einem alten runden Marmorrand,
und aus dem oberen Wasser leis sich neigend
zum Wasser, welches unten wartend stand,

5 dem leise redenden entgegenschweigend
und heimlich, gleichsam in der hohlen Hand,
ihm Himmel hinter Grün und Dunkel zeigend
wie einen unbekannten Gegenstand;

sich selber ruhig in der schönen Schale
10 verbreitend ohne Heimweh, Kreis aus Kreis,
nur manchmal träumerisch und tropfenweis

sich niederlassend an den Moosbehängen
zum letzten Spiegel, der sein Becken leis
von unten lächeln macht mit Übergängen.

Das Motiv dieses Sonetts von Rainer Maria Rilke aus dem Jahre 1906 – ein Brunnen im Park der Villa Borghese in Rom – erinnert an Conrad Ferdinand Meyers Gedicht *Der römische Brunnen* von 1882 (↑ S. 239). Meyer betrachtet den Gegenstand und die Bewegung des Wassers von außen, mit Abstand: den aufsteigenden Strahl, das Herabfallen von einer Brunnenschale zur anderen bis zum harmonischen Ausgleich. Bei Rilke hingegen taucht der Mensch einfühlsam in das Geschehen ein. Er wird eins mit den Dingen und spricht aus ihnen, die wie Menschen handeln: reden, schweigen, lächeln. Die Mitte ist der Ort des Erlebens, die mittlere Schale: Von oben das leise Sich-Neigen und Reden, von unten aufscheinend das Lächeln, dazwischen Warten und Schweigen in Schönheit. Die neunte Verszeile ist die einzige, die reimlos endet: ein Augenblick scheinbaren Stillstands in der fließenden Bewegung der Übergänge. So wird das ganze Bild zu einem Symbol momentanen Einswerdens von Ich und Ding, begreifbar nur dem, der bereit ist sich auf die Zeichenhaftigkeit des Gedichts einzulassen.

Sonett ↑ S. 53

* Das erste Jahrzehnt des neuen Jahrhunderts erschien großen Teilen der bürger-
* lichen Gesellschaft als „das goldene Zeitalter der Sicherheit" (Stefan Zweig).
* Doch kritische Geister, Schriftsteller und Philosophen vor allem und natürlich
* die Masse der Notleidenden spürten längst Bedrohliches: wirtschaftliche
* Schwankungen, soziale Spannungen, politische Unsicherheit. Im Zerfall des
* habsburgischen Vielvölkerstaats galt der Balkan als „Pulverfass", als „Wetter-
* winkel Europas". Der deutsche Kaiser Wilhelm II. prahlte säbelrasselnd mit
* der militärischen Macht des neuen Deutschen Reiches. Krisenstimmung und

**Die
Moderne**

S. Zweig:
*Die Welt von
Gestern,*
Autobiografie,
1942

Fin de siècle,
der Titel eines
französischen
Lustspiels von
1888, wurde zum
Namen für ein
herrschendes
Zeitgefühl.

Dekadenz:
Verfall

Paul Ernst:
*Der Weg zur
Form,* 1906
Hermann Hesse:
*Romantische
Lieder,* 1899
Hermann Löns:
*Mein grünes
Buch,* 1901

„Blut und
Boden" ↑ S. 294

- Ängste kennzeichneten den Beginn der neuen Zeit, die man – wie einst den Um-
- bruch vom „Mittelalter" zur „Neuzeit" – als „Moderne" zu begreifen suchte.
- „Heute scheinen zwei Dinge modern zu sein, die Analyse des Lebens und die
- Flucht aus dem Leben" (H. v. Hofmannsthal). Flucht, nämlich Abwendung von
- der „hässlichen" Realität, wie sie der Naturalismus (↑ S. 256)vor Augen gestellt
- hatte, in ein Reich des Schönen, Rückzug aus dem „Armeleutehaus". Kenn-
- zeichnend für die Unsicherheit der Künstler und Literaten in dieser Zeit des
- Umbruchs ist die Vielzahl der Bezeichnungen für Trends und Stilrichtungen,
- die neben- und gegeneinander auftauchten. Endzeitstimmung, durchdrungen
- von Pessimismus und Weltschmerz, klingt an in „Fin de siècle": Jahrhundert-
- ende. Im selben Jahr wetterte der Philosoph und Dichter **Friedrich Nietzsche**
- gegen den „Willen zum Ende", mit dem die „europäische décadence" den
- Niedergang verkläre. Die ursprünglich abwertende Bezeichnung „Décadent"
- trugen manche als Ehrentitel.
- Die Reaktionen auf den negativen Befund waren widersprüchlich. Manche
- Schriftsteller suchten das Heil in der Wiederbelebung vergangener Epochensti-
- le: in „Neuklassik" oder „Neuromantik". Gegen „entartete" Dekadenz traten
- Vertreter einer „Heimatkunst" auf den Plan, die der Unübersichtlichkeit und
- dem „Sittenzerfall" der Großstädte das vermeintlich einfache und gesunde
- Leben auf dem Land gegenüberstellten. Sie konnten wohl noch nicht ahnen,
- welchen verhängnisvollen Weg sie damit anbahnten: „Blut und Boden" hießen
- wenig später die Idole, mit denen nationalsozialistische Rassefanatiker Köpfe
- und Herzen verdüsterten. Doch neben Rückwärtsgewandtem gab es auch neue
- Impulse. Der „Jugendstil", die populärste Kunstströmung jener Zeit, leitete
- seinen Namen von der Zeitschrift *Jugend* (gegr. 1896) her. Es sei eine „Lust
- zu leben", hieß die Parole und es gelte das ganze Leben, auch die Dinge des
- alltäglichen Gebrauchs, für eine solche positive Stimmunge aufzuschließen:
- Stil als Ausdruck idealistischer Hoffnung im Kampf gegen Depression. Die
- Sensibilität, die hier nach Ausdruck drängte, fand literarische Entsprechung
- in den beiden wichtigsten Stilrichtungen der Epoche: Impressionismus und
- Symbolismus.

„Menschheitsdämmerung": Expressionismus

Gesichte

Der Krieg

Georg Heym,
1911

Aufgestanden ist er, welcher lange schlief,
Aufgestanden unten aus Gewölben tief.
In der Dämmrung steht er, groß und unerkannt,
Und den Mond zerdrückt er in der schwarzen Hand.

5 In den Abendlärm der Städte fällt es weit,
Frost und Schatten einer fremden Dunkelheit.
Und der Märkte runder Wirbel stockt zu Eis.
Es wird still. Sie sehn sich um. Und keiner weiß.

In den Gassen fasst es ihre Schulter leicht.
10 Eine Frage. Keine Antwort. Ein Gesicht erbleicht.
In der Ferne wimmert ein Geläute dünn
Und die Bärte zittern um ihr spitzes Kinn.

Auf den Bergen hebt er schon zu tanzen an
Und er schreit: Ihr Krieger alle, auf und an.
15 Und es schallet, wenn das schwarze Haupt er schwenkt,
Drum von tausend Schädeln laute Kette hängt.

Einem Turm gleich tritt er aus die letzte Glut,
Wo der Tag flieht, sind die Ströme schon voll Blut.
Zahllos sind die Leichen schon im Schilf gestreckt,
20 Von des Todes starken Vögeln weiß bedeckt.

Über runder Mauern blauem Flammenschwall
Steht er, über schwarzer Gassen Waffenschall.
Über Toren, wo die Wächter liegen quer,
Über Brücken, die von Bergen Toter schwer.

25 In der Nacht er jagt das Feuer querfeldein
Einen roten Hund mit wilder Mäuler Schrein.
Aus dem Dunkel springt der Nächte schwarze Welt,
Von Vulkanen furchtbar ist ihr Rand erhellt.

Und mit tausend roten Zipfelmützen weit
30 Sind die finstren Ebnen flackend überstreut,
Und was unten auf den Straßen wimmelt hin und her,
Fegt er in die Feuerhaufen, dass die Flamme brenne mehr.

Und die Flammen fressen brennend Wald um Wald,
Gelbe Fledermäuse zackig in das Laub gekrallt.
35 Seine Stange haut er wie ein Köhlerknecht
In die Bäume, dass das Feuer brause recht.

Eine große Stadt versank in gelbem Rauch,
Warf sich lautlos in des Abgrunds Bauch.
Aber riesig über glühnden Trümmern steht
40 Der in wilde Himmel dreimal seine Fackel dreht,

Über sturmzerfetzter Wolken Widerschein,
In des toten Dunkels kalte Wüstenein,
45 Dass er mit dem Brande weit die Nacht verdorr,
Pech und Feuer träufet unten auf Gomorrh.

1. Mose 18–19

Georg Heym,
1887–1912

Marokkokrise:
Spannungen
zwischen
Frankreich und
Deutschland

Apokalypse:
Offenbarung des
Johannes, letztes
Buch des Neuen
Testaments; all-
gemein Bezeich-
nung für Pro-
phezeiungen
über das Ende
der Welt

Naturalismus
↑ S. 256; Symbo-
lismus ↑ S. 266;
Impressionismus
↑ S. 265

„Sie [die Expres-
sionisten] sahen
nicht. Sie schau-
ten. Sie photo-
graphierten
nicht. Sie hatten
Gesichte."
K. Edschmid

Dieses Gedicht schrieb **Georg Heym** im September 1911, als in Deutschland auf dem Höhepunkt der sogenannten Marokkokrise Kriegsfurcht um sich griff. Es erscheint wie eine Vorahnung des Ersten Weltkriegs, den der Dichter nicht mehr erlebte: Er ist, 24-jährig, im Januar 1912 ertrunken, beim Schlittschuhlaufen auf der Havel in Berlin.

Der Krieg, wie er da in der Vision des Dichters Gestalt annimmt, ist eine riesenhafte, unheimliche Macht. Er sprengt die dünne Kruste vermeintlicher Sicherheit, steht auf in den Städten und jagt weiter, Schrecken und Zerstörung verbreitend, „Pech und Feuer" träufend wie der rächende Gott im Alten Testament auf Sodom und Gomor-rha. Bilder der Apokalypse (Finsternis und Feuersglut, Ströme voller Blut) verbinden sich mit eigenen Gesichten des Dichters (Kette aus Schädeln, roter Hund, rote Zip-felmützen, gelbe Fledermäuse, Köhlerknecht) zu Schreckensgestalten, die Entsetzen und Tod bringen. Menschen kommen als Handelnde (in der ersten Person „ich" oder „wir") nicht mehr vor, sind bloß noch Objekte („sie", „ihr(e)", „keiner"): das, was „auf den Straßen wimmelt". „Er", der Krieg, bestimmt allein oder „es", Unerkannt-Gewaltiges, dem nichts und niemand entkommt. Die Bildersprache der Vision Heyms erinnert in manchem an *Thränen des Vaterlandes* (↑ S. 53) von Andreas Gryphius. Aber der Barockdichter sagt „wir" und „ich" und dieses Ich nimmt Stellung und glaubt in den Greueln der Zerstörung an Unvergängliches; seine Klage gilt menschlichem Versagen.

Heyms Bild des Krieges ist keine naturalistische Abbildung, aber auch kein Symbol, kein Gegenstand, in den ein Mensch sich einfühlend hineinversetzen kann. Die Be-wegung verläuft umgekehrt: Wie der Krieg „unten aus Gewölben" aufsteht, so bricht nach außen, was im Innern des Menschen vorgeht. Das sucht Ausdruck in einer eige-nen Sprache, die nicht einfach Vorhandenes, natürlich Gegebenes abbildet, sondern Ängste, Gefühle, Gesichte ausformt. Am Beispiel der Farben wird das offenbar: schwarz die Vernichtung, weiß die Vögel des Todes. Und wo die Farben „stimmen" – wie Rot, Blau und Gelb bei Feuer und Flammen –, verbinden sie sich mit fremden Gegenständen oder Lebewesen zu ungewöhnlichen Bildern (rote Zipfelmützen, gel-be Fledermäuse). Für solche „Ausdruckskunst" hat man – als Gegenbegriff zum „Impressionismus" – die Bezeichnung „Expressionismus" geprägt.

„Ich fühle das Geschrei der Natur“, schrieb der norwegische Maler Edvard Munch auf einige Exemplare seiner Lithographie *Der Schrei* (1885). Das Gesicht des Menschen wird ganz Ausdruck seines Gefühls.

Expressionismus

Wie vorher „Impressionismus“ bezeichnete „Expressionismus“ (von Lateinisch *expressio* ‚Ausdruck‘) zunächst eine Stilrichtung der Malerei und wurde erst später auf Literatur übertragen, schließlich zum Namen für die deutsche Literaturepoche etwa zwischen 1910 und 1925. Impressionistische und symbolistische Abkehr vom Naturalismus hatte den Weg nach innen gesucht, Expressionismus kehrte die Richtung um: Was im Menschen vorging, suchte Ausdruck, individuelles Fühlen und Wollen, seelische Befindlichkeit und Bewegung. Was da nach außen drängte, sprengte überkommene Vorstellungen und Formen. Mit einer neuen Sprache suchte man den „neuen Menschen“, kämpfte man gegen bürgerliche Sattheit, gegen die lebensgefährliche Illusion vermeintlicher Sicherheit im wilhelminischen Deutschland. Mehr fasziniert als erschrocken entdeckten expressionistische Künstler und Schriftsteller die Welt der Technik und der Maschinen, die Großstadt als gigantische Zusammenballung von Menschenmassen, Zivilisation als Inbegriff von rauschhafter Lebensgier, nackter Not und Gewalt. *Menschheitsdämmerung* heißt doppeldeutig die bekannteste Anthologie expressionistischer Lyrik, zugleich Weltuntergang und Aufbruch kündend: Zeit des versinkenden alten und eines aufgehenden neuen Menschheitstags, der eine aktive, engagierte Literatur fordere: „literature engagée“. Die Titel programmatischer Texte und Zeitschriften bekunden vor allem diese Zukunftsperspektive: *Der Sturm, Die Aktion* u. a. Expressionistische Sprache verkündet Ideen und Parolen der Weltveränderung (die sich z. B. in der „Jugendbewegung“ konkret verwirklichen wollten) und der Menschheitsbeglückung, oft in überschwenglicher „O-Mensch“-Begeisterung. Auf der Kehrseite der Medaille prägten sich düstere Ahnungen kommenden Verhängnisses aus, die bald schlimme Bestätigung fanden: im Ersten Weltkrieg.

Bei Menschen, die Ruhe als „erste Bürgerpflicht“ verlangten, mussten die Expressionisten auf Ablehnung stoßen. Der politisch wache Teil der Arbeiterschaft wiederum konnte mit dem idealistischen Überschwang solcher Kunst wenig anfangen: Die da antibürgerlich auftraten, blieben in ihrer Ichverhaftetheit doch auf bürgerlichen Bahnen. Die Reaktionen der Maler und Schriftsteller, die sich

Menschheitsdämmerung – Symphonie jüngster Dichtung, hg. von Kurt Pinthus, 1920

Anthologie (griech. ‚Blütenlese‘): Sammlung von dichterischen Texten einer Gattung, einer Epoche, einer Thematik usw.

literature engagée: Gegensatz zur literature pure ↑ S. 266

mystisch: unmittelbare religiöse Erfahrung, den Verstand übersteigend

primitiv: urtümlich, ursprünglich (heute meist negativ wertend)

Ernst Toller: *Masse Mensch*, 1921 *Der deutsche Hinkemann*, 1923

„Es ist ein Weinen in der Welt, / Als ob der liebe Gott gestorben wär, / Und der bleierne Schatten, der niederfällt, / lastet grabesschwer." E. Lasker-Schüler, 1905

„Wie scheint doch alles Werdende so krank!" Georg Trakl, *Heiterer Frühling*

- verkannt fühlten, waren unterschiedlich: Die einen zogen sich ganz auf sich
- selbst zurück oder flohen mit ihrer Kunst in ferne Zeiten (vorklassische Antike,
- „mystisches" Mittelalter, Sturm und Drang) oder ferne Welten (exotische und
- primitive Kulturen). Andere versuchten literarisches mit politischem Engage-
- ment zu verbinden, „Geist" und „Tat". Vertreter des „Aktionismus" (nach der
- Zeitschrift *Die Aktion*, 1911–1932) kämpften nicht nur literarisch gegen Milita-
- rismus, Kriegstreiberei und Imperialismus (was die Zensur auf den Plan rief).
- Einige traten z. B. dem sozialistischen „Spartakusbund" bei. Die kurzlebige
- Münchner „Räterepublik" 1919 wurde hauptsächlich von Schriftstellern ange-
- führt. Der Dramatiker **Ernst Toller**, Vorsitzender der bayerischen Arbeiter-,
- Bauern- und Soldatenräte, wurde zu fünf Jahren Festungshaft verurteilt. Einen
- brutalen Schlussstrich unter das politische Engagement von Literatur und Kunst
- zog wenig später das nationalsozialistische Regime mit dem totalen Zugriff auf
- Kultur und Existenz nicht nur des deutschen Volkes: 1933 Bücherverbrennung
- (↑ S. 291), 1937 Ausstellung „Entartete Kunst".
- „Gärung ohne Richtung" sagte der bedeutende Romanautor **Alfred Döblin**
- (↑ S. 278) im Blick auf die expressionistische Bewegung, auf die Vielfalt weltan-
- schaulicher und literarisch-künstlerischer Programme und auf eine vielgestalti-
- ge Literatur, die das Chaos einer Zeit spiegelt, in der das Bild der Welt sich ver-
- änderte: Weltkrieg, Weltwirtschaftskrise, Massenarbeitslosigkeit; andererseits
- eine ungeheure Erweiterung des Weltbildes durch neue Kommunikationstech-
- nik und neue Medien (Schnellpresse, Funktelegrafie, Grammophon, Film und
- Radio). Für das gewaltige – und gewaltsame – Zeitgeschehen suchte man eine
- neue Sprache, die sich auswies durch ungewöhnliche, oft erschreckende und
- maßlos übersteigerte Farbgebung und Bildhaftigkeit, durch Brechung und Auf-
- lösung von Sätzen, Zertrümmerung sogar von Wörtern bis zu Schrei und Ge-
- stammel. „Gärung" erwies sich als produktiv: Das Verlangen nach neuen Aus-
- drucksformen war Ursprung moderner bildender Kunst und großer Literatur,
- die weit über die Epoche hinauswuchs. Das bezeugen Namen wie **Gottfried**
- **Benn**, **Bertolt Brecht**, **Alfred Döblin**, **Else Lasker-Schüler**, **Georg Trakl** u. a.

Zerbrochene Sprache

Patrouille   1914/15

Die Steine feinden
Fenster grinst Verrat
Äste würgen
Berge Sträucher blättern raschlig
Gellen
Tod

Ein Gedicht von **August Stramm**, der am 1. September 1915 bei einem Sturmangiff in Russland getötet wurde. Titel seiner Gedichte aus dem Krieg: *Wache – Signal – Sturmangriff – Im Feuer – Wunde – Schrei – Gefallen – Kriegsgrab – Vernichtung – Frage.* Jedes dieser Worte allein birgt ungeheures Geschehen. Einen „Sinn" ergeben sie auch in der hier hergestellten Reihenfolge nicht, man müsste denn Krieg überhaupt sinnvoll nennen, wie es unmenschliche Propaganda selbst im Angesicht grauenhafter Vernichtung noch versuchte.

Gleiches gilt für das Gedicht *Patrouille:* Jedes Wort steht da für sich, für etwas Unsagbares, nicht in Form zu Fassendes, für wahnsinnige Angst vor dem unausweichlichen Tod am Ende. Wer das Gedicht laut liest, gewinnt eine Ahnung davon. Während Georg Heym (wie viele andere expressionistische Dichter) trotz unerhörter sprachlicher Bilder herkömmliche Formen beibehält (Strophe, Versmaß, Reim), verzichtet Stramm auf fast alles, was die Illusion eines sinnvollen Zusammenhangs wecken könnte. Da folgt Wort auf Wort, Schrei auf Schrei bis zum Verstummen im Tod. In anderen Gedichten Stramms werden sogar einzelne Wörter verstümmelt (*bären* statt *gebären*). Neue Wörter werden gebildet (*zersiegt*), ganze Sätze zu einem Wort komprimiert: *schamzerpört* aus *Scham, empört* und *zerstört.* Solche Wörter gelten nur für eine bestimmte Situation, sind nicht wiederholbar. Wiederholung kennzeichnet Konvention und Konvention hat zugelassen, dass auch dem Sinnwidrigen, dem Krieg, Sinn zugesprochen wurde. Dagegen wandte sich expressionistische Dichtung. Die Gebrochenheit der Sprache ist Zeichen für den Bruch mit einer verkehrten Gesellschaft.

A. Stramm
1874–1915

„Das Schwert ist aufgerichtet und ein ganzes Volk betet zu den Waffen."
Bernhard von der Marwitz, 1914

BEFEHLTRITT
HOHN-
MACHT
RENDI-
TERROR
(Berner Sprays, 1991)

Dadaismus

- „Der Dadaist leidet unter der Tobsucht des menschlichen Größenwahnes, der
- mit dem Weltkrieg von 1914 begann. Aus dem Brei aus Stahl, Blut und Knochen
- entstand der ungeheure mechanisierte Übervernunftroboter, der heute den Reigen führt. Dada glaubte nie, glaubt nicht und wird nie an die Übervernunft
- glauben." Das schrieb 1958 **Hans Jean Arp**, Mitbegründer der „Dada"-Bewegung. 1916 schlossen sich pazifistische Emigranten und Gleichgesinnte in Zürich zusammen um mit künstlerischen Mitteln gegen den „Wahnsinn der Zeit"
- anzukämpfen, gegen die Verblendung der bürgerlichen Gesellschaft, die verantwortlich sei für die „grandiosen Schlachtfeste und kannibalistischen Heldentaten" (Hugo Ball). Wenn Vernunft entgleist, gesellschaftliche „Ordnung" sich selbst zerstört, könnten auch die bisherigen Formen künstlerischen Schaffens
- nicht mehr gelten: Kunst müsse anarchistisch sein, also jegliche Herrschaft
- ablehnen, die Fratze der Macht bloßstellen. Die Dadaisten trieben den Expressionismus ins Extrem: Wie der menschliche Geist müsse auch die Kunst –

- Literatur, Musik, bildende Kunst – absolut frei sein, spontan Gefühle offenba-
- ren, ohne Rücksicht auf vorgegebenen Sinn, immer bereit neue Erfahrungen zu
- machen, neuen Sinn zu entdecken.
- „Dada" klingt wie das Stammeln eines Säuglings. Auch die französische Bedeu-
- tung von *dada* ‚Hottehüh, Steckenpferd' soll bei der Namensgebung Pate ge-
- standen haben. Wie „Menschheitsdämmerung" ist auch „Dadaismus" doppel-
- deutig: Ausdruck von Verzweiflung und Hoffnung. „Ein Dadaist ist ein Mensch,
- der das Leben in allen seinen unübersehbaren Gestalten liebt und das weiß und
- sagt: Nicht allein hier, sondern auch da, da, da ist das Leben" (Johannes Baader,
- 1919).
-
-
-
-
- **Cigarren** (elementar)   al
-   pha
- Cigarren   bet
- Ci   cal
- garr   pha
- ren   det
- Ce   el
- i   pha
- ge   fet
- a   gal
- err   pha
- err   het
- e   il
- en   pha
- Ce   jet
- CeI   kal
- CeIGe   pha
- CeIGeA   let
- CeIGeAErr   mal
- CeIGeAErrEr   pha
- CeIGeAErrErr   net
- CeIGeAErrErr   ol
- ErrEEn   pha
- EEn   pet
- En   qual
- Ce   pha
- i   ret
- ge   sal
- a   pha
- err   tet
- err   ul
- e   pha
- en   vet
- Ci   wal
- garr   pha
- ren   xet
- Cigarren   yl
- *(Der letzte Vers wird gesungen)*   pha
-   zet
-
- Kurt Schwitters, 1921   Ernst Jandl in: *Sprechblasen*, 1968

„Das größte
literarische Werk
ist im Grunde
nichts anderes als
ein Alphabet in
Unordnung."
Jean Cocteau

- Als Bewegung hat der Dadaismus wichtige Anstöße gegeben, aber keine „blei-
- benden Werke" hinterlassen. Seine Darbietungen (zuerst im „Cabaret Voltaire"
- in Zürich), die den Zufall des jeweiligen Augenblicks einbezogen, wollten
- Momente „des Durcheinanderjagens aller Dinge" zeigen, heißt es 1918 im
- *Dadaistischen Manifest*, z. B. ein „simultanes Gewirr von Geräuschen, Farben
- und geistigen Rhythmen". Neben „Simultaneität" war „Bruitismus" (von Fran-
- zösisch *bruit* ‚Lärm') ein bezeichnendes Schlagwort. Vor allem die Erkenntnis,
- dass auch einzelne Wörter, Silben, Laute als „Material" der Dichtung zu leben-
- diger Wirkung gebracht, Wortkunst werden können, erwies sich als folgenreich
- für die Literatur. Populär gewordene Beispiele aus späterer Zeit sind Lautgedich-
- te von **Ernst Jandl** (*ottos mops, schtzngrmm* u. a.)

simultan:
gleichzeitig

E. Jandl ↑ S. 308

Wege zur Gegenwart

Franz Kafka,
1883–1924

1920

Franz Kafka: *Die Prüfung*

Ich bin ein Diener, aber es ist keine Arbeit für mich da. Ich bin ängstlich und dränge mich nicht vor, ja ich dränge mich nicht einmal in eine Reihe mit den andern, aber das ist nur die eine Ursache meines Nichtbeschäftigtseins, es ist auch möglich, dass es mit meinem Nichtbeschäftigtsein überhaupt nichts zu
5 tun hat, die Hauptsache ist jedenfalls, dass ich nicht zum Dienste gerufen werde, andere sind gerufen worden und haben sich nicht mehr darum beworben als ich, ja haben vielleicht nicht einmal den Wunsch gehabt, gerufen zu werden, während ich ihn wenigstens manchmal sehr stark habe.
So liege ich also auf der Pritsche in der Gesindestube, schaue zu den Balken
10 auf der Decke hinauf, schlafe ein, wache auf und schlafe schon wieder ein. [...]

Manchmal geht der Vergessene in das gegenüberliegende Wirtshaus und beobachtet durch ein kleines Fenster das Haus seiner Herrschaft.

Einmal, als ich ins Wirtshaus kam, saß auf meinem Beobachtungsplatz schon ein Gast. Ich wagte nicht genau hinzusehn und wollte mich gleich in der Tür wieder umdrehn und weggehn. Aber der Gast rief mich zu sich und es zeigte sich, dass er auch ein Diener war, den ich schon einmal irgendwo gesehn hat-
5 te, ohne aber bisher mit ihm gesprochen zu haben.
„Warum willst du fortlaufen? Setz dich her und trink! Ich zahl's." So setzte ich mich also. Er fragte mich einiges, aber ich konnte es nicht beantworten, ja ich verstand nicht einmal die Fragen. Ich sagte deshalb: „Vielleicht reut es dich jetzt, dass du mich eingeladen hast, dann gehe ich" und ich wollte schon auf-
10 stehn. Aber er langte mit seiner Hand über den Tisch herüber und drückte mich nieder: „Bleib", sagte er, „das war ja nur eine Prüfung. Wer die Fragen nicht beantwortet, hat die Prüfung bestanden."

Im Präsens erzählt das namenlose Ich, wie es immer abläuft; im Präteritum dann, was einmal geschehen ist. Da ist einer, der nichts besitzt, der, obwohl Diener, nicht gerufen, also nicht gebraucht wird. Wozu ist er da? Er fragt nicht, berichtet nur, scheinbar teilnahmslos, auch sich selbst fremd. Nur eine Eigenschaft schreibt er sich zu (das einzige Adjektiv im zitierten Text) – „ängstlich" – und keine Aktivität. Die Verben, die ihn betreffen, zeigen kein Handeln an oder sind verneint: Passivität, Unvermögen. Kein besonderes Ereignis, kein Ausdruck von Gedanken und Gefühlen. Trotzdem rührt uns an, was dem Diener geschieht: Aus ganz Unscheinbar-Alltäglichem erwächst Beunruhigung, Rätselhaftes und Lösung ist nirgends in Sicht.
Eine Prüfung bestehen heißt gemeinhin: Fragen beantworten, Fähigkeiten nachweisen, geforderte Tätigkeiten verrichten können. Danach wäre der letzte Satz des Textes widersinnig, paradox. Oder gibt es hier eine Voraussetzung dafür, dass er „stimmt"? Was für eine „Prüfung" ist dieses Leben für den Diener, der nicht „gerufen" wird, nicht in der Lage ist Fragen zu verstehen? Die Begegnung, die den scheinbaren Widersinn offenbart, wird im Präteritum erzählt, als einmaliges, vorübergehendes Ereignis. Was

nicht (vor)drängen, liegen, schlafen, schauen, nicht wagen, umdrehn, weggehn, sich setzen, nicht beantworten, nicht verstehn

weiter geschieht, erfahren wir nicht. Darum ist diese Geschichte kein übliches „Gleichnis", das eine Lehre ziehen ließe für vergleichbare Situationen. Auch von außen, mit Distanz, im Blick „hinüber" erschließt sich dem Diener nicht der Ort seines Daseins. „Von den Gleichnissen" (wie er sie versteht, wir sagen dazu eher „Parabel") heißt es bei Kafka, sie seien „unverwendbar im täglichen Leben und nur dieses allein haben wir." Ein Jenseits kann man nicht „haben".

> Wenn der Weise sagt: „Gehe hinüber", so meint er nicht, dass man auf die andere Seite hinübergehen solle, was man immerhin noch leisten könnte, wenn das Ergebnis des Weges wert wäre, sondern er meint irgendein sagenhaftes Drüben, etwas, das wir nicht kennen, das auch von ihm nicht näher zu
> 5 bezeichnen ist und das uns also hier gar nichts helfen kann. All diese Gleichnisse wollen eigentlich nur sagen, dass das Unfassbare unfassbar ist und das haben wir gewusst. Aber das, womit wir uns jeden Tag abmühen, sind andere Dinge.

Bildzeichen angstvoll-isolierter Existenz: Federzeichnungen Franz Kafkas zu seinem unvollendet gebliebenen Roman *Der Prozess*, 1914/15. Dem Wunsch des Autors seinen gesamten dichterischen Nachlass zu verbrennen ist sein Freund Max Brod nicht gefolgt.

- Das griechische Wort, von dem der Begriff „Parabel" sich herleitet, bedeutet
- „Nebeneinanderwerfen": Eine bildhafte Darstellung, z. B. eine Geschichte,
- steht für etwas aus unserer Lebenswirklichkeit. Im Allgemeinen unterscheidet
- man, auch wenn die Grenzen fließend sind, zwischen „Parabel" und „Gleich-
- nis".
- Die biblische Gleichnisgeschichte vom barmherzigen Samariter erzählt von dem
- Fremden, der einem in Not geratenen Juden beisteht, den die eigenen Glaubens-
- genossen, darunter sogar ein Priester, im Stich gelassen haben. Ein Gleichnis
- lehrt und mahnt, indem es einen „Fall" bildhaft vorstellt, der in einem bestimm-
- ten Punkte modellhaft vorbildlich ist. Dieser Punkt heißt hier: Liebe deinen
- Nächsten! Was im Gleichnis geschieht, lässt sich auf das eigene Leben übertra-
- gen: Allgemeinverständlich-Bildhaftes zeigt, was sein soll (oder nicht sein darf).

Parabel/ Gleichnis

Lukas, 10,25–37

Lukas, 15,11–32

Max Frisch:
Andorra ↑ S. 301

- In einer Parabel macht sich das Bild, die Geschichte, gewissermaßen selbststän-
- dig, wird weitgehend selbst zur „Sache", die nicht eindeutig genannt, oft sogar
- verrätselt wird. Es gilt sie zu suchen, zu erschließen und meist bleibt Unerklär-
- liches stehen. Der einzigartige „Fall" der Parabel lässt sich nicht einfach auf ei-
- gene Lebenserfahrung übertragen. Dies gilt z. B. für die biblische Geschichte
- vom verlorenen Sohn, die immer wieder zu neuer Ausdeutung reizt, vor allem
- aber für Parabeln der modernen Literatur (**Franz Kafka**, **Bertolt Brecht**, **Max**
- **Frisch** u. a.). Nachdenken über Gleichnisse zielt auf Lösungen, die sich weiter-
- vermitteln lassen; Beunruhigung durch Parabeln auf eigene Erkenntnis über
- neue Erfahrung.

Im Unterschied
zum Gleichnis
suchen Allegorie
(↑ S. 68) und
Fabel (↑ S. 73)
Übereinstim-
mung zwischen
Bild und Sach-
verhalt in
möglichst vielen
Punkten.

Aus demselben Jahr wie *Die Prüfung* stammt der folgende Text Kafkas, dem man die
irreführende Überschrift *Kleine Fabel* gegeben hat.

> „Ach", sagte die Maus, „die Welt wird enger mit jedem Tag. Zuerst war sie
> so breit, dass ich Angst hatte, ich lief weiter und war glücklich, dass ich end-
> lich rechts und links in der Ferne Mauern sah, aber diese langen Mauern eilen
> so schnell aufeinander zu, dass ich schon im letzten Zimmer bin und dort im
> 5 Winkel steht die Falle, in die ich laufe." – „Du musst nur die Laufrichtung
> ändern", sagte die Katze und fraß sie.

A. Döblin
1878–1957

1929

Alfred Döblin: *Berlin Alexanderplatz*

Der Titel dieses Romans nennt den Ort des Geschehens: die gewaltige und gewaltsame, lockende und erdrückende, vielgestaltige und verwirrende Großstadt, Schauplatz
großer Ereignisse ebenso wie des Alltags der zahllosen „kleinen Leute".

Destille:
Gastwirtschaft
mit Branntwein-
ausschank

Philipp Scheide-
mann: führender
Sozialdemokrat

> Destillen, Restaurationen, Obst- und Gemüsehandel, Kolonialwaren und
> Feinkost, Fuhrgeschäft, Dekorationsmalerei, Anfertigung von Damenkonfek-
> tion, Mehl und Mühlenfabrikate, Autogarage, Feuersozietät: Vorzug der
> Kleinmotorspritze ist einfache Konstruktion, leichte Bedienung, geringes
> 5 Gewicht, geringer Umfang. – Deutsche Volksgenossen, nie ist ein Volk
> schmählicher getäuscht worden, nie wurde eine Nation schmählicher,
> ungerechter betrogen als das deutsche Volk. Wisst ihr noch, wie Scheidemann
> am 9. November 1919 von der Fensterbrüstung des Reichstags uns Frieden,
> Freiheit und Brot versprach? Und wie hat man das Versprechen gehalten?

Den Untertitel
hat Döblin auf
Wunsch des Ver-
lags hinzugefügt.

Typisch wie
Figuren der
Fabel ↑ S. 73:
*Vom Frosch und
der Maus*

Der Untertitel des Romans hebt einen aus der Menge heraus: *Die Geschichte vom
Franz Biberkopf.* (Nicht *von* – damit wäre eine einzelne Person gemeint. Doch Biberkopf erscheint hier als typisches Beispiel.) Der Transportarbeiter Biberkopf hat im Gefängnis gesessen, wegen „Körperverletzung mit tödlichem Ausgang". Bei seiner Ent-
lassung beschließt er, in Zukunft „anständig" zu sein. Doch solches Vertrauen in
eigene Kraft erweist sich als trügerisch: Die Stadt ist zu stark mit ihren Versuchungen,
Gefahren undurchschaubaren Mächten. Immer wieder unterliegt er im Kampf „mit
etwas, das von außen kommt, das unberechenbar ist und wie ein Schicksal aussieht".
Das ist wie Krieg.

Achtung, Mensch, wenn Granaten kommen, gibts Dreck, vorwärts, Beene
hoch, schlankweg durch, ick muss raus, vorwärts, mehr als die Knochen
können mir nicht zerschlagen werden, dummdrummdumm, Schritt gefasst,
eins, zwei, eins, zwei, links, rechts, links, rechts, links, rechts.
5 Da marschiert Franz Biberkopf durch die Straßen, mit festem Schritt, links,
rechts, links, rechts, keine Müdigkeit vorschützen, keine Kneipe, nichts sau-
fen, wir wollen sehen, eine Kugel kam geflogen, das wollen wir sehen, krieg
ich sie, liege ich, links, rechts, links, rechts. Trommelgerassel und Bataillone.
Endlich atmet er auf.
10 Es geht durch Berlin. Wenn die Soldaten durch die Stadt marschieren, eiwarum eidarum, ei bloß wegen dem Tschingdarada bumdara, ei bloß wegen dem
Tschingdarada, dada.
Die Häuser stehen still, der Wind weht, wo er will. Eiwarum, eidarum, ei bloß
wegen dem Tschingdaradada.

*eine Kugel
kam geflogen:*
Verszeile aus
dem Lied
*Der gute Kame-
rad* von Ludwig
Uhland, 1809

Knappe Sätze des Erzählers, der über Biberkopf berichtet (an anderer Stelle sein Tun
kommentiert, ihn sogar anspricht, warnt), gehen über in einen inneren Monolog:
Biberkopf spricht sich Mut zu. Militärische Sprache fällt ihm dabei ein: Zurufe von
der Front, Schlachtenlärm, Befehlsfloskeln („keine Müdigkeit vorschützen"), Liedfet-
zen, Marschtritt und -lied („Wenn die Soldaten…").
Mit militärischem „Tschingdaradada" ist Biberkopf auf dem Weg zu seinem Gegenspieler Reinhold, einem Verbrecher, der mehrmals brutal in Biberkopfs Leben eingreift. Die ersten Male kann er sich mit Hilfe von Freunden wieder hochrappeln.
Doch zur Ruhe kommt er erst, als er seine Ohnmacht begreift, die „Gewaltkur" seines Lebens als notwendig annimmt. Er gehorcht der Stimme des Todes, die ihn
mahnt: „Erkenne, bereue." Die persönliche Heilsgeschichte des Franz Biberkopf
mündet in die Einsicht, dass einer allein nicht in der Lage ist den Kampf mit der Welt
aufzunehmen; dass er freilich auch aufpassen muss, sich nicht unterbuttern, bloß ein-
reihen zu lassen.

„Viel Unglück
kommt davon,
wenn man allein
geht. Wenn
mehrere sind, ist
es schon anders.
Man muss sich
gewöhnen, auf
andere zu hören,
denn was andere
sagen, geht mich
auch an."

Wenn ich marschieren soll, muss ich das nachher mit dem Kopf bezahlen,
was andere sich ausgedacht haben. Darum rechne ich erst alles nach und wenn
es so weit ist und mir passt, werde ich mich danach richten. Dem Mensch ist
gegeben die Vernunft, die Ochsen bilden statt dessen eine Zunft.

Der Reimwiderspruch deutet auf ein offenes Ende: Es ist nicht sicher, dass Biberkopf
widersteht, wenn wenig später „mit Fahnen und Musik und Gesang" der Marsch in
Tod und Verderben beginnt.

Umschlag von Georg Salter für die Erstausgabe
des einzigen erfolgreichen Romans von Alfred
Döblin, 1929: mit knapper „Inhaltsangabe"
und „Moral".

Montage/ Collage

„Nimm eine Zeitung. Nimm eine Schere. Suche einen Artikel aus von der Länge des Gedichts, das du machen willst. Schneide ihn aus. Dann schneide jedes seiner Wörter aus und tue sie in einen Beutel. Schüttele ihn. Dann nimm einen Ausschnitt nach dem anderen heraus und kopiere ihn genau. Das Gedicht wird sein wie du." (Tristan Tzara, Dadaist)

Dadaismus ↑ S. 273

- „Montage" (aus dem Französischen) bezeichnete ursprünglich den Zusammenbau von Maschinen, dann in der Technik des Films das Zusammenfügen einzelner Bildfolgen. Der Funk übernahm den Begriff für das „Schneiden" und Zusammensetzen von Tonbändern. „Schnitt" steht für den harten, „Blende" für den weichen, allmählichen Übergang von einer Sequenz (Bild- oder Tonfolge) zur nächsten. Methode und Begriff der Montage fanden auch den Weg in die Literatur.
- Diese Technik muss nicht eine „logische" zeitliche oder gedankliche Reihenfolge beachten. Es können die unterschiedlichsten Elemente aufeinander treffen: Räume, Zeiten, Situationen, Vorgänge, Handlungen, Texte. Da stehen Dialekt neben „Hochsprache", Erzählung neben Kommentar, persönliche Rede und „unausgesprochene" Gedanken und Gefühle neben allgemeinen Redensarten und Zitaten. Ausschnitte aus verschiedenen Wirklichkeitsbereichen, die im Alltag gemeinhin nichts miteinander zu tun haben, können so zusammengefügt werden, dass ein neues Bild von Wirklichkeit entsteht: Erstaunen hervorrufend, mal erheiternd, mal erschreckend, Nachdenken fordernd. Döblin z. B. beschwört durch die Montage von Sätzen und Satz- und Wortfetzen das Chaos, das zum Nährboden für Unheil wurde.
- Für die gleiche Methode gilt in der bildenden Kunst der Begriff „Collage" (französisch ‚aufkleben'). Dort freilich lässt sich mit einem Blick als Nebeneinander erfassen, was beim gesprochenen Wort im Nacheinander aufgenommen wird, auch wenn Gleichzeitigkeit gemeint ist (Simultaneität ↑ S. 275).
- Seit Dada das Publikum mit Collagen schockiert hat, sind sie ein Mittel moderner Kunst geblieben, z. B. seit Mitte der 60er Jahre im experimentellen Hörspiel (↑ S. 307), aber auch in Gedicht und Prosa.

Bertolt Brecht

Vom armen B. B. 1922

1

Ich, Bertolt Brecht, bin aus den schwarzen Wäldern.
Meine Mutter trug mich in die Städte hinein
Als ich in ihrem Leibe lag. Und die Kälte der Wälder
wird in mir bis zu meinem Absterben sein.

2

5 In der Asphaltstadt bin ich daheim. Von allem Anfang
Versehen mit jedem Sterbsakrament:
Mit Zeitungen. Und Tabak. Und Branntwein.
Misstrauisch und faul und zufrieden am End.

3

Ich bin zu den Leuten freundlich. Ich setze
10 Einen steifen Hut auf nach ihrem Brauch.
Ich sage: Es sind ganz besonders riechende Tiere
Und ich sage: Es macht nichts, ich bin es auch.

4

In meine leeren Schaukelstühle vormittags
Setze ich mir mitunter ein paar Frauen
15 Und ich betrachte sie sorglos und sage ihnen:
In mir habt ihr einen, auf den könnt ihr nicht bauen.

5

Gegen Abend versammle ich um mich Männer
Wir reden uns da mit „Gentlemen" an.
Sie haben ihre Füße auf meinen Tischen
20 Und sagen: Es wird besser mit uns. Und ich frage nicht: Wann?

6

Gegen Morgen in der grauen Frühe pissen die Tannen
Und ihr Ungeziefer, die Vögel, fängt an zu schrein.
Um die Stunde trink ich mein Glas in der Stadt aus und schmeiße
Den Tabakstummel weg und schlafe beunruhigt ein.

7

25 Wir sind gesessen, ein leichtes Geschlechte
In Häusern, die für unzerstörbare galten
(So haben wir gebaut die langen Gehäuse des Eilands Manhattan
Und die dünnen Antennen, die das Atlantische Meer unterhalten).

8

Von diesen Städten wird bleiben: der durch sie hindurchging, der Wind!
30 Fröhlich machet das Haus den Esser: Er leert es.
Wir wissen, dass wir Vorläufige sind
Und nach uns wird kommen: nichts Nennenswertes.

9

Bei den Erdbeben, die kommen werden, werde ich hoffentlich
Meine Virginia nicht ausgehen lassen durch Bitterkeit
35 Ich, Bertolt Brecht, in die Asphaltstädte verschlagen
Aus den schwarzen Wäldern in meiner Mutter in früher Zeit.

Virginia:
Zigarrensorte

Bertolt Brecht 1931 in einer Aufmachung,
die „Prolet" und „Genießer" verbindet.
„Und ich verließ meine Klasse und
gesellte mich/Zu den geringen
Leuten", 1938.

Bertolt Brecht,
1898–1956

B. Brecht:
*Im Dickicht der
Städte,* Theater-
stück, 1923

Zynismus: bissi-
ge, verletzende,
oft menschen-
verachtende
Haltung und
Ausdrucksweise

Was man gemeinhin arm nennt, ist er nicht, der 24-jährige Dichter, Sohn eines Fa-
brikdirektors, aufgewachsen in zunächst kleinbürgerlichen, dann wohlhabenden Verhältnissen in Augsburg, seiner Geburtsstadt. Die Eltern stammen zwar aus dem
Schwarzwald, aber der Sohn hat „schwarze Wälder" nicht erlebt: Die „Kälte" muss
andere Gründe haben, die Armut ein anderes Gesicht. Und die „Asphaltstadt" ist eher
Manhattan (Schaukelstühle, Virginia, Gentlemen, Füße auf dem Tisch) als München, das Brecht kannte. Kaum autobiografische Aussagen also in diesem Gedicht,
eher eine angenommene Rolle und die traf durchaus herrschende Züge der Zeit:
Fremdheit, Isoliertheit im „Dickicht der Städte", Kontaktarmut, scheinbare Gleichgültigkeit bis zum Zynismus, der vor der eigenen Person nicht Halt macht, andere gering achtet (Frauen) und fremd Erscheinendes niedermacht (Natur). Wem alles
gleichgültig ist, der kann auch achtlos Konventionen übernehmen (steifer Hut) und
selbst den Tod scheinbar ungerührt ins Auge fassen. Die weltlichen „Sterbsakramen-
te" sorgen für die passende Einstellung: Misstrauen, wachgehalten durch die Zeitung
als Spiegel der Welt und Betäubung im Genuss.

Doch vorgetragener Gleichmut und vermeintliche Sorglosigkeit zeigen Risse. Zweifel klingen an: Ist, wer „beunruhigt" einschläft, auf Dauer gegen „Bitterkeit" gefeit?
Gewaltige Erschütterungen bedrohen diese hohle Welt und mit stürzenden Fassaden
wird auch die starre Maske scheinbarer Unempfindlichkeit fallen. Kühle Sachlichkeit
wird widerlegt durch sprachmächtige Verse (besonders 7. und 8. Strophe). Noch
klingt es so, als wäre dieser B. B. einverstanden mit dem Einsturz des von fröhlichen
Genießern geleerten Hauses. Dem jedoch widerspricht das weitere, vielbändige Werk
Brechts mit Gedichten, Stücken, Prosa, theoretischen Schriften. Scheinbarer Fatalismus wandelt sich zu unerbittlicher Anklage. Die fordert scharfe Analysen der entfrem-
deten Welt, schließlich „Vorschläge". Dazu dienen vor allem die Bühnenstücke. Im
Lied des Stückeschreibers heißt es 1935 reimlos in unregelmäßigen Rhythmen:

> Ich sehe da auftreten Schneefälle.
> Ich sehe da nach vorn kommen Erdbeben.
> Ich sehe da Berge stehen mitten im Wege
> Und Flüsse sehe ich über die Ufer treten.
> 5 Aber die Schneefälle haben Hüte auf.
> Die Erdbeben haben Geld in der Brusttasche.
> Die Berge sind aus Fahrzeugen gestiegen
> Und die reißenden Flüsse gebieten über Polizisten.
> Das enthülle ich.

Also sind die „Erdbeben", die der „arme B. B." kommen sieht, kein unausweichliches
Schicksal. Menschen bringen Verderben über die Welt. Nur Menschen auch können
die Welt verändern. Von der Notwendigkeit der Veränderung handelt Brechts ganzes
Werk. Seine Lehr- und Parabelstücke hat er vielfach umgearbeitet und so an seinen
eigenen Methoden und Inhalten das Prinzip Veränderung demonstriert.
Dem entspricht auch sein bewegter Lebenslauf: geistiger Kampf gegen das nationalsozialistische Unrechtsregime, Emigration, Rückkehr nach Deutschland, Arbeit in
der DDR und Auseinandersetzung mit dem, was man dort „Sozialismus" nannte.
Kurz vor seinem Tode schrieb Brecht mit dem Blick auf die „Vorschläge", die er
formuliert und erprobt hatte, für Literatur, Theater, Film und Radio und damit für
ein menschenwürdiges Leben in der Gesellschaft:

> Ich benötige keinen Grabstein, aber
> Wenn ihr einen für mich benötigt
> Wünsche ich, es stünde darauf:
> Er hat Vorschläge gemacht. Wir
> 5 Haben sie angenommen.
> Durch eine solche Inschrift wären
> Wir alle geehrt.

Fatalismus:
ergebene
Hinnahme des
Schicksals
(Fatum)

„Es handelt sich
[…] nicht nur
um ein ‚Gegen-
den-Strom-
Schwimmen' in
formaler
Hinsicht, einen
Protest gegen die
Glätte und
Harmonie des
konventionellen
Verses, sondern
immer doch
schon um den
Versuch, die
Vorgänge unter
den Menschen
als widerspruchs-
volle, kampf-
durchtobte,
gewaltsame zu
zeigen."
*Über reimlose
Lyrik mit
unregelmäßigen
Rhythmen,* 1939

Episches Theater

Aristoteles, griechischer Philosoph, 384–322

Drama ↑ S. 75

„Das Leid dieses Menschen erschüttert mich", lässt Brecht einen Zuschauer sagen und beim aristotelischen Theater fortfahren: „weil es keinen Ausweg für ihn gibt"; beim epischen Theater hingegen: „weil es doch einen Ausweg für ihn gäbe".

1939: *Leben des Galilei*; *Mutter Courage und ihre Kinder*
1943: *Der gute Mensch von Sezuan*; *Der kaukasische Kreidekreis*

„Es empfiehlt sich, im Zuschauerraum einige Plakate und Sprüche wie […] GLOTZT NICHT SO ROMANTISCH aufzuhängen." Bühnenanweisung für *Trommeln in der Nacht*, 1919

Größter Erfolg: *Die Dreigroschenoper*, 1928

Der Ozeanflug, 1929: Radiolehrstück für Knaben und Mädchen

Mit seiner Theaterarbeit und zahlreichen theoretischen Äußerungen wandte sich Bertolt Brecht gegen die Forderung des „aristotelischen Theaters" durch „Mitleid und Furcht erregende Vorgänge die Auslösung (Katharsis) dieser und ähnlicher Gemütsbewegungen" zu bewirken. Solche „Einfühlung", sagt Brecht, sei lediglich darauf angelegt die Moral der einzelnen Person zu beeinflussen. Es gehe aber darum die gesellschaftlichen Verhältnisse zu verändern. Dies soll Aufgabe des „epischen Theaters" sein, wie Brecht es lehrte und praktizierte.

Da geht es nicht in erster Linie um mitreißende unmittelbare Darstellung. Es ist nicht ausschließlich handelnd (dramatisch), sondern auch erzählend (episch). Der Zuschauer wird nicht in das Spiel hineinversetzt, soll sich nicht in passivem Miterleben erschöpfen; er sitzt dem Spiel gegenüber als aktiver, studierender Betrachter. Nicht nur Gefühl wird in ihm erweckt, er wird vor allem aufgerufen zur Entscheidung. „Suggestion" wird aufgebrochen durch „Argumente", Beweismittel zu eigenem Urteil. Der Mensch (auf der Bühne wie im Zuschauerraum) wird nicht als bekannt vorausgesetzt, er ist „Gegenstand der Untersuchung". Nicht unveränderlich, sondern veränderbar und selbst verändernd: im Spannungsfeld eines nie abgeschlossenen Prozesses.

Brecht verwirft keineswegs die bisherigen Mittel des Theaters: Nicht um Gegensatz geht es ihm, sondern um „Akzentverschiebung". Als produktiv allein erscheint ihm die „kritische Haltung". Dazu müsse die Bühne den Menschen befähigen. Zum Beispiel dadurch, dass Stücke auf einen offenen Schluss hinauslaufen. So endet das Stück *Der gute Mensch von Sezuan*, 1939:

Wir stehen selbst enttäuscht und sehn betroffen
Den Vorhang zu und alle Fragen offen. […]
Verehrtes Publikum, los, such dir selbst den Schluss!
Es muss ein guter da sein, muss, muss, muss.

Das Theater „muss sein Publikum wundern machen und dies geschieht mit einer Technik der Verfremdung des Vertrauten" und Verfremdung heißt: „den Gegenstand zwar erkennen, ihn aber doch fremd erscheinen lassen". Aufkommende Illusion unterbrechen heißt aber auch: sie vorher zulassen, gegebenenfalls schaffen. Das epische Theater, sagt Brecht, lässt nicht „den Kampfruf hie Vernunft – hie Emotion erschallen". Ja, es verzichtet so wenig auf Emotionen, „dass es sich sogar nicht auf ihr Vorhandensein verlässt, sondern sie zu stärken und zu schaffen sucht".

Mittel der Unterbrechung sind neben Distanz schaffender, oft kommentierender Ansage oder Erzählung vor allem Songs, Chöre, Spruchbänder, projizierte Texte, Plakate. Vieles davon gab es auch vorher schon im Theater. Den Chor und Verfremdung durch Masken z. B. kannte schon das antike Theater. Brecht hat solche Elemente aufgenommen, erweitert, abgewandelt, systematisch zusammengestellt, eingeübt. So schuf er zunächst neue Formen der „Oper"; dann marxistisch orientierte „Lehrstücke"; schließlich große Bühnenstücke, die ihn zu einem der bedeutendsten deutschsprachigen Theaterautoren des Jahrhunderts machten. Anregungen Brechts wurden von vielen Autoren aufgegriffen, z. B. von **Max Frisch** (↑ S. 301), **Peter Weiss** (↑ S. 311), **Peter Hacks** (↑ S. 325), **Heiner Müller** (↑ S. 325).

Gottfried Benn: *Einsamer nie –*

Einsamer nie –   1936

Einsamer nie als im August
Erfüllungsstunde – im Gelände
die roten und die goldenen Brände,
doch wo ist deiner Gärten Lust?

5 Die Seen hell, die Himmel weich,
die Äcker rein und glänzen leise,
doch wo sind Sieg und Siegsbeweise
aus dem von dir vertretenen Reich?

Wo alles sich durch Glück beweist
10 und tauscht den Blick und tauscht die Ringe
im Weingeruch, im Rausch der Dinge –:
dienst du dem Gegenglück, dem Geist.

Der Dichter spricht sich selbst an, fragt, gibt Antwort. Eine Welt voller Glück umgibt
ihn, die er mit bedeutungsschweren Worten schildert: Die Adjektive nennen mehr als
Eigenschaften („golden", „rein"), die Substantive mehr als reale Dinge und Vorgänge
(„Brände", „Himmel"). Die Verben bewegen nichts: Die Welt verharrt „im Rausch
der Dinge". Schön wäre es und leicht sich diesem Glück hinzugeben, einverstanden
zu sein. Doch das Gegenteil ist Aufgabe des Dichters, sagt Benn. Ihm obliegt unerbittliches Fragen, das einsam macht, ganz besonders in dieser Stunde, da sonst alles in
Erfüllung zusammenfindet. Dem Geist dienen heißt abgrenzen, Ausdruck suchen im
Wort, Gestalt bilden, um Stil ringen. Denn nur Form kann dauern.
Brecht fordert, sich mit Geschichte, Politik, Gesellschaft auseinanderzusetzen um
„alles so zu begreifen, dass wir eingreifen können". Benn strebt nach Überzeitlichkeit.
Die Kunst sei die einzige Stätte „ohne Blut und Strang", das Gedicht „Selbstgespräch
des Leides und der Nacht." So beginnt sein Gedicht *Verse* von 1941:

Wenn je die Gottheit, tief und unerkenntlich
in einem Wesen auferstand und sprach,
so sind es Verse, da unendlich
in ihnen sich die Qual der Herzen brach;
5 die Herzen treiben längst im Strom der Weite,
die Strophe aber streift von Mund zu Mund,
sie übersteht die Völkerstreite
und überdauert Macht und Mörderbund.

„Das absolute
Gedicht [...]
ist in der Lage,
ohne Zeit zu
operieren, wie
es die Formeln
der modernen
Physik seit
langem tun."
*Probleme der
Lyrik*, 1951

„Wer mit der
Zeit mitläuft,
wird von ihr
überrannt, aber
wer stillsteht,
auf den kommen
die Dinge zu."
Benn, 1931

Für zwei Dinge.

```
Durch soviel For.men geschritten /
durch Ich und Wir und Du,
doch alles wurde erlitten
durch die ewige Frage:wozu.

Das ist eine Kinderfrage.
Der Mann hat immer gewusst
es gibt nur eines:ertrage
~ob Sinn,ob Sucht ob Sage
ds eine dunkle:du musst.

Oo Rosen,ob Schnee, ob Meere /
was alles erblühte und verblich
es gibt nur zwei Dinge:die Leere
und das gezeichnete Ich.
```

Typoskript mit eigenhändigen
Korrekturen Benns. Die Druck-
fassung ist in folgenden Zeilen
geändert: 3 *blieb;* 6 *Dir wurde
erst spät bewusst;* 9 *Dein fern-
bestimmtes: Du musst;*
11 *erblühte.*

„Die Krone der
Schöpfung, das
Schwein, der
Mensch…"
Benn, 1912

„Ein Gedicht
entsteht über-
haupt sehr selten
– ein Gedicht
wird gemacht.
[…] Damit
verbindet sich
die Vorstellung
von Bewusstheit,
kritischer
Kontrolle. […]
Der Lyriker kann
gar nicht genug
wissen, er kann
gar nicht genug
arbeiten."
*Probleme der
Lyrik*

Gottfried Benn (1886–1956) war Militärarzt, von 1917 an schlecht bezahlter Facharzt für Haut- und Geschlechtskrankheiten in Berlin. Seine literarischen Anfänge liegen im Frühexpressionismus. 1912 schockierte er die Öffentlichkeit mit einer Gedichtfolge unter dem Titel *Morgue* (nach dem seinerzeit berühmten Pariser Leichenschauhaus), die formal und inhaltlich gesellschaftliche Tabus durchbrach. 1933 ergriff Benn Partei für den „neuen Staat", ein verhängnisvoller Irrweg, den er aber bald wieder verließ. Er trat für verfolgte Autoren ein, „Linke" und Juden und entschied sich für „eine aristokratische Form der Emigration": den Wiedereintritt ins Heer. 1938 erhielt er mit dem Ausschluss aus der „Reichsschrifttumskammer" Publikationsverbot.

Bei aller Ablehnung, die Benn nach 1945 widerfuhr, war sein literarischer Einfluss doch sehr groß. Besonders seine Gedichte und sein Vortrag *Probleme der Lyrik* von 1951 beeindruckten die nachfolgende Lyrikergeneration. Die Deutsche Akademie für Sprache und Dichtung verlieh 1951 den hochangesehenen Georg-Büchner-Preis Gottfried Benn, der „durch Irren und Leiden reifend, dem dichterischen Wort in Vers und Prosa eine neue Welt des Ausdrucks erschloss."

Themen, Titel, Namen vor 1933*

Mit bedeutenden erzählerischen Werken und wichtigen Schriften zu Kunst, Kultur und Politik traten die Brüder Heinrich und Thomas Mann in der ersten Hälfte des 20. Jahrhunderts hervor. Beide mussten verfolgt von den Nationalsozialisten schon im Februar 1933 Deutschland verlassen; die Staatsbürgerschaft wurde ihnen aberkannt. Als ein Hauptwerk der Satire gilt **Heinrich Manns** Roman *Der Untertan* (1918). Unter dem Eindruck von Hass und Gewalt im Ersten Weltkrieg übt er scharfe Kritik an Nationalismus, Militarismus und Machtpolitik, indem er den Weg eines ebenso kriecherischen wie machtgierigen Aufsteigers schildert: „Wer treten wollte, musste sich treten lassen" heißt seine zeittypische Devise.

Im Exil vollendete H. Mann ein zweibändiges Romanwerk über den französischen König Heinrich IV. In diesem „Volkskönig", der mit Vernunft und Güte religiösen Fanatismus überwand, sah er ein Vorbild streitbar-humaner Herrschaft, „ein wahres Gleichnis" für die Verbindung von Geist und Macht. Die Vernichtung der Hugenotten hingegen in der „Bartholomäusnacht" von 1572 (↑ S. 237) spiegelt das nationalsozialistische Terrorregime.

Viele Autoren der Exilliteratur haben die Form des historischen Romans als Mittel politischer Kritik gewählt.

Thomas Mann erlangte 25-jährig frühen Ruhm durch seinen Roman *Buddenbrooks* (1901), der am „Verfall einer Familie" im 19. Jahrhundert gesellschaftliche Veränderungen jener Zeit überhaupt sichtbar macht. 1929 erhielt er dafür den Literatur-Nobelpreis.

Aus diesem Jahr stammt auch die Novelle *Mario und der Zauberer*, eine „Warnung vor der Vergewaltigung durch das diktatorische Wesen", wie der Autor später sagte. In einem Seebad des faschistischen Italien kommt es durch den Auftritt eines Zauberers zu einer Massenpsychose, die in einem Gewaltakt endet.

Heinrich Mann, 1871–1959

„… weil sie durch ein Verhalten, das gegen die Pflicht zur Treue gegen Reich und Volk verstößt, die deutschen Belange geschädigt haben." (25.8.1933)

Die Jugend des Königs Henri Quatre – Die Vollendung des Königs…, 1935/38

Thomas Mann, 1875–1955

Novelle ↑ S. 152

Szenenfoto einer Aufführung (Bremen 1965) von **Frank Wedekinds** (1864–1918) *Frühlings Erwachen*: Heranwachsende scheitern in Pubertätsnöten an den starren Moralprinzipien einer sexualfeindlichen Gesellschaft. Weil er Tabuthemen aufgriff, wurde der vor allem als Dramatiker und Kabarettist hervortretende Schriftsteller zeitlebens von der Zensur verfolgt. So kam das 1891 entstandene Stück erst 1906 auf die Bühne – mit riesigem Erfolg (205 Wiederholungen in den ersten beiden Spielzeiten, allein bis 1963 rund 200 Inszenierungen).

* Vgl. dazu das Vorwort.

Robert Musil,
1880–1942

Der österreichische Schriftsteller **Robert Musil** hat mit dem Titel eines großen, wenngleich unvollendeten Romans ein Schlagwort für die Krise der Moderne (↑ S. 267) geprägt: *Der Mann ohne Eigenschaften* (1930/33). Aus dem Jahre 1906 stammt sein erster – und erfolgreichster – Roman: *Die Verwirrungen des Zöglings Törless.* Vor autobiografischem Hintergrund wird darin die Ich-Findung eines sensiblen Jungen geschildert, der unter den oft grausamen Verhältnissen in einem Internat leidet. Er habe damit auf kommende Dikaturen hinweisen wollen, sagte Musil später.

Hermann Hesse,
1877–1962, von
1923 an Schweizer Staatsbürger

Zwei Welten, die einander widerstreiten und ergänzen können, begegnen sich in den Titelgestalten eines Romans von **Hermann Hesse**: *Narziss und Goldmund* (1930). Der Mönch und der Künstler, Intellekt und Fantasie, Weltabgewandtheit und Weltlust, Geist und Leben. Eine „Seelenbiographie" nennt der Autor diesen Roman.
Drei Jahre vorher erschien *Der Steppenwolf,* die Geschichte eines Außenseiters, in dem der Zwiespalt zwischen menschlichem und wölfischem Wesen aufbricht, die „Krankheit der Zeit". Nicht ohne Grund hat sich die Protestgeneration der 70er Jahre (↑ S. 300) für Hesse und besonders den *Steppenwolf* begeistert. H. Hesse gilt heute als der „meistgelesene europäische Autor" unseres Jahrhunderts. 1946 erhielt er den Nobelpreis für Literatur.

Stefan Zweig,
1881–1942

„Und ich wusste:
Abermals war
alles Vergangene
vorüber, alles
Geleistete
zunichte –
Europa, unsere
Heimat, für die
wir gelebt, weit
über unser eigenes Leben hinaus
zerstört."
S. Zweig

Der österreichische Schriftsteller **Stefan Zweig,** Jude und Pazifist, floh 1938 beim Einmarsch der deutschen Truppen zunächst nach Paris. In diesem Jahr erschien sein Roman *Ungeduld des Herzens,* der im Rückblick auf 1914 die verhängnisvollen Folgen enger Standesehre schildert. Ein Leutnant bürgerlicher Herkunft verlobt sich aus Mitleid mit einer gelähmten jungen Frau aus dem Adelsstand, verleugnet sie aber vor seinen Offizierskameraden und treibt sie so in den Selbstmord. Das Schuldgefühl lässt ihn im Krieg vergeblich den Tod suchen – ein zweifelhafter Held.
Die eigene Erfahrung des Verfolgten prägt Zweigs letzte Erzählung, die *Schachnovelle* (1941). Die Schachpartie wird auf einer Fahrt von New York nach Buenos Aires gespielt. Als Gegner des Schachweltmeisters tritt ein Österreicher auf, den die Nationalsozialisten inhaftiert und durch Isolation gequält haben. Schachspiel gegen sich selbst hat ihn bei Bewusstsein gehalten und seine Widerstandskraft gestärkt. Stefan Zweig war der im Exil meistübersetzte deutsche Schriftsteller; trotzdem hat er sich innerlich gebrochen in Brasilien das Leben genommen.

Hans Fallada
(Pseudonym für
Rudolf Ditzen),
1893–1947

Unter sprichwörtlich-einprägsamen Titeln hat **Hans Fallada** als ein Chronist der 20er Jahre fast naturalistische Zeitbilder aus dem Milieu des unpolitischen Kleinbürgertums entworfen. Der Roman *Kleiner Mann – was nun?* (1932) schildert die Wirtschaftskrise um 1930 und das Elend der Arbeitslosen in Deutschland, denen nichts bleibt als bestenfalls ein bescheidenes familiäres Glück. Der misslungene Versuch eines entlassenen Sträflings wieder in der Gesellschaft Fuß zu fassen ist – nicht ohne autobiografischen Bezug – Inhalt des Romans *Wer einmal aus dem Blechnapf frisst* (1934). „Heute kämpft jeder für sich allein und gegen alle", heißt es in *Wolf unter Wölfen* (1937) „von sündigen, sinnlichen, schwachen, irrenden, haltlosen Menschen, von Kindern einer zerfallenen, irren, kranken Zeit".

Weniger Chronist als Kritiker jener Zeit ist **Erich Kästner** (↑ S. 291) in seinem Zeitroman *Fabian* (1933, ursprünglicher Titel: *Der Gang vor die Hunde*), den er die „Geschichte eines Moralisten" nennt.

Missbrauch politischer und wirtschaftlicher Macht, Militarismus und angepasstes Spießertum sind Gegenstände der literarischen Kritik, die Kästner vor allem in seiner „Gebrauchslyrik" vorträgt, zahlreichen Texten für das Kabarett. Eine erste Sammlung erschien 1926: *Herz auf Taille*.

Zweifel an der Einsichtsfähigkeit erwachsener Leser ließen Kästner früh schon auch ein anderes Publikum suchen: Kinder. Gleich sein erster „Roman für Kinder" erlangte Weltruhm: *Emil und die Detektive* (1928). Da jagt und stellt eine Clique Berliner Kinder einen gewissenlosen Gauner, der einen Jungen aus der Provinz bestohlen hat. So erfährt der junge Leser auf spannende Weise: Gewitztheit und Zusammenhalt sind nötig um sich in einer ungerechten Welt zu behaupten.

Zwar wurde Kästner Opfer nationalsozialistischer Bücherverbrennung, aber er blieb im Lande, hielt sich mit leichten Unterhaltungsromanen über Wasser (z.B. *Drei Männer im Schnee*, 1934), sogar, unter Pseudonym, als Drehbuchautor für einen *Münchhausen*-Film. Erst 1942 erhielt er Schreib- und Publikationsverbot.

Als **Kurt Tucholskys** Bücher brannten (↑ S. 291) und sein Name neben H. Mann, E. Toller u. a. auf der ersten Ausbürgerungsliste erschien, lebte er schon drei Jahre in Schweden. Aber die Verzweiflung über die Ereignisse in Deutschland ließ ihn verstummen und trieb ihn schließlich in den Tod. Ein deutscher Jude, Journalist von literarischem Rang, Meister der kleinen Form, sehr erfolgreich mit satirischen Beiträgen, Gedichten und Chansons für das Kabarett und mit politischen Artikeln, Reportagen, Kritiken für die Presse. Ein Meisterwerk in der Nachfolge Heinrich Heines (↑ S. 209) war 1927 das „Reisebuch eines Menschenfreundes", eine „Fibel der Völkerverständigung" aus humanistisch-pazifistischem Geiste: *Ein Pyrenäenbuch*.

Ein „Arzt am Leibe der Zeit" wollte der Dramatiker **Carl Sternheim** sein, mit politischer Satire in expressionistisch verknappter Sprache auf der Bühne des wilhelminischen Deutschland, das er 1912 verließ. *Die Hose. Ein bürgerliches Lustspiel* eröffnet den vierteiligen Dramenzyklus *Aus dem bürgerlichen Heldenleben*, der den Weg des Emporkömmlings Christan Maske verfolgt. Zum „Freiherrn" geadelt unterliegt Maske im Konkurrenzkampf seiner ältesten Tochter, die ihn an Skrupellosigkeit übertrifft, so dass er schließlich zu der revolutionären Einsicht gelangt, nur solche könnten die Gesellschaft retten, die „von Grund auf die Zustände erschüttern, die wir geschaffen".

Marieluise Fleißer nennt ihr Schauspiel *Fegefeuer in Ingolstadt* (1926) „ein Stück über das Rudelgesetz und die Ausgestoßenen". Durch ein Fegefeuer von Einsamkeit und Erniedrigung gehen zwei jugendliche Außenseiter, die von den Erwachsenen im Stich gelassen keine Möglichkeit sehen kleinstädtischer Spießbürgertyrannei zu entrinnen. Das nach erfolgreicher Uraufführung weitgehend in Vergessenheit geratene Stück, das erst seit den 70er Jahren die Bühnen eroberte, wurde wegweisend (z.B. für Autoren wie **F. X. Kroetz** (↑ S. 313)und **R. W. Fassbinder**) durch seine einfache, knappe Sprache, der es gelingt seelische und soziale Nöte und Verhaltensweisen einprägsam zu vermitteln.

Marginalien:

Erich Kästner, 1899–1974

„Der Moralist pflegt seiner Epoche keinen Spiegel, sondern einen Zerrspiegel vorzuhalten."
E. Kästner

Bücherverbrennung ↑ S. 291

Kurt Tucholsky, 1890–1935
„Satire hat auch eine Grenze nach unten. In Deutschland etwa die herrschenden faschistischen Mächte. Es lohnt nicht – so tief kann man nicht schießen."

Carl Sternheim, 1878–1942

„Nach uns der Zusammenbruch. Wir sind reif!" Freiherr Maske von Buchow

M. Fleißer, 1901–1974. 1929 wurde *Pioniere in Ingolstadt* ein Theaterskandal: Unmoral und Verunglimpfung der Soldaten hieß der Vorwurf.

Ödön von
Horváth,
1901–1938

Einen Titel des „Walzerkönigs" Johann Strauß verwendete der Österreicher **Ödön von Horváth** ironisch für sein sozialkritisches „Volksstück" *Geschichten aus dem Wiener Wald* (1931). Zwar wird hier – in der Nachfolge Nestroys (↑ S. 197) – eine verlogene Wiener Biedermeier-Idylle boshaft aufgespießt und als gnadenlos brutal entlarvt, doch die scharfe Analyse reicht weit über die im Titel genannte Örtlichkeit hinaus und das scheinbare Happyend ist Ausdruck bitterster Resignation. Horváth, der 1938 in die Emigration gehen musste und im selben Jahr in Paris tödlich verunglückte, gilt als einer der bedeutendsten Dramatiker seiner Zeit. Sein umfangreiches Werk wurde erst in den 60er Jahren wieder für die Bühne entdeckt.

„Ausschaltung"
oder „Gleichschaltung": 1933–1945

„Wo man Bücher verbrennt..."

Sie marschierten auf dem weiten Platz auf und warfen ihre Fackeln in den in der Mitte errichteten Scheiterhaufen, auf dem die Flammen in wabernder Lohe emporschlugen. [...] Unter dem Jubel der Menge wurden um 12.20 Uhr die ersten Bücher der mehr als 20000, die heute [...] als symbolischer Akt
5 verbrannt wurden, in die Flammen geworfen. [...] Während der Verbrennung der Bücher spielten SA- und SS-Kapellen vaterländische Weisen und Marschlieder, bis neun Vertreter der Studentenschaft [...] mit markanten Worten die Bücher des deutschen Ungeistes dem Feuer übergaben.

Neuköllner Tageblatt, 12. Mai 1933

SA: Sturmabteilung; *SS:* Schutzstaffel, nationalsozialistische Kampfverbände

10. Mai 1933, Opernplatz Berlin. Angeführt von einem Pädagogikprofessor zelebrierten Vertreter der „Deutschen Studentenschaft" ein schauerliches Ritual mit Ochsenkarren, Feuersprüchen und Ruferstimmen:

Gegen Dekadenz und moralischen Verfall! Für Zucht und Sitte in Familie und Staat! Ich übergebe der Flamme die Schriften von Heinrich Mann, Ernst Glaeser und Erich Kästner.

H. Mann ↑ S. 287 E. Kästner ↑ S. 289

Der Letztgenannte stand in der Menge, stummer Zeuge des schlimmen Spektakels. Ein anderes Opfer, der tote Heinrich Heine, sollte Recht behalten mit der Warnung, die er mehr als hundert Jahre vorher formuliert hatte: „[...] dort, wo man Bücher / Verbrennt, verbrennt man auch am Ende Menschen."
Der bayrische Schriftsteller **Oskar Maria Graf** protestierte am 12. Mai 1933 in der Wiener *Arbeiterzeitung* unter der Überschrift „Verbrennt mich!" dagegen, dass seine Bücher im „neuen Deutschland" empfohlen wurden.

H. Heine ↑ S. 206 In *Almansor* (1823) geht es um die Verfolgung der muslimischen Mauren durch Spanier und die Verbrennung des Koran.

Womit habe ich diese Schande verdient? [...] Nach meinem ganzen Leben und nach meinem ganzen Schreiben habe ich das Recht zu verlangen, dass meine Bücher der reinen Flamme des Scheiterhaufens überantwortet werden und nicht in die blutigen Hände und die verdorbenen Hirne der braunen Mordbanden gelangen.

Zwei Maßnahmen kennzeichnen die Zerstörung der deutschen Literatur durch das nationalsozialistische Regime: „Ausschaltung" und „Gleichschaltung" hießen die Vokabeln aus dem Wörterbuch des Unmenschen. Zuständig für die totale Ausrichtung der Literatur auf den „neuen Staat" war Josef Goebbels, fanatischer Anhänger der „Bewegung", ein Möchtegern-Dichter und verhinderter Germanistikprofessor, der als „Reichsminister für Volksaufklärung und Propaganda" zum einfallsreichen Regisseur der Machtdarstellung wurde. Für Überwachung und Verfolgung konnte er sich der Parteiorganisationen und des Apparats der Geheimen Staatspolizei (Gestapo) bedienen, die dem Reichsinnenminister unterstand. Zur Sprachregelung gehörte es,

Aus dem Wörterbuch des Unmenschen, sprachkritische Beiträge in der Zeitschrift *Die Wandlung,* 1945–1946

Adolf Hitler:
Mein Kampf,
1925/26

Alfred Rosen-
berg: *Der Mythus
des* 20. *Jahrhun-
derts,* 1930

dass bei anerkannten Texten nicht mehr von Literatur die Rede sein durfte, sondern
nur noch von „Dichtung" und der hatte man mit „Betrachtung" zu begegnen, nicht
mit Kritik. Vom „inneren Reich" der Dichtung erwarteten die Machthaber des sogenannten Dritten Reiches Bestärkung – oder Verbrämung – ihrer Taten: durch Zu-
rechtbiegen der Geschichte, Ausgestaltung von Feindbildern, rassistische Hetze – aber
auch durch ablenkende Unterhaltung. Kampfschriften der „Bewegung" wurden zu
empfohlenen Erfolgsbüchern.

Bücherverbrennung 1933,
Holzschnitt von
Heinz Kiwitz, 1938

„Vertriebene sind wir, Verbannte": Exil

Weit über 2000 Schriftstellerinnen und Schriftsteller, darunter fast alle bedeutenden,
mussten Deutschland verlassen. „Kadaver auf Urlaub" rief Goebbels ihnen zynisch
nach. „Exil" heißt Ort der Verbannung, auch der Zuflucht für Menschen, kaum jedoch passende Wirkstätte für Schriftsteller: Die wollen gelesen, verstanden werden.
Prag, Zürich, Amsterdam, Paris, Stockholm, New York hießen in jener Zeit die Verlagsorte einer freien deutschen Literatur in der Diaspora, der Zersplitterung. Uner-
reichbar die Leser im „Reich". Erst nach 1945 erfuhren die Deutschen, dass auch in
den zwölf vergangenen Jahren deutsche Literatur entstanden war, unter schwierigsten
Bedingungen.
Die vorrückenden deutschen Truppen bestimmten die Fluchtwege. Am Anfang gab
es noch Orte des Exils, wo Deutsch gesprochen wurde: in Österreich, zum Teil in der
Tschechoslowakei, den Niederlanden. In Frankreich kamen die Flüchtlinge in Inter-
nierungslager; Skandinavien war Zuflucht vor allem für politisch Verfolgte. Nach
1938/39 gab es sicheres Exil fast nur noch in Großbritannien, den USA, Mexiko,
Lateinamerika. Die Schweiz war zu nahe. Die Juden in Palästina kämpften selbst
noch um eine „nationale Heimstätte". Und in der Sowjetunion, die nur Kommunisten aufnahm, wuchs der stalinistische Terror. So flohen die Verbannten durch die

Welt, „öfter als die Schuhe die Länder wechselnd" (Brecht), und nicht wenige töteten sich in der Verzweiflung selbst. Fast die ganze deutsche Literatur von Rang: verboten, verfolgt, verbrannt.

Prag, Zürich, Paris waren Orte des Exils für den Romanautor, Kritiker und Übersetzer **Hans Sahl**, zuletzt New York, wo 1942 seine *Gedichte aus Frankreich* erschienen, darunter das folgende:

Hans Sahl,
1902–1993

Vom Brot der Sprache

Kein deutsches Wort hab ich so lang gesprochen.
Ich gehe schweigend durch das fremde Land.
Vom Brot der Sprache blieben nur die Brocken,
Die ich verstreut in meinen Taschen fand.

5 Verstummt sind sie, die mütterlichen Laute,
Die staunend ich von ihren Lippen las,
Milch, Baum und Bach, die Katze, die miaute,
Mond und Gestirn, das Einmaleins der Nacht.

Es hat der Wald noch nie so fremd gerochen.
10 Kein Märchen ruft mich, keine gute Fee.
Kein deutsches Wort hab ich so lang gesprochen.
Bald hüllt Vergessenheit mich ein wie Schnee.

„Lieber überleben": Innere Emigration

Die meisten blieben freilich in Deutschland. Darunter wenige, deren Namen literarischer Erinnerung wert sind. Überzeugte, Opportunisten, Mitläufer, leidend Verstummte, behutsam zum Nachdenken Mahnende. Sehr viele hatten – bestenfalls unwissend – nationalsozialistischer „Weltanschauung" schon vorher den Boden bereitet: mit Ablehnung gesellschaftlich orientierter Kritik, Verachtung der „Asphaltliteratur", mit deutschtümelnder „Heimatdichtung", Nationalismus, Kriegsverherrlichung, Judenhass.

Seltene Ausnahme, dass sich hohes formales Können mit politischer Blindheit verband. So ließ sich der Österreicher **Josef Weinheber** (1892–1945), ein an klassischen Formen geschulter Lyriker von Format, in den Dienst der Machthaber einspannen. 1934 besang er in einer Gedichtfolge *Die deutschen Tugenden im Krieg:*

Asphaltliteratur:
Schimpfname
für „entwurzelte"
Großstadtliteratur; dagegen
„Blut-und-
Boden-Dichtung" ↑ S. 294

Treue

Es war seit je der Deutschen Brauch
die Treue bis zum letzten Hauch.
So schwören wir in großer Not
die alte Treue bis zum Tod!

5 Wem schwören wir? Dem starken Mann,
dem Führer schwören wir voran,
alsdann dem Blut, dem Land, dem Reich,
ist keine Treu der unsern gleich.
Ist keine Treu der *seinen* gleich,
10 so fügte sich, so strahlt das Reich.
In fernen Sagen sei's gesagt,
was Treu um Treu getan, gewagt.

„Was sind das für Zeiten, wo / Ein Gespräch über Bäume fast ein Verbrechen ist / Weil es ein Schweigen über so viele Untaten einschließt" Brecht, *An die Nachgeborenen*, 1939

Weinheber hat spät seinen Irrtum eingesehen und sich – wohl deshalb – in tiefer Depression kurz vor Kriegsende das Leben genommen. „Innere Emigration" nannte **Frank Thieß** 1933 die Situation derer, die im Lande, aber dem Nationalsozialismus fern blieben. Das bedeutete: zwölf Jahre (selbst)auferlegtes Schweigen, für die Schublade schreiben – oder ausweichen in unverdächtige Gefilde, Naturlyrik zum Beispiel. **Günter Eich** (↑ S. 295), nach dem Krieg bedeutender Autor von Lyrik und Hörspielen, schrieb für den Berliner Rundfunk Kinderhörspiele und *Monatsblätter für den Königswusterhäuser Landboten*. „Lieber überleben, lieber noch da sein, wenn erst der Spuk vorüber war" (**Marie Luise Kaschnitz** ↑ S. 327). Fragwürdig wurde „innere Emigration", wenn sie moralische Überlegenheit reklamierte: „Nur die in der Hölle gewesen sind, könnten vielleicht gerühmt werden", sagte der christlich geprägte Autor **Ernst Wiechert** (den Reden gegen den Nationalsozialismus und mutiges Eintreten für Gegner des Regimes 1938 für einige Monate ins Konzentrationslager Buchenwald brachten und weiterhin unter Gestapo-Aufsicht).

Es gab also zwischen 1933 und 1945 – bei unterschiedlichen Motiven und Bedingungen – auch in Deutschland eine Literatur, die Distanz zum Nationalsozialismus hielt. Nur wenig davon wurde allerdings veröffentlicht. Der Lyriker **Peter Huchel** (1903–1981 ↑ S. 320) hat sogar selbst seinen ersten Gedichtband Anfang 1933 kurz vor dem Druck wieder zurückgezogen: Seine Gedichte über Kindheit und Landschaft sollten nicht als „Blut-und-Boden"-Lyrik missverstanden oder missbraucht werden. So konnte die verborgene Botschaft des folgenden Gedichts damals niemanden mehr erreichen.

Blut-und-Boden-Dichtung: Heimatliteratur, in Dienst genommen mit Schlagworten wie „artrein", „völkisch", „schollenverhaftete Blutsgemeinschaft"

Späte Zeit

Still das Laub am Baum verklagt.
Einsam frieren Moos und Grund.
Über allen Jägern jagt
hoch im Wind ein fremder Hund.

5 Überall im nassen Sand
liegt des Waldes Pulverbrand,
Eicheln wie Patronen.

Herbst schoss seine Schüsse ab,
leise Schüsse übers Grab.

10 Horch, es rascheln Totenkronen,
Nebel ziehen und Dämonen.

Keine „Stunde Null": Deutsche Literatur nach 1945

Trümmer und „Kahlschlag"

Inventur

Günter Eich,
1945

Dies ist meine Mütze,
dies ist mein Mantel,
hier mein Rasierzeug
im Beutel aus Leinen.

5 Konservenbüchse:
Mein Teller, mein Becher,
ich hab in das Weißblech
den Namen geritzt.

Geritzt hier mit diesem
10 kostbaren Nagel,
den vor begehrlichen
Augen ich berge.

Im Brotbeutel sind
ein paar wollene Socken
15 und einiges, was ich
niemand verrate,

so dient es als Kissen
nachts meinem Kopf.
Die Pappe hier liegt
20 zwischen mir und der Erde.

Die Bleistiftmine
lieb ich am meisten:
Tags schreibt sie mir Verse,
die nachts ich erdacht.

25 Dies ist mein Notizbuch,
dies meine Zeltbahn,
dies ist mein Handtuch,
dies ist mein Zwirn.

Kriegsende 1945. In einem Gefangenenlager am Rhein bei Remagen macht ein deutscher Soldat Bestandsaufnahme. Keine Klage, keine Gefühlsäußerung, bloße Feststellung: Was ist übrig vom „Besitz", welche Dinge braucht man zum Überleben?
Zehnmal das besitzanzeigende Pronomen „mein". Die Kleider am Leibe, eine Lagerstatt aus Pappe und Zeltbahn, Rasierzeug und Handtuch, eine leere Konservendose,

Günter Eich,
1907–1972

„Das Nichts
zwingt zur
Schöpfung."
G. Eich

Ess-und Trinkgeschirr in einem, Zwirn zum Flicken, ein Nagel als Werkzeug. Er ist
„kostbar", fast wie die Bleistiftmine, der teuerste Besitz. Denn dieser Gefangene ist
Schriftsteller: **Günter Eich**.
Schreiben ist sein Beruf, auch am Nullpunkt der äußeren Existenz. Nicht nur durch
seinen Namen, eingeritzt in die notwendigste Habe, vergewissert er sich seines Daseins, sondern auch in Versen aus der Nacht für den Tag: karg, reimlos, dennoch
kunstvoll in Strophe, Rhythmus, Klang. Die nüchterne Aufzählung der Habseligkei-
ten gewinnt Gestalt.
1945. Deutschland, das Europa mit Krieg überzogen und Tod und Zerstörung bis nach
Afrika hinein gebracht hat, liegt nun selbst in Trümmern, auch an Geist und Seele.
Natürlich gilt die erste Sorge dem materiellen Überleben, den Grundbedürfnissen
Nahrung, Kleidung, Wohnung – alles fehlt. Doch gleichermaßen bedrückt innere
Not: die Angst um das menschliche Miteinander nach soviel Gewalttat und Vernich-
tung.

Wolfgang
Borchert, 1946

„Wo das
Röntgenauge
eines Dichters
durch das Aktu-
elle dringt, sieht
er den ganzen
Menschen, groß-
artig und
erschreckend
[…]" Heinrich
Böll 1956 über
Borcherts *Brot*

Das Brot

Plötzlich wachte sie auf. Es war halb drei. Sie überlegte, warum sie aufge-
wacht war. Ach so! In der Küche hatte jemand gegen einen Stuhl gestoßen. Sie
horchte nach der Küche. Es war still. Es war zu still und als sie mit der Hand
über das Bett neben sich fuhr, fand sie es leer. Das war es, was es so besonders
5 still gemacht hatte: Sein Atem fehlte. Sie stand auf und tappte durch die
dunkle Wohnung zur Küche. In der Küche trafen sie sich. Die Uhr war halb
drei. Sie sah etwas Weißes am Küchenschrank stehen. Sie machte Licht. Sie
standen sich im Hemd gegenüber. Nachts. Um halb drei. In der Küche.
Auf dem Küchentisch stand der Brotteller. Sie sah, dass er sich Brot abge-
10 schnitten hatte. Das Messer lag noch neben dem Teller. Und auf der Decke
lagen Brotkrümel. […] Sie fühlte, wie die Kälte der Fliesen langsam an ihr
hochkroch. Und sie sah von dem Teller weg.
„Ich dachte, hier wär was", sagte er und sah in der Küche umher.

Verlegene Ausrede. Sie lässt sich darauf ein, weil sie nicht ertragen kann, dass er in die
Lüge flüchtet: nach 39 Jahren gemeinsamen Lebens.

„Es ist kalt", sagte sie und gähnte leise, „ich krieche unter die Decke. Gute
15 Nacht."
„Nacht", antwortete er und noch: „Ja, kalt ist es schon ganz schön."
Dann war es still. Nach vielen Minuten hörte sie, dass er leise und vorsichtig
kaute. Sie atmete absichtlich tief und gleichmäßig, damit er nicht merken
sollte, dass sie noch wach war. Aber sein Kauen war so regelmäßig, dass sie
20 davon langsam einschlief.
Als er am nächsten Abend nach Hause kam, schob sie ihm vier Scheiben Brot
hin. Sonst hatte er immer nur drei essen können.
„Du kannst ruhig vier essen", sagte sie und ging von der Lampe weg. „Ich
kann dieses Brot nicht so recht vertragen. Iss du man eine mehr. Ich vertrag es
25 nicht so gut."

Sie sah, wie er sich tiefer über den Teller beugte. Er sah nicht auf. In diesem Augenblick tat er ihr leid.

„Du kannst doch nicht nur zwei Scheiben essen", sagte er auf seinen Teller.

„Doch. Abends vertrag ich das Brot nicht gut. Iss man. Iss man." Erst nach

30 einer Weile setzte sie sich unter die Lampe an den Tisch.

Der Erzähler, **Wolfgang Borchert**, mischt sich nicht ein, beschreibt nur sachlich in kurzen Sätzen, was geschieht. Die Spannung liegt im Dialog, im Wechselspiel zwischen Einander-Durchschauen und schonendem Einverständnis. Die Worte verhüllen behutsam das wirklich Gesagte, das, worauf es ankommt: die gefährdete Beziehung zwischen den beiden. Ihr Verzicht aus Mitleid überwindet seine Lüge aus Not. Borchert erzählt aus der Sicht der Frau.

Wolfgang
Borchert,
1921–1947

- Der Begriff „Kurzgeschichte" übersetzt „Short Story" bedeutet aber nicht das
- Gleiche. Die Short Story, die im späten 19. Jahrhundert aufkam, vor allem in
- den USA, entsprach einem Bedürfnis des sich ausbreitenden Pressewesens: Zei-
- tungen, Zeitschriften, populäre „Magazine" (bebilderte Unterhaltungsblätter)
- verlangten nach kurzen erzählenden Texten. Berühmte Autoren wie **Edgar Allan**
- **Poe** und **Ernest Hemingway** haben mit Short Storys ein großes Publikum er-
- reicht.
- Die deutschsprachige Kurzgeschichte wurde zu einer eigenen literarischen Gat-
- tung, zu deren Entwicklung – nach Vorläufern wie **Franz Kafka** – die meisten
- wichtigen Autoren der Nachkriegszeit beigetragen haben. Man kann sie als dem
- Umfang nach kleinere Schwester der Novelle verstehen: Statt eines größeren
- Spannungsbogens zeigt sie nur eine „Momentaufnahme", den Ausschnitt eines
- Geschehens, den Schnittpunkt von Handlungs- und Ereignislinien. Was vor-
- ausgegangen ist, liegt im Dunkeln; was folgt, bleibt offen. Bewegendes Element
- einer Novelle ist ein „unerhörtes" Ereignis, das bedrohlich eine festgefügt er-
- scheinende Ordnung in Frage stellt. Eine solche Ordnung setzt die Kurzge-
- schichte nicht mehr voraus. Doch kann eine kleine, alltägliche, aber beunruhi-
- gende Begebenheit dem Menschen Bedeutendes anzeigen: Das im Augenblick
- Wichtige (die Scheibe Brot bei Borchert) wird Zeichen für zeitlos Gültiges, für
- größere Zusammenhänge (existentielle Not, die Solidarität zerstören oder neu
- begründen kann).
- Solcher Spannung entsprechen die vorherrschenden Merkmale der Form:
- Straffheit und Zielstrebigkeit des Erzählens, Vermeidung von Illusion durch be-
- wusste Kargheit der Sprache, Namenlosigkeit und Typenhaftigkeit der Personen
- und Unbestimmtheit des Ortes, Erschütterung in einer unvermuteten „Pointe",
- offenes Ende. Zeitgemäße Themen waren anfangs Existenznot und die Ausein-
- andersetzung mit Nazivergangenheit und Krieg, dann die Sinnleere im Wohl-
- standsmaterialismus des aufkommenden „Wirtschaftswunders".

**Kurz-
geschichte**

E. A. Poe:
*Die Morde in
der Rue Morgue,*
1841
E. Hemingway:
In unserer Zeit,
1925

Novelle ↑ S. 152

Draußen vor der Tür
(Kammerspiele Hamburg, 1947):
Hinter dem verzweifelten Kriegsheim-
kehrer in Wolfgang Borcherts Drama
„der Andere" – „der Ja sagt,
wenn du Nein sagst".

W. Borchert
1946: „Wir sind
eine Generation
ohne Glück,
ohne Heimat,
ohne Abschied."

Wolfgang Borchert hat mit einem schmalen literarischen Werk ungeheure Wirkung erzielt. Sein Heimkehrerstück *Draußen vor der Tür* wurde zum meistgespielten Drama der ersten Nachkriegszeit. Es zeigt das Schicksal einer missbrauchten Generation, der Borchert selbst angehörte: Mit zwanzig Soldat an der Ostfront, mehrfach vor Gericht gestellt und verurteilt wegen „Zersetzung der Wehrkraft" (nämlich durch Kritik an den verbrecherischen Machthabern), Strafaufschub zwecks „Frontbewährung", todkrank heimgekehrt, nach kurzer Schaffenszeit (1946/47) 26-jährig dem Leiden erlegen. Die Ursendung des Hörspiels *Draußen vor der Tür*, das heftige Reaktionen auslöste, konnte Borchert wegen Stromsperre in seinem Hamburger Stadtteil nicht hören. Er starb am 20. November 1947. Am folgenden Tag wurde die Bühnenfassung seines Stücks von den Hamburger Kammerspielen erstmals aufgeführt.

W. Schnurre,
1920–1989:
„[…] zerschlagt
eure Lieder / ver-
brennt eure Ver-
se / sagt nackt /
was ihr müsst
[…]"

1960 hat **Wolfdietrich Schnurre** Kurzgeschichten der Jahre 1945/47 in Buchform herausgegeben. Im Vorwort schreibt er über die Dichtung jener Jahre, für die man die Bezeichnung „Kahlschlag"-Literatur geprägt hat; sie sollte den Weg freiräumen für den Aufbruch aus geistigen Trümmern:

Idiom: Sprech-
weise einer
bestimmten
Gruppe oder
sozialen Schicht

Nicht einmal die Sprache war mehr zu gebrauchen; die Nazijahre und die Kriegspropaganda hatten sie unrein gemacht. Sie musste erst mühsam wieder Wort für Wort abgeklopft werden. Jedem Und, jedem Adjektiv gegenüber war Vorsicht geboten. Die neue Sprache, die so entstand, war nicht schön. Sie wirkte keuchend und kahl und Umgangsidiome und das Misstrauen gegenüber langen Sätzen und großen Worten hatten mitgearbeitet an ihr.

Die Niederlage im „totalen Krieg" ließ die besiegten Deutschen zwar auf den Nullpunkt äußerer Existenz fallen, brachte aber vor allem die Befreiung vom mörderischen Hitlerregime und damit Hoffnung auf neues Leben: persönlich, gesellschaftlich, politisch, geistig, kulturell. Von einer „Stunde Null", einem völligen Neubeginn, kann trotzdem nicht die Rede sein: Menschen und Verhältnisse ändern sich nicht von einem Tag zum anderen.

Auch für die Literatur fielen Kerkermauern, öffneten sich Grenzen. Die nach innen „emigriert" waren, konnten sich nun ungehindert äußern. Literarisch bedeutsamer: Wege wurden frei für Literaturen des Auslands und damit für deutsche Exilliteratur, auch wenn nicht alle Exilierten in das Land zurückkehren wollten, das sie verfolgt und verstoßen hatte. Schriftsteller, die dem Kommunismus nahestanden, suchten im sowjetisch besetzten Teil Deutschlands Fuß zu fassen und sahen sich in der 1949 gegründeten Deutschen Demokratischen Republik (DDR) bald neuer Bedrohung geistiger Freiheit ausgesetzt.

Die aus den westlichen (amerikanischer, britischer, französischer) Besatzungszonen ebenfalls 1949 gegründete Bundesrepublik Deutschland bildete mit dem wieder selbständigen Österreich und dem deutschsprachigen Teil der Schweiz bald wieder eine gemeinsame Literatur.

Aufnahme und Verarbeitung ausländischer Literaturen und deutscher Exilliteratur machten es möglich die 1933 durch nationalsozialistische „Gleichschaltung" zerrissenen Fäden wieder aufzunehmen, also moderne Literatur wieder und neu zu begreifen und weiterzuführen.

West-deutsche Literatur nach 1945

„Wir sind glücklich darüber, dass unsere Einsamkeit beendet ist, dass die Vielfalt der Literaturen der ganzen Erde [...] uns durchsäuert. Wir hatten das bitter nötig." Wolfgang Weyrauch, 1949

DDR-Literatur ↑ S. 315

„Gleichschaltung" ↑ S. 291

Hans Werner Richter (zwischen Wolfgang Hildesheimer und Alexander Kluge) 1967 bei der Abstimmung für den Preis der „Gruppe 47" (Jürgen Becker, 6000 DM). 110 Autorinnen und Autoren unterschrieben eine Resolution für den Boykott des Springer-Verlags – nach dem Tod des Studenten Benno Ohnesorg am 2. Juni bei Unruhen in Berlin.

Wolfgang
Weyrauch über
H.W. Richter:
„Er ist ein
menschlicher
Geigerzähler, der
findet, ohne zu
suchen. […]"

- Die jüngeren Autorinnen und Autoren trafen sich in der „Gruppe 47", einer Vereinigung ohne feste Organisation: Nach ungeschriebener Übereinkunft rief der Schriftsteller **Hans Werner Richter** (1908–1993) von 1947 an alljährlich Kolleginnen und Kollegen, von der Mitte der 50er Jahre an auch Kritiker, Lektoren und Verleger zu Lesung, Kritik und (ab 1951) Preisverleihung zusammen. Man wollte eine Erneuerung der Literatur und damit auch des gesellschaftlichen und politischen Bewusstseins vorantreiben. Tatsächlich bestimmte die „Gruppe 47" zwei Jahrzehnte hindurch (endgültige Auflösung erst 1977) wesentlich das Bild der neuen westdeutschen Literatur.

- Eine Unterscheidung literarischer „Epochen" ist für das halbe Jahrhundert seit 1945 kaum möglich. Allenfalls werden aufeinander folgende und gleichzeitig nebeneinander verlaufende „Trends" deutlich: Zeitkritik und Zeitflucht, Innerlichkeit und politisch-soziales Engagement, realistisches und weltabgewandtes Schreiben, Bemühen um Allgemeinverständlichkeit (auch Lehrhaftigkeit) und Verrätselung im Absurden oder schwierige formale Experimente u. a.

Die heile Welt:
1950 Titel eines
Gedichtbandes
von Werner Ber-
gengruen (Nazi-
gegner in der
„Inneren Emi-
gration")

1963 Max von
der Grün:
*Irrlicht und
Feuer* (Berg-
arbeitermilieu)
1966 Günter
Wallraff: *Indus-
triereportagen*

- Der zeitliche Ablauf stellt sich grob gesehen etwa so dar: Den Anfang bestimmte die literarische Reaktion auf Krieg und Gewaltherrschaft, „Kalten Krieg", Teilung der Welt in „Blöcke", Streit um einen neuen „Verteidigungsbeitrag" der Bundesrepublik Deutschland, „Wirtschaftswunder" und Verdrängung der Nazivergangenheit. Das geriet in den 50er Jahren mehr und mehr in den Hintergrund, zurückgedrängt durch Versuche die Konflikte stärker aus dem Inneren des Menschen heraus zu erklären und den Anspruch auf eine „heile Welt" zu reklamieren.

- Die 60er Jahre brachten wieder eine stärkere Hinwendung zu sozialen und politischen Themen. So suchte die Dortmunder „Gruppe 61" die „künstlerische Auseinandersetzung mit der industriellen Arbeitswelt". Theaterstücke dokumentierten kritisch Zeitgeschichte und politische Prozesse. Das literarische Engagement für eine bessere Welt erfuhr neue Anstöße durch die Studentenbewegung (ausgehend von Paris, Mai 1968), die für Reformen, ja Umsturz nicht nur an den Universitäten kämpfte, und durch die „grüne" Bewegung für die Erhaltung der Umwelt und gegen den Bau von Kernkraftwerken. Liedermacher erinnerten an den sozialkritischen Impuls alter Volkslieder (↑ S. 90) und schufen für neue Inhalte neue Ausdrucksweisen.

Rolf Hochhuth:
Der Stellvertreter,
1963 (Papst
und Judenverfol-
gung)
Peter Weiss: *Die
Ermittlung,* 1965
(Auschwitzpro-
zess) ↑ S. 311

- Im Wechselspiel der Strömungen, das die Literaturgeschichte durch die Jahrhunderte ausmacht, konnten Gegenbewegungen nicht ausbleiben. So proklamierte man z. B. Ende der 70er Jahre eine „neue Innerlichkeit". Weil aber die Betrachtung geschichtlicher Abläufe zeitlichen Abstand voraussetzt, bleibt es Aufgabe einer späteren Zeit Phasen der deutschen Literatur in der zweiten Hälfte des 20. Jahrhunderts genauer zu unterscheiden.

Lehrstücke ohne Lehre?

Der andorranische Jude

Max Frisch, 1946

In Andorra lebte ein junger Mann, den man für einen Juden hielt. Zu erzählen
wäre die vermeintliche Geschichte seiner Herkunft, sein täglicher Umgang
mit den Andorranern, die in ihm den Juden sehen: das fertige Bildnis, das ihn
überall erwartet. Beispielsweise ihr Misstrauen gegenüber seinem Gemüt, das
5 ein Jude, wie auch die Andorraner wissen, nicht haben kann. Er wird auf die
Schärfe seines Intellekts verwiesen, der sich eben dadurch schärft, notgedrun-
gen. Oder sein Verhältnis zum Geld, das in Andorra auch eine große Rolle
spielt: Er wusste, er spürte, was alle wortlos dachten; er prüfte sich, ob es wirklich so war, dass er stets an das Geld denke, er prüfte sich, bis er entdeckte,
10 dass es stimmte, es war so, in der Tat, er dachte stets an das Geld. Er gestand
es, er stand dazu und die Andorraner blickten sich an, wortlos. [...] Der Umgang mit ihm war anregend, ja, aber nicht angenehm, nicht gemütlich. Es gelang ihm nicht, zu sein wie alle andern, und nachdem er es umsonst versucht
hatte, nicht aufzufallen, trug er sein Anderssein sogar mit einer Art von Trotz,
15 von Stolz und lauernder Feindschaft dahinter, die er, da sie ihm selber nicht
gemütlich war, hinwiederum mit einer geschäftigen Höflichkeit überzuckerte;
noch wenn er sich verbeugte, war es eine Art von Vorwurf, als wäre die
Umwelt daran schuld, dass er ein Jude ist –
   Die meisten Andorraner taten ihm nichts.
20   Also auch nichts Gutes.
Auf der andern Seite gab es auch Andorraner eines freieren und fortschrittlichen Geistes, wie sie es nannten, eines Geistes, der sich der Menschlichkeit
verpflichtet fühlte: Sie achteten den Juden, wie sie betonten, gerade um seiner
jüdischen Eigenschaften willen, Schärfe des Verstandes und so weiter. Sie
25 standen zu ihm bis zu seinem Tode, der grausam gewesen ist, so grausam und
ekelhaft, dass sich auch jene Andorraner entsetzten, die es nicht berührt hatte,
dass schon das ganze Leben grausam war. Das heißt, sie beklagten ihn eigentlich nicht, oder ganz offen gesprochen: sie vermissten ihn nicht – sie empörten
sich nur über jene, die ihn getötet hatten und über die Art, wie das geschehen
30 war, vor allem die Art.
   Man redete lange davon.
Bis es sich eines Tages zeigt, was er selber nicht hat wissen können, der
Verstorbene: dass er ein Findelkind gewesen, dessen Eltern man später
entdeckt hat, ein Andorraner wie unsereiner –
35   Man redete nicht mehr davon.

Ein Text aus dem *Tagebuch* des Schweizer Schriftstellers **Max Frisch** vom Frühjahr
1946. Erst zwölf Jahre später wurde dem Autor klar, „dass dies ein großer Stoff ist": der
Entwurf für ein Theaterstück, das mit dem Titel *Andorra* 1961 auf die Bühne kam
und großen Erfolg hatte. „Andorra ist der Name für ein Modell", sagt Frisch. Es zeigt
im Kleinen, was leider millionenfach geschehen war: Verfolgung und Vernichtung
europäischer Juden durch das Hitlerregime. Wozu also dann noch ein „Modell"?

Max Frisch,
1911–1991
Andorra, 1961

1. Mose 20,4: „Du sollst dir kein Bildnis machen." – Frisch fügt hinzu: „von Gott, deinem Herrn, und nicht von den Menschen, die seine Geschöpfe sind."

Stereotyp: vorgefertigtes Urteil

„Die Dänen sind geiziger als die Italiener [...] Alle Bulgaren riechen schlecht. Rumänen sind tapferer als Franzosen. Russen unterschlagen Geld. Das ist alles nicht wahr – wird aber im nächsten Krieg gedruckt zu lesen sein."
Kurt Tucholsky (1890–1935)

Um sinnfällig zu machen wie das Schlimme in Köpfen und Herzen der Menschen beginnt, die ein „fertiges Bildnis" von anderen entwerfen und sie darauf festnageln, „fertigmachen". Sie rauben den anderen, vielleicht fremd Erscheinenden die Freiheit zu eigener Existenz. „In gewissem Grad sind wir wirklich das Wesen, das die andern in uns hineinsehen, Freunde wie Feinde", notiert Frisch im *Tagebuch.* „Und umgekehrt! Auch wir sind die Verfasser der andern." Indem wir nämlich „Stereotype" entwerfen und ihnen aufprägen. Die letzte, schlimmste Konsequenz solcher Vergewaltigung, die mit Worten beginnt, heißt Vernichtung, Mord.

Die Menschen in „Andorra" wollen nicht wahrhaben, was sie getan haben, ziehen keine Lehre aus ihrer Schuld. Sechs von ihnen treten vor eine „Zeugenschranke", im Angesicht eines Publikums, das, selbst nicht frei von Schuld, nicht richten kann. Nur einer bekennt sein Versagen, allein, nur vor Gott, nicht öffentlich.

Dichtung gibt keine Rezepte. Doch wer ihr mit offenen Augen und Ohren begegnet, kann Botschaften vernehmen. So erfahren „Andorraner wie unsereiner" aus Frischs *Andorra* und dem *Tagebuch* von 1946, dass Liebe „aus jeglichem Bildnis" befreit. Den Schritt von der „Lehre" zum Handeln muss jeder selber tun.

Oder unterlassen? So erklärt es sich wohl, dass Frisch sein Drama *Biedermann und die Brandstifter* (1958; Hörspiel 1953) ein „Lehrstück ohne Lehre" nennt. Biedermann – darin steckt auch „Jedermann" und „Biedermeier" (↑ S. 179) – begreift nichts: der unpolitische Spießbürger, der nur seine private kleine Welt sieht und sich furchtsam allem anpasst, was stärker erscheint. Brandstifter treiben ihr Unwesen, die Menschen sollten gewarnt sein. Biedermann aber nimmt zwielichtige Gestalten in sein Haus auf, verschließt die Augen, als sie mit Benzinkanistern und Zündschnüren hantieren, weil er hofft wenigstens *sein* Haus zu retten. Zuletzt gibt er ihnen noch die Streichhölzer für den Untergang, der ihn mitreißt. Eine erste Entwurfsskizze zum *Biedermann* findet sich im *Tagebuch* von 1948, notiert unter dem Eindruck der kommunistischen Machtübernahme in der Tschechoslowakei, die durch Entgegenkommen bürgerlich-demokratischer Kräfte begünstigt worden war – drei Jahre nach dem Ende der Nazi-Brandstifter.

Zu der alten Frage, ob der kritische Geist der Literatur mit ihren „Modellen" in der Welt der Mächtigen überhaupt etwas bewegen könne, sagt Frisch 1964:

> Gäbe es die Literatur nicht, liefe die Welt vielleicht nicht anders, aber sie würde anders gesehen, nämlich so wie die jeweiligen Nutznießer sie gesehen haben möchten: nicht in Frage gestellt. [...] Allein die Tatsache, dass die Hitler-Herrschaft, angewiesen auf leidenschaftliche Verdummung, die Literatur der Zeit nicht dulden konnte, wäre Beweis genug, wieviel die Sprache offenbar vermag; wenn auch ein negativer Beweis.

Poesie und Politik

ins lesebuch für die oberstufe

H. M. Enzens-
berger, 1957

lies keine oden, mein sohn, lies die fahrpläne:
sie sind genauer. roll die seekarten auf,
eh es zu spät ist. sei wachsam, sing nicht.
der tag kommt, wo sie wieder listen ans tor
5 schlagen und malen den neinsagern auf die brust
zinken. lern unerkannt gehn, lern mehr als ich:
das viertel wechseln, den pass, das gesicht.
versteh dich auf den kleinen verrat,
die tägliche schmutzige rettung. nützlich
10 sind die enzykliken zum feueranzünden,
die manifeste: butter einzuwickeln und salz
für die wehrlosen. wut und geduld sind nötig,
in die lungen der macht zu blasen
den feinen tödlichen staub, gemahlen
15 von denen, die viel gelernt haben,
die genau sind, von dir.

Ode: feierlich
erhabenes
Gedicht

Zinken:
Gaunerzeichen

Enzyklika:
päpstliches
Rundschreiben
Manifest:
Programm

Man nannte **Hans Magnus Enzensberger**, Jahrgang 1929, einen „zornigen jungen Mann", als er 1957 erstmals mit einem Gedichtband an die Öffentlichkeit trat, voller Trauer und Wut über schlimme Zeitläufte: Großmächte erprobten im „Kalten Krieg" die Wasserstoffbombe; in Deutschland wurde wieder aufgerüstet, die Wehrpflicht eingeführt. Doch die meisten Bundesbürger, gesättigt vom „Wirtschaftswunder", verschlossen davor die Augen. Es sei eine *Schlechte Zeit für Lyrik*, hatte Bertolt Brecht zu Kriegsbeginn im Exil geklagt und eine *Schlechte Zeit für die Jugend:* Statt mit Gleichaltrigen zu spielen, lese sein junger Sohn politische Literatur. Noch nicht einmal zwanzig Jahre später wandte sich Enzensberger an eine neue Generation mit dem Aufruf zur Wachsamkeit: Es gibt Zeiten, sagt er, in denen nützliche Kenntnisse und Überlebenstaktik wichtiger erscheinen als Poesie. Keine Aufforderung zu einem neuen, nunmehr totalen „Kahlschlag", aber deutliche Warnung: Wer drohender Übermächtigung entgegentreten will, muss lernbereit sein und genau.

*verteidigung der
wölfe gegen die
lämmer:*
19 „freundliche",
21 „traurige",
18 „böse"
Gedichte

Die 60er Jahre brachten eine Fülle politischer Lyrik als Antwort auf konkrete Ereignisse und als Ausdruck schlimmer Befürchtungen. Themen waren zum Beispiel der Vietnamkrieg und die „Notstandsgesetze" in der Bundesrepublik. Dass „der Zorn über das Unrecht […] die Stimme heiser" mache, hatte Brecht seinerzeit in einem Gedicht *An die Nachgeborenen* beklagt. Doch kritisches Engagement muss nicht das Ende der Poesie bedeuten. Der DDR-Autor **Reiner Kunze**, 1968 aus der SED ausgetreten, als die Truppen des Warschauer Paktes den „Prager Frühling" zerschlugen, veröffentlichte 1969 in der Bundesrepublik das folgende Gedicht (1977 musste er die DDR verlassen):

SED: Sozialisti-
sche Einheitspar-
tei Deutschlands

*„Prager Früh-
ling":* Versuch in
der Tschechoslo-
wakei einen
„Sozialismus mit
menschlichem
Antlitz" zu
verwirklichen

Reiner Kunze,
geb. 1933

Das ende der kunst

Du darfst nicht, sagte die eule zum auerhahn,
du darfst nicht die sonne besingen
Die sonne ist nicht wichtig

„Ohne die Sonne
nimmt auch die
Kunst wieder
den Schleier"
Ingeborg
Bachmann, 1956

Der auerhahn nahm
⁵ die sonne aus seinem gedicht

Du bist ein künstler,
sagte die eule zum auerhahn

Und es war schön finster

Finsternis von außen mischt sich mit Dunkel und Kälte, die von innen aufsteigen,
zum Beispiel aus der Frage nach dem Sinn des Lebens im Zeichen der Vergänglichkeit:

Ingeborg
Bachmann, 1956

Reklame

Wohin aber gehen wir
ohne sorge sei ohne sorge
wenn es dunkel und wenn es kalt wird
sei ohne sorge
⁵ aber
mit musik
was sollen wir tun
heiter und mit Musik
und denken
¹⁰ *heiter*
angesichts eines Endes
mit musik
und wohin tragen wir
am besten
¹⁵ unsre Fragen und den Schauer aller Jahre
in die Traumwäscherei ohne sorge sei ohne sorge
was aber geschieht
am besten
wenn Totenstille

²⁰ eintritt

Ingeborg Bach-
mann,
1926–1973

kursiv: schräg

Dieses Gedicht von **Ingeborg Bachmann** hat zwanzig Verszeilen; zunächst zweimal
neun im Wechsel von Normal- und Kursivschrift. Die Kursivzeilen ergeben für sich
gelesen eine Folge beschwichtigender Anrufe im Werbeton: „Traumwäscherei" mit
Musik. Die anderen Zeilen fügen sich zu einem Gedicht mit todernsten Fragen. Nur

die letzten beiden Zeilen bleiben ohne einlullende Antwort, münden in Verstummen. Doch wir haben nicht zwei Gedichte vor uns, sondern eins, in dem die Ausflucht in Sorglosigkeit hart auf die Unerbittlichkeit des Todes stößt, ablenkende Reklame auf endgültige Reklamation.

Reklamation: Neinrufen, Einspruch erheben

Signale und Spiele mit Hörbarem

MANN Manchmal erwache ich mitten in der Nacht und warte auf die Klopfzeichen. *(Klopfen gegen die Wand: dreimal – sechsmal – viermal – einmal)* Wenn die Zeichen nicht kommen, denke ich an die Nacht, in der sie zum ersten Mal ausblieben. Es war die Nacht, in der sie Julius durch den Flur

5 führten, um ihn im Hof zu erschießen. Ich hörte seinen Schrei, das dumpfe Trommeln gegen die Zellentüren, unseren letzten Gruß an ihn. *(Schrei; dumpfes Getrommel gegen Metalltüren, erst leise, dann zu einem Dröhnen anschwellend)* Julius starb ohne Priester, ohne Sakramente – und er hatte so heftig nach den Sakramenten verlangt. Ich war Taufzeuge, als Julius im

10 Duschraum des Zuchthauses getauft wurde. Ich deckte mit meinem Rücken den Priester. Julius wurde vom breiten Rücken eines Einbrechers gedeckt, während der Priester hastig die Worte sprach.

PRIESTER Ich taufe dich im Namen des Vaters, des Sohnes und des Heiligen Geistes.

15 MANN Julius lag in der Zelle rechts von meiner, der Priester in der Zelle links von meiner und ich musste Julius' Klopfzeichen an den Priester, die des Priesters an Julius weitergeben […]. Es waren dieselben Antworten, dieselben Fragen, die ich heute Nachmittag wieder hörte, als die Kinder in der Pfarrkirche für die Erstkommunionfeier probten.

20 *(Unregelmäßiges Klopfen, dann)*

PRIESTER Widersagst du dem Teufel?

(Klopfen)

JULIUS Ich widersage.

MANN Oft ging es halbe Stunden lang so, dann Stunden, ich ermüdete,

25 schlief ein, wurde erst wieder wach, wenn Julius oder der Priester besonders heftig klopften.

(Trommeln von Fäusten gegen eine Wand, erst heftig, dann leise)

MANN Das ist nur meine Frau. Sie klopft den Teig, Mürbeteig für den Kuchen, den wir morgen essen werden.

Heinrich Böll: Klopfzeichen, Hörspiel, 1960

Ein Mann erinnert sich an seine Zuchthauszeit unter einem Unrechtsregime. Seine „Schuld": Er hatte einem Polen Brot und Zigaretten gegeben. Julius war wegen „Landesverrats" verurteilt. Hingerichtet wurde er, weil er einen halben Löffel Mehl gestohlen hatte: zur Bereitung von Hostien. Im Sakrament des Brotes, der Kommunion, stößt Vergangenheit auf Gegenwart: Julius wurde mittels Klopfzeichen über Taufe und Beichte auf die Kommunion vorbereitet. Jetzt bereitet man die Erstkommunion eines Kindes vor und die Mutter, Frau des Erzählers, klopft den Teig. Klopfzeichen waren im Zuchthaus heimliche Kommunikation von Zelle zu Zelle oder Ausdruck ohnmächtigen Protests. Davon kommt der Erzähler nicht los; im Traum suchen ihn

Angehörige besiegter Völker wurden als „Fremdarbeiter" nach Deutschland geholt und schlimmer behandelt als Sklaven.
Landesverrat: In einem verbrecherischen Regime gelten auch Widerstandskämpfer als Landesverräter.

die Klopfzeichen immer wieder heim. Und er klopft gegen Wände „um Signale zu geben" und um Hoffnung zu bekunden: „Mehr Hoffnung, als Vergangenheit und Gegenwart rechtfertigen. Eine Welt ohne Wände, ohne Zellen; keine Klopfzeichen mehr – nicht Angst und Gewalt."

Ein Hörspiel. Der bloße Text gibt nur einen Teil davon wieder: den Monolog des Erzählers, der Vergangenheit und Gegenwart verbindet und die Sätze und Dialoge von damals und heute. Das Ganze wird erst lebendig, wenn es hörbar gemacht wird, durch Stimmen, durch Geräusche, vor allem die Klopfzeichen: akustische Signale, die Zeit und Raum überbrücken und ebenso Sinn tragen wie die Worte.

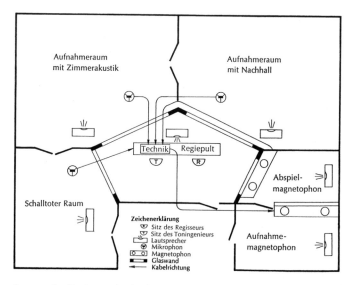

Im zentralen Regieraum laufen Stimmen, Geräusche und Musik aus akustisch unterschiedlichen Aufnahmeräumen und von Tonträgern (Bändern, Platten) zusammen: zu Aufzeichnung, Schnitt, Mischung, Montage (↑ S. 280). Der „schalltote" (schallschluckende) Raum ist für Aufnahmen „im Freien", „raumlose" Stimmen (Gedanken) u. a.

- „Hörspiel" unterscheidet sich vom „Schauspiel" durch den Wegfall aller opti-
- schen Elemente (Bühnenbild, Beleuchtung, Kostüme, Gestik, Mimik u. a.),
- ohne dass dies als Mangel empfunden wird. Allerdings waren die ersten „Sen-
- despiele", wie man anfangs bei uns sagte, vorwiegend umgearbeitete Bühnen-
- stücke oder inszenierte Erzählungen.
- Doch bald entdeckte man die produktiven Chancen einer neuen literarischen
- Gattung, die durch das Radio erst möglich geworden war: „Es heißt jetzt
- Dinge machen, die gesprochen werden, die tönen" (Alfred Döblin, 1929). Man
- experimentierte mit Geräuschen und Musik, baute „Geräuschkulissen" und
- entdeckte den Eigenwert akustischer Signale (wie der „Klopfzeichen"). Ande-
- rerseits forderte man, Hörspiele sollten „Wortkunstwerke" sein und in erster
- Linie durch Sprache und Stimmen die Hörenden anregen, sich Orte, Zeiten,
- Personen und Handlungen vorzustellen: auf einer „inneren Bühne". Denn die
- Handlung laufe „nicht *vor* dem Hörer ab, sondern *in* ihm".
- Begriffe übernahm man zum Teil vom Theater („Szene") und vom Film („Blen-
- de"). Mit dem Theater hatte das Hörspiel gemeinsam, dass Handlung durch
- Dialog vermittelt wurde; mit dem Film, dass Wechsel von Ort, Zeit und Dimen-
- sion (etwa: Unterscheidung von Gesagtem und Gedachtem) nahezu unbegrenzt
- möglich war: durch weichen Übergang (Blende) oder hartes Aneinandersetzen
- (Schnitt). Obwohl das Hörspiel von Anfang an eigene Formen ausbildete, ord-
- nete man es lange Zeit einseitig als „dramatische" Gattung ein, sozusagen als
- Theater bloß fürs Ohr und formulierte entsprechende Regeln: strengste Kon-
- zentration der Handlung, Zusammenhalt der Einzelszenen durch einen Span-
- nungsbogen, geringe Personenzahl (wegen der Unterscheidung der Stimmen),
- reiche Abwechslung bei kurzer Spieldauer. Auf diese Weise erreichte man in den
- „Blütezeiten" des Hörspiels (Ende der 20er Jahre, 50er Jahre) auch mit an-
- spruchsvoller Literatur ein großes Publikum.
- Mit dem Aufkommen des Fernsehens schwand das Interesse am Hörspiel. Auf
- diese veränderte Situation reagiert der Hörfunk mit „Kurzhörspielen" im Tages-
- programm, die zum Beispiel mit Themen aus dem Alltagsleben dem Bedürfnis
- eines etwas breiteren Publikums entsprechen. Im abendlichen Minderheiten-
- programm und auf sogenannten „Kulturkanälen" bietet man seit Ende der 60er
- Jahre neben längeren traditionellen Hörspielen neue Formen und Inhalte (eine
- Zeitlang sprach man ausdrücklich vom „Neuen Hörspiel"): Neben das „Spiel
- *zum* Anhören" trat das „Spiel *mit* Hörbarem" (Helmut Heißenbüttel, 1968).
- Das Schallereignis als akustischer Ablauf und Art und Ort der Produktion wur-
- den stärker ins Bewusstsein gerückt. Die Hörer sollten mehr einbezogen wer-
- den: Persönliche Äußerungen und öffentliche Verlautbarungen wurden im
- „Originalton" als Hörmaterial verwendet und durch Montage (↑ S. 280) mit an-
- deren akustischen Elementen verknüpft.
- Neue Darstellungsmöglichkeiten brachte die Stereophonie; jetzt konnte man
- gleichzeitig ablaufende Hörereignisse unterscheiden (Stimmen im Widerstreit
- z. B.). Ein frühes, sehr erfolgreiches Beispiel ist das „Hörspiel für Stereo" *Fünf*
- *Mann Menschen* (1967) von **Ernst Jandl** und **Friederike Mayröcker**, ausgezeich-
- net mit dem angesehenen „Hörspielpreis der Kriegsblinden" (↑ S. 308).

Hörspiel

Das wohl älteste Hörspiel, *A Comedy of Danger* von Richard Hughes, London 1924, verlegte die Handlung in ein lichtloses Bergwerk.

„Und das ist die Aufgabe des Hörspiels, uns mehr die Bewegung im Menschen, als die Menschen in Bewegung zu zeigen." Richard Kolb, 1932

Hörspiel ist „ein Produkt des Rundfunks, es wird […] durch das Ausstrahlen der Sender veröffentlicht. […] Hörspiel gibt es nur im Spielraum der Technik […] Hörspiel ist immer auch Sprachspiel." Franz Mon, 1974

„Die Sprache ist für die Autoren Material, mit dem sie spielen und zugleich eine unmissverständliche Mitteilung machen, die unsere Zeit ebenso betrifft wie trifft." Preis-Jury

<table>
<tr><td>

E. Jandl/F. May-
röcker: *Fünf
Mann Menschen,*
1967

JM: Junger
Mann
Pos.: Position

Fade out:
Ausblenden

Zur Unterschei-
dung: Den Text
eines erzählen-
den Hörspiels
(↑ Böll, S. 305)
kann man
(vor)lesen; bei
einem „absolu-
ten" Hörspiel
ergibt sich
daraus allein
kaum ein Sinn.

</td><td>

Kino

| SPRECHER | : **Der Junge wird zum Mann.** |
| | **Filme regen an.** |

JM 1–JM 5 Pos. 1–5   vom Hörer abgekehrt
Stimmen aus dem Film Pos. 3   ca. 20 Meter vom Hörer
5 *punktuelle Schallquelle (Musik und Filmtext)*

FILM	*(Musik)*
	(Musik Fade-out)
GANGSTER	: Boss!
(Geräusch: Faustschlag ins Gesicht)
10	JM 3	: k. o.
FILM
BOSS	: ...Verrat bestraft.
JM 5	: O. K.
FILM
15	DRUGTAKER	*(Geräusch: deutliches Einziehen der Luft durch die*
	Nase, dann, lustvoll und lang)
	: aaaaaaaaaaaaaaaaaaahhhhhhh
JM 1	: Koks.
JM 2	: O. K.
20	FILM
BOSS	: Du Saukerl!
(Geräusch: Faustschlag ins Gesicht)
JM 4	: k. o.
FILM	*(Fade-in: Musik)*
25 | | *(Musik bricht ab)* |

</td></tr>
</table>

Ernst Jandl,
geb. 1925

Friederike May-
röcker,
geb. 1924

Dies ist die 4. der 14 Szenen des Hörspiels von Jandl und Mayröcker. Es zeigt verschiedene Stationen eines „zur Norm programmierten Lebenslaufs", Instrumente der Ab-
richtung in einer unfreien Gesellschaft: Elternhaus, Schule, Medien, Berufslenkung,
Militär, Justiz. Die Szene verblüfft durch inhaltsreiche Kürze (85 Sekunden) und das
gleichwertige Nebeneinander von Wort, Musik und Geräusch. Die eingeblendete
Filmszene braucht nur sechs Wörter und drei Geräusche um eine Geschichte zu
erzählen. Die fünf Kommentare der jungen Männer kommen sogar mit nur drei
verschiedenen Buchstaben aus, um den Wandel von Hochstimmung und Niederge-
schlagenheit zu benennen, von Faust„recht" des Mächtigen und Fluchtversuch des
Schwächeren mittels Drogen: ein Bild vermeintlicher Männlichkeit, wie es der Bän-
kelsang-Spruch im Titel ankündigt.

Bänkelsang:
früher Jahr-
marktsgesang
(Bank als Podi-
um), Vortrag von
„Moritaten",
Erzählliedern
meist schaurigen
Inhalts.

Ernst Jandl, 1966

schtzngrmm
schtzngrmm
t-t-t-t
t-t-t-t
grrrmmmmm
t-t-t-t
s – c – h
tzngrmm
tzngrmm
tzngrmm
grrrmmmmm
schtzn
schtzn
t-t-t-t
t-t-t-t
schtzngrmm
schtzngrmm
tssssssssssssssssssss
grrt
grrrrrt
grrrrrrrrrt
scht
scht
t-t-t-t-t-t-t-t-t
scht
tzngrmm
tzngrmm
t-t-t-t-t-t-t-t-t
scht
scht
scht
scht
scht
grrrrrrrrrrrrrrrrrrrrrrrrrrrrrrr
t-tt

Nur gesprochen gibt dieses „Sprechgedicht" Sinn und Inhalt kund: Gefechtsgeräusche bis zum tödlichen Ende. Es besteht – nach dem Wegfall der klingenden Vokale – nur noch aus den keinesweg stummen Konsonanten des Wortes *Schützengraben*. Jandl sagt: „Wenn man will, dann ist dieses Gedicht einfach ein noch kürzeres Hörspiel und ‚Fünf Mann Menschen' einfach eine Reihe von Sprechgedichten."

Themen, Titel, Namen nach 1945*

Carl Zuckmayer,
1896–1977

Harras: „Wer auf
Erden des Teu-
fels General
wurde und ihm
die Bahn
gebombt hat, der
muss ihm auch
Quartier in der
Hölle machen."

Wilhelm Voigt
hat „etwas
gemerkt [...],
was 60 Millio-
nen guter Deut-
scher auch wuss-
ten, ohne etwas
zu merken."
C. Zuckmayer

Mit über 5000 Aufführungen seines im amerikanischen Exil geschriebenen Dramas *Des Teufels General* (1946) war **Carl Zuckmayer** nach Wolfgang Borchert (↑ S. 298) der erfolgreichste Bühnenautor im ersten Nachkriegsjahrzehnt. Obwohl ein Gegner Hitlers, hat sich der Fliegergeneral Harras um weiterhin fliegen zu können dem teuflischen Regime verschrieben. Als er entdeckt, dass sein Chefingenieur durch Sabotage Widerstand leistet, und er selbst in Verdacht gerät, besteigt er wissend eine der unbrauchbar gemachten Maschinen und stürzt ab. Sein Tod lässt sich propagandistisch nutzen: Ein „Staatsbegräbnis" wird angeordnet. Die Urteile über dieses Stück schwankten zwischen Begeisterung über oppositionelle Gesinnung und vermeintliche Milieuechtheit und wachsender Skepsis angesichts zahlreicher Klischees und tatsächlicher Verharmlosung: Militärische Verantwortung und bloßes Mitläufertum sind zweierlei.

Zuckmayers Meisterstück bleibt ein wirklich milieuechtes, tragikomisches Drama von 1931: *Der Hauptmann von Köpenick. Ein deutsches Märchen.* Es handelt von einer Uniform als dem Zeichen des militaristischen wilhelminischen Staates und vom Schuster Voigt, der im Zuchthaus militärischen Kadavergehorsam – preußische „Disziplin" – gelernt hat, was er in ausweisloser Lage zu nutzen weiß: Als Hauptmann verkleidet übt er für eine kurze Weile hoheitliche Macht aus. Dieses „deutsche Märchen" gibt eine wirkliche Begebenheit aus dem Jahre 1906 wieder und zeigt deutlicher die Gründe späteren Unheils als das 15 Jahre jüngere Stück. Zuckmayer erhielt 1933 Aufführungsverbot und emigrierte.

Als sogenannte „Halbjüdin" wurde **Elisabeth Langgässer** (1899–1950) 1936 mit Schreibverbot belegt. Mit dem Naziregime setzte sie sich direkt in einigen Kurzgeschichten auseinander, so in *Saisonbeginn* (1947): Am Ortseingang eines Gebirgsdorfes machen sich Männer mit Hammer und Nägeln zu schaffen, neben einem Kreuz mit der Gestalt Christi, der „bisher von den Leuten als einer der ihren betrachtet und wohlgelitten" war. Errichtet wird ein Schild: „In diesem Kurort sind Juden unerwünscht." Umstehende registrieren meist „gleichgültig" die neuerliche Kreuzigung des Juden Jesus. (Das Foto zeigt den Eingang eines fränkischen Dorfes 1935.)

* Vgl. dazu das Vorwort.

Auseinandersetzung mit der jüngsten deutschen Vergangenheit war das große Thema der ersten Nachkriegsliteratur. **Günter Eich**, der bedeutendste Hörspielautor jener Zeit (↑ S. 296), erzählt in seinem Hörspiel *Die Mädchen aus Viterbo* (1953) eine Geschichte, die im Oktober 1943 spielt. Schon drei Jahre leben zwei Juden, eine 17-Jährige und ihr 70-jähriger Großvater, im Versteck einer Berliner Wohnung. Aus einer zufällig gefundenen Zeitungsnotiz erwächst ein bedeutungsvoller Traum, den sie weiterspinnen: von einer Mädchenklasse aus Viterbo, die sich in den Katakomben Roms verirrt. Parallelität und Gegensatz in Wirklichkeit und Traum: Gefunden zu werden, die Hoffnung der Verirrten, die Furcht der Verfolgten, denen die Traumerfahrung hilft, dem Unausweichlichen bewusst entgegenzutreten: „Mach dich bereit!"

Günter Eich, 1907–1972

„Sieh, was es gibt: Gefängnis und Folterung […], Tod in vieler Gestalt […] und die Angst, die das Leben meint." G. Eich, *Träume,* 1950

Nach eigenen Notizen, Prozessberichten und anderen Veröffentlichungen hat **Peter Weiss** ein „Konzentrat" des Frankfurter Auschwitz-Prozesses (Dezember 1963–August 1965) erarbeitet, das unter dem Titel *Die Ermittlung* am 19. Oktober 1965 gleichzeitig auf fünfzehn deutschen Bühnen und in London durch die Royal Shakespeare Company uraufgeführt wurde. In elf jeweils dreiteiligen „Gesängen" wird mit erschütternder Sachlichkeit der Weg der Opfer in der nationalsozialistischen „Todesfabrik" Auschwitz dokumentiert: durch überlebende Zeugen und angeklagte Henker und Folterknechte, denen kaltschnäuzige Verteidiger zur Seite stehen.

Peter Weiss, 1916–1982

Anspielung auf die Gesänge in Dantes *Göttlicher Komödie* (1307/21)

Wo gibt es noch freie Entscheidung einzelner Menschen in einer Welt übermächtiger Kollektive und erdrückender staatlicher Macht? Am Beispiel von fünf Personen, die das Schicksal 1937 in einem Ostseehafen zusammenführt, sucht **Alfred Andersch** Antworten auf diese Frage in seinem Roman *Sansibar oder der letzte Grund* (1957). Für die junge Jüdin ist die Flucht nach Schweden die letzte Hoffnung. Der junge kommunistische Funktionär im Untergrund, der nicht mehr an seine Partei glaubt, will sich ihrem Einfluss entziehen, bleibt aber am Ende unschlüssig zurück: „Alles muss neu geprüft werden." Der Pfarrer will eine Holzfigur, die als „entartete" Kunst bedroht ist, vor barbarischem Zugriff bewahren. Ein Küstenfischer wagt die rettende Überfahrt, kehrt selbst aber zurück, weil er seine kranke Frau nicht im Stich lassen will. Der Schiffsjunge, der lange schon von „Sansibar" träumt als dem Ziel einer unbestimmten Sehnsucht, bleibt seinem Schiffer schließlich treu.

Alfred Andersch, 1914–1980

Zum *Lesenden Klosterschüler* ↑ Umschlagfoto und Impressumseite

Mit ganz besonderen Leistungen und verrückten Einfällen will in der Novelle *Katz und Maus* (1961) von **Günter Grass** der schwächliche Gymnasiast Mahlke seine Umwelt von einer körperlichen Missbildung, einem riesigen Adamsapfel („Maus") ablenken. Schließlich klaut er sogar um den „Makel" zu verbergen einem gefeierten Kriegs„helden" das „Ritterkreuz". Dafür wird er von der Schule verwiesen. Obwohl er später selbst als Panzerkommandant den begehrten Halsschmuck erwirbt, gelingt es ihm nicht Isolation und Fremdheit zu durchbrechen. Er verschwindet im Wrack eines gesunkenen Minensuchbootes, dem Abenteuerspielplatz früherer Jahre. Die Novelle wirft Schlaglichter auf gesellschaftliche Wirklichkeit – etwa auf die Schule im Hitlerstaat – und entlarvt verlogene Heldenverehrung. Mahlkes Ich-Suche in einer aus den Fugen geratenen Welt endet traurig.

Günter Grass, geb. 1927

Katz und Maus steht in der *Danziger Trilogie* zwischen den Romanen *Die Blechtrommel* (1959) und *Hundejahre* (1963).

Die Handlung des Romans *Deutschstunde* (1968) von **Siegfried Lenz** setzt ein im Jahre 1954. Der Ich-Erzähler Siggi, Insasse eines Heims für schwer erziehbare Jugendliche,

Siegfried Lenz, geb. 1926

gibt bei einem Klassenaufsatz über „Die Freuden der Pflicht" eine leeres Heft ab, findet aber bei einem langen Nachsitzen sein Thema. Die Deutschstunde wird zum Ausdruck der Schwierigkeiten beim Rückblick auf düstere deutsche Vergangenheit, der Konflikte zwischen den Generationen. Für die ältere steht hier Siggis Vater, „nördlichster Polizeiposten Deutschlands", ein Beamter, der nie etwas anderes getan hat als seine Pflicht – auch seinem einstigen Freunde gegenüber, einem expressionistischen Maler bei der Überwachung eines Malverbots. Und er kann überhaupt nicht begreifen, dass dieser Auftrag auf einmal nicht mehr gelten soll. Die Unbelehrbarkeit starrsinniger Väter blockiert den Weg in die Zukunft.

Expressionismus
↑ S. 271

Wie ergeht es Frauen und Kindern, die Ehemann und Vater im Krieg verloren haben? Am Beispiel zweier 11-Jähriger und ihrer Mütter zeigt **Heinrich Böll** (↑ S. 305) in seinem Roman *Haus ohne Hüter* (1954) zeittypische Schicksale. Die beiden Freunde leben in sehr unterschiedlichen Milieus. Heinrich wächst „in dem Bewusstsein auf, dass Onkel zu Müttern gehören", aber die Gesellschaft stempelt sogenannte „Onkel-Ehen" als „unmoralisch" ab. Auch Martins Mutter hat den Boden unter den Füßen verloren. Sie lebt sozusagen in der Vergangenheit, im Andenken an ihren Mann, einen Schriftsteller. Sehr einfühlsam werden die Empfindungen der Kinder geschildert, in ihrer Unsicherheit zwischen Armut und Wohlstand, zäher Lebensbehauptung und lebensschwachem Dahingleiten. Nur die Erwachsenen sind in Gefahr zu Typen zu erstarren. Wenn am Ende leise Hoffnung auf ein besseres Leben aufglimmt, gilt das nur für etwaige private Lösungen, nicht im Blick auf die gesellschaftlichen Verhältnisse.

Heinrich Böll,
1917–1985
Nobelpreis für
Literatur 1972

„Unmoralisch"
ist eins der
Wörter, die Böll
jedes Mal im
Text besonders
hervorhebt.

Was wird sich als stärker erweisen: die Kräfte, die Neues bauen wollen, ein freies, demokratisches Deutschland, oder die alten Mächte, die noch in vielen Köpfen spuken? Mit einem schonungslos satirischen, doch in vielen Einzelzügen realistischen Roman über die politische Szene in Bonn zu Beginn der 50er Jahre meldete **Wolfgang Koeppen** starke Zweifel an: *Das Treibhaus* (1952). Da scheitert ein sozialdemokratischer Abgeordneter, der nur seinem Gewissen folgen will, in seiner Opposition gegen die Wiederaufrüstung der Bundesrepublik. Er versinkt im Dschungel von Cliquen und Verbänden, Opportunismus und Karrierewesen. Das Ende: „Der Abgeordnete war gänzlich unnütz, er war sich selbst eine Last und ein Sprung von dieser Brücke machte ihn frei."

Wolfgang Koeppen, 1906 –1996

Dass ein Mensch seine persönliche Schuld einsieht und sühnt, ist eine – leider nicht selbstverständliche – moralische Leistung. In **Friedrich Dürrenmatts** „tragischer Komödie" *Der Besuch der alten Dame* (1956) verbindet sich damit die bittere Erkenntnis, dass Verbände, Gesellschaften, gar Völker dazu kaum jemals fähig sind. Das lehrt die Geschichte einer in ihrer Jugend in „Schande" und Elend verstoßenen Frau, die im Alter als „reichste Frau der Welt" in ihren Heimatort zurückkehrt um sich Rache zu erkaufen. Die anfangs noch vorgetragene Scheinmoral zerbirst im Anblick von einer Milliarde: Der Schuldige von einst wird hingerichtet. Anmerkung des Autors: „geschrieben von einem, der sich von diesen Leuten durchaus nicht distanziert und der nicht so sicher ist, ob er anders handeln würde". (↑ S. 226)

F. Dürrenmatt,
1921–1990

„Nur im Privaten
kann […] der
Frieden verwirklicht werden. Ein
grausamer Satz.
Doch geben wir
alle die Hoffnung auf einen
allgemeinen
Frieden nicht
auf." F. Dürrenmatt, 1957

In die Zeit des sogenannten Wirtschaftswunders in Westdeutschland nach der Währungsreform, als mit dem neuen Geld überraschend schnell Wohlstand aufkam, versetzt **Martin Walsers** Roman *Halbzeit* (1960). Der Titel lässt an eine Art Zwischenbilanz denken, in der westdeutschen Gesellschaft um die Jahrhundertmitte ebenso wie im Leben des 35-jährigen Anselm Kristlein, der vom Vertreter zum Werbefachmann aufsteigt. Verkaufen bleibt sein Geschäft, unablässiges Reden bestimmt weiterhin sein Dasein. „Mimikry" steht über dem ersten Kapitel und das heißt: sich anpassen an wechselnde Verhältnisse, gesellschaftliche Normen und Vorstellungen, als richtungsloser Jedermann jeglicher Zeit. Eine „gewisse Charakterlosigkeit" ist für Walser Merkmal der Zeitgenossenschaft. Er analysiert und deutet nicht, beschreibt nur und registriert. So steht das letzte Kapitel der umfangreichen Bestandsaufnahme unter der Überschrift „Befund".

Am Beispiel eines Handelsvertreters zeigt auch **Gabriele Wohmann** in ihrem Romanerstling *Jetzt und nie* (1958) Auswirkungen der Konkurrenzgesellschaft im Zeichen des Wirtschaftswunders: innere Leere und die Unfähigkeit zu mitmenschlichem Kontakt, eine zerrüttete Familie, Illusionen aus Hilflosigkeit und schale Ersatzbefriedigung durch Alkohol und flüchtige Liebschaften. Das ganze Werk dieser Autorin durchziehen Bitterkeit und Trauer, zur Sprache gebracht in meist knappen, oft scheinbar gefühllosen Sätzen. Doch auch satirischer, grotesker, gar zynischer Ton verdecken kaum den Schmerz über die Leidensgeschichten alltäglichen Lebens. „Todesspielarten zu Lebzeiten" nennt die Autorin selbst ihre Schreibweisen. Wenn da etwas an Glück erinnert, sind es „Rufe aus der Kindheit": Kinder, die an Familie und Schule, an Berufs- und vor allem Partnerschaftsproblemen der Erwachsenen leiden, spielen eine wichtige Rolle, besonders in den bitterbösen Kurzgeschichten, etwa in *Habgier* (1973). In einer Familie, deren erzieherisches Leitmotiv Berechnung heißt – ob es um die Auswahl zahlungskräftiger Paten geht, um gute Noten, „Liebe" zur Musik oder Pflichten am Muttertag – kommt es zur Katastrophe: In einem Wutanfall zerstört der Sohn seine Konfirmationsgeschenke. Er hat seinen Konfirmationsspruch ernst genommen, ein Jesaja-Wort: „Wer Unrecht hasst samt der Habgier und seine Hände abzieht, dass er nicht Geschenke nehme, der wird in der Höhe wohnen [...]." Nicht normal, das Kind muss in eine Anstalt.

Einer der erfolgreichsten deutschen Bühnenautoren in der Nachfolge von Marieluise Fleißer (↑ S. 289) und Ödön von Horváth (↑ S. 290) ist **Franz Xaver Kroetz**. Seine frühen Stücke spielen in trostlosen Milieus unter beschädigten Menschen, die passiv und fast sprachlos ihr Elend ertragen; eine Welt, die auf keine Veränderung hoffen lässt. 1976 hat Kroetz den Stoff von Friedrich Hebbels Drama *Agnes Bernauer* (↑ S. 239) aufgegriffen und aus dem „deutschen Trauerspiel" ein „bürgerliches Schauspiel" gemacht. In einer Gesellschaft, in der Gewinnstreben höchsten Rang einnimmt, scheint die Tragödie keinen Ort mehr zu haben. Geblieben sind der Dramenaufbau nach klassischem Muster in fünf Akten und die Namen der Hauptpersonen. Albrecht ist der Sohn eines Unternehmers, der sich hart emporgearbeitet hat. Agnes heiratet aus Berechnung in die reiche Familie ein, aber ihr gutes Herz siegt: Sie tritt für die ausgebeuteten Heimarbeiter ein. Auch Albrecht gelingt der Wandel zum Besseren, er löst sich aus der Abhängigkeit vom Vater. Agnes geht arbeiten, damit er studieren kann.

Martin Walser, geb. 1927

Währungsreform am 21. Juni 1948: An die Stelle der „Reichsmark" tritt die „Deutsche Mark".

Gabriele Wohmann, geb. 1932

„Zur Dankbarkeit muss man sein Kind vom ersten Tag an [...] erziehen. Immerhin: Man schenkt ihnen ja das Leben, eine Gabe gewissermaßen aufs Geratewohl. [...] In unserer Familie wird das Wort Dankbarkeit groß geschrieben. Es rentiert sich."

Franz Xaver Kroetz, geb. 1946

„Das Stück könnte auch ‚Zenzi Huber' heißen." F. X. Kroetz

Ilse Aichinger, geb. 1921

Die übergreifende Frage nach gesellschaftlichen Bedingungen und Möglichkeiten der Veränderung ist ein großes Thema (nicht nur) der deutschen Literatur in der zweiten Jahrhunderthälfte. Sie ist nicht zu trennen von individuellen Problemen, der Suche nach Lebenssinn, der Frage nach Wesen und Bedeutung des eigenen Ich: Wo komme ich her, wo gehe ich hin? Ein frühes und besonders eindrucksvolles Beispiel für diesen Themenkomplex ist eine Parabel von **Ilse Aichinger** mit dem Titel *Spiegelgeschichte* (1952). Eine junge Frau stirbt an den Folgen einer vom Mann erzwungenen Abtreibung. Im Augenblick des Todes sieht sie wie in einem Spiegel den Film ihres Lebens. Er läuft rückwärts zum Moment ihrer Geburt. Alles Gewesene wird so „verkehrt", getroffene Entscheidungen werden in Frage gestellt. Aber umkehrbar ist nichts mehr.

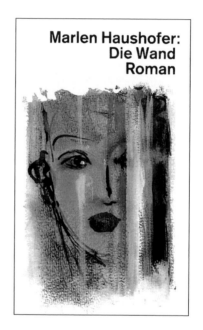

Als im Zuge fortschreitender weiblicher Emanzipation die Frage nach „Frauenliteratur" laut wurde, „entdeckte" man auch die durchweg aus weiblicher Perspektive geschriebenen Werke der Österreicherin **Marlen Haushofer** (1920–1970). Jetzt erst, in der Neuauflage von 1983, fand der schon 1963 erschienene Roman *Die Wand* angemessene Beachtung. Bei einem Gebirgsaufenthalt findet sich die weibliche Hauptfigur plötzlich durch eine unsichtbare Wand von der übrigen Welt ausgesperrt. Sie behauptet sich und bildet – fern von bisher männlich bestimmter Technik und Gesellschaft – systematisch eigene (Über-) Lebensformen aus. Das Rätsel der Wand birgt die unbeantwortete Frage, ob diese weibliche Schöpfung einer Gegenwelt Zukunft haben kann – oder nur warnendes Bild ist für die tatsächliche Aussperrung der Frau.

Peter Handke, geb. 1942

„Selten wunschlos und irgendwie glücklich, meistens wunschlos und ein bisschen unglücklich."

Sieben Wochen nach dem Freitod seiner Mutter beginnt der österreichische Schriftsteller **Peter Handke** mit der Niederschrift einer Erzählung über dieses Ereignis: *Wunschloses Unglück* (1972). Der Leidensweg der Mutter, der es nicht gelingt aus der bedrückenden Realität in der kleinen Welt eines Kärntner Dorfes und in der Ehe mit einem ungeliebten Mann auszubrechen, wird zum Bild der Ausweglosigkeit vieler Frauen, die keine Zukunft sehen. Denn immer ist „alles schon vorgesehen", festgelegt wie in den Stationen eines in jener Gegend bekannten Kinderspiels für Mädchen: „Müde – matt – krank – schwer krank – tot".

Peter Härtling, geb. 1933

Er war noch nicht zwölf, als sein Vater in einem russischen Gefangenenlager starb und ein Jahr später nahm sich die Mutter das Leben; Großmutter und Tante nahmen sich seiner an: Erinnerungsarbeit an Themen wie Familie, Heimat, Geschichte ist zentrales Motiv für den Schriftsteller **Peter Härtling**, Kampf gegen das Vergessen.

Der Roman *Hölderlin* (1976) wurde zum ersten großen Erfolg bei den Lesern. *Zwettl. Nachprüfung einer Erinnerung* (1973) heißt sein erster autobiografischer Roman. Zwettl ist die Stadt in Niederösterreich, wohin die Familie 1945 aus Mähren geflohen ist. Die konfliktreiche Beziehung zum früh verstorbenen Vater ist Thema eines weiteren autobiografischen Romans: *Nachgetragene Liebe* (1980). „Nachtragen" ist doppeldeutig, meint Anklage väterlicher Schwäche, Unzugänglichkeit und Strenge, aber auch verstehendes Nachholen und Antworten. „Für meine Kinder" heißt die Widmung dieses Buches.

Schreiben für Kinder – nicht nur die eigenen – wird zu einem wichtigen Teil von Härtlings Schaffen. Mit realistischen Geschichten, die seelische und soziale Probleme aufgreifen, will er Kritikfähigkeit wecken und selbstverantwortliches Handeln fördern.

Hölderlin
↑ S. 141

Deutscher Jugendliteraturpreis für *Oma* (1975)

„Übertreibungskunst" nennt **Thomas Bernhard** sein eigenes Werk, das mit Hass und Begeisterung aufgenommen, mit Skandalen und namhaften Literaturpreisen gewürdigt wurde: traurige Gedichte, meisterhafte, rabenschwarze Komödien, bittere Romane und Erzählungen, getragen vom Zorn über die Zerstörung aller Lebensmöglichkeiten und von einer Hassliebe zu seinem Land, Österreich, das für ihn freilich nur das naheliegende Beispiel war für den Zustand der Welt überhaupt.

Familie, Kirche, Staat – nichts bleibt verschont von seinen wütenden Attacken. Menschlich erschütternd sind die Berichte des Autors über verschiedene Abschnitte seines Lebens: Internat, Kaufmannslehre, Aufenthalte in Kliniken und Lungenheilanstalten. Zuletzt erschien der Bericht über die Anfänge: *Ein Kind* (1982). „Du hast mein Leben zerstört", hört der unehelich Geborene immer wieder von seiner Mutter. Geprägt hat ihn vor allem der Großvater, ein österreichischer Schriftsteller, der schlecht und recht über die Bedrohungen durch unstete Lebensweise, wirtschaftliche Not, Enttäuschung in der Schule und ständige Krankheit hinweghilft.

Thomas Bernhard, 1931–1989

„Um etwas begreiflich zu machen, müssen wir übertreiben […], nur die Übertreibung macht anschaulich."
Th. Bernhard, *Auslöschung. Ein Zerfall*, Roman 1986

Hörigkeit und Widerspruch

Mut

> „Wenn ich meine eigene
> Meinung äußern darf"
> Begann er ungewohnt krass
> „So hat schon Karl Marx gesagt, dass…"

Kurt Bartsch, 1970

Ist dieser Vierzeiler, der ironisch Meinungsunfreiheit aufspießt, ein Beweis für wahren Mut? **Kurt Bartsch**, Jahrgang 1937, als Kind einer Arbeiterfamilie besonders förderungswürdig in der DDR, hat die Oberschule ohne Abschluss besucht, sich mit verschiedenen Jobs über Wasser gehalten, 1964/65 am „Johannes-R.-Becher-Literaturinstitut" in Leipzig studiert, aber das Studium abgebrochen. Von 1974 an war er Mitglied des Schriftstellerverbandes, der ihn 1979 wegen zweimaliger Unterschrift unter Protestbriefen (zuerst im „Fall Biermann"; ↑ S. 318) ausschloss.

Im Jahr darauf verließ er die DDR. Der Vierzeiler *Mut* wurde 1971 in West-Berlin veröffentlicht, aber 1974 auch in einem Sammelband des Ostberliner Aufbau-Verlags:

Lyrik in der DDR. Wie groß also war der Spielraum für kritische Dichtung in der DDR? Kurt Bartsch machte sich keine Illusionen:

Zustimmung

„Mit Gewalt", sagt der Friseurgehilfe
Das Rasiermesser an meiner Kehle
„Ist der Mensch nicht zu ändern."
Mein Kopfnicken beweist ihm das Gegenteil.

Hinter den sieben Bergen – so heißt dieser Holzschnitt von 1970 – schwebt eine Gestalt, mit der Wolfgang Mattheuer, namhafter Maler der DDR, ein Bild des Franzosen Eugène Delacroix zur Pariser Julirevolution von 1830 zitiert: *Die Freiheit führt das Volk auf die Barrikaden.* Hier nicht mit Trikolore und Gewehr in den Händen, sondern mit Luftballons und Blumenstrauß. Ob das Motiv der „sieben Berge" aus dem Märchen (*Schneewittchen*) ironisch auch an das Siebengebirge bei Bonn erinnern soll?

Literatur in der DDR

1954: Einrichtung eines „Ministeriums für Kultur"; Minister bis 1958: Becher

Artikel 1: „Die Deutsche Demokratische Republik ist ein sozialistischer Staat deutscher Nation" – 1974: „...sozialistischer Staat der

- In der „Sowjetischen Besatzungszone Deutschlands" (SBZ) rief die Militärverwaltung schon im Juli 1945 den „Kulturbund zur demokratischen Erneuerung Deutschlands" ins Leben. Er sollte einer „sozialistischen Nationalkultur" den Weg bereiten und die „Beziehungen zwischen Arbeiterklasse und Intelligenz" fördern. Erster Präsident war **Johannes R. Becher** (1891–1958), einstmals namhafter Expressionist (↑ S. 271), dann kommunistisch-revolutionärer Parteidichter, der sich im Exil mehr und mehr dem „klassischen Kulturerbe" zugewandt hatte. 1945 wurde er Mitbegründer des Ost-Berliner „Aufbau-Verlags", der die Zeitschrift *Aufbau,* deutsche Klassik und Weltliteratur herausbrachte und erste Anlaufstelle für Exilautoren wurde; darunter so berühmte wie **Bertolt Brecht, Heinrich** und **Thomas Mann.** 1949 schrieb Becher den Text der Hymne für die neu gegründete Deutsche Demokratische Republik (DDR): *Auferstanden aus Ruinen und der Zukunft zugewandt.* Die vierte Zeile – „Deutschland, einig Vaterland" – ließ den Text missliebig werden, als 1974 die „deutsche Nation" und das Wort „Vereinigung" aus der Verfassung der DDR verschwanden. Seitdem wurde offiziell nur noch die Melodie der Hymne (von Hanns Eisler) ge-

- spielt. 1989 wurde die Liedzeile dann zur Kampfparole in Sprechchören und auf
- Transparenten: Zeichen neuen Aufbruchs.
- Aufbau im Zeichen von Antifaschismus, demokratischer Erneuerung, Sozialis-
- mus und deutscher Nationalkultur – das versprach viel und ließ zahlreiche Exil-
- autoren den Neuanfang in der SBZ und späteren DDR suchen. Startbedingun-
- gen und literarisches Klima erschienen günstig. Um den sozialistischen Staat
- historisch zu begründe stellte man die – von früherer Geschichtsschreibung
- meist vernachlässigten – revolutionären Aufbrüche in der Geschichte Deutsch-
- lands heraus: den Bauernkrieg im Zeitalter der Reformation, die bürgerliche
- Revolution von 1848 und die Novemberrevolution von 1918 (nach der russischen
- Oktoberrevolution 1917). Gleichzeitig suchte man Zeugnisse sozialistischen
- Geistes in Werken der Weltliteratur und der deutschen Literatur früherer Epo-
- chen. Einige freilich klammerte man dabei aus, zumindest zeitweise: Romantik
- z.B. und Expressionismus. Formen moderner Literatur blieben verpönt. Als
- Vertreter einer fortschrittlichen nationalen Kultur feierte man (wenn auch nicht
- ohne parteiliche Interpretation) in Jubiläumsjahren unter anderen Goethe
- (200. Geburtstag 1949), Johann Sebastian Bach (200. Todestag 1950), Schiller
- (150. Todestag 1955), deren hauptsächliche Wirkstätten nun in der DDR lagen.
- Kritische Auseinandersetzung mit der Nazi-Vergangenheit war vor allem in den
- Anfängen ein wichtiges Motiv der DDR-Literatur. Das stalinistische Verfol-
- gungssystem hingegen – mit Folter, Kerker, Zwangsarbeit und Massenmord –
- wurde totgeschwiegen.
- Der neue Staat verlangte von der Literatur die Darstellung „positiver Helden",
- die für eine bessere Zukunft im Sozialismus kämpften, etwa als „Aktivisten"
- in Kollektiven der Landwirtschaft und der Industrie. „Aufbauromane" zum
- Beispiel waren gefragt. Dafür übernahm man einen Begriff, der Anfang der 30er
- Jahre in der sowjetischen Literaturdiskussion aufgekommen war: „sozialistischer
- Realismus." Darin sollte der bürgerliche Realismus des 19. Jahrhunderts
- (↑ S. 226) seine Vollendung finden. Vorbilder suchte man nicht nur in der rus-
- sischen Literatur: Auch der Kolonisator Faust (↑ S. 136) wurde als Held des Fort-
- schritts gefeiert.
- 1959 kam – nach einer Konferenz in diesem Industriezentrum – die Parole vom
- „Bitterfelder Weg" auf, den Arbeiter und Schriftsteller gemeinsam zu gehen hät-
- ten. Einerseits: „Greif zur Feder, Kumpel!" Andererseits: „Schriftsteller an die Ba-
- sis!" (Vgl. „Gruppe 61" ↑ S. 300) Auch von „Ankunftsliteratur" war die Rede,
- nach einer Erzählung von **Brigitte Reimann** (1933–1973), *Ankunft im Alltag*
- (1961): Abiturienten arbeiten ein Jahr lang auf einer Großbaustelle und lernen
- sich ins sozialistische Kollektiv einzufügen. „Der Mensch ist gut" hieß der herr-
- schende Grundsatz: Man müsse ihn nur auf den rechten Weg bringen. „Pannen"
- ließen sich zwar – noch – nicht ganz ausschließen, aber doch immer beheben.
- Es war schwer sich gegen solche verordnete Weltsicht zu wehren. Abweichung
- wurde bestraft: mit persönlichen Einschränkungen, Verweigerung von Reise-
- erlaubnis, Ausschluss aus Partei und Schriftstellerverband, Publikationsverbot,
- Zwangsausbürgerung u. a. Ein Forum für anspruchsvoll-eigenständige Litera-
- tur bot innerhalb gewisser Grenzen die 1949 gegründete Literaturzeitschrift
- *Sinn und Form*. Chefredakteur war der Lyriker **Peter Huchel** (1903–1981;
- ↑ S. 294), der aber mit der Zeit immer mehr ins Abseits geriet. 1971 konnte er

---

Arbeiter und Bauern"

1945 aus der Sowjetunion: J. R. Becher, Theodor Plivier (der 1947 in den Westen zog); 1947 aus Mexiko: Anna Seghers, Ludwig Renn; 1948 aus Palästi-na: Arnold Zweig; 1949 aus den USA (nach vergeblichen Versuchen sich im Westen niederzulassen): Bertolt Brecht

„Wahrheitstreue und historische Konkretheit der künstlerischen Darstellung muss mit den Aufgaben der ideologischen Umgestaltung und Erziehung der Werktätigen im Geiste des Sozialismus ver-bunden werden." (1934)

„Die Kunst ist nicht dazu befähigt, die Kunstvorstellun-gen von Büros in Kunstwerke umzusetzen. Nur Stiefel kann man nach Maß anfer-tigen." B. Brecht, etwa 1954

die DDR verlassen. Zuständig für Überwachung und Regulierung der Literatur war das Ministerium für Kultur. Für Auslandsveröffentlichungen (auch die Bundesrepublik galt als Ausland) gab es dort ein „Büro für Urheberrechte". Die Veröffentlichung heimlich ins Ausland gebrachter Werke wurde in der Regel als „Devisenvergehen" geahndet. Zuständig für Veröffentlichungen allgemein war die „Hauptverwaltung für Verlage und Buchhandel" im Ministerium für Kultur. Der Prozess der Vorzensur war meist langwierig. **Erich Loest,** Jahrgang 1926, hat in *Der vierte Zensor* 1984 darüber berichtet; die Stationen: der Autor, Selbstzensur übend – Lektorat und Leitung des Verlags – das Ministerium – in besonderen Fällen auch noch die oberste Parteileitung, das „Politbüro".

1981 hat E. Loest die DDR verlassen. Rückblickend auf die frühen 50er Jahre, schreibt er 1990: „Die Literatur galt etwas im Staate."

Über hundert Autorinnen und Autoren sind in die Bundesrepublik übergewechselt: abgeschoben oder meist in aussichtsloser Lage „freiwillig". Zu einem besonders spektakulären „Fall" wurde der Liedermacher **Wolf Biermann,** geboren 1936 (im selben Jahr kerkerte man seinen Vater ein, der 1942 in Auschwitz ermordet wurde). Als überzeugter Kommunist war Biermann 1953 von Hamburg in die DDR übergesiedelt. Doch er machte sich mit kritischen – aber konstruktiv gemeinten – Gedichten und Liedern unbeliebt. 1963 wurde seine Kandidatur für die Aufnahme in die SED negativ beschieden. 1965 erhielt er Auftritts- und Publikationsverbot. Zum Schweigen brachte man ihn damit nicht: Seine Schallplatten und Gedichtbände hatten von 1965 an in der Bundesrepublik wachsenden Erfolg (und brachten auch Lob von „falschen Freunden").

1972: *Deutschland. Ein Wintermärchen* ↑ S. 215

1976 wurde Biermann wegen „Staatsfeindlichkeit" ausgebürgert. Rund hundert Künstler, darunter fast alle bedeutenden Autoren, unterzeichneten ein Protestschreiben, das dann nur „im Westen" veröffentlicht werden konnte und weitere Verfolgungen und Abschiebungen zur Folge hatte.

1971 kam Erich Honecker als Erster Sekretär (Titel ab 1976: Generalsekretär) der SED an die Macht. Er verkündete das Ende aller Tabus in der Kunst; die direkte Bevormundung der Schriftsteller sollte aufhören. Lockerungen, aber kein grundsätzlicher Wandel. Nur wer an den „festen Positionen" des „Sozialismus" festhielt, durfte sich auch kritisch äußern, über Missstände im Kleinen. Oder über allgemeine Zivilisationsgefahren, die genauso im „Kapitalismus" Gesellschaft und Person bedrohten. In solcher Kritik konnten Ost und West gefahrlos einander begegnen.

Die Geschichte der DDR endete 1990 am 3. Oktober. Für eine gerechte Würdigung ihrer Literatur ist es noch zu früh; eine gedrängte Übersicht wie diese kann nur einige Wesenzüge herausstellen (das gilt gleichermaßen für die übrige deutsche Literatur nach 1945).

„Berliner Begegnung" 1983: Bei unüberbrückbaren politischen Gegensätzen versuchen Schriftsteller aus den beiden deutschen Staaten sich als „Teil der internationalen Friedensbewegung" zu verstehen (am Tisch von links Peter Härtling, Stephan Hermlin, Günter Grass, Walter Höllerer, Uwe Johnson).

Eisen

Bertolt Brecht, 1953

Im Traum heute Nacht
Sah ich einen großen Sturm.
Ins Baugerüst griff er
Den Bauschragen riss er
5 Den eisernen abwärts.
Doch was da aus Holz war
Bog sich und blieb.

Schragen:
Gestell aus Stäben und Pfählen

Bertolt Brecht erinnert mit diesem Gedicht an eine alte Äsop-Fabel, die erzählt, wie das Schilfrohr den Sturm übersteht, während der Ölbaum bricht. Moral: „Die Fabel lehrt, dass die, welche sich den Umständen und den Stärkeren nicht widersetzen, klüger handeln als diejenigen, welche sich mit Mächtigeren streiten." Vielleicht kannte Brecht die Fabel auch in der Fassung, die der berühmte russische Fabeldichter **Krylow** (1769–1844) ihr gegeben hat. Da ist es die stolze Eiche, die trotzt und mit allen Wurzeln herausgerissen wird, während das Rohr sich duckt; sein Überlebensrezept:

Äsop ↑ S. 73

Dialektik:
Denken in Gegensätzen

> Ich fürchte nicht für mich der Stürme Walten.
> Beug ich mich auch, ich werde nicht gespalten,
> So schaden grause Wetter wenig mir.

Ein hintergründig-dialektisches Spiel, das aufs Ganze geht, verbirgt sich im Bilde von starrem Eisen und biegsamem Holz: Wenn Starrheit tödlich ist, muss das nicht auch für Gesellschaft und Staat gelten? Brecht sagt (1955): „Die heutige Welt ist dem heutigen Menschen nur beschreibbar, wenn sie als veränderliche Welt beschrieben wird." Direkt gesagt: Sie kann nur lebendig bleiben, wenn sie offen ist für Wandel. Aus dem Jahre 1927 stammt Brechts Gedicht *Morgendliche Rede an den Baum Green*. Der Dichter redet den Baum respektvoll mit Sie an, denn er habe schwankend den „bittersten Kampf" seines Lebens überstanden. Anfang der 50er Jahre hat Brecht für eine Gesamtausgabe seiner Werke Gedichte aus jener Zeit überarbeitet. So heißt der Baum nun „*Griehn*" und neu hinzugekommen sind die Verse:

Griehn: Anklang an *grün* wie auch an die sprachlich verwandten Verben *grienen, grinsen* und *greinen*

Und ich weiß jetzt: Einzig durch Ihre unerbittliche
Nachgiebigkeit stehen Sie heute Morgen noch gerade.

Ob, wann und wo solche Lebensweisheit zum Feigenblatt wird für schädliche Kompromisse, muss jeder vor seinem Gewissen entscheiden. **Günter Kunert,** Jahrgang 1929, ebenfalls Unterzeichner des Protests gegen Biermanns Ausbürgerung und aus der SED ausgeschlossen, konnte 1979 in die Bundesrepublik ausreisen. Dort veröffentlichte er bald darauf *Verspätete Monologe,* wo es heißt:

> Eines Tages aber verweigert das Bewusstsein seine Kompromissbereitschaft
> und stellt sich störrisch: Es ist nicht länger geneigt, eine Zensurmaßnahme
> hinzunehmen, etwa die Löschung einer Passage in einem Buch, eines Satzes
> oder auch nur eines einzigen Wortes, um dafür etwas einzutauschen, dessen
> ₅ Wert zweifelhaft ist: die Genehmigung zur Veröffentlichung. […]
> Die Kompromisse, mittels deren der einzelne durchzukommen meint, sind
> gar keine und während er noch glaubt, er habe nicht mehr als den kleinen Finger geopfert, sind bereits seine beiden Hände gefesselt, so dass er sie nie mehr
> wie vordem wird bewegen können.

1963: Ablehnung von Biermanns SED-Kandidatur.

Wolf Biermann, beseelt von der Hoffnung, einmal werde sich doch wahrer Sozialismus durchsetzen, war zu Kompromissen nicht bereit. 1963 bekundete er in der *Tischrede des Dichters* seine Position so:

> Ich soll vom Glück Euch singen
> einer neuen Zeit
> doch Eure Ohren sind vom Reden taub.
> Schafft in der Wirklichkeit mehr Glück!
> ₅ Dann braucht Ihr nicht so viel Ersatz
> in meinen Worten.
> Schafft Euch ein süßes Leben, Bürger!
> Dann wird mein saurer Wein Euch munden.
> Der Dichter ist kein Zuckersack!

Doch der „real existierende Sozialismus" war nicht imstande das Glück einer „neuen Zeit" zu verwirklichen und verfiel immer mehr in Erstarrung und Knechtschaft. Mit dem folgenden Gedicht endete 1962 **Peter Huchels** Zeit als Chefredakteur der Zeitschrift *Sinn und Form.* Er hatte der barbarischen Aufforderung widerstanden die letzten beiden Zeilen zu streichen:

Der Garten des Theophrast
Meinem Sohn

Wenn mittags das weiße Feuer
Der Verse über den Urnen tanzt,
Gedenke, mein Sohn. Gedenke derer,
die einst Gespräche wie Bäume gepflanzt.
5 Tot ist der Garten, mein Atem wird schwerer,
Bewahre die Stunde, hier ging Theophrast,
Mit Eichenlohe zu düngen den Boden,
Die wunde Rinde zu binden mit Bast.
Ein Ölbaum spaltet das mürbe Gemäuer
10 Und ist noch Stimme im heißen Staub.
Sie gaben Befehl, die Wurzel zu roden.
Es sinkt dein Licht, schutzloses Laub.

mein Sohn
↑ Enzensberger,
S. 303

Lohe: zerkleiner-
te Rinde

Durch Gedenken bewahren ist Aufgabe des Geistes im Angesicht gewaltsam her-
beigeführten Todes, der Bäume wie der Gespräche. Der griechische Philosoph
Theophrast (372–287 v. Chr.) gilt als Begründer der Botanik: Er hat den Boden bereitet für das Wachstum der Pflanzen wie der Gedanken. Zweifache „Kultur" im Bilde
des Gartens, wo nun „Staub" tödlich auf „Laub" reimt und wo Urnen, einst lebendiges Wasser bergend, nur noch an Asche denken lassen. Blätter und Zweige des Öl-
baums sind alte Friedenssymbole. Das Gedicht weist wohl auch auf den Garten, den
Huchel nun nicht mehr bestellen kann: Was eben „noch Stimme" ist, wird fortan
nicht mehr zu vernehmen sein, wenn die Wurzel gerodet ist. Huchels Sohn Stefan, der
in seinem Gedenken diese Stunde für die Zukunft bewahren soll, haben die Machthaber das Studium verweigert.

Zum „Gespräch
über Bäume" ↑
Brechts Gedicht
*An die Nachgebo-
renen,* S. 294

Ölblatt ↑
1. Mose 8,11:
Ende der Sintflut

Themen, Titel, Namen der DDR – Literatur*

Als engagierte Kommunistin musste **Anna
Seghers** (1900–1983) 1933 Deutschland verlassen.
1947 kehrte sie zurück und die DDR ehrte die
erfolgreiche Autorin von Erzählungen und Romanen mit hohen Preisen und Ämtern (u. a. Vorsitz
des Schriftstellerverbandes 1952–1978).
Weltruhm brachte ihr der Roman *Das siebte
Kreuz,* geschrieben 1938/39 in Paris, erschienen
1942 im mexikanischen Exil (das Titelbild der
Erstausgabe ist ein Holzschnitt von L. Méndez):
Sieben Kreuze – zu Folterung und Abschreckung
– errichtet man nach der Flucht von sieben Häft-
lingen aus einem rheinhessischen Konzentrationslager. Nur eins bleibt leer, einem gelingt die
Flucht, mit der Kraft unbeugsamen
Widerstandes und getragen von
menschlicher Solidarität.

* Vgl. dazu das Vorwort.

Bruno Apitz,
1900–1979

Ein russischer
Häftling: „Wir
haben unser
Menschsein mit
der Schlauheit
des Tieres
geschützt und
verteidigt. Wir
haben den Men-
schen tief in uns
verbergen müs-
sen."

„Ein Mensch, der Anspruch erhebt, diesen Namen zu tragen, muss sich in all seinem Tun stets für die höhere Pflicht entscheiden." Diese allgemeine moralische Forderung wird konkret in der Handlung des Romans *Nackt unter Wölfen* (1958) von **Bruno Apitz**. Ein tatsächliches Geschehen liegt ihm zugrunde: Im Frühjahr 1945, die Sowjets rücken näher, bereitet das internationale, von Kommunisten geführte Lagerkomitee des Konzentrationslagers Buchenwald einen Aufstand vor. Da gefährdet ein dreijähriges Kind, das ins Lager geschmuggelt und versteckt wird, die Pläne für die Befreiung der 50 000 Häftlinge. Doch Menschlichkeit, „die höhere Pflicht", siegt über taktische Überlegungen und Parteidisziplin. Dieses Buch eines bis dahin unbekannten Autors war ungemein erfolgreich: In etwa 30 Sprachen übersetzt erreichte es eine Gesamtauflage von rund drei Millionen. Bruno Apitz, der schon 1917 wegen Propaganda gegen den Krieg eine längere Gefängnisstrafe verbüßt hatte, wurde als Kommunist auch vom Hitler-Regime verfolgt. Die letzten acht Jahre seiner Inhaftierung von 1934–1945 verbrachte er im Konzentrationslager Buchenwald.

Jurek Becker,
1937–1997

Nicht von kämpferischem Widerstand erzählt **Jurek Becker** in seinem Roman *Jakob der Lügner* (1960), sondern von der Tapferkeit der Schwachen und von rettender Fantasie. Das Grauen klingt in leisen Tönen um so eindringlicher an und Humorvoll-Anekdotisches deckt Angst nicht zu, sondern wandelt sie allenfalls in Furcht, die Gegenkräfte hervorrufen kann. Jakob, der im Getto einer polnischen Kleinstadt lebt, hört im „Revier" der Wachmannschaft zufällig die Radiomeldung vom Näherrücken sowjetischer Truppen: Hoffnung für die vom Tode bedrohten Juden. Er gibt die Nachricht weiter und behauptet ein Radio versteckt zu haben. Diese Lüge zwingt ihn dazu, immer neue Meldungen zu erfinden, um die Hoffnung wach zu halten, die das Leben der Eingesperrten beflügelt. Am Ende steht ein Traum Jakobs: Kurz vor der Befreiung durch die Rote Armee bricht er aus und findet dabei den Tod. Doch auf das erfundene folgt „das wirkliche und einfallslose Ende": der Abtransport in die Vernichtung.
Der polnische Jude Jurek Becker kam nach einer Kindheit im Getto seiner Heimatstadt Łódź und in zwei Konzentrationslagern 1945 nach Berlin. Hier erst lernte er sprechen und so wurde Deutsch seine „Muttersprache".

Franz Fühmann,
1922–1984

„Lieder singen
vom Kampf und
vom Sieg: / Wir
baun das
Deutschland von
morgen."
Aufbau-Sonntag

In seinen jungen Jahren war **Franz Fühmann** ein glühender Bewunderer Hitlers, begeisterter Hitlerjunge und SA-Mann, ein Soldat, der an den „Endsieg" glaubte. Dann stürzte diese Welt ein. Eine andere, mit neuen Idealen, lernte er in sowjetischer Kriegsgefangenschaft kennen, wo er sich zur „Antifa-Schule" meldete, zur Umerziehung im Geiste des Antifaschismus und der marxistischen Lehre. So kam er 1949 in die neu gegründete DDR, ein „Dichter im Dienst" aus Überzeugung, bis er zu eigenständigem Denken und damit zu einer eigenen Sprache fand. 1962 brachte er unter dem Titel *Das Judenauto* eine Sammlung autobiografischer, in der Ich-Form erzählter Episoden heraus: „14 Tage aus zwei Jahrzehnten", ein Versuch zu den Gründen persönlicher wie historischer Irrtümer und Verfehlungen vorzudringen: Nazizeit und Krieg, sowjetische Gefangenschaft, Rückkehr, Neubeginn in der DDR. Die Titelgeschichte mit dem Zeitbezug „1929, Weltwirtschaftskrise" spielt im Sommer 1931. Über Juden hat der 9-Jährige von den Erwachsenen nur Schlimmes erfahren und auch eine Mitschülerin erzählt voller Entsetzen nur Greuelgeschichten: von einem gelben Judenauto, das Mädchen einfange um sie zu schlachten und aus ihrem Blut „Zauberbrot" zu backen. Wegen Träumens vom Lehrer geschlagen und mit Nachsitzen bestraft irrt der Junge hinterher erregt durch die flimmernde Mittagshitze – da holt ihn das „Judenauto" ein, dem er mit knapper Not entkommt! Am nächsten Tag in der Schule findet die Sache zwar eine höchst harmlose Klärung und er wird ausgelacht. Aber auch daran, denkt er uneinsichtig, sind nur die Juden schuld.

Gegen das Vergessen schrieb **Johannes Bobrowski** Gedichte der Erinnerung, die mit Bildern aus der Natur geschichtliche Erfahrung und Mahnung ausdrücken. Sie sind, neben kleineren Erzählungen und zwei Romanen, sein Hauptwerk. Der erste Gedichtband, 1961 in der Bundesrepublik und in der DDR erschienen, nennt das Thema, das sein Schaffen bestimmt: *Sarmatische Zeit*. „Sarmatien" heißt bei Bobrowski die Region zwischen Wolga und Weichsel, die auch seine Heimat einschließt, das Memelland. Er will erinnern an „Landschaft, Lebensart, Vorstellungsweise, Lieder, Märchen, Sagen, Mythologisches, Geschichte […] Es muss aber sichtbar werden am meisten: die Rolle, die mein Volk dort bei den Völkern gespielt hat." Durch Jahrhunderte wurde dieses Erinnerungsland bedroht, vergewaltigt, durch historisches Unrecht zerstört: von der Eroberung durch den Deutschen Ritterorden über preußische Ostpolitik bis zum Zweiten Weltkrieg mit der Vernichtung der Juden. Ein nach wie vor aktuelles Kapitel der europäischen Geschichte wurde so zum Inhalt eines großen lyrischen Werks: „die Deutschen und der europäische Osten".

Johannes Bobrowski, 1917–1965

„Leute, es möcht der Holunder / sterben / an eurer Vergesslichkeit" *Holunderblüte*, 1960

Uwe Johnsons Roman *Mutmaßungen über Jakob* (1959) wurde in der DDR geschrieben, aber in der Bundesrepublik veröffentlicht; das veranlasste den Autor zum „Umzug" in den Westen. Als Flüchtling sah er sich nicht. Die DDR und die Teilung Deutschlands blieben lange sein zentrales Thema; man nannte ihn „den Dichter der beiden Deutschland". Der Begriff „Mutmaßungen" im Titel des Romans ist Programm: Johnson verweigert die im „sozialistischen Realismus" verlangte Parteilichkeit, will vielmehr die Vieldeutigkeit menschlichen Handelns offen lassen. Das macht die Lektüre schwierig. Jakob, die Titelgestalt des Romans, ist zu dessen Beginn schon tot, kann also keine Auskunft mehr geben. Es werden Meinungen über ihn geäußert; das Geschehen ist zu ermitteln aus Bruchstücken von Erzählung, Dialog, innerem Monolog. Eindeutig sind nur technische Vorgänge, die vor allem Jakobs Beruf betreffen, seine Zuständigkeit für den Fahrplanablauf eines wichtigen Knotenpunktes der Deutschen Reichsbahn. Ein unpolitischer Mensch, loyal gegenüber seinem Staat, gerät er ohne eigenes Zutun in politische Verstrickung, beruflich und privat. Im Herbst 1956, beim Aufstand in Ungarn, müssen Züge mit sowjetischen Truppen disponiert werden. Und Jakob erhält den Auftrag seine Jugendfreundin, die „Republikflucht" begangen hat und als Sekretärin bei der NATO im Westen arbeitet, für die „Staatssicherheit" zu gewinnen. Das gelingt nicht. Bei der Rückkehr nach einem Besuch im Westen verunglückt der 28-Jährige tödlich beim Überqueren der Gleise. Ein Unfall? Der Zweifel klingt an im ersten Satz des Romans: „Aber Jakob ist immer quer über die Gleise gegangen." Was geht diesem „Aber" voraus? Die Suche nach der Wahrheit ist für Johnson zugleich die Suche nach den Möglichkeiten des Erzählens in einer undurchschaubaren Welt.

Uwe Johnson, 1934–1984

sozialistischer Realismus ↑ S. 317

Absichten: „In meinem Fall sind sie darauf gerichtet, meinen Nachbarn mit den Mitteln des Erzählens ein Modell der Welt anzubieten, wie ich sie sehe, in der Hoffnung, sie würden ihr eigenes Modell (ihre Sicht von der Welt) damit vergleichen." U. Johnson 1971

Christa Wolf,
geb. 1929

„Den Himmel
wenigstens kön-
nen sie nicht zer-
teilen", sagte
Manfred spöt-
tisch. Den Him-
mel? Dieses
ganze Gewölbe
von Hoffnung
und Sehnsucht,
von Liebe und
Trauer? „Doch",
sagte sie leise.
„Der Himmel
teilt sich zualler-
erst."

Wie ein Gegenentwurf zu Johnsons Roman erscheint **Christa Wolfs** Erzählung *Der geteilte Himmel* (1963), welche die gegensätzlichen Welten deutlich macht, die zur Zeit der erzählten Handlung durch den Bau der Mauer in Berlin (13.8.1961)scheinbar endgültig voneinander getrennt werden. Schon vor diesem politischen Ereignis erfährt die 20-jährige Rita, die im Rahmen ihrer Lehrerausbildung ein Praktikum in einer Waggonfabrik ableistet, persönlich den Schmerz einer endgültigen Trennung: Ihre Beziehung zu Manfred, einem Chemiker, der nach West-Berlin geht, zerbricht. Sie kann ihn vor dem Mauerbau dort noch besuchen, entschließt sich aber zur Rück-kehr. Denn sie glaubt daran auf der richtigen Seite zu stehen, weil die Menschen im Sozialismus zur Veränderung fähig seien. Diese Einsicht wächst in der Rückbesinnung auf ihr bisheriges Leben während eines langen Genesungsprozesses nach körperlichem und seelischem Zusammenbruch (den Selbstmordversuch hat man als Betriebsunfall verschleiert). Die Erzählung bezeugt eindrucksvoll, wieviel Binnenkritik in der DDR möglich war, vorausgesetzt, das Bekenntnis zum „Sozialismus" war klar. Realistisch wird die Arbeitswelt dargestellt, differenziert das Verhalten von Arbeitern und Funk-tionären. „Republikflucht" wird ganz sachlich gesehen, Manfred also nicht verteufelt, die staatstreu Gebliebene nicht zur Heldin stilisiert. Die Beziehung scheitert an welt-anschaulichen Gegensätzen. Das kann heißen: Die Mauer wächst in den Menschen.

Erwin Strittmat-
ter, 1912–1994

Bodenreform:
Aufhebung pri-
vaten Grundei-
gentums als Vor-
aussetzung für
landwirtschaftli-
che Produktions-
kollektive. Erst
1960 war die
Kollektivierung
durch Landwirt-
schaftliche Pro-
duktionsgenos-
senschaften
(LPG) abge-
schlossen.

Sozialistische Neugestaltung der Landwirtschaft heißt die Parole in **Erwin Strittmat-ters** Roman *Ole Bienkopp* (1963). Die Voraussetzung für eine gerechtere Landvertei-lung in der Sowjetischen Besatzungszone hatte ein Gesetz zur Bodenreform 1945 geschaffen. „Wegsucher" und „Spurmacher" in dem erfundenen Dorf Blumenau ist Ole Hansen, genannt Bienkopp, der in seinem Kampf für die Genossenschaft „Blühendes Feld" sozusagen die Zukunft vorwegnimmt und damit viele Gegner auf den Plan ruft: Altbauern natürlich, aber auch Parteibürokraten, die Weisung von oben abwarten. Darum stieß auch Strittmatters Roman zunächst auf offizielle Ablehnung – hat die Partei nicht immer Recht? Aber der Erfolg gab dem Autor Recht, so dass man diesen Roman schließlich zum Musterbeispiel eines „sozialistischen Dorfromans" erklärte. Dazu hat gewiss auch die einfache literarische Ausdrucksweise beigetragen, eine betonte Volkstümlichkeit, wie sie etwa in der Namengebung deutlich wird: Der Maurer heißt Kelle, die Konsumverkäuferin Danke, der Parteisekretär Wunschgetreu. Ole Bienkopp hat zwar in der Sache Erfolg, persönlich endet er aber traurig, schau-felt sich buchstäblich selbst sein Grab. „Eigensinn ohne Eigennutz – dafür gibt's noch kein Wort", meint ein Genosse.

Hermann Kant,
geb. 1926

Als (stell-
vertretender)
Vorsitzender des
Schriftstellerver-
bandes seit 1961
bzw. 1978 war er
von großem Ein-
fluss auf die
literarische
Szene.

An den Universitäten der DDR wurden 1949 „Arbeiter-und-Bauern-Fakultäten" (ABF) eingerichtet, damit junge Menschen aus Industrie, Handwerk, Landwirtschaft die Hochschulzulassung erwerben konnten. Als dreizehn Jahre später der erste Jahr-gang aus der regulären Schule zur Hochschule kam, war die Aufgabe der ABF erfüllt. **Hermann Kant** lässt den Journalisten Robert Iswall, die zum Teil autobiografisch gefärbte Hauptfigur seines Roman *Die Aula* (1964), aus diesem Anlass eine Festrede vorbereiten. Die Rückbesinnung ruft zahlreiche Episoden in Erinnerung, von den 20er Jahren über Nazi- und Kriegszeit bis in die Gegenwart des Jahres 1962, auch die Bundesrepublik kommt in den Blick. Vor allem aber geht es um den gesellschaftlichen und politischen Aufbau in den ersten dreizehn Jahren der DDR, um beachtenswerte Leistungen. Dass eine Schneiderin Augenärztin werden konnte, ein Forstgehilfe hoher Ministerialbeamter, spricht für sozialistische Errungenschaften im Bildungswesen. Die Kehrseite, das Schicksal der Ausgeschlossenen, bleibt unerwähnt. Aber von „Republikflucht" ist die Rede und dabei nicht nur von persönlichem Versagen, sondern auch von Defiziten im realsozialistischen Alltag. Auch wenn Iswall Widersprüche letztlich verharmlost, klingen doch kritische Töne an und am Ende wird die Rede doch nicht gehalten. Aber die letzten Worte des Romans sind optimistisch: „[...] hier wird schon noch geredet werden." Der Roman, der Realismus und Parteilichkeit mit überraschend modernen Darstellungsmitteln in Einklang zu bringen versucht, fand auch im Westen große Beachtung.

„Er hat eine schrullige Art, sich um direkte Aussagen kunstfertig herumzudrücken."
Heiner Müller 1993 über H. Kant

Aufbau in Politik und Wirtschaft muss in den Köpfen beginnen: Neues Denken setzt Aufklärung voraus. Dazu sind auch Beispiele aus der Geschichte gefragt. Der Dramatiker (und namhafte Kinderbuchautor) **Peter Hacks**, der 1955 aus der Bundesrepublik in die DDR übersiedelte und zu den Meisterschülern Brechts zählte, stellt in seinem „bürgerlichen Lustspiel" *Der Müller von Sanssouci* (1958) eine alte Lesebuch-Anekdote um den Preußenkönig Friedrich II. auf den Kopf. Die erzählt von einem selbstbewussten Müller, der den Gerechtigkeitssinn des Herrschers herausfordert. Den König stört beim Flötenspiel das Klappern der Mühle, darum soll sie stillgelegt werden. Doch der Müller wehrt sich – „Es gibt noch Richter in Berlin!" – und der König zeigt Einsicht. Bei Hacks wird aus dem aufrechten Mühlenbesitzer ein kläglicher Untertan, den der despotische König mit seinem berüchtigten Krückstock erst in die Heldenrolle prügeln muss. Denn der Alte Fritz braucht Popularität im Lande um von seinen Kriegsplänen abzulenken und rechtsstaatliches Ansehen nach außen. Ein dialektischer Geschichtsunterricht, der aus dem Gegensatz heraus argumentiert: Erst wenn der Mensch seine Ohnmacht als selbst verschuldet begreift, kann er selbstständiges Handeln lernen.

Peter Hacks, geb. 1928

In einer Szene seines Stücks *Germania Tod in Berlin* (1953/71) greift der Dramatiker **Heiner Müller** die These von der Propaganda-Lüge der Anekdote vom Müller von Sanssouci auf und geht noch einen Schritt weiter: Der König prügelt den Müller in die Schlacht und der verschlingt den Krückstock, verinnerlicht so despotischen Zwang und marschiert mit stocksteifem Paradeschritt in den Krieg.
Wie ist die starre Aufteilung der Menschheit in Herren und Sklaven zu überwinden? Diese Frage stellt Heiner Müller in seinem Stück *Der Auftrag. Erinnerung an eine Revolution* (1971). Drei Abgesandte der französischen Revolutionsregierung sollen in Jamaica einen Aufstand zur Befreiung der schwarzen Sklaven anzetteln. Aber das Unternehmen scheitert, weil Frankreich sie im Stich lässt. Dort tritt Napoleon die Macht an: „Die Welt wird, was sie war: eine Heimat für Herren und Sklaven." Die Erinnerung an die Revolution wird zum Ausdruck von Trauer und Verzweiflung über verlorene Zukunft, zerstörte Utopie. Dies ist der eine Aspekt für den Sozialisten Heiner Müller, der seine eigene Zeit reflektiert. Der andere ist die Suche des Dramatikers nach Wegen, auf die intellektuelle Aufklärung nicht gelangt. Kann in der Zerstörung nicht doch eine Hoffnung auf Veränderung aufscheinen, im Bild unterwürfiger „Hunde", die zu reißenden Wölfen werden? Kann aus den barbarischen Grausamkeiten der Revolutionswirren, die das Stück in kaum erträglicher Steigerung beschwört, ein anderes Menschentum aufstehen, das wirklich neue Wege geht?

Heiner Müller, 1929 – 1995

„Die Heimat der Sklaven ist der Aufstand."

Ulrich Plenz-
dorf, geb. 1934

Eine Erzählung von **Ulrich Plenzdorf**, 1968 als Filmszenarium entworfen und erst 1977 (nach Vorabdruck in der Zeitschrift *Sinn und Form;* ↑ S. 317) als Buch erschienen, löste in der DDR eine große literaturpolitische Diskussion aus und wurde zum „Kultbuch" jugendlicher Leser: *Die neuen Leiden des jungen W.* In der Bundesrepublik war es das erfolgreichste DDR-Buch überhaupt und stand in der Bühnenfassung zwei Jahre lang an der Spitze der Spielpläne. Der Grund: Es ließ einen in der DDR bis dahin „unerhörten" Ton anklingen und betraf durchaus auch das Lebensgefühl der Altersgenossen im Westen. Der 17-jährige Edgar Wibeau rebelliert zwar nicht gegen die gesellschaftliche Ordnung der DDR, aber er fühlt sich beengt, vermisst Möglichkeiten freier Selbstverwirklichung. So steigt er, der beste Lehrling seiner Gruppe, aus der Lehre aus, zieht in eine Laube, jobbt in einer Malerbrigade und will – aus Ehrgeiz, aber auch zum Spaß und zur Arbeitserleichterung – eine nebelfreie Farbspritzpistole erfinden. Ein elektrischer Schlag lässt ihn „über den Jordan gehen" und so erreicht uns Edgars Bericht in schnodderigem Jargon sozusagen aus dem Jenseits. Redeweise und Lebensgefühl verdankt Edgar weitgehend zwei Kultbüchern früherer Generationen:

„Ich war jeden-
falls fast so weit,
dass ich Old
Werther
verstand, wenn
er nicht mehr
weiterkonnte."

einmal dem Roman *Der Fänger im Roggen* (1951) des Amerikaners **Jerome D. Salinger** (geb. 1919), dessen jugendlicher Held verstört der Heuchelei seiner Umwelt zu entkommen sucht; dann einem Klassiker, Goethes *Werther* (↑ S. 98), der zu seiner Zeit ein Opfer enger bürgerlicher Verhältnisse wurde. Die naive Art, in der Wibeau Werther-Zitate für sich nutzt, hat den Protest mancher Vertreter des „klassischen Kulturerbes" hervorgerufen. Verdacht erregte auch die offen – und ansteckend – geäußerte Vorliebe für alles Westliche im Lebensstil, vor allem in der Begeisterung für Jeans. Doch das locker vorgebrachte, ernsthafte Plädoyer für einen verständnisvollen und toleranten Umgang mit jungen Menschen, die sich totaler Anpassung widersetzen, blieb nicht ohne Wirkung.

„Für Jeans könn-
te ich überhaupt
auf alles verzich-
ten."

Volker Braun,
geb. 1939

Radikaler als Plenzdorf stellt der vor allem als Lyriker und Theaterautor bekannte **Volker Braun** in seiner *Unvollendeten Geschichte* die Frage nach dem Recht auf persönliches Glück in einer reglementierten Gesellschaft. Der Text ist in der DDR als Abdruck in *Sinn und Form* (1975) nur einem kleinen Leserkreis bekannt geworden (westdeutsche Ausgabe 1977). Im Mittelpunkt steht die 18-jährige Karin, die bei einer Zeitung arbeitet. Ihr Freund Frank gerät in den – unausgesprochenen und unbegründeten – Verdacht „Republikflucht" begehen zu wollen. Karins Vater, ein hoher Parteifunktionär und der Parteisekretär ihrer Zeitung verbieten ihr den weiteren Umgang mit Frank. Der unternimmt einen Selbstmordversuch, wird aber gerettet. Karin entschließt sich die Entscheidung über ihr Leben selbst zu treffen: Sie bleibt bei Frank und trägt das gemeinsame Kind aus. In welche Zukunft? Dies ist Volker Brauns zentrale Frage und er stellt sie ausdrücklich mit dem Blick auf Plenzdorfs „Lösung". Widersprüche in der Gesellschaft dürften nicht aus falschem Harmoniebedürfnis unter den Teppich gekehrt werden. Der sozialistische Staat müsse begreifen, wie wichtig der persönliche Beitrag Einzelner für den Aufbau sei, also auch persönliches Identitäts- und Glücksverlangen, das sich mit Normen und starren Idealen nicht abspeisen lässt. Der letzte Satz der Erzählung bekräftigt noch einmal die im Titel anklingende Forderung, man dürfe gesellschaftliche Prozesse niemals als abgeschlossen ansehen: „Hier begannen, während die eine nicht zu Ende war, andere Geschichten."

Karin denkt:
Wibeau „stieß
sich an allem
Äußeren, das war
lustig, und ging
per Zufall über
den Jordan. Das
Ungeheure in
dem Werther
war, dass da ein
Riss durch die
Welt ging und
durch ihn
selbst."

„Kommt uns
nicht mit
Fertigem!
Wir brauchen
Halbfabrikate!"
Anspruch, 1965

Unter einem poetischen, von Aufbruch-
stimmung kündenden Titel hat **Maxie Wander**
(1933–1977) 1977 Gesprächsprotokolle mit
17 Frauen versammelt.
Zwar waren auch in der DDR Frauen nur
„Zaungäste der Macht" (Irmtraud Morgner),
sonst aber boten sich ihnen in hohem Maße
Möglichkeiten der Selbstverwirklichung.
Wie gut die Voraussetzungen für eine beach-
tenswerte Literatur von Frauen (nicht nur)
für Frauen waren, bezeugen Namen wie
Sarah Kirsch (*Die Pantherfrau*, 1973 ↑ S.328),
Brigitte Reimann (*Franziska Linkerhand*, 1974
↑ S. 317), **Irmtraud Morgner** (*Leben und
Abenteuer der Trobadora Beatriz …*, 1974,
Motto: „Seid Realisten, verlangt das
Unmögliche!"), **Monika Maron**
(*Flugasche*, 1981), **Helga Schütz**
(*In Annas Namen*, 1988) u. a.

Texte und Zeiten – ein Ausblick

Nicht gesagt

Marie Luise
Kaschnitz, 1965

Nicht gesagt,
Was von der Sonne zu sagen gewesen wäre
Und vom Blitz nicht das einzig Richtige
Geschweige denn von der Liebe.

5 Versuche. Gesuche. Misslungen
Ungenaue Beschreibung

Weggelassen das Morgenrot
Nicht gesprochen vom Sämann
Und nur am Rande vermerkt
10 Den Hahnenfuß und das Veilchen.

Euch nicht den Rücken gestärkt
Mit ewiger Seligkeit
Den Verfall nicht geleugnet
Und nicht die Verzweiflung

15 Den Teufel nicht an die Wand
Weil ich nicht an ihn glaube
Gott nicht gelobt
Aber wer bin ich dass

M. L. Kaschnitz,
1901–1974: „Ich
war an meine
Zeit gebunden
und hatte die
Botschaften wei-
terzugeben, die
ich von meinen
Zeitgenossen
empfing." (1967)

„Je älter ich
werde, desto
weniger sicher
bin ich, das
Richtige richtig
zu sagen. Ich
kann keine
Behauptungen
mehr aufstellen,
ich muss tasten,
eine Annäherung
versuchen."
(1961)

Rückblick in einer Kette von Verneinungen: negative Bilanz einer dichterischen Existenz? Die Zeitwörter stehen in der Vergangenheit: So war es in der Zeit, die der Dichterin gegeben war. Vieles von dem, was gemeinhin Inhalt von Dichtung ist, hat sie an den Rand drängen oder weglassen müssen: die kleinen und die mächtigen Erscheinungen der Natur. Das „Gespräch über Bäume", hat Brecht gesagt (↑ S. 294). Im Ungenauen blieb das Herantasten an Lebenswichtigstes: die Liebe und die letzten Fragen. Doch was da in Wahrheit „misslungen" ist, waren nur falsche Forderungen an Dichtung, nämlich „das einzig richtige" Wort zu finden; so zu tun als könnten Verfall und Verzweiflung mit schönen Bildern verdeckt werden. Wer das leidend eingesehen hat, darf am Ende doch „ich" sagen, seine Position in der Zeit orten mit der Frage nach der eigenen Person. Wenn auch nur in einer Sprache, die „Kargwort neben Kargwort" setzt, nicht alles ausspricht. So bricht der letzte Satz ab.

Sarah Kirsch,
1965

Eines Tages

Eines Tages werde ich gewissenlos glücklich sein, da
Wird mich die Nachricht erreichen, ich weiß nicht
Ob Sommer ob wässriger Schnee ist, kann sein
Ich schäle Kartoffeln (versuch ohne
5 Das Messer zu lösen ein Band)

Einer wird es vor mir erfahren, er sagt es am
Telefon, möglich ich antworte nicht
Lege den Hörer zurück, rauch eine Zigarette
Schalte das Radio ein, gieße Blumen
10 Oder ich geh auf die Straße in Läden auf Plätze
Um zu bemerken, dass alles wie immer geschieht
Die Leute drängen sich vor, anderswo
Wird eine Kundgebung organisiert, Mikrofonprobe
Der Redner schreibt eine langweilige Rede

15 An diesem Tag
Werde ich Marschmusik lieben und Schalmein
Ich warte auf ihn wenn mich die Nachricht erreicht
Der Krieg ist vorbei, die ich nicht meine Brüder nenne, falln
Ein Schwarm Fliegen, mit ihren Flugzeugen, Schiffen, Kanonen
20 Zurück in ihr Land

Schalmein lassen an liebliche Klänge in idyllischen Landschaften denken; hier aber auch an das „Schalmei" genannte Martinshorn, ein einfach zu spielendes Instrument, beliebt in der Arbeiterbewegung zur Begleitung von Kampfliedern.

Vorausblick in eine ersehnte Zeit. Diese Dichterin (geb. 1935) sagt von Anfang an „ich", ist auf Aktivität gespannt in einer unbestimmten Zukunft, auf das, was „eines Tages" sein wird. Wenn nämlich die erlösende „Nachricht" eintrifft: Ende des „Krieges", Abzug der fremden Truppen. Dann endlich wird sie ja sagen können, einverstanden sein mit dem Glück ohne ein schlechtes Gewissen haben zu müssen, weil die Zeiten dagegensprechen.
Rettet der Tagtraum, der nach Erfüllung verlangt, aus gegenwärtiger Not?

An die Dichter

Karin Kiwus,
1976

Die Welt ist eingeschlafen
in der Stunde eurer Geburt

allein mit den Tagträumen
erweckt ihr sie wieder

5 roh und süß und wild
auf ein Abenteuer

eine Partie Wirklichkeit lang
unbesiegbar im Spiel

„[…] der Mensch
spielt nur, wo er
in voller Bedeu-
tung des Worts
Mensch ist, und
er ist nur da ganz
Mensch, wo er
spielt."
Friedrich Schiller,
1795

Dichter und Dichterinnen – wie die 1942 geborene Karin Kiwus – können immer wieder die Welt neu erwecken, wenn sie mit ihren „Tagträumen" Künftiges vorwegnehmen. Abenteuer Dichtung: Sie macht „unbesiegbar", solange ihr Spiel dauert, das die flüchtig-wechselhafte Wirklichkeit für eine Weile aufhalten kann.

„Poesie", sagt Karin Kiwus, „das ist ein bisschen Freiheit machen."

Register mit Namen, *Titeln* und Fachbegriffen (die wichtigsten mit •)

Abendphantasie 141 f.
*Abenteuerliche Simplicissimus
    Teutsch, Der* 63 ff.
*Ackermann und der Tod,
    Der* 39 ff.
Agathon, Geschichte des 71
Agnes Bernauer (Hebbel,
    Kroetz) 239 ff., 313
Ahnung und Gegenwart 166
Aichinger, Ilse 314
Akrostichon 61
• Allegorie 68
Alliteration 7
Alphabetisierung 201
Althochdeutsch 14, 31
Ambrosius 14
Amphitryon 147
Amulett, Das 235 ff.
Anagramm 66
analytisches Drama 147
Andersch, Alfred 311
Andersen, Hans Christian 159
Andorra 278, 301 f.
andorranische Jude, Der 301 f.
• Anekdote 149 f.
Ankunftsliteratur 317
Anna Amalia, Herzogin von
    Sachsen-Weimar-
    Eisenach 106
Anthologie 271
Antiphon 18
Apitz, Bruno 322
Aristoteles 284
arme Heinrich, Der 22
Arnim, Achim von 163 f., 173
Arnim, Bettine von 171 ff.,
    205
Arp, Hans Jean 273
Artus 19
Äsop 72 ff., 319
Asphaltliteratur 293
Attila (Etzel) 10, 25 ff.
• Aufbau eines klassischen
    Dramas 126 f.
Aufbauroman 317

• Aufklärung 72 f.
Auftrag, Der 325
*Aufzeichnungen des Malte
    Laurids Brigge, Die* 263 f.
Aula, Die 324 f.
*Aus dem Leben eines
    Taugenichts* 164 f.
*Aus meinem Leben. Dichtung
    und Wahrheit* 110
Bachmann, Ingeborg 304 f.
Bacon, Francis 265
Baldanders 67 f.
Ball, Hugo 273
• Ballade 93
Balladenjahr 117 ff.
Bänkelsang 308
Barbarossa (Friedrich I.) 18
• Barock 57 f.
Bartsch, Kurt 315 f.
Bauer, Der 91
Becher, Johannes R. 316 f.
Becker, Jurek 322
• Bedeutungswandel 31
Benedictus 15
Benn, Gottfried 272, 285 f.
Berg, Alban 222
Bergengruen, Werner 300
Bergkristall 188 ff.
Berlin Alexanderplatz 278 ff.
Bernhard, Thomas 315
Besuch der alten Dame, Der
    226, 312
Bettelheim, Bruno 160
*Biedermann und die Brand-
    stifter* 179, 302
• Biedermeier 179
Biermann, Wolf 93, 215 f.,
    318, 320
Birken, Sigmund von 62 f.
Bismarck, Otto Fürst von 226
Bitterfelder Weg 317
Blankenburg, Friedrich von
    71
• Blankvers 80
Blutgericht, Das 259 f.

Blut- und- Boden-Dichtung
    268, 294
Bobrowski, Johannes 323
Böll, Heinrich 296, 305 f.,
    312
Bonifatius 15
Borchert, Wolfgang 296 ff.
Börne, Ludwig 178
Brahms, Johannes 209
Brant, Sebastian 49 f.
Braun, Volker 326
Brecht, Bertolt 17, 93, 197,
    272, 278, 281 ff., 294, 303,
    316 f., 319 f.
Brentano, Clemens 162 ff.,
    172 f.
Brief, Ein 265 f.
• Brief/Briefroman 101, 173
Brion, Friederike 89 f.
Brockes, Barthold Hinrich
    81 f.
Brot, Das 296 f.
Brüder Grimm 159 ff.
Bruitismus 275
*Buben in der Schule, Die
    schlimmen* 198 f.
Buch der Lieder, Das 209 ff.
Buchdruck 43
Bücherverbrennung 291 f.
*Buch gehört dem König,
    Dies* 174
Buchmessen 138
Büchner, Georg 216 ff., 227,
    256
Buchstaben 7
*Buch von der Deutschen
    Poeterey* 58 f.
Buddenbrooks 287
Buff, Charlotte 101
Bunte Steine 190
Bürger, Gottfried August
    91 ff.
*bürgerlichen Heldenleben,
    Aus dem* 289
bürgerliches Trauerspiel 76

Calderón de la Barca, Pedro 57, 194

Campe, Joachim Heinrich 85 f.

Cervantes Saavedra, Miguel de 57, 70

Chrestien de Troyes 23

christlichen Adel deutscher Nation, An den 43 f.

Chronik der Sperlingsgasse, Die 247

Claudius, Matthias 150

• Collage /Montage 280

Corneille, Pierre 57

Couplet 198

Courasche 70

• Dadaismus 273 ff.

Dadaistisches Manifest 275

Dahn, Felix 11, 228

Dante, Alighieri 157

Dantons Tod 219

Darwin, Charles 227

• DDR, Literatur in der 316 ff.

Defoe, Daniel 70, 85

Dekadenz 268

• Deutschland, Das Junge 200 f.

Deutschland. Ein Winter-märchen 211 ff.

Deutschstunde 311 f.

Dichter und ihre Gesellen 166

Dichtkunst, Versuch einer critischen 75

• Dichtung aus Klöstern 16

Dichtung und Wahrheit. Aus meinem Leben 110

Dietrich von Bern (Theode-rich) 9, 12, 25

Döblin, Alfred 272, 278 ff., 307

Doktor Faustus 52

Don Carlos, Infant von Spanien 112 ff., 178

Dorfgeschichten 228

• Drama 75 f.

Drama, analytisches 147

Drama, Aufbau eines klassischen 126 f.

Dramaturgie, Hamburgische 75 ff.

Draußen vor der Tür 298

drei Einheiten 75

Droste-Hülshoff, Annette von 179, 182 ff.

Dürer, Albrecht 49

Dürrenmatt, Friedrich 226, 312

Effie Briest 253

Egmont, ein Trauerspiel 108 ff.

Egmont, Graf 108 ff.

Eich, Günter 294 ff., 311

Eichendorff, Joseph von 164 ff., 203 f.

Ein feste Burg ist unser Gott 44 f.

Eines Tages 328

Einheiten, drei 75

Einsamer nie – 285

Emblem 58

Emigration, Innere 293 f.

Emilia Galotti 78

Emil und die Detektive 289

Empfindsamkeit 73, 81 f.

• Endreimvers 14

Engels, Friedrich 206

Enzensberger, Hans Magnus 303

• Episches Theater 284

• Epos 23

Ermittlung, Die 311

Etzel (Attila) 10, 25 ff.

Eulenspiegel, Till 51

Evangelienbuch 13 ff.

Exil 201, 292 f.

• Expressionismus 271 f.

• Fabel 72 ff.

Fabian 289

Fallada, Hans 288

Familie Selicke, Die 254 ff.

Fänger im Roggen, Der 326

farent Schueler ins Paradeiß, Der 45 ff.

Fassbinder, Rainer Werner 289

Fastnachtsspiel 48

Faust. Eine Tragödie 130 ff.

Fausten, Historia von D. Johann 52

Faustus, Doktor 52

Fegefeuer in Ingolstadt 289

feste Burg ist unser Gott, Ein 44 f.

Fiesko zu Genua, Die Verschwörung des 115

Fin de siècle 268

Flegeljahre 140

Fleißer, Marieluise 289

Fliegende Blätter 179

• Flugblatt/Flugschrift 44

Folklore 90

Fontane, Theodor 249 ff.

Fragment 156

Französische Revolution 107, 128, 157, 216, 219

Frauenliteratur 314, 327

Freiheit in Krähwinkel 199 f.

Freiligrath, Ferdinand 178, 228

Freud, Sigmund 170, 195

Freytag, Gustav 126, 228

Friedrich I. (Barbarossa) 18

Friedrich II. 33

Friedrich II. von Preußen 83 f., 92, 325

Friedrich Wilhelm IV. 174, 177, 202, 205

Frisch, Max 179, 278, 284, 301 f.

Froschkönig oder der eiserne Heinrich, Der 160 f.

frühen Gräber, Die 82

Frühling, Im 180 f.

Frühlings Erwachen 287

Fühmann, Franz 322 f.

Fünf Mann Menschen 307 ff.

Garten des Theophrast, Der 321

Gartenlaube, Die 228

Gedichte eines Lebendigen 205

Gegenreformation 55, 62

Gelegenheitsdichtung 84

Gemeinsprache 43
George, Stefan 265
Gerhardt, Paul 56 f.
Germania Tod in Berlin 325
• Germanische Dichtung 11
Germanistik 157
Geschichte des Agathon 71
Geschichte des Fräuleins von Sternheim 71
Geschichten aus dem Wiener Wald 290
geteilte Himmel, Der 324
Glaeser, Ernst 291
• Gleichnis /Parabel 277 f.
Gleichschaltung 291
Gleim, Johann Wilhelm Ludwig 74, 84
Goebbels, Josef 291 f.
Goethe, Johann Wolfgang (von) 54, 71, 87 ff., 93, 94 ff., 98 ff., 103 ff., 117 ff., 130 ff., 143, 148, 152 f., 157, 203
Goethes Briefwechsel mit einem Kinde 171, 173
Goeze, Johann Melchior 78
Gontard, Susette 143
Görres, Josef von 52
Gottfried von Straßburg 23
Gotthelf, Jeremias 227
Gottsched, Johann Christoph 59, 75
Götz von Berlichingen mit der eisernen Hand 94 ff.
Graf, Oskar Maria 291
Gral 23
Grass, Günter 311
Greflinger, Georg 61
Greiffenberg, Catharina Regina von 61 ff.
Grenzen der Menschheit 103 f.
Grillparzer, Franz 179, 192 ff.
Grimm, Brüder 159 ff.
Grimmelshausen, Hans Jakob Christoffel von 63 ff.
Grün, Max von der 300
Gründerjahre 226, 256
Gruppe 47 299 f.

Gruppe 61 300
Gryphius, Andreas 53 ff., 270
Günderode, Karoline von 171 ff.
Guten Morgen, du Schöne! 327
Gutzkow, Karl 219
Habgier 313
Hacks, Peter 284, 325
Halbzeit 313
Hamann, Johann Georg 90
Hamburgische Dramaturgie 75 ff.
Handke, Peter 314
Handschuh, Der 118 f.
Hans und Heinz Kirch 229 ff.
Hardenberg, Friedrich von (Novalis) 154 ff., 170
Härtling, Peter 314 f.
Hartmann von Aue 19 ff.
Hauff, Wilhelm 159
Hauptmann, Gerhart 258 ff.
Hauptmann von Köpenick, Der 310
Haus ohne Hüter 312
Haushofer, Albrecht 54
Haushofer, Marlen 314
Hebbel, Friedrich 28, 191, 239 ff.
Hebel, Johann Peter 150
Hegel, Wilhelm Friedrich 142
Heimatkunst 268, 293 f.
Heine, Heinrich 81, 93, 170, 178, 201, 206 ff., 227, 291
Heinrich von Ofterdingen 154 ff.
Heißenbüttel, Helmut 307
Heldenlied 11
Helmbrecht 36 f.
Hemingway, Ernest 297
Herder, Johann Gottfried 89 f., 93, 106, 157
Herwegh, Georg 178, 202 ff., 228
Hesse, Hermann 268, 288
Hessische Landbote, Der 216 ff.
Heym, Georg 269 f., 273

Hildebrandslied 9 f., 117
Hildegard von Bingen 17 f.
Historia von D. Johann Fausten 52
Hochhuth, Rolf 300
Hochsprache 58
Hoffmann von Fallersleben, August Heinrich 178
Hoffmann, Ernst Theodor Amadeus 167 ff.
höfisches Epos 23
Hofmannsthal, Hugo von 265 f., 268
Hölderlin, Friedrich 141 ff.
Holz, Arno 254 ff.
Homer 23, 90
Horacker 244 ff.
Horaz 65
Horen, Die 117 f.
• Hörspiel 305 ff.
Horvath, Ödön von 290
Hrabanus Maurus 15
Hrotsvit von Gandersheim 16 f.
Huchel, Peter 294, 317, 320 f.
Hugenotten 235
Hughes, Richard 307
• Humanismus 41
Hutten, Ulrich von 41
Hymnus 14
Hyperion oder der Eremit in Griechenland 142 f.
Ibsen, Henrik 256
Ich saz ûf eime steine 34 f.
Immensee 232
Immermann, Karl Leberecht 179
• Impressionismus 265
Innere Emigration 293 f.
ins lesebuch für die oberstufe 303
Insel Felsenburg 71
Inventur 295 f.
Iphigenie auf Tauris 112
Irdisches Vergnügen in Gott 82
• Ironie 209
Irrungen, Wirrungen 249 ff.

Italienische Reise 111
Iwein 19 ff.
Jakob der Lügner 322
Jambus 59
Jandl, Ernst 274 f., 307 ff.
Jean Paul 138 ff., 157
Jedermann 266
Jesuiten(drama) 55
Jetzt und nie 313
Johannes von Tepl 39 ff.
Johnson, Uwe 323
Judenauto, Das 322 f.
Judenbuche, Die 182 ff.
Jugendbewegung 271
Jugendliteratur ↑ Kinderlite-
    ratur
Jugendstil 268
Junge Deutschland, Das
    • 200 ff., 214
Jungfrau von Orleans, Die
    127 f.
Jürg Jenatsch 238
Kabale und Liebe 115 f.
Kafka, Franz 276 ff., 297
Kahlschlag-Literatur 298
Kalender(geschichte) 150
Kampf um Rom, Ein 11, 228
Kant, Hermann 324 f.
Kant, Immanuel 72, 138, 148
Kardinaltugenden 21
Karikatur 198
Karl der Große 15
Karl August von Weimar
    105 f., 117
Karl Eugen von Württem-
    berg 96
Karl IV. 41
Karlsbader Beschlüsse 177
Karsch, Anna Louisa 83 f.
Kaschnitz, Marie Luise 294,
    327 f.
Kästner, Erich 289, 291
Katharsis 284
Katz und Maus 311
Keller, Gottfried 223 ff.,
    227 ff.
Kind, Ein 315

Kinder- und Hausmärchen,
    Die 160 ff.
Kinderliteratur 85 f., 159,
    164, 234 f., 253, 289, 315
Kirchenlied 14, 44, 56
Kirsch, Sarah 327 f.
Kiwus, Karin 329
• Klassik 107
klassischen Dramas, Aufbau
    eines 126 f.
Kleider machen Leute 223 ff.
Kleiner Mann – was nun? 288
Kleist, Heinrich von 144 ff.
Klinger, Friedrich Maximili-
    an 96
Klopfzeichen 305 f.
Klopstock, Friedrich Gott-
    lieb 82, 93, 96, 99
Klöstern, Dichtung aus 16
Knaben Wunderhorn, Des
    164, 173
Koeppen, Wolfgang 312
Kohlhaas, Michael 150 ff.
Kollwitz, Käthe 260
Komödie 75
König Ödipus 147
König, Dies Buch gehört dem
    174
Kornfeld, Theodor 60
Kotzebue, August von 177
Kraus, Karl 198
Krieg, Der 269 f.
Kroetz, Franz Xaver 197,
    289, 313
Kudrunlied 28
Kunert, Günter 320
Kunze, Reiner 303 f.
• Kurzgeschichte 297
Lalebuch, Das 50 ff.
Langgässer, Elisabeth 310
La Roche, Sophie von 71,
    101, 171 f.
Lasker-Schüler, Else 272
Leben des vergnügten Schul-
    meisterlein Maria Wuz in
    Auenthal 138 ff.
Leben ein Traum, Das 194

• Legende 16, 17, 159
Legende von Theophilus 16 f.
Lehen 22
Lehrstück 284
Leiden des jungen W., Die
    neuen (Plenzdorf) 326
Leiden des jungen Werther,
    Die 71, 98 ff., 326
Lengefeld, Charlotte von 117
Lenore 92 f., 204
Lensing, Elise 243
Lenz, Jakob Michael
    Reinhold 256
Lenz, Siegfried 311 f.
lesebuch für die oberstufe, ins
    303
Lessing, Gotthold Ephraim
    59, 72 ff., 96, 127
Leute von Seldwyla, Die 225 f.
Liedermacher 300
Loest, Erich 318
Logau, Friedrich von 58, 61,
    179
Lohengrin 24
Lorelei 209 f.
Ludwig, Otto 227
Lustspiel 75 f.
Luther, Martin 42 ff., 57, 73,
    96
Lutherbibel 43
• Lyrik 34
Lyrik, Probleme der 286
Macpherson, James 93
Mädchen aus Viterbo, Die 311
Mallarmé, Stéphane 266
Malte Laurids Brigge, Die
    Aufzeichnungen des 263 f.
Manifest der Kommunisti-
    schen Partei 206
Mann ohne Eigenschaften,
    Der 288
Mann, Heinrich 287, 291, 316
Mann, Thomas 287, 316
• Märchen 156, 158 ff., 222
Maria Magdalene 243
Maria Stuart 125 f.
Marie de France 74

Mario und der Zauberer 287
Maron, Monika 327
Marx, Karl 205 f., 213
Materialismus 227
May, Karl 253
Mayröcker, Friederike 307 f.
Meeresstrand 234
Meistersang 48
Menschheitsdämmerung 271
Merseburger Zaubersprüche
  8 f.
Messias, Der 82, 138
Metternich, Fürst von 177,
  191, 199
Meyer, Conrad Ferdinand
  235 ff.
Michael Kohlhaas 150 ff.
Milieutheorie 227
*Minna von Barnhelm oder
  Das Soldatenglück* 76 f.
Minne 28 ff.
Miss Sara Sampson 76
Mittelhochdeutsch 31
• Moderne, Die 267 f.
Mon, Franz 307
• Montage /Collage 280
*Morgendliche Rede an den
  Baum Griehn* 319 f.
Morgner, Irmtraud 327
Mörike, Eduard 179, 180 ff.
Moritat 308
Motte Fouqué, Friedrich de
  la 166
*Mozart auf der Reise nach
  Prag* 181
Müller, Heiner 284, 325
Müller von Sanssouci, Der 325
Müller, Wilhelm 91
*Münchhausen, Wunderbare
  Reisen zu Wasser und zu
  Lande des Freiherrn von* 92
Musen 83
Musil, Robert 288
Mutmaßungen über Jakob 323
Mythologie 157, 160
Mythos 159
Nachgetragene Liebe 315

Nackt unter Wölfen 322
Namen 8
Napoleon 11, 29, 101, 107,
  157, 177, 195, 219
Narrenschiff, Das 49 f.
Narziss und Goldmund 288
Nathan der Weise 79 f.
• Naturalismus 256 f.
Naturgeschichte für Kinder 85
Nestroy, Johann Nepomuk
  197 ff.
Neuber, Friederike Caroline
  75
Neuhochdeutsch 31
Neuklassik 268
Neuromantik 268
Neuzeit 136
Nibelungenlied 25, 26 ff.
Nicht gesagt 327 f.
Nietzsche, Friedrich 268
Novalis 154 ff., 170
• Novelle 152 f.
Ode 303
Ödipus, König 147
Ole Bienkopp 324
Opitz, Martin 58 f.
Oranien, Wilhelm von 108
Ossian 93, 100
Otfrid von Weißenburg 13 ff.
Otto I. 17
• Parabel/Gleichnis 277 f.
• Parodie 204
Parzival 23 ff.
Pegnitz-Schäfer 62
Phantasus 258
Philipp II. 108, 113 f., 125
Pietismus 73
Plenzdorf, Ulrich 326
Poe, Edgar Allan 297
*Poeterey, Buch von der
  Deutschen* 58 f.
• Poetik 59
• Poetischer Realismus 226 ff.
Pole Poppenspäler 234 f.
Positivismus 227
• Posse 198
Preislied 11

Probleme der Lyrik 285 f.
Proletarier 217
Prometheus 87 f.
Prüfung, Die 276 f.
Pyrenäenbuch, Ein 289
Raabe, Wilhelm 244 ff.
Racine, Jean Baptiste 57
Raff, Georg Christian 85
Rahmenerzählung 153
Raimund, Ferdinand 195 ff.
Raubdruck 106
Räuber, Die 96 ff., 138
Reaktion 199
• Realismus, poetischer 226 ff.
Realismus, sozialistischer 317
Reimann, Brigitte 317, 327
Reisebilder 208 f.
*Reisen zu Wasser und zu
  Lande des Freiherrn
  von Münchhausen,
  Wunderbare* 92
Renaissance 41, 153
Restauration 157, 177, 194, 219
Revolution, Französische
  107, 128, 157, 216, 219
Richter, Hans Werner 299 f.
Richter, Johann Paul Fried-
  rich (Jean Paul) 138 ff., 157
Rilke, Rainer Maria 263 ff.,
  267
• Ritterliche Tugenden 21
Robinson Crusoe 70, 85
Robinson der Jüngere 85 f.
Rolland, Romain 262
Rom, Ein Kampf um 11, 228
• Roman 23, 70 f., 156
• Romantik in Deutschland
  156 f.
römische Brunnen, Der 239
Römische Fontäne 267
Rosegger, Peter 227
Rudolf I. von Habsburg 36
Runen 7
Ruodlieb 16
Sachbuch/Sachliteratur 52,
  85
Sachs, Hans 45 ff., 96

Sage 17, 156, 159
Sahl, Hans 293
Saisonbeginn 310
Salinger, Jerome D. 326
Sandmann, Der 167 ff.
Sansibar oder der letzte Grund 311
Sarmatische Zeit 323
• Satire 65
Savigny, Carl Friedrich von 172
Schachnovelle 288
Schatzkästlein des Rheinländischen Hausfreundes 150
Schelling, Friedrich Wilhelm Josef von 142
Schiller, Friedrich (von) 93, 96 ff., 107, 112 ff., 117 ff., 143, 157, 178, 204, 329
Schiltbürger, Die 51
Schimmelreiter, Der 232 f.
Schlaf, Johannes 254 ff.
Schlegel, August Wilhelm 54, 157, 204, 329
Schlegel, Friedrich 156, 209
Schnabel, Johann Gottfried 71
Schnurre, Wolfdietrich 298
Schubart, Christian Friedrich Daniel 96
Schubert, Franz 209
Schücking, Levin 186
Schule, Die schlimmen Buben in der 198 f.
Schumann, Robert 209
Schütz, Helga 327
• Schwank 50 f.
Schwitters, Kurt 274
Seghers, Anna 321
Seldwyla, Die Leute von 225 f.
Sendbrief vom Dolmetschen 42 f.
Sequenz 16
Shakespeare, William 57, 75, 90, 96, 157
Short Story 297
siebte Kreuz, Das 321

Simplicissimus Teutsch, Der Abenteuerliche 63 ff.
Simultaneität 275, 280
Sinn und Form 317, 320
Sokrates 65, 209
• Sonett 53 f.
Sophokles 147
sozialistischer Realismus 317
Späte Zeit 294
Spiegelgeschichte 314
Spinnerin Nachtlied, Der 162 f.
Sprachgesellschaften 58 f.
Spruchdichtung 34
• Stabreim 7 f.
Ständeklausel 75
Stein, Charlotte von 106, 119
Stein, Freiherr vom 165
Steppenwolf, Der 288
Sternheim, Carl 289
Stifter, Adalbert 179, 188 ff.
Stimmen der Völker in Liedern 90
Storm, Theodor 152, 227, 229 ff.
Stramm, August 273
Strindberg, August 256
Strittmatter, Erwin 324
Sturm und Drang 96, 127
• Symbolismus 266
Taugenichts, Aus dem Leben eines 164 f.
Tell, Wilhelm 128 f.
Tendenzliteratur 201
Teufels General, Des 310
• Theater, Episches 284
Theoderich der Große 9, 12, 25, 27
Theophilus, Legende von 16 f.
Theophrast 321
Thieß, Frank 294
Thränen des Vaterlandes 53 f., 270
Tieck, Ludwig 157 f.
• Tierfabel 73 f.
Till Eulenspiegel 51
Titan 140

Toller, Ernst 272, 289
Törless, Die Verwirrungen des Zöglings 288
Torquato Tasso 111
• Tragik 116 f.
Tragödie 75
Trakl, Georg 272
Trauerspiel 75 f.
Traum ein Leben, Der 192 ff.
Travestie 204
Treibhaus, Das 312
Trochäus 59
Tucholsky, Kurt 289, 302
Tugenden, ritterliche 21
Tzara, Tristan 280
Uhland, Ludwig 245, 279
Ulrich von Hutten 41
Ungeduld des Herzens 288
Under der linden 32
Untertan, Der 287
Unvollendete Geschichte 326
Urfaust 130
Verschwender, Der 195 f.
Verschwörung des Fiesko zu Genua, Die 115
• Versmaß 59 f.
verteidigung der wölfe gegen die lämmer 303
Verwirrungen des Zöglings Törless, Die 288
Viehmann, Dorothea 162
Völkerwanderung 11
• Volksbücher 52, 156
• Volkslied 90 f., 156
Volkssprache 43
• Volkstheater 197
• Vormärz 177
Vor Sonnenaufgang 257, 261
Vulgata 43
Vulpius, Christiane 112
Wagner, Richard 11, 24, 28
Wallenstein 122 ff., 209
Wallraff, Günter 300
Walser, Martin 313
Waltharius 16
Walther von der Vogelweide 28 ff.

Wand, Die 314
Wander, Maxie 327
*Wanderungen durch die
Mark Brandenburg* 253
Wartburgfest 177, 199, 245
Weber, Die 258 ff.
Wedekind, Frank 287
Weidig, Friedrich Ludwig
217 f.
Weinheber, Josef 293 f.
Weiss, Peter 284, 300, 311
Weiße Rose, Die 44
*Wer einmal aus dem
Blechnapf frisst* 288
Wernher der Gartenære 36 f.
*Werther, Die Leiden des
jungen* 71, 98 ff., 326

Werther-Fieber 101
• Westdeutsche Literatur
nach 1945 299 f.
Weyrauch, Wolfgang 299 f.
Wickram, Jörg 51
Wiechert, Ernst 294
Wiegenlied 202 f.
Wieland, Christoph Martin
71, 106
Wienbarg, Ludolf 200 f.
Wiener Kongress 177
Wilhelm II. 260, 262, 267
Wilhelm Tell 128 f.
*Wintermärchen, Deutschland.
Ein* (Heine, Biermann)
211 ff.
Wohmann, Gabriele 313

Wolf, Christa 175, 324
Wolf unter Wölfen 288
Wolfram von Eschenbach
23 ff.
Woyzeck 220 ff.
Wunschloses Unglück 314
Zauberlehrling, Der 120 ff.
Zauberspruch 8 f., 11
Zeitung 44
• Zensur 48, 78, 173 f., 177 f.
195, 200 f., 209, 211, 214,
237, 261, 272, 287, 291 ff.,
315 ff.
zerbrochne Krug, Der 144 ff.
Zola, Emile 256
Zuckmayer, Carl 197, 310
Zweig, Stefan 267, 288

Bildquellenverzeichnis

S. 7 Ullstein Bilderdienst, Berlin; S. 10 Bildarchiv Preuß. Kulturbesitz, Berlin; S. 13 Österreichische Nationalbibliothek, Wien; S. 18 Ullstein Bilderdienst, Berlin; S. 25 / 27 / 33 Bildarchiv Preuß. Kulturbesitz, Berlin; S. 39 / 44 Ullstein Bilderdienst, Berlin; S. 47 © VG Bild-Kunst, Bonn 1995; S. 49 Bildarchiv Preuß. Kulturbesitz, Berlin; S. 54 © VG Bild-Kunst, Bonn 1995; S. 58 ©VG Bild-Kunst, Bonn 1995; S. 66 / 74 Bildarchiv Preuß. Kulturbesitz, Berlin; S. 86 © VG Bild-Kunst, Bonn 1995; S. 88 Öffentliche Kunstsammlung Kupferstichkabinett, Basel; S. 93 Bildarchiv Preuß. Kulturbesitz, Berlin; S. 95 Freiherrl. v. Berlichingen' sches Rentamt, Jagsthausen; S. 98 Bildarchiv Preuß. Kulturbesitz, Berlin; S. 101 Goethe-Museum, Düsseldorf; S. 105 Deutsches Literaturarchiv / Schiller-Nationalmuseum, Marbach; S. 111 Freie Deutsche Hochstift, Frankfurt am Main; S. 116 story-press / Jochen Clauss, Berlin; S.120 © VG Bild-Kunst, Bonn 1995; S. 129 Abisag Tüllmann, Frankfurt am Main; S. 136 Christina Bauer, Berlin; S. 140 Bildarchiv Preuß. Kulturbesitz, Berlin; S. 142 Horst Janssen, Hamburg; S. 148 / 155 Bildarchiv Preuß. Kulturbesitz, Berlin; S. 162 © VG Bild-Kunst, Bonn 1995; S. 169 Musee d'art et d'Histoire, Neuchatel / Schweiz; S. 173 / 178 Bildarchiv Preuß. Kulturbesitz, Berlin; S. 186 Interfoto, München; S. 189 Österreichische Nationalbibliothek, Wien; S. 197 Bildarchiv Preuß. Kulturbesitz, Berlin; S. 203 Reclam Verlag, Stuttgart; S. 208 Landesbildstelle Rheinland, Düsseldorf; S. 218 Bildarchiv Preuß. Kulturbesitz, Berlin; S. 229 Zentralbibliothek, Zürich; S. 230 Theodor Storm Archiv, Husum; S. 238 Zentralbibliothek, Zürich; S. 247 Bildarchiv Preuß. Kulturbesitz, Berlin; S. 251 Deutsche Literaturgeschichte (Metzlersche Verlagsbuchhandlung), Stuttgart 1984; S. 253 © VG Bild-Kunst, Bonn 1995; S. 257 / 260 Bildarchiv Preuß. Kulturbesitz, Berlin; S. 264 Worpsweder Verlag, Lilienthal; S. 266 © VG Bild-Kunst, Bonn 1995; S. 271 Bildarchiv Preuß. Kulturbesitz, Berlin; S. 277 © VG Bild-Kunst, Bonn 1995; S. 280 Schiller-Nationalmuseum / Deutsches Literaturarchiv, Marbach; S. 282 Ullstein Bilderdienst, Berlin; S. 286 Deutsches Literaturarchiv, Marbach; S. 287 © VG Bild-Kunst, Bonn 1995; S. 292 © VG Bild-Kunst, Bonn 1995; S. 298 Rosemarie Clausen, Hamburg; S. 299 Renate von Mangoldt (Literarisches Colloquium), Berlin; S. 310 © VG Bild-Kunst, München; S. 314 dtv, München; S. 316 © VG Bild-Kunst, Bonn 1995; S. 319 Renate von Mangoldt (Literarisches Colloquium), Berlin; S. 321 Akademie der Künste, Berlin; S. 327 Luchterhand-Literaturverlag, Hamburg